Herzlichen Glückwunsch
zum 39. Geburtstag
! 🏵 ! 🏵 !
Viel Spaß beim Le-
sen wünscht Dir
Deine Dich Lieben-
de Tochter.

J.R.R. TOLKIEN
DAS SILMARILLION

Herausgegeben
von Christopher Tolkien

Aus dem Englischen übersetzt
von Wolfgang Krege

Hobbit Presse/Klett-Cotta

Klett-Cotta
Die Originalausgabe erschien unter dem Titel
»The Silmarillion«
© 1977 by George Allen & Unwin Ltd., London
Published by arrangement with
HarperCollins Publishers Ltd., London
Für die deutsche Ausgabe
© J. G. Cotta'sche Buchhandlung Nachfolger GmbH, gegr. 1659,
Stuttgart 1978

Zweite Auflage dieser Ausgabe 1998
Fotomechanische Wiedergabe
nur mit Genehmigung des Verlages
Printed in Germany
Einbandgestaltung: Klett-Cotta-Design
Bildmotive von der alpha comic verlag gmbh
(Jim Burns; Colin Hay)
Auf säure- und holzfreiem Werkdruckpapier gedruckt
und gebunden von Clausen & Bosse, Leck
ISBN 3-608-87520-4

Inhalt

AKALLABÊTH
347
VON DEN RINGEN DER MACHT UND DEM DRITTEN ZEITALTER
381
ANHÄNGE

Vorwort

Das Silmarillion, das nun vier Jahre nach dem Tode seines Verfassers erscheint, ist eine Erzählung von den Ältesten Tagen oder dem Ersten Zeitalter der Welt. Im *Herrn der Ringe* waren die großen Ereignisse zu Ende des Dritten Zeitalters berichtet worden; die Geschichten des Silmarillion aber sind Legenden, die aus einer viel früheren Vergangenheit stammen, aus der Zeit, als Morgoth, der erste Dunkle Herrscher, in Mittelerde hauste und die Hochelben Krieg gegen ihn führten, um die Silmaril zurückzugewinnen.

Nicht nur erzählt aber *Das Silmarillion* von den Ereignissen einer viel früheren Zeit als der des *Herrn der Ringe,* es ist auch – in all seinen Grundzügen – das viel früher entstandene Werk. Tatsächlich liegt es schon seit einem halben Jahrhundert vor, wenn es auch damals noch nicht *Das Silmarillion* hieß; und in zerfledderten Notizbüchern, die bis 1917 zurückreichen, kann man noch die ältesten, oft hastig hingekritzelten Fassungen der Geschichten lesen, die im Mittelpunkt dieser Mythologie stehen. Doch das Werk wurde nie veröffentlicht (manche Hinweise auf seinen Inhalt konnte man freilich dem *Herrn der Ringe* entnehmen), und in seinem ganzen langen Leben ließ mein Vater niemals davon ab, ja selbst in seinen letzten Jahren arbeitete er unermüdlich daran fort.

In all den Jahren erfuhr *Das Silmarillion,* einfach als ein weitgespannter Erzählungsrahmen betrachtet, relativ wenige tiefgreifende Veränderungen; schon frühzeitig wurde es zur festen Tradition und zum Hintergrund für spätere Schriften. Doch gewiß war es noch alles andere als ein festgelegter Text, und selbst manche Grundgedanken zur Natur der Welt, die es zeichnet, blieben nicht unverändert, als die gleichen Legenden in längerer und kürzerer Form und in wechselnden Stilen mehrfach neu erzählt wurden. Im Lauf der Jahre wurden die Änderungen und Varianten sowohl in den Einzelheiten wie in den weiteren Perspektiven so kompliziert, verästelt und vielschichtig, daß eine letztgültige Fassung unerreichbar zu sein schien.

Außerdem wurden die alten Legenden (»alt« nun nicht mehr nur im Hinblick auf ihre Herleitung aus dem fernen Ersten Zeitalter, sondern auch im Hinblick auf sein Leben) für meinen Vater Quelle und Speicher seiner tiefsten Gedanken. In seinen späteren Schriften traten Mythologie und Dichtung hinter seinen theologischen und philosophischen Neigungen zurück, und daraus ergaben sich Unstimmigkeiten im Ton.

Nach dem Tode meines Vaters fiel mir die Aufgabe zu, das Werk in eine veröffentlichungsreife Form zu bringen. Es wurde mir klar, daß der Versuch, die Vielfalt der Texte zwischen den Deckeln eines einzigen Buches darzubieten – und *Das Silmarillion* so als die in Fortgang und Entwicklung begriffene Schöpfung vorzuweisen, die es in Wahrheit ist –, doch nur Verwirrung stiften und das Wesentliche verschütten könnte. Ich nahm mir daher vor, einen einzigen Text herauszuarbeiten, indem ich so auswählte und anordnete, daß – wie mir schien – eine möglichst zusammenhängende und in sich stimmige Erzählung zustande kam. Bei dieser Arbeit brachten die Schlußkapitel (vom Tode Túrin Turambars an) insofern besondere Schwierigkeiten mit sich, als sie viele Jahre über unverändert geblieben waren und so in mancherlei Hinsicht beträchtliche Divergenzen zu den weiter fortgeführten Gedanken in anderen Teilen des Buches aufwiesen.

Völlige Stimmigkeit (sowohl innerhalb des *Silmarillion* selbst als auch zwischen diesem und anderen veröffentlichten Schriften meines Vaters) ist nicht zu erwarten; sie ließe sich, wenn überhaupt, dann nur mit hohem und unnötigem Aufwand erzielen. Außerdem sah auch mein Vater schließlich *Das Silmarillion* als eine Sammlung an, als ein Kompendium von Erzählungen, das viel später aus höchst unterschiedlichen Quellen (Gedichten, Geschichtswerken, mündlichen Berichten), welche die Zeitalter überdauert hatten, zusammengestellt wurde; und diese Vorstellung entspricht auch der tatsächlichen Geschichte des Buches, denn wirklich liegt ihm ja sehr vieles an älteren Vers- und Prosaerzählungen zugrunde, und in gewissem Maße ist es tatsächlich und nicht nur theoretisch eine Sammlung. Darauf mögen die Unterschiede im Erzähltempo und in der Detailfülle der verschiedenen Teile zurückzuführen sein, zum Beispiel der Kontrast zwischen den genauen Angaben der Schauplätze und Beweggründe in der Legende von Túrin Turambar und dem vergleichsweise knappen und distanzierten Bericht vom Ende des Ersten Zeitalters, als Thangorodrim geschleift und Morgoth überwältigt wurde; ebenso auch manche Uneinheitlichkeiten von Ton und Zeichnung, manche Dunkelheiten und hier und da auch eine Lücke in den Zusammenhängen. Im Falle der *Valaquenta* zum Beispiel müssen wir annehmen, daß sie zwar vieles enthält, was aus den frühesten Zeiten der Eldar in Valinor stammen muß, aber doch in späteren Zeiten umgearbeitet wurde; und dies könnte den dauernden Wechsel in Zeitform und Perspektive erklären, bei dem die göttlichen Mächte bald als unmittelbar gegenwärtig und in der Welt tätig, bald als ferngerückt erscheinen, als ein entschwundenes, nur mehr in der Erinnerung lebendiges Geschlecht.

Das Buch enthält, obwohl es mit Fug und Recht den Titel *Das Silmarillion* trägt, nicht nur die *Quenta Silmarillion* oder das eigentliche *Silmarillion,* sondern auch vier andere, kürzere Werke. Die *Ainulindale* und die *Valaquenta,* die zu Anfang stehen, sind eng mit dem *Silmarillion* verknüpft; *Akallabêth* und *Von den Ringen der Macht* aber, die am Ende folgen, sind (wie zu betonen ist) davon ganz und gar getrennt und unabhängig. Daß sie mit aufgenommen werden, entspricht der erklärten Absicht meines Vaters; und damit ist die gesamte Geschichte umspannt, von der Musik der Ainur, mit der die Welt begann, bis zur Ausfahrt der Ringträger aus den Anfurten von Mithlond am Ende des Dritten Zeitalters.

Die Zahl der in diesem Buch vorkommenden Namen ist sehr groß, und ich habe einen vollständigen Index erstellt; die Anzahl der Personen (Elben und Menschen) jedoch, die in der Erzählung vom Ersten Zeitalter eine wichtige Rolle spielen, ist sehr viel kleiner, und sie alle finden sich in den genealogischen Tafeln. Außerdem habe ich eine Tafel beigegeben, welche die recht komplizierten Benennungen der verschiedenen Elbenvölker erklärt, ferner eine Auskunft über die Aussprache der Elbennamen, eine Liste mancher Wortelemente in diesen Namen und eine Landkarte. Man wird bemerken, daß die große Bergkette im Osten, die Ered Luin oder Ered Lindon, auf der Karte zum *Herrn der Ringe* im äußersten Westen erscheint. Im Innern des Bandes findet sich noch eine kleinere Karte, die auf einen Blick verdeutlichen soll, wo die Königreiche der Elben in Mittelerde lagen, nachdem die Noldor zurückgekehrt waren. Mit weiteren Kommentaren oder Anmerkungen wollte ich das Buch nicht belasten. Doch liegt noch eine Fülle unveröffentlichter Schriften meines Vaters zu den Drei Zeitaltern vor, Schriften erzählerischen, linguistischen, historischen und philosophischen Charakters, und ich hoffe, es wird sich zu einem späteren Zeitpunkt als möglich erweisen, manches davon zu veröffentlichen.

Bei der an Schwierigkeiten und Ungewißheiten reichen Aufgabe, den Text für dieses Buch zusammenzustellen, war mir Guy Kay eine große Hilfe, der 1974/75 mit mir zusammengearbeitet hat.

Christopher Tolkien

AINULINDALE

Die Musik der Ainur

Eru war da, der Eine, der in Arda Ilúvatar heißt; und er schuf erstens die Ainur, die Heiligen, Sprößlinge seiner Gedanken; und sie waren bei ihm, bevor irgend andres erschaffen war. Und er sprach zu ihnen, sie Melodien lehrend, und sie sangen vor ihm, und er war froh. Lange aber sangen sie nur jeder für sich allein oder zu wenigen, während die andren lauschten, denn ein jeder verstand von Ilúvatars Gedanken nur jenen, aus dem er selber stammte, und nur langsam lernten sie auch ihre Brüder verstehen. Doch indem sie hörten, verstanden sie besser, und es wuchsen Einklang und Harmonie.

Und es geschah, daß Ilúvatar die Ainur alle zusammenrief und sie eine gewaltige Melodie lehrte, die größere und herrlichere Dinge auftat, als er ihnen je gezeigt hatte; und der Glanz ihres Anfangs und die Pracht ihres Endes verwirrten die Ainur, so daß sie sich vor Ilúvatar verneigten und still waren.

Da sagte Ilúvatar zu ihnen: »Aus dem Thema, das ich euch gewiesen, machet nun in Harmonie gemeinsam eine Große Musik. Und weil ich euch mit der Unverlöschlichen Flamme angefacht habe, so zeiget eure Kräfte und führet mir dies Thema aus, ein jeder nach seiner Art und Kunst, wie's ihm beliebt. Ich aber will sitzen und lauschen und froh sein, daß durch euch solche Schönheit zum Liede erwacht.«

Da begannen die Stimmen der Ainur zu erschallen wie Harfen und Lauten, Flöten und Posaunen, Geigen und Orgeln, und sie machten aus Ilúvatars Thema eine große Musik; und ein Klang stieg auf von endlos ineinander spielenden Melodien, harmonisch verwoben, und verlor sich in die Höhen und Tiefen jenseits allen Gehörs, und die Räume, wo Ilúvatar wohnte, quollen über, und die Musik und ihr Echo hallten hinaus in die Leere, und sie war nicht mehr leer. Nie wieder haben seither die Ainur eine Musik gleich dieser gespielt, doch heißt es, eine noch schönere solle vor Ilúvatar nach dem

Ende aller Tage erklingen, von den Chören der Ainur und der Kinder Ilúvatars. Dann werden die Themen Ilúvatars rechtens gespielt werden und das Sein erlangen in dem Augenblick, da sie erklingen, denn alle werden dann ganz verstanden haben, welches für ihr Teil Ilúvatars Absicht ist, und jeder wird wissen, was jeder weiß, und Ilúvatar wird ihren Gedanken das geheime Feuer geben, und er wird sein Wohlgefallen haben.

Jetzt aber saß Ilúvatar und lauschte, und lange schien es ihm, daß es gut sei, denn die Musik war ohne Fehl. Wie aber das Thema weiterging, kam es Melkor in den Sinn, Töne einzuflechten, die er selbst erdacht hatte und die nicht zu Ilúvatars Thema stimmten, denn er strebte nach mehr Glanz und Macht für die ihm zugewiesene Stimme. Melkor waren unter den Ainur die reichsten Gaben an Macht und Wissen verliehen, und an allen Gaben seiner Brüder hatte er teil. Oft war er allein in die Räume der Leere gegangen, um die Unverlöschliche Flamme zu suchen, denn heiß war sein Verlangen, Dinge in die Welt zu setzen, die sein eigen wären, und es schien ihm, daß Ilúvatar sich nicht um die Leere kümmerte; er aber war es nicht zufrieden, daß sie leer war. Doch er fand nicht das Feuer, denn es ist bei Ilúvatar. Als er aber allein war, hatte er begonnen, eigne Gedanken zu denken, andre als seine Brüder.

Manche von diesen Gedanken flocht er nun in sein Lied, und Mißklang wuchs um ihn auf, und viele, die nahe bei ihm sangen, wurden unmutig; ihre Gedanken verwirrten sich, und ihr Gesang stockte; manche aber begannen sich auf ihn einzustimmen und von ihrem ersten Gedanken abzuweichen. Nun breitete sich Melkors Mißklang noch weiter aus, und die Melodien, die man zuvor gehört, scheiterten in einem Meer wirrer Töne. Ilúvatar aber saß und lauschte, bis daß es schien, ein Sturm dunkler Wasser tobe um seinen Thron, die in endlosem, unversöhnlichem Haß einander bekriegten.

Da stand Ilúvatar auf, und die Ainur sahen, daß er lächelte. Und er hob die linke Hand, und ein neues Thema kam auf inmitten des

Sturms, ähnlich dem ersten und doch anders, und es gewann Kraft und war von neuer Schönheit. Doch die Mißtöne Melkors bäumten sich auf und widerstritten ihm, und abermals, heftiger als zuvor, führten die Töne Krieg, bis daß viele der Ainur sich fürchteten und nicht mehr sangen, und Melkor hatte die Oberhand. Abermals stand Ilúvatar auf, und die Ainur sahen, daß seine Miene streng war, und er hob die rechte Hand, und siehe, ein drittes Thema erwuchs aus der Wirrnis, und es war anders als die ersten. Denn zuerst schien es leis und sanft, nur ein Wellenspiel milder Laute in zarten Melodien, doch war es nicht zu übertönen und kam zu Kraft und Würde. Und so schien es nun, als ob zwei Lieder zu gleicher Zeit vor dem Thron Ilúvatars erklängen, und sie waren ganz uneins. Das erste war tief und weit und schön, doch langsam und im Ton eines unermeßlichen Leides, aus dem seine Schönheit entsprang. Das andere hatte nun für sein Teil zu einer Einheit gefunden, doch war es schrill und leer und wiederholte sich endlos; und es hatte nicht viel Harmonie, sondern eine lärmende Einstimmigkeit, wie wenn viele Trompeten zwischen wenigen Tönen wechseln. Und es war bemüht, das andre Lied mit der Gewalt seiner Stimme zu ersticken, doch schien es, daß seine leuchtendsten Töne von dem andren Lied ergriffen und in dessen feierlicher Melodie mitgeführt wurden.

Inmitten dieses Kampfes, der Ilúvatars Hallen erschütterte, so daß ein Beben in die Räume nie gebrochenen Schweigens hinauslief, stand Ilúvatar ein drittes Mal auf, und sein Antlitz war furchtbar zu schauen. Dann hob er beide Hände, und mit einem Akkord, der tiefer war als der Abgrund, höher als das Firmament und durchdringend wie das Licht aus dem Auge Ilúvatars, endete die Musik.

Da sprach Ilúvatar, und er sagte: »Mächtig sind die Ainur, und am mächtigsten unter ihnen Melkor; daß er's aber wisse, er und alle Ainur, daß ich Ilúvatar bin, will ich euch jene Dinge zeigen, die ihr gesungen, und möget ihr sehen, was ihr getan. Und du, Melkor, sollst sehen, kein Thema kann gespielt werden, das nicht in mir seinen tiefsten Grund hätte, noch kann das Lied einer ändern, mir zum Trotz.

Denn wer dies unternimmt, nur als mein Werkzeug wird er sich erweisen, um Herrlicheres zu schaffen, von dem er selbst nichts geahnt.«

Da fürchteten sich die Ainur, und sie verstanden noch nicht die Worte, die sie vernommen hatten; und Melkor war von Scham erfüllt, aus der geheimer Zorn wuchs. Ilúvatar aber erhob sich in Herrlichkeit, und er schritt fort von den lichten Gefilden, die er für die Ainur geschaffen hatte, und die Ainur folgten ihm.

Als sie aber in die Leere gekommen waren, da sagte Ilúvatar zu ihnen: »Sehet, dies ist euer Lied!« Und er zeigte ihnen ein Gesicht und gab ihnen zu sehen, was sie zuvor nur gehört hatten; und sie sahen eine neue Welt, und sie wölbte sich in der Leere und wurde von der Leere getragen, doch war sie nicht gleich ihr. Und als sie sahen und staunten, da tat diese Welt ihre Geschichte vor ihnen auf, und sie schien zu leben und zu wachsen. Und nachdem die Ainur eine Weile geschaut hatten und schwiegen, da sagte Ilúvatar abermals: »Sehet nun eure Musik! Dies ist euer Gesang, und ein jeder von euch soll hier eingeschlossen finden, in dem Plan, den ich euch vor Augen führe, wovon immer ihn dünken mag, er selbst habe es ersonnen oder hinzugetan. Und du, Melkor, wirst all die heimlichen Gedanken deines Geistes entdecken, und wirst erkennen, nur ein Teil des Ganzen sind sie und ihm untertan.«

Und vieles andre noch sagte Ilúvatar damals zu den Ainur, und da sie sich seiner Worte erinnern und jeder das Lied kennt, das er selber gespielt, wissen die Ainur vieles von dem, was war, was ist und was sein wird, und wenige Dinge bleiben ihnen verborgen. Manches aber ist da, das können sie nicht sehen, weder allein noch im gemeinsamen Ratschluß; denn nur sich selbst hat Ilúvatar alles vertraut, was er bereithält, und in jedem Zeitalter treten Dinge auf, die neu und nicht geweissagt sind, denn sie kommen nicht aus dem Vergangenen. Und so auch bei diesem Gesicht der Welt: Als es vor den Ainur aufgetan wurde, da sahen sie Dinge, die sie nicht gedacht hatten. Und mit Erstaunen sahen sie die Kinder Ilúvatars kommen und die Wohnung, die ihnen bereitet war, und sie erkannten, daß sie selbst mit ihrer Musik

Hand angelegt hatten, ihnen diese Wohnung zu schaffen, ohne doch von einem andern Zweck als dem der Schönheit zu wissen. Denn die Kinder Ilúvatars waren von ihm allein erdacht, und sie kamen mit dem dritten Thema und waren nicht in dem Thema, das Ilúvatar zu Anfang gab, und keiner der Ainur hatte an ihnen mitgeschaffen. Um so besser gefiel ihr Anblick den Ainur, denn anders als sie selbst waren diese Geschöpfe, fremd und frei, worin sie von neuem den Geist Ilúvatars erkannten und noch ein wenig mehr von seiner Weisheit erfuhren, die sonst auch den Ainur verborgen blieb.

Die Kinder Ilúvatars aber sind Elben und Menschen, die Erstgeborenen und die Nachkömmlinge. Und inmitten all der Wunder der Welt, ihrer weiten Hallen und Räume und kreisenden Feuer, bestimmte Ilúvatar ihnen eine Stätte in den Tiefen der Zeit und inmitten der unzählbaren Sterne zur Wohnung. Und diese Wohnung mag jenen ein Geringes scheinen, die nur die Größe der Ainur sehen und nicht auch ihre furchtbare Schärfe: Wie wenn einer das ganze Gefilde Ardas zur Grundlage eines Pfeilers nähme und diesen immer höher aufrichtete, so lange, bis der Gipfel spitzer als eine Nadel wäre; oder wer nur an die unermeßliche Weite der Welt denkt, an der die Ainur noch immer bauen, und nicht auch an die feine Genauigkeit, mit der sie ein jedes Ding darinnen bilden. Als nun aber die Ainur jene Wohnung im Gesichte erblickt und die Kinder Ilúvatars hatten erwachen sehen, da wandten viele der Mächtigsten unter ihnen all ihr Denken und Trachten jenem Orte zu. Unter diesen ragte Melkor hervor, wie er auch zu Anfang der Größte unter den Ainur gewesen war, die an der Musik teilhatten. Und er gab vor und glaubte es selbst zuerst, daß er dorthin zu gehen begehre, um alles zum Wohl der Kinder Ilúvatars zu richten, und er hielt die Stürme von Hitze und Kälte im Zaum, die in ihm tobten. Was er begehrte, war aber, sich Elben und Menschen zu unterwerfen, denn er neidete ihnen die Gaben, die Ilúvatar ihnen versprach, und er wollte selber Untertanen und Knechte haben und der Herr genannt werden und über andrer Willen gebieten.

Die anderen Ainur aber blickten auf diese Wohnung in den weiten Räumen der Welt, welche die Elben Arda nennen, die Erde, und ihre Herzen erfreuten sich des Lichts, und ihre Augen waren froh der vielen Farben, die sie schauten; große Sorge aber machte ihnen das Toben der See. Und sie achteten auf die Winde und die Luft, auf die Elemente, aus denen Arda gemacht war, Eisen und Stein und Silber und Gold und viele andre Stoffe; von allen diesen am höchsten aber schätzten sie das Wasser. Und die Eldar sagen, mehr als in jedem anderen Stoff auf dieser Erde sei im Wasser das Echo von der Musik der Ainur lebendig; und viele der Kinder Ilúvatars lauschen noch immer unersättlich den Stimmen des Meeres und wissen doch nicht, auf was sie lauschen.

Dem Wasser nun hatte jener Ainur seinen Sinn zugewandt, den die Elben Ulmo nennen, und ihn hatte Ilúvatar von allem am tiefsten in der Musik unterwiesen. Die Lüfte und Winde aber verstand Manwe am besten, welcher unter den Ainur der Edelste ist. Die Dinge im Schoß der Erde hatte Aule bedacht, dem Ilúvatar an Kunst und Wissen kaum weniger verliehen hatte als Melkor; Aule aber setzt allen Stolz und alle Freude in die Arbeit des Fertigens und in das gefertigte Ding, nicht in den Besitz noch in die eigene Meisterschaft, und deshalb schenkt er und hortet nicht und nimmt unbesorgt stets wieder etwas Neues vor.

Und Ilúvatar sprach zu Ulmo und sagte: »Siehst du nicht, wie hier in diesem kleinen Reich in den Tiefen der Zeit Melkor deine Provinz bekriegt? Bittre, unermeßliche Kälte hat er ersonnen und doch nicht die Schönheit deiner Quellen und klaren Teiche vernichtet. Sieh nur den Schnee und den grimmigen Frost! Hitze und Feuer ohne Maß hat Melkor entfacht, und doch ist deine Freude nicht vertrocknet und die Musik des Meeres nicht ganz erstickt. Sieh auch die hohen prächtigen Wolken und die wechselvollen Nebel, und höre, wie der Regen auf die Erde fällt! Und in diesen Wolken bist du Manwe nahe, deinem Freunde, den du liebest.«

Da antwortete Ulmo: »Wahr ist's, schöner sind nun die Wasser, als mein Herz es gedacht, und in meinem heimlichsten Sinnen habe ich nichts von der Schneeflocke gewußt, noch war in meinem Gesang je das Fallen des Regens erklungen. Ich will Manwe suchen gehen, auf daß er mit mir Melodien zu deiner ewigen Freude mache!« Und von Anfang an sind Manwe und Ulmo Bundesgenossen gewesen, und in allem haben sie am getreuesten Ilúvatars Absicht gedient.

Aber noch während Ulmo sprach und die Ainur auf dieses Gesicht starrten, wurde es entrückt und ihren Blicken verborgen, und zugleich schien es ihnen, daß sie etwas Neues sahen, das Dunkel, das sie zuvor nicht gekannt hatten, außer in Gedanken. Aber sie hatten die Schönheit jenes Gesichtes liebgewonnen und waren vertieft in den Aufgang der Welt, die dort ins Sein trat; und sie ging ihnen nicht aus dem Sinn, denn unvollendet war die Geschichte, und die Kreise der Zeit hatten sich noch nicht geschlossen, als das Gesicht entrückt wurde. Und manche haben gesagt, das Gesicht habe aufgehört, bevor das Reich der Menschen begründet gewesen und die Erstgeborenen verschwunden seien; weshalb die Valar, obgleich ihre Musik über allem ist, nicht mit eigenen Augen die Späten Zeitalter erblickt haben, noch das Ende der Welt.

Unruhig waren da die Ainur; Ilúvatar aber sprach zu ihnen und sagte: »Ich kenne den Wunsch eures Geistes, was ihr gesehen, solle wahrhaftig sein, nicht nur in euren Gedanken, sondern sein wie ihr selber seid, und doch anders. Also sage ich: *Ea!* Es Sei! Und ich will die Unverlöschliche Flamme in die Leere hinaussenden, und sie wird im Herzen der Welt brennen, und die Welt soll sein; und wer von euch will, mag in sie hinabsteigen.« Und plötzlich sahen die Ainur in der Ferne ein Licht, wie von einer Wolke mit einer Flamme im Herzen; und sie wußten, daß dies nicht nur ein Gesicht war, sondern daß Ilúvatar ein Neues erschaffen hatte: Ea, die Welt, die ist.

So kam es, daß manche der Ainur bei Ilúvatar blieben, jenseits der Welt; andere aber, darunter manche der größten und edelsten, nahmen von Ilúvatar Abschied und stiegen in die Welt hinab. Diese

Bedingung aber stellte Ilúvatar, oder sie ist notwendig aus ihrer Liebe, daß ihre Kräfte von nun an in der Welt eingeschlossen und gebunden und für immer darinnen bleiben müßten, bis sie vollendet sei, so daß sie der Welt Leben sind und die Welt ihr Leben. Und daher werden sie die Valar genannt, die Mächte der Welt.

Als aber die Valar Ea betraten, waren sie zuerst befremdet und ohne Rat, denn nichts schien schon erschaffen zu sein, wie sie es in dem Gesichte erblickt, sondern alles war noch ungestalt und wollte erst beginnen, und es war dunkel. Denn die Große Musik war nur ein Blühen und Wachsen der Gedanken in den zeitlosen Hallen gewesen und das Gesicht nur ein Vorgesicht; nun aber waren die Valar beim Anfang der Zeit eingetreten, und sie sahen, nur als Lied und Schatten war die Welt schon dagewesen, und sie erst mußten sie vollbringen. So begannen ihre gewaltigen Mühen in den unermeßlichen, nie gesehenen Wildnissen, über ungezählte und vergessene Alter hin, bis daß in den Tiefen der Zeit und in den weiten Hallen von Ea jene Stunde und jene Stätte da war, wo den Kindern Ilúvatars die Wohnung gerichtet war. Und zu diesem Werke taten Manwe, Aule und Ulmo am meisten; doch auch Melkor war von Anfang an dabei, und er mischte sich in alles und wandte es, wo er konnte, nach seinen eigenen Wünschen und Plänen; und Melkor entfachte die großen Brände. Als daher die Erde noch jung und voller Flammen war, begehrte sie Melkor zu eigen, und er sagte zu den anderen Valar: »Dies Königreich soll mein sein, und nach mir will ich es benennen.«

Doch Manwe war Melkors Bruder im Geiste Ilúvatars, und er war das führende Instrument des zweiten Themas gewesen, das Ilúvatar gegen Melkors Mißklang aufgeboten hatte; und er rief viele Geister herbei, größere und geringere, und sie stiegen herab in die Gefilde Ardas und halfen Manwe, auf daß Melkor sie nicht für immer hindere, ihr Werk zu vollbringen, und die Erde nicht schon vor der Blüte verdorre. Und Manwe sagte zu Melkor: »Dies Reich sollst du nicht dein eigen nennen wider Recht, denn viele haben sich hier gemüht, nicht minder als du.« Und es gab Streit zwischen Melkor und den andren Valar, und fürs erste zog sich Melkor zurück, wandte sich anderen Gegenden zu und tat dort, was ihm beliebte; doch das Königreich Arda begehrte er weiter von Herzen.

Die Valar nahmen nun selber Form und Gestalt an, und weil es die Liebe zu den erhofften Kindern Ilúvatars war, die sie in die Welt geführt hatte, so wählten sie Gestalten nach der Art, wie sie es in dem Gesichte Ilúvatars erblickt hatten, nur edler und prächtiger. Doch ist ihre Gestalt aus dem Wissen von der sichtbaren Welt gebildet, nicht aus dem Sichtbaren selbst; und sie bedürfen ihrer nur so, wie wir Kleider tragen, ohne doch minder wirklich zu sein, wenn wir nackt sind. Daher können die Valar, wenn es ihnen beliebt, der Gestalt entraten, und dann vermögen auch die Eldar sie nicht deutlich zu sehen, nur daß sie zugegen sind. Wenn sie jedoch sich zu kleiden wünschen, so gehen manche der Valar in männlicher und manche in weiblicher Gestalt, denn diesen Unterschied des Gemüts kannten sie schon von Anbeginn, und er wird in der Wahl, die ein jeder trifft, nur verkörpert, nicht geschaffen, so wie auch bei uns Mann und Weib am Kleide zu erkennen, doch nicht durch das Kleid geschaffen sind. Die Gestalten, in denen die Großen erscheinen, sind aber nicht zu allen Zeiten gleich denen der Könige und Königinnen unter den Kindern Ilúvatars; denn bisweilen kleiden sie sich in die eigenen Gedanken und werden sichtbar in erhabener und schrecklicher Gestalt.

Und die Valar sammelten viele Gefährten um sich, deren manche geringer, manche fast so mächtig waren wie sie selber, und zusammen richteten sie die Erde ein und geboten den Stürmen Halt. Da sah Melkor, was geschah: daß die Valar als sichtbare Mächte auf Erden gingen, im Gewand dieser Welt, liebenswürdig und prächtig, als Glückselige, denen die befriedete Erde zum Lustgarten wurde. Noch mehr wuchs da sein Neid, und auch er nahm sichtbare Gestalt an; wie sein Gemüt aber und wie das Böse, das in ihm brannte, war seine Erscheinung dunkel und schrecklich. Und er stieg auf Arda hinab, größer an Macht und Würde als jeder andre unter den Valar, wie ein Berg, der im Meere watet, das Haupt über den Wolken, in Kleidern von Eis und mit einer Krone von Qualm und Feuer; und das Licht aus Melkors Augen war wie eine Flamme, die mit Hitze sengt und mit tödlicher Kälte schneidet.

So begann die erste Schlacht der Valar mit Melkor um die Herrschaft Ardas, doch von jenen Stürmen wissen die Elben nur wenig. Denn was hierzu überliefert ist, stammt von den Valar selbst, mit denen die Eldalië im Lande Valinor gesprochen haben und von denen sie unterrichtet wurden; wenig aber sagten die Valar je von den Kriegen vor der Ankunft der Elben. Doch heißt es unter den Eldar, die Valar hätten immer, Melkor zum Trotz, die Erde regieren und sie auf die Ankunft der Erstgeborenen vorbereiten wollen; und sie erbauten Länder, und Melkor zerstörte sie; Täler gruben sie, und Melkor schüttete sie zu; Berge meißelten sie, und Melkor stieß sie um; Meeren gaben sie ihr Bett, und Melkor verspritzte sie; und so hatte kein Ding Frieden und konnte nicht gedeihen, denn kaum hatten die Valar ein Werk begonnen, so machte Melkor es zunichte oder verdarb es. Und doch war ihr Mühen nicht ganz vergebens, und wenn auch nirgends und in keinem Werke ihr Wille und Plan sich ganz erfüllten und alle Dinge von andrer Form und Gestalt waren, als es zuerst die Absicht der Valar gewesen, so wurde dennoch allmählich die Erde geformt und gefestigt. Und so war schließlich den Kindern Ilúvatars die Wohnung gerichtet in den Tiefen der Zeit und inmitten der unzählbaren Sterne.

VALAQUENTA

Das Buch von den Valar und den Maiar, nach der Überlieferung der Eldar

Im Anfang schuf Eru, der Eine, der in der Elbensprache Ilúvatar heißt, aus seinen Gedanken die Ainur; und sie spielten vor ihm eine große Musik. In dieser Musik begann die Welt, denn Ilúvatar ließ das Lied der Ainur sichtbar werden, und sie erblickten es als ein Licht im Dunkel. Und viele unter ihnen gewannen die Schönheit dieser Welt lieb und ihre Geschichte, die sie in dem Gesichte anfangen und sich auftun sahen. Daher erweckte Ilúvatar das Gesicht zum Sein und stellte es mitten in die Leere, und das Geheime Feuer wurde ausgesandt, um im Herzen der Welt zu brennen; und die Welt wurde Ea geheißen.

Nun erhoben sich diejenigen unter den Ainur, die wollten, und betraten die Welt zu Anfang der Zeit; und ihre Aufgabe war es, sie zu vollenden, und mit ihren Werken zu vollbringen, was sie gesehen hatten. Lange arbeiteten sie in den Sphären von Ea, die weiter sind, als Elben und Menschen denken können, bis zur vorbestimmten Zeit Arda geschaffen war, das Königreich der Erde. Dann nahmen sie irdische Gestalt an, stiegen auf die Erde herab und wohnten dort.

Von den Valar

Die Großen unter diesen Geistern nennen die Elben die Valar, die Mächte von Arda, und die Menschen haben sie oft die Götter genannt. Der Fürsten der Valar sind sieben, und der Valier, der Fürstinnen, gleichfalls sieben. Dies waren ihre Namen in der Elbensprache, so wie sie in Valinor gesprochen wurde; doch lauten ihre Namen anders in der Sprache der Elben von Mittelerde, und vielerlei Namen haben sie bei den Menschen. Die Namen der Fürsten, in der gebührenden Reihenfolge, sind: Manwe, Ulmo, Aule, Orome, Mandos, Lórien und Tulkas; und die Namen der Fürstinnen sind: Varda, Yavanna, Nienna, Este, Vaire, Vána und Nessa. Melkor wird nicht mehr zu den Valar gezählt, und sein Name wird auf Erden nicht mehr ausgesprochen.

Manwe und Melkor waren Brüder im Geiste Ilúvatars. Der Mächtigste unter jenen Ainur, welche die Welt betraten, war im Anfang Melkor; Manwe jedoch ist Ilúvatar der Liebste und versteht am klarsten seine Absichten. Für die ganze Dauer der Zeit wurde er zum ersten aller Könige ernannt: zum Fürsten des Reiches von Arda und zum Herrscher über alles, was dort lebt. Manwes Lust auf Arda sind die Winde und Wolken und alle Lüfte, von den höchsten bis zu den tiefsten, vom äußersten Schleier an den Grenzen Ardas bis zu den Brisen, die durchs Gras wehen. Súlimo lautet sein Beiname, Herr des Atems von Arda. Alle schnellen Vögel mit starken Schwingen liebt er, und sie kommen und gehen auf sein Geheiß.

Bei Manwe wohnt Varda, die Herrin der Sterne, die alle Regionen von Ea kennt. Zu groß ist ihre Schönheit, als daß es in Menschen- oder Elbenworten auszusprechen wäre, denn das Licht Ilúvatars lebt noch in ihrem Antlitz. Licht ist ihre Macht und ihre Lust. Aus den Tiefen von Ea kam sie Manwe zu Hilfe, denn sie kannte Melkor schon von der großen Musik, und sie hatte ihn abgewiesen; und er haßte sie und fürchtete sie mehr als alle andren, die Eru erschaffen. Manwe und Varda trennen sich selten, und sie bleiben in Valinor. Ihre Hallen sind über dem ewigen Schnee, auf dem Oiolosse, dem höchsten Gipfel des Taniquetil, welcher der höchste aller Berge auf Erden ist. Wenn Manwe dort seinen Thron besteigt und hinausblickt, so sieht sein Auge, wenn Varda bei ihm ist, weiter als alle andren, durch Nebel und durch Dunkelheit und über das weite Meer. Und Vardas Ohr, wenn Manwe bei ihr ist, hört klarer als alle andren den Ton der Stimmen, die von Osten gen Westen schreien, von den Hügeln und aus den Tälern und von den dunklen Orten, die Melkor auf Erden eingerichtet hat. Von all den Großen, die in dieser Welt wohnen, ist Varda den Elben die Höchstgeehrte und Meistgeliebte. Elbereth wird sie genannt, und die Elben rufen ihren Namen an aus den Schatten von Mittelerde und lassen ihn in Liedern beim Aufgang der Sterne erklingen.

Ulmo ist der Herr der Wasser. Er ist allein. Er bleibt nirgends lange, sondern zieht nach Belieben durch all die tiefen Wasser um die Erde oder unter der Erde. An Macht kommt er Manwe am nächsten, und ehe Valinor erbaut wurde, war er ihm am innigsten befreundet; danach aber ging er selten mehr in den Rat der Valar, es sei denn, große Dinge wurden besprochen. Denn er behielt ganz Arda im Sinn, und er braucht keinen Ruheplatz. Auch geht er nicht gern an Land, und nur selten kleidet er sich in eine Gestalt wie seinesgleichen. Große Angst erfüllte die Kinder Erus, wenn sie ihn erblickten, denn furchtbar war der König der See, wenn er aufstieg wie eine Woge, die sich an Land türmt, im dunklen, gischtgeschweiften Helm und einem Panzer, der schimmerte vom hellsten Silber bis in die tiefsten Schatten des Grüns. Laut sind die Trompeten Manwes, Ulmos Stimme aber ist tief wie die Tiefen des Ozeans, die nur er allein erblickt hat.

Dennoch liebt Ulmo sowohl Elben wie Menschen, und nie ließ er sie im Stich, auch nicht, als der Zorn der Valar auf ihnen lag. Zuweilen kommt er an die Küsten von Mittelerde, ungesehen, oder wandert die Fjorde hinauf weit ins Landesinnere und spielt dort auf seinen großen Hörnern, den Ulumúri, die aus weißen Muscheln geschliffen sind; und jene, zu denen diese Musik dringt, die hören sie immerdar in ihrem Herzen, und nie mehr verläßt sie die Sehnsucht nach der See. Zu jenen aber, die in Mittelerde wohnen, spricht Ulmo zumeist mit Stimmen, die nur als Musik der Wasser vernommen werden. Denn alle Meere, Seen, Flüsse, Quellen und Brunnen sind sein Reich, so daß die Elben sagen, der Geist Ulmos fließe in allen Adern der Welt. So erhält Ulmo selbst in den Tiefen Nachricht von allen Nöten und Leiden Ardas, die anders Manwe verborgen blieben.

Aule hat kaum weniger Macht als Ulmo. Er herrscht über alle Stoffe, aus denen Arda geschaffen ist. Zu Anfang schuf er vieles mit Manwe und Ulmo gemeinsam; er ist der Erbauer aller Länder. Er ist ein Schmied und ein Meister in allen Handwerken, und ihn erfreut jedes kunstreiche Gebilde, das kleinste ebenso wie das mächtige Bauwerk aus alter Zeit. Sein sind die Edelsteine, die tief in der Erde liegen, und das Gold, das in der Hand glänzt, ebenso wie die Wälle der Gebirge und die Becken des Meeres. Am meisten lernten von ihm die Noldor, und immer war er ihr Freund. Melkor war eifersüchtig auf ihn, denn ganz wie er selbst war Aule in Gedanken und Kräften; und lange währte zwischen den beiden der Streit, in dem Melkor immer wieder Aules Werke zerstörte oder verdarb, und Aule wurde es müde, immer wieder ausbessern zu müssen, was Melkor verwirrt und beschädigt hatte. Beide wollten sie auch eigene Dinge erschaffen, die neu und von anderen unerahnt sein sollten, und geschmeichelt waren sie, wenn man ihre Kunst pries. Aule aber hielt Eru die Treue und unterwarf all sein Werk Erus Willen; und er neidete anderen nicht ihre Werke, sondern suchte Rat und gab ihn. Während Melkors Gesicht sich in Neid und Haß verzerrte, bis er zuletzt nichts mehr schaffen konnte, es sei denn, er äffte nach, was andre erdacht hatten; und all ihre Werke vernichtete er, wo er nur konnte.

Aules Gemahlin ist Yavanna, die Spenderin der Früchte. Sie liebt alle Dinge, die in der Erde wachsen, und all ihre ungezählten Formen hegt sie im Geiste, von den turmhohen Bäumen der längst entschwundenen Wälder bis zu dem Moos auf den Steinen und den winzigen und verborgenen Keimen im Moder. Nach Varda genießt Yavanna die höchsten Ehren unter den Königinnen der Valar. In Gestalt einer Frau ist sie hochgewachsen und grün gekleidet, bisweilen aber nimmt sie andre Gestalten an. Manche gibt es, die haben sie wie einen Baum unter dem Himmel stehen sehen, gekrönt von der Sonne, und aus all seinen Zweigen quoll goldner Tau auf die dürre Erde, und die Erde wurde grün von Getreide; die Wurzeln des Baumes aber reichten in die Wasser Ulmos hinab, und in seinen Blättern sprachen die Winde Manwes. Kementári, Erdenkönigin, ist Yavannas Beiname in der Eldarin-Sprache.

Die Feanturi, Herren der Geister, sind Brüder, und meist werden sie Mandos und Lórien genannt. Eigentlich aber heißen so nur die Orte, wo sie wohnen, und ihre richtigen Namen lauten Námo und Irmo.

Námo, der Ältere, wohnt in Mandos, im Westen von Valinor. Er ist der Hüter der Totenhäuser und ruft die Geister der Gefallenen auf. Er vergißt nichts und weiß um alles, was sein wird, bis auf dasjenige, was noch im Willen Ilúvatars liegt. Er ist der Schicksalsricher der Valar, doch verkündet er Spruch und Urteil nur auf Manwes Geheiß. Vaire, die Weberin, ist seine Gemahlin, die alles, was je in der Zeit gewesen ist, in ihre Stoffe wirkt; und die Hallen von Mandos, die immer werden, indem die Zeiten vergehen, sind mit ihren gewebten Geschichten behangen.

Irmo, der Jüngere, ist der Herr der Gesichte und Träume. In Lórien sind seine Gärten, im Lande der Valar, und sie sind die schönsten auf der Welt und voller Geister. Die sanfte Este ist seine Gemahlin, die von den Wunden und von der Müdigkeit heilt. Grau ist ihr Gewand, und Ruhe ist ihr Geschenk. Bei Tage geht sie nicht um, sondern schläft auf einer Insel im baumbeschatteten See von Lórellin. Aus den Quellen von Irmo und Este schöpfen alle, die in Valinor wohnen, neue Kraft; und oft kommen die Valar selbst nach Lórien und finden dort Rast und Erholung von der Bürde Ardas.

Mächtiger als Este ist Nienna, die Schwester der Feanturi; sie wohnt allein. Sie ist der Trauer kundig und beweint jede Wunde, die Arda von den Anschlägen Melkors erlitten. So groß war ihr Leid, als die Musik erklang, daß ihr Lied zur Klage wurde, lange bevor die Musik endete, und der Ton der Trauer war schon unter die Themen der Welt gewoben, ehe sie noch begonnen. Doch Nienna weint nicht um sich selbst, und wer ihr lauscht, lernt das Mitleid und das Ausharren in der Hoffnung. Ihre Hallen liegen im westlichsten Westen, an den Grenzen der Welt, und selten nur kommt sie in die Stadt Valimar, wo alle froh sind. Lieber geht sie zu den Hallen von Mandos, die nahe den ihren liegen; und alle, die in Mandos warten, rufen sie an, denn sie bringt dem Geiste Stärkung und wandelt Kummer in Weisheit. Die Fenster ihres Hauses blicken von den Mauern der Welt nach draußen.

Der Größte an Kraft und Mannestaten ist Tulkas, der den Beinamen Astaldo, der Tapfere trägt. Er kam als letzter nach Arda, um den Valar in den Kämpfen mit Melkor zu helfen. Ringkampf und Kräftemessen sind seine Lust. Nie steigt er zu Roß, denn er kann schneller laufen als alles, was Beine hat, und er kennt kein Ermüden. Sein Haar und Bart sind golden, seine Haut rötlich; Waffe genug sind ihm seine Fäuste. Wenig kümmern ihn Vergangenheit oder Zukunft, und nichts taugt er im Rate, doch ist er ein beherzter Freund. Seine Gemahlin ist Nessa, Oromes Schwester, und auch sie ist behend und leichtfüßig. Die Hirsche liebt sie, und sie folgen ihr, wann immer sie durch den Wald geht; und sie kann sie im Wettlauf besiegen, schnell wie ein Pfeil und mit dem Wind im Haar. Tanzen ist ihre Lust, und in Valimar tanzt sie auf Wiesen von Immergrün.

Orome ist ein mächtiger Herr. Obgleich nicht so stark wie Tulkas, ist er doch schrecklicher im Zorn; Tulkas hingegen lacht allezeit, ob im Spiel oder im Krieg, und sogar Melkor lachte er ins Gesicht in den Schlachten vor der Geburt der Elben. Orome liebte die Länder von Mittelerde; er verließ sie nur widerstrebend und kam als letzter nach Valinor, und oft ging er in alter Zeit gen Osten über die Berge und kehrte mit seinem Troß in die Hügel und Ebenen zurück. Er ist der Jäger der Ungeheuer und Bestien; an Pferden und Hunden hat er seine Freude, und alle Bäume liebt er, weshalb er auch Aldaron, von den Sindar Tauron, der Herr der Wälder, genannt wird. Nahar heißt sein Roß, das weiß ist in der Sonne und wie Silber schimmert bei Nacht. Das Valaróma heißt sein großes Jagdhorn, dessen Ton wie der purpurne Aufgang der Sonne ist oder wie der scharfe Blitz, der die Wolken spaltet. Lauter als alle Hörner seines Trosses wurde es in den Wäldern gehört, die Yavanna in Valinor hatte wachsen lassen, denn dort übte Orome mit seinen Gehilfen und seinen Tieren für die Jagd auf die üblen Geschöpfe Melkors. Oromes Gemahlin ist Vána, die Ewigjunge; sie ist die jüngere Schwester Yavannas. Alle Blumen blühen, wenn sie des Weges kommt, und öffnen sich unter ihrem Blick, und alle Vögel singen.

Dies sind die Namen der Valar und der Valier, und hier ist in Kürze berichtet, welches ihre Erscheinung war, so wie die Eldar sie in Aman erblickten. So prächtig und edel auch die Gestalten waren, in denen sie den Kindern Ilúvatars sichtbar wurden, sie waren doch nur ein Schleier vor ihrer Schönheit und Macht. Und wenig ist hier gesagt von all dem, was die Eldar einst wußten, und dies selbst wäre ein Nichts, gemessen an dem wahren Sein der Valar, das in Sphären und Alter weit jenseits unseres Denkens zurückreicht. Unter ihnen waren neun von höchster Macht und genossen die höchsten Ehren; einer jedoch ist aus ihrer Zahl getilgt, und acht bleiben, die Aratar, die Oberen von Arda: Manwe und Varda, Ulmo, Yavanna und Aule, Mandos, Nienna und Orome. Obgleich Manwe ihr König ist und sie ihm im Namen Erus Gefolgschaft leisten, sind sie doch an Würden gleich und überragen weit alle andren unter den Valar und Maiar und unter allen, die Eru nach Ea entsandt hat.

Mit den Valar kamen andre Wesen, und auch sie sind älter als die Welt, von gleicher Art wie die Valar, doch minderen Ranges. Dies sind die Maiar, das Gefolge der Valar, ihre Diener und Gehilfen. Ihre Zahl ist den Elben nicht bekannt, und nur wenige haben Namen in den Sprachen der Kinder Ilúvatars; denn, obgleich dies in Aman anders ist, in Mittelerde sind die Maiar nur selten den Elben und Menschen sichtbar erschienen.

Die mächtigsten unter den Maiar von Valinor, deren in den Geschichten der Ältesten Tage gedacht wird, sind Ilmare, Vardas Zofe, und Eonwe, Manwes Bannerträger und Herold, den an Waffengewalt keiner in Arda übertrifft. Osse und Uinen jedoch sind unter allen Maiar den Kindern Ilúvatars am besten bekannt.

Osse ist Ulmos Vasall, und er ist Herr jener Meere, welche die Gestade von Mittelerde umspülen. Er geht nicht in die Tiefen, sondern liebt die Küsten und die Inseln und freut sich an den Winden Manwes; denn seine Lust ist der Sturm, und er lacht inmitten der brüllenden Wogen. Uinen ist seine Gemahlin, die Herrin der Meere, und ihr Haar liegt über alle Wasser unter dem Himmel gebreitet. Alle Geschöpfe liebt sie, die in den salzigen Fluten leben, und alle Kräuter, die dort wachsen. Uinen rufen die Seefahrer an, denn sie vermag die Wellen zu besänftigen und den wilden Osse zu zähmen. Die Númenórer lebten lange in ihrem Schutz und ehrten sie gleich den Valar.

Melkor haßte das Meer, denn er konnte es nicht unterwerfen. Es heißt, daß er bei der Erschaffung von Arda Osse ins Bündnis ziehen wollte, indem er ihm Ulmos Reich und Macht versprach, wenn er ihm diene. So geschah es, daß vor langer Zeit großer Aufruhr der See die Länder zertrümmerte. Doch auf Bitten Aules gebot Uinen Osse Einhalt und brachte ihn vor Ulmo; ihm wurde verziehen, und er kehrte in seinen Dienst zurück, den er getreu erfüllt hat. Doch nicht immer, denn die Freude an der Gewalt hat er nie ganz verloren, und bisweilen tobt er nach eigner Lust, ohne Befehl von Ulmo, seinem Herrn. Jene, die an der See wohnen oder sie auf Schiffen befahren, mögen ihn daher wohl lieben, doch sie trauen ihm nicht.

Melian war der Name einer Maia, die Vána und Este gedient hatte; sie wohnte lange in Lórien und pflegte die Bäume, die in den Gärten Irmos blühen, ehe sie nach Mittelerde kam. Nachtigallen sangen um sie her, wohin sie auch ging.

Der weiseste der Maiar war Olórin. Auch er wohnte in Lórien, doch oft führte ihn sein Weg in das Haus Niennas, und von ihr lernte er Mitleid und Geduld.

Von Melian ist in der *Quenta Silmarillion* oft die Rede. Von Olórin aber wird in jener Geschichte nicht gesprochen; denn obgleich er die Elben liebte, ging er unter ihnen ungesehen oder in Gestalt eines der Ihren, und sie wußten nicht, woher die schönen Gesichte kamen oder die weisen Ratschlüsse, die er ihnen ins Herz tat. In späteren Zeiten war er der Freund aller Kinder Ilúvatars und erbarmte sich ihrer Nöte; und jene, die ihn anhörten, erwachten aus der Verzweiflung und taten die Eingebungen der Dunkelheit von sich ab.

Von den Feinden

Als letzter ist der Name Melkors verzeichnet: Er, der in Macht ersteht. Doch diesen Namen hat er verwirkt, und die Noldor, die unter den Elben am meisten von seiner Bosheit erlitten, sprechen ihn nicht aus und nennen ihn Morgoth, den Dunklen Feind der Welt. Große Macht war ihm von Ilúvatar verliehen, und er war gleichen Ranges mit Manwe. An den Kräften und am Wissen aller anderen Valar hatte er teil, aber er wandte sie bösen Zwecken zu und vergeudete seine Kraft in Gewalt und Tyrannei. Denn er begehrte Arda mit allem, was darinnen war, und er strebte nach der Königswürde Manwes und der Herrschaft über die Reiche seiner Brüder.

Aus seiner Herrlichkeit verfiel er, anmaßend, in Verachtung für alles, was nicht er selbst war, ein räuberisches und gnadenloses Wesen. Aus seiner Weisheit wurde List, um seinem Willen alle gefügig zu machen, die ihm nützen konnten, bis daß er ohne Scham zum Lügner wurde. Zu Anfang begehrte er das Licht, als er es aber nicht für sich allein besitzen konnte, fuhr er durch Feuer und Haß in einem großen Brande hinab ins Dunkel. Und das Dunkel diente ihm oft bei seinem Unheilswerk auf Arda, und er füllte es mit Schrecknissen für alles, was lebt.

Doch von solcher Kraft war sein Aufstand, daß er in vergessenen Altern Manwe und alle Valar bekriegte und über lange Jahre hin die meisten Länder der Erde beherrschte. Er war aber nicht allein. Denn unter den Maiar wurden in seiner großen Zeit viele von seinem Glanze angezogen und blieben ihm botmäßig bis in die Dunkelheit; und andere machte er sich später mit Lug und tückischen Gaben gefügig. Furchtbar waren unter diesen Wesen die Valaraukar, die Feuergeißler, die man in Mittelerde die Balrogs nannte, Dämonen des Schreckens.

Unter denjenigen seiner Diener, die Namen haben, war jenes Wesen das größte, das die Eldar Sauron oder Gorthaur, den Grausamen, nannten. Zu Anfang war er einer der Maiar Aules, und der Wissenschaft dieses Volkes blieb er mächtig. An allen Taten von Melkor dem Morgoth auf Arda, an seinen großen Werken und an seinem Trug, hatte Sauron teil, und nur insofern war er weniger böse denn sein Herr, als er lange einem andren und nicht sich selber diente. In späteren Jahren aber erhob er sich wie ein Schatten Morgoths und wie ein Gespenst seiner Bosheit und folgte ihm nach, den gleichen Trümmerpfad hinab in die Leere.

HIER ENDET DIE VALAQUENTA

QUENTA SILMARILLION
DIE GESCHICHTE VON DEN SILMARIL

I
Vom Anbeginn der Tage

Es heißt unter den Weisen, der Erste Krieg habe begonnen, bevor Arda noch ganz erschaffen und ehe noch etwas da war, das wuchs oder ging auf Erden; und lange hatte Melkor die Oberhand. Doch mitten im Krieg kam ein Geist von großer Stärke und Kühnheit den Valar zu Hilfe, der im fernen Himmel gehört hatte, daß man sich im Kleinen Königreich schlug; und Arda erklang von seinem Gelächter. So kam Tulkas der Starke, dessen Zorn wie ein mächtiger Sturm ist, der Wolken und Dunkelheit vor sich wegbläst, und Melkor floh vor seinen Fäusten und vor seiner Lache; Arda verließ er, und für ein langes Alter war Frieden. Und Tulkas blieb und wurde einer der Valar des Königreichs Arda; Melkor aber brütete im äußeren Dunkel, und auf immer hernach galt sein Haß Tulkas.

In dieser Zeit rückten die Valar die Seen und Länder und die Gebirge zurecht, und Yavanna säte endlich aus, was sie lange erdacht hatte. Und weil es an Licht fehlte, nachdem die Feuer gelöscht oder unter den Urgebirgen vergraben waren, schmiedete Aule auf Bitten Yavannas zwei mächtige Leuchten, um Mittelerde zu erhellen, das er inmitten der umzingelnden Meere aufgebaut hatte. Nun wurden die Leuchten von Varda gefüllt und von Manwe geheiligt, und dann setzten die Valar sie auf zwei hohe Pfeiler, viel höher als alle Berge späterer Zeiten. Die eine Leuchte stellten sie über dem Norden von Mittelerde auf, und sie wurde Illuin genannt; die andere im Süden, und sie hieß Ormal; und das Licht aus den Leuchten der Valar schien über die Erde hin, so daß alles hell war, gleichsam ein endloser Tag ohne Wechsel.

Da begannen die Saaten, die Yavanna gesät, rasch zu keimen und zu knospen, und vielerlei Gewächs ging auf, großes und kleines, Moos und Gräser und große Farne und Bäume mit Wipfeln in den Wolken wie lebende Berge, doch mit grünem Dämmerlicht um die Füße. Und Tiere kamen und lebten auf den grasbewachsenen

Ebenen oder in den Seen und Flüssen, oder sie liefen durch den Schatten der Wälder. Blumen waren noch nicht erblüht, und noch kein Vogel hatte gesungen, denn diese Dinge harrten in Yavannas Busen noch ihrer Stunde; doch vieles hatte sie schon ersonnen und nirgendwo mehr als im mittelsten Teil der Erde, wo das Licht beider Lampen sich traf und mischte. Und dort, auf der Insel Almaren im Großen See, nahmen die Valar ihre erste Wohnung, als alle Dinge noch jung waren und das neugeschaffene Grün wie ein Wunder war in den Augen der Schöpfer; und lange waren sie zufrieden.

Nun geschah es, als die Valar von ihrer Arbeit ruhten und zusahen, wie die Dinge, welche sie erdacht und begonnen, wuchsen und aufgingen, daß Manwe ein großes Fest gab, und die Valar kamen mit all ihrem Gefolge, von ihm geladen. Aule und Tulkas aber waren müde, denn Aules Geschick und Tulkas' Stärke hatten in den Tagen der Arbeit ohne Unterlaß allen geholfen. Und Melkor wußte von allem, was geschah, denn auch damals hatte er insgeheim seine Freunde und Spione unter den Maiar, die er zu seiner Sache bekehrt hatte, und im fernen Dunkel war er voller Haß und Eifersucht auf das Werk seiner Brüder, die er sich unterwerfen wollte. Er sammelte also aus den Hallen von Ea alle Wesen um sich, die er verführt hatte, ihm zu dienen, und er glaubte sich stark. Und als er nun seine Zeit gekommen sah, rückte er Arda näher und blickte darauf hinab; und die Schönheit der Erde in ihrem Frühling erfüllte ihn um so mehr mit Haß.

Nun waren also die Valar auf Almaren beisammen und ahnten nichts Böses, und im Lichte Illuins bemerkten sie den Schatten im Norden nicht, den Melkor schon von weitem warf, denn er war dunkel geworden wie die Nacht der Leere. Und es heißt im Liede, daß bei jenem Frühlingsfest von Arda Tulkas sich mit Nessa vermählte, Oromes Schwester, und auf dem grünen Gras von Almaren tanzte sie vor den Valar.

Dann schlief Tulkas ein, müd und zufrieden, und Melkor sah

seine Stunde gekommen. Also stieg er mit seinem Troß über die Mauern der Nacht und kam weit im Norden nach Mittelerde; und die Valar bemerkten ihn nicht.

Nun begann Melkor eine große Festung zu graben und zu bauen, tief unter der Erde, unter den dunklen Gebirgen, wo Illuins Strahlen kalt und blaß waren. Diese Burg wurde Utumno genannt. Und obgleich die Valar noch nichts von ihr wußten, strömten von hier doch Melkors Unheil und der Gifthauch seines Hasses hinaus, und Ardas Frühling war verdorben. Grünzeug wurde krank und faulte, und Flüsse erstickten in Schlingpflanzen und Schlamm, und stinkende, giftige Sümpfe wurden geschaffen, den Fliegen zur Brutstätte; Wälder wurden zu Alpträumen der Angst, dunkel und gefahrvoll, und Tiere wurden zu Ungeheuern mit Horn und Hauer und tränkten die Erde mit Blut. Da wußten die Valar, daß Melkor wieder am Werk war, und sie suchten nach seinem Versteck. Melkor aber, auf die Stärke von Utumno und die Kraft seiner Diener vertrauend, überfiel sie plötzlich mit Krieg und führte den ersten Streich, ehe die Valar sich gefaßt hatten; und er stützte sich auf die Lichter Illuin und Ormal, warf die Pfeiler um und zerschlug die Lampen. Der Sturz der gewaltigen Pfeiler brach Länder in Stücke, und Meere erhoben sich in Aufruhr; und als die Lampen verschüttet wurden, ergossen vernichtende Brände sich über die Erde. Und Ardas Form und die Symmetrie zwischen Wasser und Land wurden damals verdorben, so daß die ersten Gebilde, wie die Valar sie beabsichtigt, nie wiederhergestellt wurden.

Im Dunkel und Durcheinander entkam Melkor, doch Furcht packte ihn, denn über dem Brüllen der See hörte er Manwes Stimme wie einen mächtigen Sturm, und die Erde bebte unter Tulkas' Füßen. Doch kam er nach Utumno, ehe Tulkas ihn einholen konnte; und da lag er versteckt. Und zu dieser Zeit konnten ihn die Valar nicht besiegen, denn größtenteils brauchten sie ihre Kraft, um den Aufruhr der Erde zu bändigen und vor dem Verderben zu retten, was von ihren Werken zu retten war; und später waren sie immer besorgt, die

Erde nicht noch einmal zu zerreißen, solange sie nicht wußten, wo die Kinder Ilúvatars wohnen würden, welche kommen sollten zu einer Zeit, die den Valar verborgen blieb.

So endete der Frühling von Arda. Die Wohnung der Valar auf Almaren war ganz und gar zerstört, und sie hatten keinen Ort auf der Erde. Daher schieden sie aus Mittelerde und machten sich auf in das Land Aman, das von allen Ländern am weitesten westlich an den Grenzen der Welt liegt; denn mit den Westküsten grenzt es an das Außenmeer, welches die Elben Ekkaia nennen, das Meer, von dem das Königreich Arda umzingelt ist. Niemand außer den Valar weiß, wie breit es ist; und dahinter kommen die Mauern der Nacht. Die Ostküsten von Aman aber waren der äußerste Rand von Belegaer, dem Großen Meer des Westens; und weil Melkor nach Mittelerde zurückgekehrt war und sie ihn nicht überwinden konnten, befestigten die Valar ihren Wohnsitz, und auf den Meeresküsten bauten sie die Pelóri auf, die Berge von Aman, die höchsten auf Erden. Und all die Berge der Pelóri überragte der eine, auf dessen Gipfel Manwe seinen Thron aufschlug. Taniquetil nennen die Elben diesen heiligen Berg, oder auch Oiolosse, der Ewigweiße, Elerrína, der Sterngekrönte, und noch mit vielen anderen Namen; die Sindar aber bezeichneten ihn später in ihrer Sprache als Amon Uilos. Von ihren Hallen auf dem Taniquetil konnten Manwe und Varda die ganze Erde überblicken, bis in den fernsten Osten.

Hinter den Wällen der Pelóri nahmen die Valar ihren Sitz in jenem Gebiet, das Valinor heißt; und dort waren ihre Paläste, ihre Gärten und Türme. In diesem bewachten Land trugen die Valar große Vorräte an Licht und all den schönen Dingen zusammen, die sie vor dem Verderben gerettet hatten; und viele andere, die noch prächtiger waren, schufen sie neu, und so wurde Valinor schöner, als es Mittelerde selbst im Frühling von Arda gewesen war; und es war gesegnet, denn die Unsterblichen wohnten dort, und nichts welkte oder verdorrte, und Blumen und Blätter hatten keine Flecken in diesem

Lande, noch verdarb oder erkrankte irgend etwas, das lebte; denn sogar die Steine und die Wasser waren heilig.

Und als Valinor fertig war und die Paläste der Valar standen, da erbauten sie inmitten der Ebene hinter den Bergen ihre Stadt Valmar, die Glockenreiche. Vor dem Westtor lag ein grüner Hügel, Ezellohar, auch Corollairë genannt; und Yavanna weihte ihn und saß dort lange im grünen Gras und sang ein Lied von Macht, in dem all ihre Gedanken über die Dinge, die in der Erde wachsen, ausgesprochen waren. Nienna aber dachte still nach und wässerte den Hügel mit Tränen. Zu der Stunde waren die Valar zusammengekommen, um Yavannas Lied anzuhören, und sie saßen schweigend auf ihren Thronen im Máhanaxar, dem Ring des Schicksals, nahe bei den goldenen Toren von Valmar; und Yavanna Kementári sang vor ihnen, und sie sahen zu.

Und sie sahen, wie von dem Hügel zwei dünne Schößlinge aufstiegen; und Schweigen lag über aller Welt in dieser Stunde, und kein andrer Laut war zu hören als Yavannas Gesang. Bei ihrem Lied wuchsen sie zu jungen Bäumen heran und wurden hoch und schön und traten in Blüte; und so erwachten in der Welt die Zwei Bäume von Valinor. Von allen Dinge, die Yavanna schuf, werden diese am meisten gerühmt, und um ihr Schicksal ranken sich alle Erzählungen von den Ältesten Tagen.

Der eine hatte Blätter von dunklem Grün, die von unten wie Silber schimmerten, und aus all seinen unzähligen Blüten troff immerzu ein Tau von silbernem Licht herab, und die Erde unter ihm war gesprenkelt von den Schatten seiner rauschenden Blätter. Der andre trug Blätter von frischem Grün wie eine knospende Buche; an den Rändern schimmerten sie wie von Golde. Blüten hingen an seinen Zweigen in feuriggelben Büscheln, deren jedes wie ein glühendes Horn geformt war, aus dem ein goldner Regen zu Boden fiel; und wenn dieser Baum blühte, so gab er Wärme und helles Licht. Telperion hieß der erste in Valinor, auch Silpion und Ninquelóte, und noch andere Namen hatte er; der zweite aber war Laurelin, auch Malinalda und Culúrien und mit vielen andren Namen im Liede genannt.

Binnen sieben Stunden erblühte jeder Baum zu vollem Glanz und verblaßte wieder zu nichts; und jeder erwachte wieder zum Leben, eine Stunde bevor der andere zu leuchten aufhörte. So gab es in Valinor zweimal an jedem Tag eine Dämmerstunde milderen Lichts, zu der beide Bäume nur schwach glimmten und ihre goldnen und silbernen Strahlen ineinanderspielten. Telperion war der ältere der beiden Bäume, der als erster voll ausgewachsen war und in Blüte trat; und jene erste Stunde, in der er schien, das weiße Schimmern einer silbernen Dämmerung, rechneten die Valar nicht zu der Zahl der Stunden, sondern nannten sie die Knospenstunde, und von ihr an zählten sie die Zeitalter ihrer Herrschaft in Valinor. Zur sechsten Stunde des Ersten Tages und all der frohen Tage hernach endete also Telperions Blütezeit, und zur zwölften Stunde verblaßte Laurelin. Und jeder Tag der Valar in Aman hatte zwölf Stunden und endete mit der zweiten Vermischung der Lichter, wenn Laurelin einschlief und Telperion erwachte. Doch das Licht, das von den Bäumen tropfte, währte lange, ehe es in die Lüfte aufstieg oder in die Erde sickerte; und den Tau Telperions und den Regen, der von Laurelin fiel, fing Valar in Kübeln auf, groß wie leuchtende Seen, die für das ganze Land der Valar Brunnen des Wassers und des Lichtes waren. So begannen die Tage des Glücks von Valinor, und so begann auch die Zählung der Zeit.

Während aber die Zeiten der Stunde entgegentrieben, die Ilúvatar für die Ankunft der Erstgeborenen bestimmt hatte, lag Mittelerde im Dämmerlicht unter den Sternen, die Valar in den unvordenklichen Altern ihres Wirkens in Ea geschaffen hatte. Und im Dunkel hauste Melkor, und noch immer ging er oft um, in vielerlei Gestalt von Macht und Schrecken; und er streute Frost und Feuer, von den Gipfeln der Berge bis zu den tiefen Öfen, die darunter sind; und was immer in jenen Tagen grausam oder gewalttätig oder mörderisch war, wird ihm zur Last gelegt.

Aus dem Glanz und Glück von Valinor kamen die Valar nicht oft über die Berge nach Mittelerde, sondern all ihre Liebe und Pflege widmeten sie dem Lande hinter den Pelóri. Und mitten in ihrem Segensreich standen die Häuser Aules, und dort werkte er lange. Denn an der Erschaffung aller Dinge in diesem Lande hatte Aule den größten Anteil, und er fertigte dort hundert schöne und wohlgestalte Dinge, offen und insgeheim. Von ihm stammen Kunde und Wissen von der Erde und allem, was darinnen ist, ob nun die Wissenschaft jener, die nichts schaffen, sondern nur verstehen wollen, was ist, oder auch die Wissenschaft aller Handwerksleute: des Webers, des Holzschnitzers und des Schmiedes, und auch des Pflügers und des Hirten, wenngleich bei den letztgenannten wie bei allen, die es mit Dingen zu tun haben, die wachsen und Frucht tragen, auch Aules Gemahlin Yavanna Kementári mitbedacht werden muß. Aule ist es, welcher der Freund der Noldor genannt wird, denn vieles lernten sie von ihm in späteren Tagen, und sie sind die geschicktesten unter den Elben; und nach ihrer Art, gemäß den Gaben, die ihnen Ilúvatar verliehen, erfanden sie so manches zu Aules Lehren hinzu und ergingen sich in Sprachen und Schriften, in Stickmustern, im Zeichnen und Schnitzen. Die Noldor waren es auch, denen es zuerst gelang, Gemmen zu schneiden, und die schönsten aller Gemmen waren die Silmaril, und die sind verloren.

Doch Manwe Súlimo, der höchste und heiligste der Valar, der an den Grenzen von Aman saß, verlor die Außenlande nicht aus dem Sinn. Denn sein Thron stand in Herrlichkeit auf dem Gipfel des Taniquetil, des höchsten von allen Bergen der Welt, der am Rande des Meeres aufragt. Geister in Gestalt von Adlern und Falken flogen in seinen Hallen aus und ein; und ihre Augen drangen bis in die Tiefen der Meere und bis in die versteckten Höhlen unter der Erde. So brachten sie ihm Meldung von fast allem, was geschah auf Arda; manches aber blieb selbst vor Manwes und seiner Diener Augen verborgen, denn wo Melkor saß in seinem dunklen Brüten, lagen undurchdringliche Schatten.

Manwe sinnt nicht auf eignen Ruhm, noch hütet er eifersüchtig seine Macht, sondern regiert zu aller Zufriedenheit. Die Vanyar schätzte er unter allen Elben am höchsten, und von ihm empfingen sie den Gesang und die Dichtkunst; Verse nämlich sind Manwes Freude, und das Lied der Worte ist seine Musik. Blau ist sein Gewand, und blau ist das Feuer seiner Augen, und von Saphir ist sein Szepter, welches die Noldor für ihn geschmiedet; und zum Statthalter Ilúvatars war er ernannt, König der Welt der Valar und Elben und Menschen und stärkster Beschützer vor dem Unheil Melkors. Bei Manwe wohnte Varda, die Schönste, die in der Sindarin-Sprache Elbereth heißt, die Königin der Valar, die Bildnerin der Sterne; und um sie her war ein großes Gefolge gesegneter Geister.

Ulmo aber war allein, und er wohnte nicht in Valinor, noch kam er je dorthin, wenn nicht großer Rat gehalten werden mußte; seit dem Anbeginn Ardas wohnte er im Äußeren Ozean, und dort wohnt er noch immer. Von dort regiert er die Ebbe und Flut aller Wasser, den Lauf aller Flüsse und die Auffüllung aller Brunnen, das Abtropfen allen Taus und Regens in jedem Land unter dem Himmel. An den tiefen Orten ersinnt er Musik, große und schreckliche, und das Echo seiner Musik rinnt durch alle Adern der Welt in Freude und Leid; denn wenn die Fontäne voll Freude ist, wenn sie in die Sonne springt, so ist ihre Quelle doch in dem unauslotbaren Brunnen des Leides an den Grundfesten der Erde. Viel lernten die Teleri von Ulmo, und aus diesem Grunde kennt ihre Musik sowohl die Trauer wie das Entzücken. Salmar war mit ihm nach Arda gekommen, er, welcher Ulmos Hörner geschliffen, die keiner vergessen kann, der sie einmal gehört hat, und ebenso Osse und Uinen, denen er die Herrschaft über die Wellen und die Strömungen der Inneren Meere übertrug, und noch viele andere Geister. Und so kam es, dank Ulmos Macht, daß selbst unter dem Dunkel Melkors das Leben noch manch eine geheime Bahn fand und die Erde nicht starb; und alle, die sich im Dunkel verirrt hatten oder fern vom Licht der Valar wanderten, fanden stets bei Ulmo ein offenes Ohr; auch hat er Mittelerde nie vergessen, und was immer seither hereingebrochen sein mag an Verfall und Wandel, er hat nicht aufgehört, es zu bedenken, und er wird nicht aufhören bis zum Ende der Tage.

Und in jener Zeit des Dunkels mochte auch Yavanna die Außenlande nicht ganz verlassen; denn alles, was wächst, ist ihr teuer, und sie trauerte um ihr Werk, das sie in Mittelerde begonnen und das Melkor verdorben hatte. Zuweilen daher verließ sie das Haus Aules und die blühenden Wiesen von Valinor und kam, um zu heilen, was Melkor verwundet hatte; und immer, wenn sie heimkehrte, drängte sie die Valar zu dem Kriege gegen sein übles Reich, den sie gewiß noch wagen mußten, ehe die Erstgeborenen kamen. Und auch Orome, der Zähmer der Tiere, ritt zuweilen ins Dunkel der lichtlosen Wälder; als ein mächtiger Jäger zog er einher, mit Speer und Bogen, und hetzte Melkors Gezücht zu Tode, und sein weißes Roß Nahar leuchtete wie Silber zwischen den Schatten. Dann zitterte die schlafende Erde unter dem Trommeln seiner goldnen Hufe, und im Dämmer der Welt blies Orome das Valaróma, sein großes Horn, auf den Ebenen von Arda; worauf die Berge das Echo zurückgaben, und die Schatten des Bösen flohen davon, und Melkor selbst zitterte in Utumno, ahnend, welches Strafgericht ihm bevorstand. Doch kaum war Orome vorüber, kamen die Diener Melkors wieder hervor, und die Lande waren voller Schatten und Truggestalten.

Alles ist nun davon gesagt, wie die Erde war, und wer sie beherrschte zu Anbeginn der Tage, bevor die Welt wurde, wie die Kinder Ilúvatars sie erblickten. Denn Elben und Menschen sind die Kinder Ilúvatars; und weil die Valar jenes Thema nicht ganz verstanden hatten, mit dem die Kinder in die Musik eingetreten waren, wagten sie nicht, ihrer Beschaffenheit irgend etwas hinzuzufügen. Aus welchem Grunde die Valar auch für diese Geschlechter eher Älteste und Häuptlinge sind denn Herren; und wann immer die Ainur in ihren Geschäften mit Elben und Menschen versucht haben, sie zu zwingen, wo sie keinen Rat annehmen mochten, da ist dies selten gut ausgegangen, wie gut auch die Absicht gewesen. Doch hatten die Ainur am meisten mit den Elben zu tun, denn diese hatte Ilúvatar den Ainur ähnlicher geschaffen, wenn auch geringer an Macht und Größe; den Menschen hingegen verlieh er fremde Gaben.

Denn es heißt, daß nach dem Aufbruch der Valar Schweigen herrschte, und ein Alter lang saß Ilúvatar allein in Gedanken. Dann sprach er und sagte: »Sehet, ich liebe die Erde, welche die Wohnung sein soll für die Quendi und die Atani! Doch sollen die Quendi die schönsten von allen Erdengeschöpfen sein, und sie sollen mehr Schönes besitzen und ersinnen und schaffen als alle meine Kinder und den reichsten Segen haben in dieser Welt. Den Atani aber will ich eine neue Gabe geben.« Daher beschloß er, daß die Herzen der Menschen über die Welt hinausstreben und in ihr nicht Ruhe finden sollten; doch sollten sie eine Kraft haben, ihr Leben inmitten all der Mächte und Zufälle der Welt nach eigener Wahl zu leben, jenseits der Musik der Ainur, die für alle andern Dinge wie das Schicksal ist; und von ihrem Wirken sollte alles in Form und Tat fertig werden und die Welt ausfüllen bis ins Letzte und Kleinste.

Doch Ilúvatar wußte, daß die Menschen mitten im Getümmel der Weltkräfte oft irren und ihre Gaben nicht zum Segen gebrauchen würden; und er sagte: »Auch diese sollen zu ihrer Zeit erkennen, daß was immer sie tun, am Ende nur meinem Werke zur Ehre gereicht.« Und doch glauben die Elben, daß für Manwe, der Ilúvatars Sinn am besten kennt, die Menschen oft eine Last sind; denn den Elben scheint es, daß die Menschen unter allen Ainur Melkor am ähnlichsten sind, obgleich dieser sie immer fürchtete und haßte, selbst jene, welche ihm dienten.

Mit dieser Gabe der Freiheit ist es eins, daß die Menschenkinder nur für eine kurze Zeit in der lebendigen Welt wohnen und nicht an sie gebunden sind, sondern bald scheiden: wohin, das wissen die Elben nicht. Die Elben indes bleiben bis zum Ende aller Tage: Daher geht ihre Liebe zur Erde und zu allen Dingen mehr ins Einzelne; sie ist stärker und, wenn die Jahre länger werden, auch mehr von Kummer bedrückt. Denn die Elben sterben nicht, solange die Welt nicht stirbt, es sei denn, sie werden erschlagen oder verzehren sich im Leid (diesen beiden Formen des scheinbaren Tods erliegen sie); auch mindert Alter nicht ihre Kräfte, es sei denn, einer wird müde von zehntausend Jahrhunderten; und zum Sterben versammeln sie sich in Mandos' Hallen in Valinor, von wo sie, wenn es Zeit ist, zurückkehren mögen. Die Söhne der Menschen aber sterben wahrhaftig und verlassen die Welt; weshalb sie auch die Gäste oder die Fremden genannt werden. Tod ist ihr Schicksal, die Gabe Ilúvatars, die mit der Ermüdung der Zeit selbst die Mächte ihnen neiden werden. Doch auf den Tod hat Melkor seinen Schatten geworfen, so daß er mit dem Dunkel verwechselt wird und Böses aus Gutem kommt und Furcht aus Hoffen. Einst aber haben die Valar den Elben in Valinor erklärt, daß die Menschen bei der Zweiten Musik der Ainur mitspielen sollen; während Ilúvatar nicht verraten hat, was er mit den Elben vorhat nach dem Ende der Welt, und Melkor hat es nicht durchschaut.

II
Von Aule und Yavanna

Es wird erzählt, die Zwerge seien zuerst von Aule im Dunkel von Mittelerde geschaffen worden; denn so sehr sehnte Aule die Kinder herbei, weil er Schüler haben wollte, die er seine Kunst und Wissenschaft lehren könnte, daß er nicht warten mochte, bis Ilúvatars Pläne sich erfüllten. Aule schuf die Zwerge genauso, wie sie immer noch sind, weil die Gestalt der Kinder, die kommen sollten, seinem Geiste nicht klar war und weil Melkors Macht noch über der Erde lag; und er wünschte daher, daß sie stark und unnachgiebig seien. Da er aber fürchtete, die andren Valar könnten sein Werk tadeln, schuf er insgeheim: und als erste schuf er die Sieben Väter der Zwerge in einer Halle unter den Bergen in Mittelerde.

Ilúvatar aber wußte, was geschah, und in der Stunde, als Aule sein Werk vollbracht hatte und sich freute und eben anfing, die Zwerge in der Sprache zu unterrichten, die er für sie erdacht hatte, da sprach Ilúvatar zu ihm; und Aule hörte seine Stimme und war still. Und Ilúvatars Stimme sagte zu ihm: »Warum hast du dieses getan? Warum unternimmst du ein Werk, wissend, daß es über deine Kraft und Befugnis geht? Denn von mir hast du als Gabe nur dein eigenes Sein und kein andres mehr verliehen; deshalb leben die Geschöpfe deiner Kunst nur aus deinem Sein; sie bewegen sich, wenn du gedenkst, sie zu bewegen, und wenn dein Gedenken anderswo weilt, stehen sie still. Ist es das, was du begehrst?«

Da antwortete Aule: »Nicht solche Herrschaft begehrte ich. Ich begehrte Dinge, die anders wären als ich, um sie zu lieben und zu unterweisen, so daß auch sie die Schönheit von Ea erkennen mögen, die du hervorgebracht. Denn mir schien, daß Platz ist in Arda für viele Dinge, die sich darinnen erfreuen könnten, und doch ist sie zum größten Teile noch leer und stumm. Und in meiner Ungeduld bin ich in Wahn verfallen. Doch das Erschaffen von Dingen liegt mir am Herzen, seit ich selber erschaffen wurde durch dich; und das unverständige Kind, welches spielt, was sein Vater tut, handelt nicht zum Spott, sondern weil es der Sohn seines Vaters ist. Doch was soll ich jetzt tun, daß du mir nicht immer zürnest? Als Kind meines Vaters opfere ich dir diese Dinge, das Werk der Hände, die du geschaffen. Tu damit, wie du willst. Doch sollte ich nicht besser dies Werk meiner Anmaßung vernichten?«

Da nahm Aule einen großen Hammer, um die Zwerge zu zerschmettern, und er weinte. Ilúvatar aber hatte Mitleid mit Aule und seinem bescheidenen Wunsche; und die Zwerge wichen dem Hammer aus und fürchteten sich; und sie neigten die Köpfe und baten um Gnade. Und Ilúvatars Stimme sagte zu Aule: »Angenommen habe ich dein Opfer, sobald es gegeben war. Doch sieh nun, wie diese Dinge eignes Leben haben, und höre, wie sie sprechen mit eigner Stimme! Wenn anders, so wären sie nicht gewichen vor deinem Schlag oder vor allem, was du befiehlst.« Da warf Aule den Hammer hin und war froh, und er dankte Ilúvatar und sagte: »Möge Eru mein Werk segnen und verbessern!«

Doch abermals sprach Ilúvatar und sagte: »So wie ich zu Anbeginn der Welt die Gedanken der Ainur wahrgemacht, so habe ich jetzt dein Begehren angenommen und ihm in der Welt einen Platz gewiesen; doch sonst will ich nichts bessern an deinem Werk, und wie du es gemacht, so soll es sein. Und eines will ich nicht leiden: Daß diese hier vor den Erstgeborenen meines Planes kommen, noch darf deine Ungeduld belohnt werden. Sie sollen nun im Dunkel unter dem Stein schlafen und nicht hervorkommen, solange nicht die Erstgeborenen auf Erden erwacht sind; und bis zu dem Tage sollst du warten und sollen sie warten, mag es auch lange scheinen. Wenn aber die Zeit da ist, werde ich sie wecken, und sie sollen wie Kinder zu dir sein; und oft wird es Streit geben zwischen den deinen und den meinen, zwischen meinen angenommenen und meinen erwählten Kindern.«

Da nahm Aule die Sieben Väter der Zwerge und legte sie an tiefverborgenen Orten zur Ruhe; und er kehrte zurück nach Valinor und wartete, während die langen Jahre immer länger wurden.

Da sie in den Tagen der Herrschaft Melkors auf die Welt kommen sollten, schuf Aule die Zwerge zäh und ausdauernd. Deshalb sind sie steinhart, dickköpfig, unbeirrbar in der Freundschaft wie im Haß, und standhafter als alle andern sprechenden Völker ertragen sie Mühsal, Hunger und Wunden; und sie leben lange, viel länger als die Menschen, doch nicht ewig. Die Elben in Mittelerde glaubten einst, die Zwerge kehrten, nachdem sie gestorben, in die Erde zurück und würden wieder zu dem Stein, aus dem sie geschaffen waren; die Zwerge selbst aber glauben dies nicht. Sondern sie sagen, daß Aule, der Meister, den sie Mahal nennen, für sie sorge und sie in Mandos in gesonderten Hallen versammle; und ihren Vätern soll er einst erklärt haben, Ilúvatar werde sie heiligen und ihnen am Ende einen Platz unter den Kindern gewähren. Dann wird es ihre Sache sein, Aule zu dienen und ihm nach der Letzten Schlacht Arda wieder aufbauen zu helfen. Sie sagen auch, daß die Sieben Väter der Zwerge in ihrem eignen Geschlecht immer wieder zum Leben erwachen und wieder ihre alten Namen tragen; und von diesen war in späteren Altern Durin der ruhmreichste, der Vater jenes Volkes, das den Elben am freundlichsten war und das in Khazad-dûm wohnte.

Als nun Aule die Zwerge schuf, hielt er sein Werk vor den andren Valar verborgen; schließlich aber teilte er sich Yavanna mit und erzählte ihr alles, was geschehen war. Da sagte Yavanna zu ihm: »Voller Gnade ist Eru. Jetzt sehe ich, daß dir das Herz lacht, und mit Grund, denn nicht nur Vergebung hast du erlangt, sondern ein Geschenk. Weil du aber diesen Gedanken bis zu seiner Ausführung vor mir verborgen, werden deine Kinder wenig Liebe zu den Dingen hegen, die mir teuer sind. Über alles werden sie das von eigner Hand Geschaffene lieben, wir ihr Vater. In der Erde wühlen werden sie, und was auf der Erde wächst und lebt, wird sie nicht kümmern. Manch ein Baum wird den Biß ihres mitleidlosen Eisens spüren.«

Aule aber antwortete: »Das gilt auch für die Kinder Ilúvatars, denn sie wollen essen und bauen. Und obgleich die Dinge deines Reiches ihren Wert in sich tragen, auch dann, wenn die Kinder nicht kämen, so wird doch Eru den Kindern die Herrschaft geben, und sie werden sich nehmen, was immer sie finden in Arda: jedoch, gemäß dem Willen Erus, nicht ohne Achtung oder ohne Dank.«

»Wenn nicht Melkor ihre Herzen verdunkelt«, sagte Yavanna. Und sie war nicht besänftigt, sondern von Herzen bekümmert, denn sie fürchtete, was in Mittelerde in künftigen Tagen geschehen mochte. Daher trat sie vor Manwe, und sie verriet nicht, was Aule ihr anvertraut hatte, sondern sagte:»König von Arda, ist es denn wahr, wie Aule mir gesagt, daß die Kinder, wenn sie kommen, die Herrschaft über alle Dinge haben sollen, die ich geschaffen, um damit zu tun, wie ihnen beliebt?«

»Es ist wahr«, sagte Manwe.»Warum aber fragst du? Dies mußte doch nicht erst Aule dich lehren.«

Da war Yavanna still und ging mit ihren eigenen Gedanken zu Rate. Und sie antwortete:»Weil mein Herz voller Angst ist, wenn ich an die künftigen Tage denke. Alle meine Werke sind mir teuer. Ist es denn nicht genug, daß Melkor so viele verdorben hat? Soll denn nichts, das ich ersonnen, fremder Herrschaft ledig sein?«

»Wenn es dir freistünde, was möchtest du bewahrt sehen?« sagte Manwe.»In deinem ganzen Reich, was ist dir das Teuerste?«

»Ein jedes hat seinen Wert«, sagte Yavanna, »und ein jedes trägt bei zum Werte aller andren. Doch die *Kelvar* können fliehen oder sich verteidigen, während die *Olvar,* die wachsen, dies nicht können. Und unter ihnen sind mir die Bäume teuer. So langsam, wie sie wachsen, so schnell werden sie gefällt sein, und wenn sie nicht mit Früchten an den Ästen Tribut zahlen, so wird man um ihr Hinscheiden wenig trauern. So sehe ich es in meinen Gedanken. Ich möchte, daß die Bäume für alle Dinge sprechen, die Wurzeln haben, und daß sie jene bestrafen sollen, die ihnen Leid antun.«

»Ein merkwürdiger Gedanke ist dies«, sagte Manwe.

»Und doch war es so in dem Lied«, sagte Yavanna.»Denn während du in den Himmeln warst und mit Ulmo die Wolken gebildet und die Regen ausgeschüttet hast, da habe ich die Zweige der großen

Bäume angehoben, um den Regen zu empfangen, und manche haben in Wind und Regen zu Ilúvatar gesungen.«

Da saß Manwe in Schweigen, und der Gedanke Yavannas, den sie ihm ins Herz getan, wuchs und entfaltete sich; und Ilúvatar sah es. Nun schien es Manwe, daß das Lied noch einmal um ihn her erklinge, und er achtete jetzt auf vieles, das er zuvor zwar gehört, aber nicht beachtet hatte. Und schließlich kam ihm das Gesicht wieder, nun aber nicht mehr von fern, denn er selbst war darinnen, und doch sah er, wie alles von Ilúvatars Hand getragen wurde; und die Hand griff ein, und viele Wunder entsprangen aus ihr, die bis jetzt in den Herzen der Ainur vor ihm verborgen geblieben waren.

Da erwachte Manwe, und er stieg hinab zu Yavanna auf den Ezellohar und setzte sich neben sie unter die Zwei Bäume. Und Manwe sagte: »O Kementári, Eru hat gesprochen und gesagt: ›Denken denn manche Valar, ich hätte nicht das ganze Lied gehört, bis in den letzten Ton der letzten Stimme? Sehet nun! Wenn die Kinder erwachen, dann wird auch Yavannas Gedanke erwachen, und er wird Geister von fern herbeirufen, und die werden unter den *Kelvar* und den *Olvar* wandeln, und manche werden dort wohnen und Verehrung genießen, und ihr gerechter Zorn soll gefürchtet sein. Eine Zeitlang: solange die Erstgeborenen in den besten Jahren und die Zweitgeborenen noch jung sind.‹ Doch erinnerst du dich nicht, Kementári, daß du nicht immer allein sangest? Ist nicht dein Gedanke auch dem meinen begegnet, so daß wir zusammen aufflogen wie große Vögel, die über die Wolken segeln? Auch dies soll sein, denn so will es Ilúvatar, und ehe die Kinder noch erwachen, sollen die Adler des Westens aufsteigen mit Schwingen wie der Wind.«

Da war Yavanna froh, und sie stand auf und streckte die Arme gen Himmel und sagte: »Hoch mögen Kementáris Bäume wachsen, damit die Adler des Königs darin horsten!«

Doch Manwe stand gleichfalls auf, und es schien, daß er zu solcher Höhe aufragte, daß seine Stimme wie von den Pfaden der Winde her zu Yavanna herunterdrang.

»Nein«, sagte er, »nur Aules Bäume werden hoch genug sein. In den Bergen werden die Adler horsten und die Stimmen derer hören, die uns rufen. In den Wäldern aber werden die Hirten der Bäume wandeln.«

Für den Augenblick trennten sich nun Manwe und Yavanna, und Yavanna kehrte zu Aule zurück; und der war in seiner Schmiede und goß geschmolzenes Metall in eine Form. »Freigebig ist Eru«, sagte sie. »Nun mögen deine Kinder sich in acht nehmen! Denn eine Macht wird in den Wäldern umgehen, die sie nicht ungestraft erzürnen dürfen.«

»Dennoch werden sie Holz brauchen«, sagte Aule und fuhr fort zu schmieden.

III
Vom Erwachen der Elben und von Melkors Gefangenschaft

Lange Zeitalter hindurch lebten die Valar glückselig im Licht der Bäume jenseits der Berge von Aman, ganz Mittelerde aber lag im Dämmerlicht unter den Sternen. Während die Leuchten schienen, hatte ein Wachsen begonnen, das nun aufgehalten wurde, weil alles wieder dunkel war. Doch schon hatten sich die ältesten lebenden Dinge erhoben: im Meere die großen Wasserpflanzen und auf der Erde der Schatten der großen Bäume; und in den Tälern der umnachteten Gebirge waren dunkle Geschöpfe, alt und stark. In jene Länder und Wälder kamen die Valar selten, bis auf Yavanna und Orome; und Yavanna ging dort zwischen den Schatten, voll Kummer, weil das Wachstum und die Verheißungen des Frühlings von Arda sich nicht erfüllten. Und sie legte Schlaf auf vieles, das im Frühling aufgegangen war, damit es nicht altern, sondern auf die Zeit des Erwachens warten sollte, die noch kommen würde.

Doch im Norden sammelte Melkor sein Heer, und er schlief nicht, sondern gab Obacht und schaffte; und die Undinge, die er verdorben, streiften umher; und die dunklen, schlafenden Wälder wurden von Ungeheuern und Schreckgestalten heimgesucht. Und in Utumno scharte er seine Dämonen um sich, jene Wesen, die sich von Anfang an, schon in den Tagen seines Glanzes, ihm angeschlossen hatten, und fast so verrucht wie er selber waren: Im Herzen waren sie von Feuer, doch in einen Mantel von Finsternis gehüllt, und Entsetzen ging ihnen voraus; sie hatten Peitschen von Flammen. Balrogs wurden sie in späteren Tagen in Mittelerde genannt. Und in jener dunklen Zeit züchtete Melkor viele andere Ungeheuer von verschiedener Gattung und Gestalt, die lange die Welt quälten; und sein Reich breitete sich nun immer weiter südwärts über Mittelerde aus.

Und Melkor baute auch eine Festung und ein Waffenlager unweit der nordwestlichen Meeresküsten, um jedem Angriff aus Aman widerstehen zu können. Diese Burg befehligte Sauron, Melkors Statthalter; und sie wurde Angband genannt.

Nun geschah es, daß die Valar Rat hielten, denn Sorge machte ihnen, was Yavanna und Orome aus den Außenlanden meldeten. Und Yavanna sprach zu den Valar und sagte:»Ihr hohen Herren von Arda, kurz war das Gesicht, das uns Ilúvatar zeigte, und schnell wurde es wieder entrückt, so daß wir vielleicht nicht auf wenige Tage genau die vorbestimmte Stunde erraten können. Doch dessen seid gewiß: Die Stunde naht, und noch in diesem Alter wird unsere Hoffnung wahr, und die Kinder werden erwachen. Sollen wir da die Lande, wo sie wohnen, wüst und voller Übel lassen? Sollen sie im Dunkel gehen, während wir Licht haben? Sollen sie Melkor ihren Herrn nennen, während Manwe auf dem Taniquetil sitzt?«

Und Tulkas rief:»Nimmer! Laßt uns sogleich in den Krieg ziehen! Haben wir nicht schon allzulange vom Kampfe geruht, und sind wir nicht wieder frisch bei Kräften? Soll denn einer allein uns ewig widerstehen?«

Doch auf Manwes Geheiß sprach Mandos, und er sagte:»Es ist wahr, in diesem Alter werden die Kinder Ilúvatars kommen, doch noch nicht jetzt. Überdies lautet der Spruch, daß die Erstgeborenen im Dunkel ankommen und zuerst die Sterne erblicken sollen. Im starken Lichte sollen sie verblassen! Valar werden sie immer anrufen in der Not.«

Da ging Varda fort aus dem Rate, und sie blickte von der Höhe des Taniquetil hinaus und sah das Dunkel von Mittelerde unter den unzähligen Sternen, fahl und fern. Nun begann sie ein großes Werk, das größte der Valar, seit sie nach Arda gekommen. Sie nahm den Silbertau aus den Kübeln unter Telperion, und daraus machte sie neue Sterne, hellere, für die Ankunft der Erstgeborenen; weshalb sie, die aus den Tiefen der Zeit und von der Geburt Eas an Tintalle hieß, die Entfacherin, von den Elben später Elentári genannt wurde, die Sternenkönigin. Carnil und Luinil, Nénar und Lumbar, Alcarinque und Elemmíre schuf sie zu jener Zeit, und viele andere der alten

Sterne versammelte sie und setzte sie als Zeichen in die Himmel von Arda: Wilwarin, Telumendil, Soronúme und Anarríma und Menelmacar mit seinem leuchtenden Gürtel, welcher auf die Letzte Schlacht vorausdeutet, die am Ende aller Tage sein wird. Und hoch in den Norden, als Drohung für Melkor, hängte sie die Krone der sieben mächtigen Sterne, Valacirca, die Sichel der Valar und das Zeichen des Schicksals.

Es wird erzählt, sobald Varda ihre Arbeit beendet hatte, und sie dauerte lange, und als zuerst Menelmacar den Himmel hinaufwanderte und das blaue Feuer Helluins in den Nebeln über den Grenzen der Welt glitzerte, da seien zu dieser Stunde die Kinder der Erde erwacht, die Erstgeborenen Ilúvatars. Am sternbeschienenen See von Cuiviénen, dem Wasser des Erwachens, erhoben sie sich vom Schlafe Ilúvatars; und während sie noch stumm am Wasser saßen, erblickten ihre Augen als erstes von allen Dingen die Sterne des Himmels. Daher haben sie das Sternenlicht immer geliebt und Varda Elentári höher geehrt als alle andren Valar.

In den Wandlungen der Welt sind die Formen der Länder und Meere zerbrochen und neu gefügt worden; Flüsse sind nicht im alten Lauf geblieben, noch verharrten die Gebirge unerschüttert; und nach Cuiviénen gibt es kein Zurück. Doch sagt man unter den Elben, es sei weit im Osten von Mittelerde gelegen, etwas nördlich, eine Bucht im Binnenmeer von Helcar; und dieses Meer befand sich an der Stelle, wo einst die Wurzeln des Berges Illuin gewesen waren, ehe Melkor ihn umwarf. Viele Bäche flossen dort von den Berghöhen im Osten herab, und das erste, was die Elben hörten, war der Laut des Wassers, wie es dahinfloß und über die Steine sprang.

Lange blieben sie in ihrer ersten Heimat am Wasser und unter den Sternen; und mit Erstaunen gingen sie auf der Erde umher, und sie begannen zu sprechen und allen Dingen, die sie bemerkten, Namen zu geben. Sich selbst nannten sie Quendi, das heißt, die, welche mit Stimmen sprechen; denn noch war ihnen kein andres Ding von Leben begegnet, das sprach oder sang.

Und einmal traf es sich, daß Orome zur Jagd nach Osten ritt, und an den Ufern von Helcar wandte er sich nach Norden und zog unter den Schatten der Orocarni hindurch, der Berge des Ostens. Da stieß plötzlich Nahar ein lautes Wiehern aus und blieb stehen. Und Orome war verwundert und horchte, und es schien ihm, daß er in der Stille des Landes unter den Sternen ganz weit in der Ferne viele Stimmen singen hörte.

So kam es, daß die Valar endlich, durch Zufall gleichsam, jene fanden, auf die sie so lange gewartet hatten. Und Orome, als er die Elben erblickte, war voll Staunens, als wären sie ganz plötzlich, wie durch ein Wunder und unvorhergesehen, erschienen. Denn so wird es den Valar immer ergehen. Außerhalb der Welt mögen zwar alle Dinge in der Musik vorgedacht oder in einem Gesicht von ferne vorgewiesen sein, jenen aber, die Ea wahrhaftig betreten, begegnet jedes Ding zu seiner Zeit als ein Neues, unverhofft und ungeweissagt.

Zu Anfang waren die Älteren Kinder Ilúvatars stärker und größer, als sie seither geworden, nicht aber schöner, denn wenn auch die Schönheit der Quendi in den Tagen ihrer Jugend alles andre übertraf, das Ilúvatar ins Leben gerufen, so ist sie doch nicht vergangen, sondern lebt fort im Westen, und Leid und Weisheit haben sie nur reicher gemacht. Und Orome fand Gefallen an den Quendi, und in ihrer eigenen Sprache nannte er sie Eldar, das Volk der Sterne; doch diesen Namen trugen später nur diejenigen, die ihm nach Westen folgten.

Viele der Quendi waren aber voller Schrecken, als er kam, und das war Melkors Werk. Gemäß späterem Wissen sagen nämlich die Weisen, daß Melkor, der stets Obacht gab, das Erwachen der Quendi als erster bemerkt hatte, und er sandte Schatten und Ungeheuer, ihnen nachzuspionieren und aufzulauern. So kam es, einige Jahre bevor Orome sie fand, daß die Elben, wenn sie allein oder zu wenigen weit in die Umgebung schweiften, oftmals verschwanden und nicht wiederkehrten; und die Quendi sagten dann, der Jäger habe sie gefangen, und sie fürchteten sich. Und die ältesten Lieder der Elben, deren Nachklänge im Westen noch in Erinnerung sind, sprechen noch von den Schattenwesen, die in den Bergen hinter Cuiviénen umgingen oder plötzlich über die Sterne zogen, und von dem dunklen Reiter auf seinem wilden Roß, der Jagd machte auf jene, die aus waren, die Elben zu fangen und zu verschlingen. Melkor nun fürchtete und verabscheute Oromes Jagdritte, und entweder schickte er selbst seine dunklen Diener in Gestalt von Reitern aus, oder er verbreitete Lügen und Gerüchte, damit die Quendi vor Orome fliehen sollten, wenn sie ihm je begegneten.

So kam es, daß manche der Quendi, als Nahar wieherte und Orome unter sie trat, sich versteckten, und manche flohen und wurden nicht wieder gesehen. Die aber, welche Mut hatten und blieben, sahen schnell, daß der Große Reiter keine Gestalt des Dunkels war, denn das Licht von Aman schien aus seinem Antlitz, und die Edelsten der Elben wurden zu ihm hingezogen.

Von jenen Unglücklichen aber, die Melkor betört hatte, ist nichts Gewisses bekannt. Denn wer von den Lebenden wäre je in die Höhlen von Utumno gestiegen, und wer hätte Melkors dunkle Ratschlüsse erforscht? Doch dies halten die Weisen von Eressea für wahr, daß alle die Quendi, die in Melkors Hände fielen, ehe Utumno zerstört wurde, dort in Gefangenschaft kamen und durch die langsamen Künste der Folter verderbt und versklavt wurden; und so züchtete Melkor das ekle Volk der Orks, in Neid und Hohn den Elben nachgebildet, deren bitterste Feinde sie später waren. Denn die Orks hatten Leben und vermehrten sich ganz so wie die Kinder Ilúvatars; und nichts, was nach eigener Art lebte oder zu leben schien, konnte Melkor je mehr schaffen seit seiner Auflehnung in der Ainulindale vor dem Anbeginn: so sagen die Weisen. Und tief in ihren dunklen Herzen haßten die Orks den Meister, dem sie in Furcht dienten und der sie zu solchem Elend geschaffen. Es mag wohl sein, daß dies von Melkors Taten die schändlichste und für Ilúvatar die verhaßteste war.

Orome blieb eine Weile bei den Quendi, und dann ritt er schnell über Land und Meer zurück nach Valinor und brachte Meldung nach Valmar; und er sprach von den Schatten, die Cuiviénen heimsuchten. Da jubelten die Valar; doch bei all ihrer Freude waren sie im Zweifel und berieten sich lange, welches der beste Plan sei, um die Quendi vor Melkors Schatten zu behüten. Orome aber kehrte sogleich wieder nach Mittelerde zurück und wohnte bei den Elben.

Manwe saß lange in Gedanken auf dem Taniquetil und erforschte Ilúvatars Rat. Dann stieg er hinab nach Valmar und rief die Valar in den Ring des Schicksals zusammen; selbst Ulmo aus dem Außenmeer fand sich ein.

Da sprach Manwe zu den Valar und sagte: »Dies ist Ilúvatars Rat in meinem Herzen: Daß wir wieder Herrschaft über Arda ergreifen, um jeden Preis, und die Quendi von dem Schatten Melkors erlösen.« Da freute sich Tulkas; Aule aber war bekümmert, denn er wußte voraus, was für Wunden die Welt bei diesem Kampf würde leiden müssen. Die Valar aber rüsteten sich und zogen mit ihrem Kriegsheer von Aman aus, um Melkors Festungen zu stürmen und ihm ein Ende zu machen. Niemals hat Melkor je vergessen, daß dieser Krieg um der Elben willen geführt wurde und daß sie der Grund seines Sturzes waren. Doch hatten sie nicht teil an diesen Taten, und sie wissen wenig von dem Ritt des westlichen Heeres gegen den Norden zu Anfang ihrer Tage.

Melkor begegnete dem Angriff der Valar im Nordwesten von Mittelerde, und in dem ganzen Gebiet wurde viel zerschlagen. Doch rasch errangen die Heere des Westens den ersten Sieg, und Melkors Diener flohen vor ihnen her nach Utumno. Dann zogen die Valar über Mittelerde hin, und bei Cuiviénen stellten sie eine Wache auf; und von da an wissen die Quendi nichts mehr von der Großen Schlacht der Mächte, nur daß die Erde unter ihnen bebte und stöhnte, daß die Gewässer in Bewegung kamen und daß im Norden Lichter wie von riesigen Bränden zu sehen waren. Lang und hart war die Belagerung von Utumno, und viele Schlachten wurden vor seinen Toren geschlagen, von denen nur Gerüchte den Elben bekannt sind. In jener Zeit veränderte sich die Form von Mittelerde, und das Große Meer, das es von Aman schied, wurde weit und tief; und es brach in die Küsten ein und bildete einen großen Golf nach Süden hin. Viele kleinere Buchten entstanden zwischen dem Großen Golf und der Helcaraxe hoch im Norden, wo Mittelerde und Aman dicht zueinander traten. Deren größte war die Bucht von Balar; und in sie ergoß sich von Norden her der Sirion, ein gewaltiger Strom von den neu aufgetürmten Hochlanden herab: Dorthonion und den Gebirgen um Hithlum. Alle Länder im hohen Norden wurden in diesen Tagen verwüstet, denn Utumno war dort überaus tief eingegraben, und seine Höhlen waren voller Feuer und bargen große Scharen von Melkors Dienern.

Endlich aber wurden die Tore von Utumno gebrochen und die Dächer von seinen Hallen gerissen, und Melkor floh in seine tiefste Höhle. Da trat Tulkas vor als Streiter für die Valar und rang mit ihm und warf ihn aufs Gesicht; und er wurde mit der Kette Angainor gefesselt, die Aule geschmiedet hatte, und gefangen hinweggeführt; und für ein langes Zeitalter hatte die Welt Frieden.

Doch entdeckten die Valar nicht alle die großen Grüfte und Gewölbe, die schlau getarnt tief unter den Festungen Angband und Utumno verborgen lagen. Viel böse Dinge schlichen da noch umher, und andere flüchteten versprengt in die Dunkelheit und durchstreiften die Einöden der Welt, wartend auf die bösere Stunde; und auch Sauron fanden die Valar nicht.

Als nun aber die Schlacht zu Ende war und aus den Trümmern des Nordens große Rauchwolken aufstiegen und die Sterne verdunkelten, da schleppten die Valar Melkor nach Valinor, an Händen und Füßen gefesselt und die Augen verbunden; und er wurde in den Schicksalsring gebracht. Dort warf er sich mit dem Gesicht in den Staub, Manwe zu Füßen, und flehte um Gnade; doch wurde sie ihm verweigert, und man warf ihn ins Gefängnis, in der Feste von Mandos, aus der niemand entkommt, weder Vala noch Elb noch sterblicher Mensch. Geräumig und stark sind diese Mauern, und sie standen im Westen des Landes Aman. Dort wurde Melkor geheißen, drei Alter lang zu bleiben, ehe von neuem über ihn beraten werden sollte oder er noch einmal um Vergebung bitten mochte.

Darauf versammelten sich die Valar abermals im Rate, und sie waren uneins. Denn manche, denen Ulmo das Wort führte, meinten, den Quendi solle freigestellt sein, nach Belieben in Mittelerde zu wandern und kraft der ihnen verliehenen Gaben alle Lande zu richten und ihre Wunden zu heilen. Die meisten aber fürchteten um die Quendi in der gefährlichen Welt zwischen den Truggebilden der sternbeschienenen Dämmerung; auch waren sie voller Liebe zu der Schönheit der Elben und sehnten sich nach ihrer Gesellschaft. Am Ende ließen die Valar daher den Aufruf ergehen, die Quendi möchten nach Valinor kommen, um dort für immer zu Füßen der Mächte im Licht der Bäume zu wohnen; und Mandos brach sein Schweigen und sagte: »So will es der Spruch.« Viel Leid erwuchs später aus diesem Urteil.

Die Elben aber waren zuerst nicht geneigt, dem Aufruf zu gehorchen; denn sie hatten die Valar, Orome ausgenommen, bisher nur im Zorn gesehen, wie sie in den Krieg zogen; und sie waren voller Furcht. Daher wurde Orome noch einmal zu ihnen entsandt, und er wählte unter ihnen drei Botschafter aus, die nach Valinor gehen sollten und für ihr Volk sprechen; und dies waren Ingwe, Finwe und Elwe, die nachmals Könige wurden. Und als sie kamen, erfüllte sie Ehrfurcht vor der Pracht und Herrlichkeit der Valar, und es verlangte sie sehr nach dem Licht und dem Glanz der Bäume. Dann brachte Orome sie nach Cuiviénen zurück, und sie sprachen zu ihrem Volk und rieten, dem Aufruf der Valar Folge zu leisten und in den Westen zu ziehen.

Da brach die erste Sonderung über die Elben herein. Denn das Geschlecht Ingwes und die meisten aus dem Stamme Finwes und Elwes waren durch die Worte ihrer Fürsten gewonnen und geneigt, aufzubrechen und Orome zu folgen; und diese kannte man später als die Eldar, unter dem Namen, den Orome den Elben zu Anfang in ihrer eigenen Sprache gegeben hatte. Viele aber lehnten den Aufruf ab; sie zogen den Sternenschein und die weiten Räume von Mittelerde dem Gerücht von den Bäumen vor; und dies sind die Avari, die Widerstrebenden, die zu jener Zeit von den Eldar getrennt wurden und ihnen erst wieder begegneten, nachdem viele Alter vergangen waren.

Die Eldar schickten sich nun zu der großen Wanderung aus ihrer ersten Heimat im Osten an, und sie gingen in drei Scharen. Die kleinste Schar und die erste, die aufbrach, wurde von Ingwe angeführt, dem höchsten Fürsten des ganzen Elbengeschlechts. Er kam nach Valinor und sitzt dort zu Füßen der Mächte, und alle Elben ehren seinen Namen; doch kehrte er nie wieder zurück und kümmerte sich nicht mehr um Mittelerde. Die Vanyar waren sein Volk, die Blond-Elben, die Lieblinge Manwes und Vardas, und wenige unter den Menschen haben je mit ihnen gesprochen.

Als nächste kamen die Noldor, welche nach ihrem Wissen benannt sind, das Volk Finwes. Dies sind die Tief-Elben, die Freunde Aules; und von ihnen melden viele Lieder, denn sie kämpften und arbeiteten lange und hart in den alten Nordlanden.

Die größte Schar kam als letzte, und diese heißen die Teleri, denn sie zögerten unterwegs und waren nicht ganz entschieden, ob sie aus der Dämmerung in das Licht von Valinor ziehen sollten. Wasser bereitete ihnen große Freude, und jene, die schließlich an die Küsten des Westens gelangten, waren voller Liebe zur See. Die See-Elben hießen sie daher im Lande Aman, die Falmari, denn sie machten Musik angesichts der schäumenden Brandung. Zwei Fürsten hatten sie, da ihre Zahl groß war: Elwe Singollo (was Graumantel bedeutet) und seinen Bruder Olwe.

Dies waren die drei Völker der Eldalië, die, weil sie noch zur Zeit der Bäume in den äußersten Westen kamen, die Calaquendi, Licht-Elben, genannt werden. Andere unter den Eldar aber machten sich gleichfalls auf nach Westen, verliefen sich jedoch auf dem weiten

Wege, wandten sich seitwärts in andere Richtungen oder verweilten an den Küsten von Mittelerde; und diese waren zumeist vom Volk der Teleri, wie später berichtet wird. Sie ließen sich am Meer nieder oder zogen durch die Wälder und Gebirge der Welt, doch ihre Herzen blieben dem Westen zugewandt. Die Calaquendi nennen diese Elben die Úmanyar, weil sie niemals ins Land Aman und ins Segensreich kamen; die Úmanyar und die Avari zusammen aber nennen sie die Dunkel-Elben, denn sie haben nie das Licht erblickt, das älter war als Sonne und Mond.

Es wird erzählt, daß Orome, als die Scharen der Eldalië aus Cuiviénen aufbrachen, auf Nahar, seinem weißen, goldbehuften Roß, an ihrer Spitze ritt; und nachdem sie das Meer von Helcar nördlich umgangen hatten, wandten sie sich nach Westen. Vor ihnen hingen im Norden noch große Wolken über den Trümmern des Krieges, und die Sterne in jener Gegend waren verdeckt. Nicht wenigen wurde da bang; ihr Entschluß reute sie, und sie kehrten wieder um und sind nun vergessen.

Lang und langsam war der Zug der Eldar nach Westen, denn der Meilen von Mittelerde waren unzählige, und sie waren beschwerlich und weglos. Auch mochten die Eldar nicht teilen, denn voll Staunens waren sie über alles, was sie sahen, und viele Länder und Flüsse lockten sie zu bleiben; und wenngleich alle noch gewillt waren weiterzuziehen, so sahen doch viele dem Ende der Reise eher mit Furcht denn mit Hoffnung entgegen. Immer, wenn daher Orome, der bisweilen andres zu versehen hatte, sich von ihnen trennte, machten sie Halt und gingen nicht mehr weiter, bis er zurückkam, um sie zu führen. Und so geschah es, nachdem die Eldar viele Jahre lang auf diese Weise gewandert waren, daß ihr Weg sie durch einen Wald führte, und sie kamen an einen großen Fluß, der breiter war als jeder andre, den sie noch gesehen; und jenseits des Flusses waren Berge, deren gezackte Gipfel bis in die Sphäre der Sterne zu ragen schienen. Dieser Fluß, so heißt es, war schon derselbe, der hernach der Große Anduin genannt wurde, und schon immer war er die Grenze der westlichen Lande von Mittelerde. Die Berge aber waren die Hithaeglir, die Türme des Nebels an den Grenzen von Eriador; doch waren sie zu jener Zeit noch höher und schrecklicher, denn Melkor hatte sie aufgetürmt, um Oromes Jagdritte zu hindern. Nun verweilten die Teleri lange auf dem Ostufer des Flusses und wollten dort bleiben, die Vanyar und Noldor aber überschritten den Fluß, und Orome führte sie in die Gebirgspässe hinein. Und als Orome vorausgezogen war, blickten die Teleri auf die umschatteten Höhen und fürchteten sich.

Da stand einer in der Schar von Olwe auf, die am weitesten zurückgeblieben war; Lenwe war sein Name. Er wandte sich von dem Zug nach Westen ab und führte ein zahlreiches Volk mit sich fort, nach Süden den großen Strom hinunter, und sie verschwanden aus der Erinnerung ihres Volkes, bis viele Jahre vergangen waren. Dies waren die Nandor, und sie wurden zu einem Volk für sich, anders als ihresgleichen, nur daß auch sie das Wasser liebten und zumeist an Wasserfällen und Wildbächen lebten. Mehr wußten sie von allem, was lebt, von Bäumen und Kräutern, Tieren und Vögeln, als die übrigen Elben. In späteren Jahren wandte sich Denethor, Lenwes Sohn, schließlich wieder nach Westen und führte einen Teil dieses Volkes über das Gebirge nach Beleriand, bevor noch der Mond aufging.

Schließlich kamen die Vanyar und die Noldor über die Ered Luin, die Blauen Berge zwischen Eriador und dem westlichsten Land von Mittelerde, welches die Elben hernach Beleriand nannten; und die am weitesten voraus waren, durchquerten das Tal des Sirion und stiegen zwischen Drengist und der Bucht von Balar hinab an die Ufer des Großen Meeres. Als sie es aber erblickten, kam Furcht über sie, und viele zogen sich in die Wälder und Hochebenen von Beleriand zurück. Dort trennte sich Orome von ihnen und kehrte nach Valinor zurück, um sich von Manwe Rat zu holen.

Und die Schar der Teleri überschritt das Nebelgebirge und durchquerte die weiten Lande von Eriador, angetrieben von Elwe Singollo, denn er war voller Begier, nach Valinor und in das Licht, das er gesehen, zurückzukehren; auch wollte er von den Noldor nicht getrennt werden, denn er war gut Freund mit Finwe, ihrem Fürsten. So kamen nach vielen Jahren zuletzt auch die Teleri über die Ered Luin in die östlichen Gebiete von Beleriand. Dort machten sie Halt und blieben eine Weile an dem Fluß Gelion.

IV
Von Thingol und Melian

Melian war eine Maia, vom Geschlecht der Valar. Sie wohnte in den Gärten von Lórien, und unter all dem Volk war dort niemand schöner als Melian, noch klüger oder geschickter in Zaubergesängen. Es heißt, die Valar hätten ihre Arbeit und die Vögel von Valinor ihr Spiel ruhen lassen, die Glocken von Valmar seien verstummt und die Quellen hätten zu fließen aufgehört, wenn zu der Stunde, wo sich die Lichter mischten, Melian in Lórien sang. Nachtigallen waren immer um sie her, und sie lehrte sie ihr Lied; und sie liebte den tiefen Schatten der großen Bäume. Älter als die Welt, war sie mit Yavanna selbst verwandt; und um die Zeit, als die Quendi am Wasser von Cuiviénen erwachten, verließ sie Valinor und kam in die Hinnenlande, und sie erfüllte das Schweigen von Mittelerde vor der Morgendämmerung mit ihrer Stimme und mit den Stimmen ihrer Vögel.

Nun blieb das Volk der Teleri, wie erzählt worden, als ihre Wanderung dem Ende nah war, lange in Ost-Beleriand, am Gelionstrom; und zu jener Zeit lagerten viele der Noldor noch weiter westlich in den Wäldern, die später Neldoreth und Region genannt wurden. Elwe, der Fürst der Teleri, ging oft durch die großen Wälder, um seinen Freund Finwe in den Lagern der Noldor zu besuchen; und einmal begab es sich, daß er allein in den sternbeschienenen Wald von Nan Elmoth kam, und dort hörte er plötzlich das Lied der Nachtigallen. Da fiel ein Bann auf ihn, und er blieb stehen; und ganz von fern, über den Stimmen der *Lómelindi,* hörte er Melians Stimme, und sie erfüllte sein ganzes Herz mit Verwunderung und Begehren. Er vergaß sein Volk und all die Pläne in seinem Geist und schritt, den Vogelstimmen folgend, im Schatten der Bäume tief nach Nan Elmoth hinein, bis er den Weg nicht mehr wußte. Zuletzt aber kam er zu einer Lichtung, wo die Sterne hereinschienen, und da stand Melian; und aus dem Dunkel sah er sie an, und das Licht von Aman war in ihrem Angesicht.

Sie sprach kein Wort; doch voll Liebe trat Elwe zu ihr hin und nahm sie bei der Hand, und sogleich fiel ein Zauber über ihn, und beide blieben sie so stehen, während die kreisenden Sterne über ihnen viele Jahre abzählten; und die Bäume von Nan Elmoth wurden dicht und dunkel, ehe ein Wort fiel.

Vergebens wurde Elwe von seinem Volke gesucht, und, wie später erzählt wird, wurde Olwe König der Teleri und setzte mit ihnen die Wanderung fort. Elwe Singollo kam nie wieder über das Meer nach Valinor, solange er lebte, und auch Melian kehrte nicht mehr dorthin zurück, solange ihr gemeinsames Reich bestand; durch sie jedoch kam unter Elben wie Menschen etwas vom Erbe der Ainur, die schon vor Ea bei Ilúvatar waren. Elwe wurde in späteren Tagen ein großer König, und all die Eldar von Beleriand waren sein Volk; die Sindar wurden sie genannt, die Grau-Elben oder Elben der Dämmerung, und König Graumantel hieß er, Elu Thingol in der Landessprache. Und Melian war seine Königin, weiser als je eine Tochter von Mittelerde; und ihre verborgenen Hallen waren in Menegroth, den Tausend Grotten von Doriath. Große Macht verlieh Melian ihrem Gemahl, der selbst ein Großer unter den Eldar war, hatte er doch als einziger von allen Sindar mit eigenen Augen die Bäume in den Tagen, wo sie blühten, gesehen, und wenn er auch König der Úmanyar war, so wurde er selber doch nicht zu den Moriquendi gezählt, sondern zu den Licht-Elben, den Mächtigen von Mittelerde. Und aus der Liebe zwischen Thingol und Melian ging das schönste von allen Kindern Ilúvatars hervor, welches die Welt je gesehen hat oder sehen wird.

V
Von Eldamar und den Fürsten der Eldalië

Wenig später kamen die Scharen der Vanyar und der Noldor an die äußersten westlichen Küsten der Hinnenlande. Im Norden zogen sich diese Küsten in jener alten Zeit nach dem Krieg der Mächte immer weiter gen Westen hin, bis in der nördlichsten Gegend von Arda nur noch eine Meerenge das Land Aman, wo Valinor stand, von den Hinnenlanden trennte; diese Meerenge aber war voll zermalmender Eisberge, denn für strengen Frost hatte Melkor gesorgt. Daher hatte Orome die Scharen der Eldalië nicht in den hohen Norden geführt, sondern in die milden Lande um den Strom Sirion, das Gebiet, das später Beleriand hieß; und von diesen Küsten, wo die Eldar zum ersten Male in Furcht und Staunen das Meer erblickten, erstreckte sich ein breiter, dunkler und tiefer Ozean bis zu den Bergen von Aman.

Nun kam auf Bitten der Valar Ulmo an die Küsten von Mittelerde und sprach mit den Eldar, die dort warteten und auf die dunklen Wellen starrten; und dank seinen Worten und der Musik, die er auf seinen Muschelhörnern für sie spielte, verwandelte sich ihre Furcht vor dem Meer beinah in Sehnsucht. Ulmo entwurzelte nun eine Insel, die lange, seit dem Aufruhr nach Illuins Einsturz, einsam im Meer gestanden hatte, fern von beiden Ufern, und trieb sie mit seinen Gehilfen wie ein riesiges Schiff einher; er verankerte sie in der Bucht von Balar, in welche der Sirion seine Wasser ergießt. Die Vanyar und die Noldor bestiegen nun diese Insel und wurden auf ihr übers Meer gezogen, bis zu den langen Stränden unter den Bergen von Aman; und sie betraten Valinor und wurden in seiner Glückseligkeit willkommen geheißen. Der östliche Zipfel der Insel aber, der tief in den Sandbänken vor der Mündung des Sirion steckte, brach ab und blieb zurück; und dies, so heißt es, war die Insel Balar, die später Osse oft besuchte.

Die Teleri aber blieben noch in Mittelerde zurück, denn sie lebten im östlichen Beleriand, fern von der See, und hörten von Ulmos

Aufruf erst, als es zu spät war; und viele suchten noch immer nach Elwe, ihrem Fürsten, und wollten ohne ihn nicht scheiden. Als sie aber erfuhren, daß Ingwe und Finwe mit ihren Völkern fort waren, da drängten sich viele der Teleri an die Küsten von Beleriand, und sie wohnten fortan nahe an den Mündungen des Sirion und sehnten sich nach ihren Freunden, die davongezogen waren; und Olwe, Elwes Bruder, nahmen sie sich zum König. Lange blieben sie da an den Küsten des westlichen Meeres, und Osse und Uinen kamen und erwiesen ihnen Freundschaft. Osse, auf einem Felsen am Ufer sitzend, gab ihnen Unterricht, und von ihm lernten sie Meereskunde und Meeresmusik jeder Art. So kam es, daß die Teleri, die schon immer das Wasser geliebt hatten und unter allen Elben die besten Sänger gewesen waren, hernach die Meere liebten, und ihre Lieder waren voll des Wellenrauschens am Ufer.

Nachdem viele Jahre vergangen waren, erhörte Ulmo die Bitten der Noldor und Finwes, ihres Königs, welche über die lange Trennung von den Teleri klagten und ihn anflehten, sie nach Aman zu holen, wenn sie kommen wollten. Und in der Tat wollten die meisten nun nach Aman; doch groß war Osses Kummer, als Ulmo an die Küsten von Beleriand zurückkehrte, um sie nach Valinor zu bringen; denn in Osses Obhut standen die Meere von Mittelerde und die Küsten der Hinnenlande, und es behagte ihm wenig, daß die Stimmen der Teleri in seinem Reich nicht mehr zu vernehmen sein sollten. Manche überredete er, zu bleiben; dies waren die Falathrim, die Elben von Falas, die in späteren Tagen an den Häfen von Brithombar und Eglarest wohnten, die ersten Seefahrer von Mittelerde und die ersten, die Schiffe zimmerten. Círdan der Schiffbauer war ihr Fürst.

Auch die Anverwandten und Freunde von Elwe Singollo, die noch immer nach ihm suchten, blieben in den Hinnenlanden, obwohl sie gern mitgefahren wären nach Valinor und ins Licht der Bäume, wenn Ulmo und Olwe nur länger hätten warten mögen. Doch Olwe wollte fort, und schließlich schiffte sich die Hauptschar der Teleri auf der Insel ein, und Ulmo schleppte sie von dannen. Da waren die Freunde Elwes nun allein zurückgeblieben, und sie nannten sich selbst die Eglath, das Verlassene Volk. Sie wohnten lieber in den Wäldern und Hügeln von Beleriand als an der See, die sie mit Kummer erfüllte; doch die Sehnsucht nach Aman erlosch nicht in ihren Herzen.

Als aber Elwe aus seiner langen Abwesenheit erwachte, kam er mit Melian aus dem Walde von Nan Elmoth, und hernach lebten sie in den Wäldern inmitten des Landes. Wie sehr er auch begehrt hatte, das Licht der Bäume wiederzusehen, in Melians Angesicht sah er das Licht von Aman wie in einem ungetrübten Spiegel, und dies war ihm genug. Sein Volk lief freudig um ihn zusammen und staunte, denn wenn er schon immer schön und edel gewesen war, so erschien er nun wie ein Fürst der Maiar, größer als alle andern Kinder Ilúvatars und das Haar wie graues Silber; und ein hohes Schicksal lag vor ihm.

Osse nun zog hinter Olwes Schar her, und als sie in die Bucht von Eldamar (das heißt Elbenheim) gekommen waren, rief er sie an; und sie erkannten seine Stimme und baten Ulmo, ihre Reise hier zu beenden. Und Ulmo gewährte ihnen die Bitte, und auf sein Geheiß machte Osse die Insel fest und verankerte sie auf dem Meeresgrund. Um so eher war Ulmo dazu geneigt, als er die Teleri von Herzen verstand, und im Rate der Valar hatte er selbst gegen den Aufruf gesprochen, weil er dachte, daß es für die Quendi besser sei, in Mittelerde zu bleiben. Die Valar waren nicht sehr erfreut, als sie erfuhren, was er getan, und Finwe war traurig, als die Teleri nicht kamen, und mehr noch, als er erfuhr, daß Elwe verschollen war und daß er ihn nicht wiedersehen würde, es sei denn in den Hallen von Mandos. Die Insel aber wurde nicht mehr vom Platz gerückt und stand nun allein in der Bucht von Eldamar; und sie wurde Tol Eressea geheißen, die Einsame Insel. Dort lebten die Teleri, wie sie es wünschten, unter den Sternen des Himmels und doch in Sichtweite von Aman und dem Gestade der Unsterblichen; und durch diesen langen Aufenthalt auf der Einsamen Insel kam es zur Sonderung ihrer Sprache von der Sprache der Vanyar und Noldor.

Diesen hatten die Valar Land und Wohnung gegeben. Sogar zwischen den leuchtenden Blumen der baumbschienenen Gärten von Valinor verlangte es sie bisweilen noch, die Sterne zu sehen, und deshalb wurde eine Bresche in die hohen Wälle der Pelóri gelegt, und dort, in einem tiefen Tal, das sich bis ans Meer hinunterzog, warfen die Eldar einen hohen grünen Hügel auf, Túna geheißen. Vom Westen fiel das Licht der Bäume auf ihn, und sein Schatten lag stets im Osten; und nach Osten war er der Bucht von Elbenheim zugekehrt, der Einsamen Insel und den Schattigen Meeren. Durch den Calacirya nun, den Paß des Lichtes, fielen die Strahlen des Segensreiches hinaus, färbten die dunklen Wellen silbern und golden und trafen die Einsame Insel; und ihr Westufer wurde licht und grün. Dort erblühten die ersten Blumen, die es je östlich der Berge von Aman gegeben.

Auf dem Gipfel des Túna wurde die Stadt der Elben erbaut, die weißen Mauern und Terrassen von Tirion; und der höchste Turm der Stadt war der Turm Ingwes, Mindon Eldaliéva, dessen silberne Lampe weit durch die Nebel des Meeres hinausschien. Wenige Schiffe der sterblichen Menschen haben ihr schlankes Licht je gesehen. In Tirion auf dem Túna wohnten die Vanyar und die Noldor lange gemeinsam. Und da sie von allen Dingen in Valinor am meisten den Weißen Baum liebten, schuf Yavanna für sie einen Baum, der wie ein kleineres Abbild Telperions war, nur daß er nicht aus eigner Kraft leuchtete; Galathilion wurde er in der Sindarinsprache geheißen. Dieser Baum wurde in den Gärten unterhalb des Mindon eingepflanzt, und seiner Schößlinge waren viele in Eldamar. Einer von ihnen wurde später in Tol Eressea eingepflanzt, und er gedieh und wurde Celeborn geheißen; aus ihm entsprang zu seiner Zeit, wie anderswo erzählt wird, Nimloth, der Weiße Baum von Númenor.

Manwe und Varda liebten vor allem die Vanyar, die Blond-Elben; die Noldor aber waren Aules Lieblinge, und er mischte sich mit seinem Gefolge oft unter sie. Groß wurden ihr Wissen und ihre Kunst, doch größer noch war ihr Durst nach immer neuem Wissen, und in vielen Dingen übertrafen sie bald ihre Lehrer. Voller Wechsel war ihre Rede, denn sie hatten eine Leidenschaft für Wörter und wollten immer noch treffendere Namen für alles finden, was sie kannten oder sich dachten. Und es geschah, daß ihre Mauerwerker, die in den Hügeln nach Steinen für das Haus Finwes gruben (denn sie hatten Freude daran, hohe Türme zu bauen), zuerst die Erdgemmen entdeckten und sie in Myriaden zutage brachten; und sie erfanden Werkzeuge, um die Gemmen zu schneiden und zu formen, und schliffen sie zu vielerlei Gestalt. Sie horteten sie nicht, sondern verteilten sie freigebig und machten ganz Valinor durch ihre Arbeit reicher.

Die Noldor kamen später nach Mittelerde zurück, und von ihren Taten ist in dieser Geschichte vor allem die Rede; deshalb seien hier die Namen und Sippen ihrer Fürsten genannt, in der Form, welche diese Namen später in der Sprache der Elben von Beleriand erhielten.

Finwe war der König der Noldor. Finwes Söhne waren Feanor, Fingolfin und Finarfin; die Mutter Feanors aber war Míriel Serinde, während die Mutter Fingolfins und Finarfins Indis aus dem Geschlecht der Vanyar war.

Feanor war der Tüchtigste mit Wort und Hand und gelehrter als seine Brüder; sein Geist brannte wie eine Flamme. Fingolfin war der Stärkste, Standhafteste und Tapferste. Finarfin war der Schönste und der Weiseste im Herzen; und später wurde er freund mit den Söhnen Olwes, des Königs der Teleri, und nahm Earwen zur Gemahlin, die Schwanenjungfrau von Alqualonde, Olwes Tochter.

Die sieben Söhne Feanors waren Maedhros der Lange, Maglor, der gewaltige Sänger, dessen Stimme weit über Land und Meer schallte, Celegorm der Helle, und Caranthir der Dunkle, Curufin der Geschickte, der am meisten von seines Vaters Handfertigkeiten geerbt hatte, und die beiden Jüngsten, Amrod und Amras, die Zwillingsbrüder waren, gleich von Gemüt und Gestalt. In späteren Zeiten waren sie große Jäger in den Wäldern von Mittelerde; und ein Jäger war auch Celegorm, der in Valinor ein Freund Oromes war und oft dem Horn des Vala folgte.

Die Söhne Fingolfins waren Fingon, der später König der Noldor in der nördlichen Welt wurde, und Turgon, der Herr von Gondolin; ihre Schwester war Aredhel, die Weiße. Sie war jünger in den Jahren der Eldar als ihre Brüder, und als sie zu voller Größe und Schönheit gediehen war, da war sie hochgewachsen und kräftig, und sie ritt und jagte gern viel in den Wäldern. Dort war sie oft in Gesellschaft von Feanors Söhnen, ihren Vettern; doch keinem gewährte sie ihre Liebe. Ar-Feiniel wurde sie genannt, die Weiße Dame der Noldor, denn sie war bleich, obwohl von dunklem Haar, und ging nie anders als in Silber und Weiß gewandet.

Die Söhne Finarfins waren Finrod, der Getreue (der später Felagund, der Herr der Grotten, hieß), Orodreth, Angrod und Aegnor; diese vier waren mit Fingolfins Söhnen so eng befreundet, als wären sie alle Brüder gewesen. Eine Schwester hatten sie, Galadriel, die Schönste aus dem ganzen Haus Finwes; ihr Haar leuchtete golden, als hätte es Laurelins Strahl in einer Schleife gefangen.

Hier muß berichtet werden, wie die Teleri schließlich in das Land Aman kamen. Ein langes Zeitalter hindurch wohnten sie auf Tol Eressea, doch langsam wandelte sich ihr Sinn, und das Licht zog sie an, das übers Meer zu der Einsamen Insel herüberschien. Sie waren im Zwiespalt zwischen ihrer Liebe zu der Musik der Wellen an ihren Ufern und dem Wunsch, ihre Freunde wiederzusehen und den Glanz von Valinor zu erblicken; am Ende aber siegte der Wunsch nach dem Licht. Ulmo, der sich dem Willen der Valar beugte, entsandte daher Osse zu ihnen, ihren Freund, der sie, obgleich voll Kummer, die Kunst des Schiffbaus lehrte; und als ihre Schiffe fertig waren, brachte er ihnen als Abschiedsgeschenk viele Schwäne mit starken Schwingen. Dann zogen die Schwäne die weißen Schiffe der Teleri über die windstille See; und so kamen sie endlich als letzte nach Aman und an die Küste von Eldamar.

Dort blieben sie, und wenn sie wollten, konnten sie nun das Licht der Bäume sehen, die goldenen Straßen von Valmar betreten und die kristallenen Treppen von Tirion zum Túna, dem grünen Hügel, hinaufsteigen; am liebsten aber befuhren sie auf ihren schnellen Schiffen die Wasser der Bucht von Elbenheim oder liefen durch die Wellen am Strande, die Haare schimmernd im Licht von der andern Seite des Hügels. Viele Juwelen schenkten ihnen die Noldor, Opale und Diamanten und blasse Kristalle, und alles verstreuten sie am Strand und warfen es in die Teiche; voller Wunder waren die Strände von Elende in jenen Tagen. Und viele Perlen fischten sie selbst aus dem Meer, und ihre Hallen waren von Perlen, und von Perlen waren Olwes Häuser in Alqualonde, dem Schwanenhafen, den viele Lampen erhellten. Denn dies war ihre Stadt und der Hafen ihrer Schiffe; und die Schiffe waren wie Schwäne gebildet, mit goldenen Schnäbeln und Augen von Gold und Kohle. Das Hafentor war ein Bogen von der See ausgewaschenen Gesteins, und es lag an den Grenzen von Eldamar, nördlich des Calacirya, wo die Sterne hell und klar leuchteten.

Mit der Zeit liebten die Vanyar immer mehr das Land der Valar und das volle Licht der Bäume, und sie zogen aus der Stadt Tirion auf dem Túna fort und ließen sich auf dem Berge Manwes nieder oder in den Ebenen und Wäldern von Valinor, und sie sonderten sich ab von den Noldor. In den Herzen der Noldor aber blieb die Erinnerung an Mittelerde unter den Sternen wach, und sie blieben weiter in Calacirya und in den Hügeln und Tälern in Hörweite des westlichen Meeres; und wenn auch mancher unter ihnen oft durch das Land der Valar streifte und weit umherwanderte, um die Geheimnisse des Landes und des Wassers und alles Lebendigen zu erforschen, so schlossen sich doch die Völker von Túna und Alqualonde in jener Zeit eng aneinander. Finwe war König in Tirion und Olwe in Alqualonde; als Oberster König der Elben aber wurde immer Ingwe geachtet. Er wohnte später auf dem Taniquetil, zu Füßen Manwes.

Feanor und seine Söhne hielt es selten lange an einem Ort; vielmehr zogen sie weit und breit in den Grenzen von Valinor umher und kamen bis an den Rand des Dunkels und an die kalten Ufer des Außenmeeres, das Unbekannte suchend. Oft waren sie in Aules Hallen zu Gast; Celegorm aber besuchte lieber das Haus Oromes, und dort erfuhr er große Wissenschaft von den Vögeln und Tieren, und er kannte all ihre Sprachen. Denn alles, was im Königreich Arda lebt oder gelebt hat, bis auf die bösen und grausamen Kreaturen Melkors, gab es damals im Lande Aman, außerdem viele andere Geschöpfe, die man in Mittelerde noch nicht gesehen hat und nun vielleicht nie mehr sehen wird, denn der Bau der Welt wurde geändert.

VI
Von Feanor und der Loskettung Melkors

So waren nun die drei Geschlechter der Eldar in Valinor endlich beisammen, und Melkor lag in Ketten. Dies war der Mittag des Segensreiches, der Scheitelpunkt seines Glücks und seiner Pracht, lang nach der Zahl der Jahre, doch allzu kurz in der Erinnerung. In jenen Tagen wuchsen die Eldar zu ihrer ganzen Größe an Körper wie an Geist heran, und die Noldor erfanden immer neue Künste und Wissenschaften; und unter vergnügtem Arbeiten gingen die langen Jahre hin, und viele neue und herrliche Dinge wurden geschaffen. Damals war es, daß die Noldor zuerst Buchstaben ersannen, und Rúmil von Tirion hieß jener Gelehrte, der als erster Zeichen fand, mit denen Sprache und Gesang sich festhalten ließen; manche davon wurden in Metall oder Stein eingegraben, andere mit Pinsel oder Feder hingetuscht.

Zu jener Zeit wurde in Eldamar, im Hause des Königs in Tirion auf dem Gipfel des Túna, der älteste und am innigsten geliebte von Finwes Söhnen geboren. Curufinwe war sein Name, doch seine Mutter nannte ihn Feanor, den Feuergeist; und unter diesem Namen wird in allen Erzählungen der Noldor seiner gedacht.

Míriel war der Name seiner Mutter, auch Serinde geheißen, weil sie unübertrefflich war im Weben und in den Nadelarbeiten; ihre Hände wußten geschickter mit feinen Stoffen umzugehen als alle andren, sogar unter den Noldor. Groß und freudig war die Liebe Finwes und Míriels, denn sie begann im Segensreich in den Tagen des Glücks. Als Míriel aber ihren Sohn trug, verzehrte sie sich an Geist und Körper, und als er geboren war, verlangte es sie nach Erlösung von der Last des Lebens. Und nachdem sie ihm den Namen gegeben, sagte sie zu Finwe: »Nie mehr werde ich ein Kind tragen, denn meine Kraft, die vieler Kinder Leben hätte nähren können, ist ganz in Feanor geflossen.«

Da war Finwe bekümmert, denn die Noldor standen in der Jugend ihrer Tage, und noch viele Kinder wollte er in die glückselige Welt von Aman setzen; und er sagte: »Gewiß gibt es Heilung in Aman? Jede Mühsal kann hier Linderung finden.« Und als Míriel immer weiter dahinsiechte, bat er Manwe um Rat, und Manwe empfahl sie Irmo zur Pflege in Lórien an. Als sie von Finwe schied (für kurze Zeit, wie er glaubte), war er traurig, denn ein unglückliches Ereignis schien es ihm, daß die Mutter fortging und nicht wenigstens die ersten Kindertage ihres Sohnes erlebte.

»Wahrhaftig ist es ein Unglück«, sagte Míriel, »und ich wollte weinen, wenn ich nicht so müd wäre. Doch gib mir keine Schuld an all dem und an nichts, was später kommen mag.«

Zu den Gärten von Lórien ging sie nun und legte sich dort zum Schlafe nieder; aber wenn sie auch nur zu schlafen schien, so verließ doch der Geist ihren Körper und ging stumm zu den Hallen von Mandos hinüber. Estes Mägde pflegten Míriels Leib, und er blieb unverdorrt, doch kehrte sie nicht zurück. Da lebte Finwe im Leid; oft ging er in die Gärten von Lórien, und unter den silbernen Weiden, neben dem Leib seines Weibes sitzend, rief er sie beim Namen. Doch half es nichts, und er allein in dem ganzen Segensreich war aller Freude beraubt. Nach einiger Zeit ging er nicht mehr nach Lórien.

All seine Liebe gehörte hinfort seinem Sohn, und Feanor wuchs rasch heran, als wäre ein geheimes Feuer in ihm entfacht worden. Er war groß, schön und gebieterisch von Angesicht, mit durchdringend klaren Augen und rabenschwarzem Haar, rege und beharrlich in allem, was er unternahm. Wenige haben je durch Rat seine Wege zu ändern vermocht, niemand durch Gewalt. Von allen Noldor, damals oder später, besaß er den feinsten Verstand und die geschicktesten Hände. In seiner Jugend erfand er, um das Werk Rúmils zu verbessern, die Buchstaben, die nach ihm benannt und fortan von den Eldar stets gebraucht wurden; und er war es, der als erster unter den Noldor die Kunst entdeckte, wie größere und leuchtendere Gemmen, als die Erde sie hergab, von Hand zu schaffen waren. Die ersten Gemmen, die Feanor schuf, waren weiß und farblos, unter dem Sternenlicht aber lohten weiße und blaue Feuer darin auf, heller als Helluin; und noch andere Kristalle schuf er, in denen weit entfernte Dinge zu erblicken waren, klein, aber deutlich, wie mit den Augen von Manwes Adlern gesehen. Selten kamen Feanors Hände und Geist zur Ruhe.

In früher Jugend noch nahm er Nerdanel zur Frau, die Tochter eines großen Schmiedes namens Mahtan, eines von jenen unter den Noldor, die Aule am nächsten standen; und von Mahtan lernte er vieles über die Fertigung der Dinge aus Metall und Stein. Auch Nerdanel war von festem Willen, doch geduldiger als Feanor, denn sie mochte den Geist anderer lieber verstehen als ihn beherrschen, und anfänglich konnte sie ihn zurückhalten, wenn das Feuer seines Herzens zu heiß brannte; später aber bekümmerten sie seine Taten, und sie wurden einander fremd. Sieben Söhne gebar sie Feanor, und manche erbten etwas von ihrem Gemüt, doch nicht alle.

Nun geschah es, daß Finwe Indis, die Blonde, zur zweiten Gemahlin nahm. Sie war eine Vanya, nah verwandt mit Ingwe, dem Hohen König, groß und mit goldnem Haar und in allen Belangen anders als Míriel. Finwe liebte sie sehr und war wieder froh. Doch Míriels Schatten wich nicht aus dem Hause Finwes, noch aus seinem Herzen; und von allen, die er liebte, nahmen seine Gedanken an Feanor immer den größten Anteil.

Die Vermählung seines Vaters behagte Feanor nicht, und weder Indis noch Fingolfin und Finarfin, ihren Söhnen, brachte er viel Liebe entgegen. Er lebte von ihnen getrennt, erkundete das Land Aman oder gab sich den Künsten und Wissenschaften hin, die ihn erfreuten. In jenen unglücklichen Ereignissen, die später eintraten und bei denen Feanor der Anführer war, sahen viele eine Folge dieses Bruchs im Hause Finwes; sie urteilten, wenn Finwe seinen Verlust ertragen hätte und zufrieden gewesen wäre, seinen gewaltigen Sohn großzuziehen, so hätte es mit Feanor eine andere Wendung genommen und großes Unheil wäre vermieden worden; denn der

Kummer und der Streit im Hause Finwes blieben ins Gedächtnis der Noldor eingegraben. Doch auch Indis' Kinder waren groß und ruhmreich, und ebenso deren Kinder; und die Geschichte der Eldar wäre ärmer, hätten sie nicht gelebt.

Während nun Feanor und die andren Meister der Noldor sich mit Lust in unabsehbaren Werken übten und während Indis' Söhne erwachsen wurden, ging der Mittag von Valinor dem Ende entgegen. Denn nun war es soweit, daß Melkors Haft, wie es die Valar verfügt, abgelaufen war, nachdem er drei Alter lang allein in Mandos' Kerker gesessen hatte. Endlich, wie Manwe versprochen hatte, wurde er von neuem vor die Throne der Valar geführt. Da sah er ihren Glanz und ihr Glück, und voller Neid war sein Herz; er sah die Kinder Ilúvatars, die zu Füßen der Mächtigen saßen, und Haß erfüllte ihn; er sah die vielen leuchtenden Gemmen, und es gelüstete ihn danach; doch verbarg er, was er dachte, und verschob seine Rache.

Vor den Toren von Valmar warf sich Melkor Manwe zu Füßen und bat um Vergebung; er gelobte, wenn man ihn nur zum Letzten unter den freien Bewohnern von Valinor mache, so wolle er den Valar bei all ihren Werken helfen, besonders aber bei der Heilung der vielen Wunden, die er der Welt zugefügt. Nienna unterstützte seine Bitten; Mandos aber blieb stumm.

Da gewährte Manwe ihm Vergebung; doch wollten die Valar noch nicht dulden, daß er sich aus ihrer Aufsicht und Obhut entfernte, und er wurde gehalten, innerhalb der Mauern von Valmar zu bleiben. Doch edel schien alles, was Melkor in jener Zeit sagte und tat, und den Valar sowohl wie den Eldar kamen sein Rat und seine Hilfe zugute, wenn sie darum nachsuchten; und so wurde ihm nach einer Weile erlaubt, sich im Lande frei zu bewegen, und Manwe schien es, daß Melkor vom Bösen geheilt sei. Denn Manwe selbst war frei vom Bösen, und er konnte es nicht verstehen; und er wußte, daß zu Anfang, im Gedanken Ilúvatars, Melkor gleich ihm selber gewesen war; und er blickte nicht bis in die Tiefe von Melkors Herzen und sah nicht, daß alle Liebe für immer daraus gewichen war. Ulmo aber ließ sich nicht täuschen, und Tulkas ballte jedesmal die Fäuste, wenn er Melkor, seinen Feind, vorübergehen sah; denn zwar dauert es lange, bis Tulkas erzürnt ist, doch ebenso lange auch, bis er vergißt. Aber sie gehorchten dem Urteil Manwes, denn wer die Herrschaft gegen Aufruhr verteidigt, darf sich nicht seinerseits auflehnen.

Von Herzen haßte nun Melkor die Eldar am meisten, teils weil sie schön und froh waren, teils weil er in ihnen den Grund sah, warum die Valar ihn angegriffen und gestürzt hatten. Nur um so mehr Liebe spiegelte er ihnen deshalb vor, und er bemühte sich um ihre Freundschaft und stellte ihnen seine Künste und sein Wissen für jede große Tat, die sie unternehmen mochten, zu Diensten. Zwar mißtrauten ihm die Vanyar, denn sie wohnten im Licht der Bäume und waren zufrieden; und die Teleri beachtete er wenig, da er dachte, sie seien nicht viel wert, zu schwache Werkzeuge für seine Pläne. Die Noldor aber wußten zu schätzen, was er ihnen an geheimer Wissenschaft verraten konnte, und manche unter ihnen lauschten Reden, die sie besser nie gehört hätten. Melkor behauptete später sogar, Feanor habe insgeheim viele Künste von ihm gelernt und das größte seiner Werke unter seiner, Melkors, Anleitung geschaffen; doch darin log er aus Begierde und Neid, denn keiner unter den Eldalië hat Melkor je mehr gehaßt als Feanor, Finwes Sohn, der ihm als erster den Namen Morgoth gab; und wenn er auch in die Gespinste von Melkors Ränken gegen die Valar mit verstrickt war, so hatte er doch keine Absprache mit ihm und nahm keinen Rat von ihm an. Denn Feanor wurde nur vom Feuer des eigenen Herzens getrieben, und stets arbeitete er emsig und allein; und Hilfe und Rat hat er von keinem je erbeten, der in Aman lebte, ob groß oder klein, nur von der klugen Nerdanel, seiner Gemahlin, und auch von ihr nur für kurze Zeit.

VII
Von den Silmaril und der Unruhe der Noldor

Zu jener Zeit wurden die Dinge geschaffen, die später von allen Werken der Elben den höchsten Ruhm erlangten. Denn Feanor, nun in der Fülle seiner Kräfte, wurde von einem neuen Gedanken bewegt, oder vielleicht war auch ein Schatten des Vorwissens von dem Schicksal auf ihn gefallen, das sich nahte; und er grübelte, wie man das Licht der Bäume, den Glanz des Segensreiches unauslöschlich erhalten könne. Dann machte er sich an ein langes und geheimes Werk, und all seine Wissenschaft und Kraft und Kunst bot er auf; und am Ende schuf er die Silmaril.

Wie drei große Edelsteine schienen sie von Gestalt. Doch erst am Ende aller Tage, wenn Feanor zurückkehrt, der verblich, ehe die Sonne aufging, und der nun in den Hallen der Erwartung sitzt und nicht mehr unter sein Volk tritt, erst wenn die Sonne vergeht und der Mond herabstürzt, wird man es wissen, von welchem Stoff sie geschaffen waren. Wie der Kristall der Diamanten schien er zu sein, und doch härter als Adamant, so daß keine Gewalt im Königreich Arda ihn beschädigen oder brechen konnte. Doch war dieser Kristall für die Silmaril nur wie der Leib für die Kinder Ilúvatars: das Haus des inneren Feuers, aus dem er lebt und das darinnen wohnt und zugleich auch in all seinen Teilen. Und das innere Feuer der Silmaril nahm Feanor von dem gemischten Licht der Bäume von Valinor, und das Licht lebt noch in ihnen, wenngleich die Bäume lange verdorrt sind und nicht mehr scheinen. Selbst im Dunkel der tiefsten Schatzkammer leuchteten daher die Silmaril aus eigner Kraft wie Vardas Sterne; und doch, da sie in Wahrheit Dinge von eignem Leben waren, erfreuten sie sich am Lichte und nahmen es auf und gaben es in herrlicheren Farben zurück.

Alle, die in Aman wohnten, waren voll Staunens und Entzückens über Feanors Werk. Und Varda weihte die Silmaril, auf daß fortan kein sterblicher Leib noch unreine Hand noch irgend etwas von bösem Willen sie berühren konnte, sondern verbrannte und verdorrte; und Mandos verkündete, daß die Geschicke von Arda, von Land, Meer und Luft in ihnen beschlossen lägen. Feanors Herz war fest an diese Dinge gebunden, die er selber geschaffen.

Nun verlangte es Melkor nach den Silmaril, und schon die Erinnerung an ihren Glanz fraß wie ein Feuer an seinem Herzen. Von der Zeit an und in der Hitze dieser Begierde ging er noch unentwegter darauf aus, Feanor zu vernichten und der Freundschaft der Valar mit den Elben ein Ende zu machen; doch schlau verbarg er seine Absichten, und nichts war von seiner Tücke zu sehen in dem Gebaren, das er zur Schau trug. Lange war er geschäftig, und schleppend und dürftig kamen zuerst die Erfolge. Doch wer Lügen sät, dem wird am Ende die Ernte nicht mangeln, und bald kann er gar von der Arbeit ruhen, während andre für ihn mähen und ackern. Stets fand Melkor manche Ohren, die hörten, und manche Zungen, die das Gehörte vergrößerten und verbreiteten; und seine Lügen gingen von Freund zu Freund, als Geheimnisse zum Weitersagen. Bitter mußten die Noldor in den Tagen hernach ihren Wahn büßen, daß sie die Ohren so offen gehalten.

Als Melkor sah, daß viele der Noldor ihm geneigt waren, mischte er sich oft unter sie, und zwischen seine schönen Worte waren andere eingeflochten, so fein, daß mancher, der sie vernahm, in der Erinnerung meinte, sie seien dem eignen Denken entsprungen. Gesichte beschwor er herauf in ihren Herzen, von großen Reichen, wo sie nach eignem Willen frei und mächtig im Osten regiert haben könnten; und schon liefen Gerüchte um, die Valar hätten aus Eifersucht die Eldar nach Aman geholt, aus Furcht, die Schönheit der Quendi und die Schöpferkraft, die ihnen Ilúvatar vererbt, möchten zu groß werden, als daß die Valar sie beherrschen könnten, wenn sich die Elben über die weiten Lande der Welt hin vermehrten und verbreiteten.

Überdies wußten zwar zu jener Zeit die Valar schon von den Menschen, die kommen würden, die Elben aber wußten davon nichts, denn Manwe hatte es ihnen nicht offenbart. Melkor aber sprach heimlich zu ihnen von den Sterblichen Menschen, um zu sehen, ob sich das Stillschweigen der Valar nicht zum Bösen auslegen ließe. Wenig wußte auch er noch von den Menschen, denn, in eigne Gedanken versunken, hatte er während der Musik kaum auf Ilúvatars Drittes Thema geachtet; doch schon lief das Gerücht um, gefangengehalten würden die Elben von Manwe, damit die Menschen sie aus den Königreichen von Mittelerde verdrängen sollten, denn diese kurzlebige und schwächere Rasse glaubten die Valar leichter beherrschen zu können, hätten sie nur erst die Elben um Ilúvatars Erbe betrogen. Wenig Wahres war an all dem, und kaum haben die Valar je vermocht, den Willen der Menschen zu lenken; und doch glaubten viele der Noldor den tückischen Reden, oder glaubten ihnen zur Hälfte.

So war der Friede von Valinor vergiftet, ehe noch die Valar davon wußten. Die Noldor begannen gegen sie zu murren, und viele wurden stolz und vergaßen, wie vieles, das sie nun besaßen und wußten, als Geschenk der Valar an sie gekommen war. Am wildesten brannte die neue Flamme des Begehrens nach Freiheit und größeren Reichen in dem stürmischen Herzen Feanors, und Melkor lachte in sich hinein, denn auf Feanor hatten seine Lügen gezielt, den er vor allen haßte; und immer verlangte es ihn nach den Silmaril. Doch diesen durfte er sich nicht nähern; denn wenn auch Feanor sie zu großen Festen trug, wo sie an seiner Stirn flammten, so wurden sie zu anderen Zeiten streng bewacht, verschlossen in seinen tiefen Schatzkammern in Tirion. Denn Feanor begann die Silmaril mit Gier zu lieben, und allen, bis auf seinen Vater und seine sieben Söhne, mißgönnte er ihren Anblick; nur selten erinnerte er sich jetzt noch, daß das Licht in ihnen nicht sein eigen war.

Edle Prinzen waren Feanor und Fingolfin, die ältesten Söhne Finwes, von allen in Aman geehrt; nun aber wurden sie stolz, und eifersüchtig hütete ein jeder seine Rechte und seinen Besitz. Da verbreitete Melkor neue Lügen in Eldamar, und Feanor kam zu Ohren,

Fingolfin und seine Söhne hätten sich verschworen, Finwe und der älteren Linie Feanors die Macht zu entreißen und an ihre Stelle zu treten, mit Billigung der Valar, denen es nicht behage, daß die Silmaril in Tirion lägen und nicht ihrem Gewahrsam anvertraut würden. Zu Fingolfin und Finarfin aber wurde gesagt: »Nehmt euch in acht! Wenig Liebe hat Míriels stolzer Sohn je für Indis' Kinder gehegt. Jetzt ist er mächtig geworden und hat seinen Vater in der Hand. Nicht lange, und er wird euch vom Túna vertreiben!«

Und als Melkor sah, daß seine Lügen Fuß gefaßt hatten und Hochmut und Zorn unter den Noldor erwacht waren, da sprach er zu ihnen von Waffen; und zu dieser Zeit begannen die Noldor Schwerter und Äxte und Speere zu schmieden. Und auch Schilde fertigten sie an, welche die Wappen vieler Häuser und Sippen zeigten, die miteinander wetteiferten; und nur diese führten sie sichtbar mit sich, während sie von den andren Waffen nicht sprachen, denn jeder glaubte, nur er allein habe die Warnung erhalten. Und Feanor richtete insgeheim eine Schmiede ein, von der selbst Melkor nichts wußte, und dort erfand er grausame Schwerter für sich und seine Söhne und große Helme mit roten Federbüschen. Bitter reute Mahtan der Tag, da er Nerdanels Gatten all seine Wissenschaft vom Schmieden gelehrt hatte, so wie er selbst sie von Aule erfahren.

Mit solchen Lügen, bösen Gerüchten und tückischem Rat entfachte Melkor Zwietracht in den Herzen der Noldor; und in ihrem Streit ging schließlich der Mittag von Valinor zu Ende, und der Abend seines alten Glanzes brach an. Denn Feanor begann nun offen aufrührerische Reden gegen die Valar zu führen; er rief laut aus, daß er aus Valinor in die Welt draußen heimkehren und die Noldor aus der Knechtschaft erlösen werde, wenn sie ihm folgten.

Da herrschte große Erregung in Tirion, und Finwe war bestürzt; und er rief all seine Edlen zum Rate zusammen. Fingolfin aber eilte in Finwes Hallen und trat vor ihn und sagte: »König und Vater, willst du nicht den Stolz unseres Bruders Curufinwe zügeln, den man den Feuergeist nennt, und nur allzu wahr ist's? Mit welchem Rechte spricht er für unser ganzes Volk, als wäre er der König? Du warst es, der vor langer Zeit zu den Quendi gesprochen und sie gebeten, dem Ruf der Valar nach Aman zu folgen. Du hast sie geführt auf dem langen Weg durch die Gefahren von Mittelerde bis ins Licht von Eldamar. Wenn dich das jetzt nicht gereut, so hast du wenigstens noch zwei Söhne, die deine Worte in Ehren halten.«

Doch während Fingolfin noch sprach, trat Feanor in den Saal, in voller Rüstung: den großen Helm auf dem Haupte und an der Seite ein gewaltiges Schwert. »So also ist es, wie ich mir gedacht«, sagte er. »Mein Halbbruder ist vor mir bei meinem Vater, wie hier, so auch in allen andern Dingen.« Dann trat er auf Fingolfin zu, zog sein Schwert und rief: »Pack dich, dorthin, wo dein Platz ist!«

Fingolfin verbeugte sich vor Finwe, und ohne ein Wort oder einen Blick für Feanor ging er aus dem Saal. Feanor aber folgte ihm, und am Tor des königlichen Hauses hielt er ihn an, und die Spitze des blanken Schwertes setzte er Fingolfin auf die Brust. »Sieh nur, Halbbruder!« sagte er. »Dies hier ist noch schärfer als deine Zuge. Versuche du noch einmal, mich von meinem Platze und aus der Liebe meines Vaters zu verdrängen, und es wird die Noldor vielleicht von einem befreien, der nach der Herrschaft über Knechte strebt.«

Diese Worte hörten viele mit an, denn Finwes Haus lag an dem großen Platz unter dem Mindon; wieder aber gab Fingolfin keine Antwort, und schweigend schritt er durch die Menge, um Finarfin, seinen Bruder, aufzusuchen.

Nun war zwar die Unruhe unter den Noldor den Valar nicht mehr verborgen, doch im Dunkeln war sie gesät worden; daher, weil Feanor als erster offen gegen sie geredet, meinten sie, er, der Eigenwillige und Selbstherrliche, sei der Treiber hinter der Unzufriedenheit, wenn auch alle Noldor nun hochfahrend geworden waren. Und Manwe war bekümmert, doch er sah zu und sagte kein Wort. Die Valar hatten die Eldar als Freie in ihr Land geholt, die dort bleiben oder es verlassen konnten; und mochten sie es auch für Torheit halten, wenn diese fort wollten, hindern konnten sie es nicht. Was aber

Feanor getan, konnte nicht hingenommen werden; und so wurde er aufgefordert, an den Toren von Valmar vor sie hinzutreten und für all seine Worte und Taten Rede zu stehen. Auch alle anderen, die daran Anteil gehabt oder etwas davon wußten, wurden herbeigerufen; und Feanor stand vor Mandos im Ring des Schicksals und wurde geheißen, auf alle Fragen zu antworten, die man ihm stellte. Da endlich wurde die Wurzel bloßgelegt, und Melkors Tücke kam heraus, und sogleich verließ Tulkas den Rat, um Hand auf ihn zu legen und ihn wieder vor das Gericht zu bringen. Doch auch Feanor wurde nicht für schuldlos befunden, denn er war es, welcher den Frieden von Valinor gebrochen und das Schwert gezogen hatte gegen seinen Bruder; und Mandos sagte zu ihm: »Von Knechtschaft sprichst du. Wenn es Knechtschaft ist, so kannst du ihr nicht entgehen, denn König von Arda ist Manwe, und nicht allein von Aman. Und deine Tat war wider das Recht, ob in Aman oder nicht in Aman. Daher wird nun dieses gesprochen: Für zwölf Jahre sollst du Tirion verlassen, wo diese Drohung geäußert wurde. In der Zeit halte Rat mit dir selbst, und erinnere dich, wer und was du bist. Nach dieser Zeit aber soll dies in Frieden beigelegt sein und für abgebüßt gelten, wenn andere dir verzeihen.«

Da sagte Fingolfin: »Ich werde meinem Bruder verzeihen.« Feanor aber gab kein Wort zur Antwort; stumm stand er vor den Valar. Dann wandte er sich um, ging fort aus dem Rate und verließ Valmar.

Ihm folgten seine sieben Söhne in die Verbannung, und im Norden von Valinor bauten sie sich einen festen Platz und ein Schatzhaus in den Bergen; und dort in Formenos horteten sie vielerlei Gemmen und auch Waffen; und die Silmaril wurden in eine Kammer von Eisen geschlossen. Dorthin kam auch Finwe, der König, weil er Feanor liebte; und Fingolfin regierte die Noldor in Tirion. So waren dem Anschein nach Melkors Lügen wahr geworden, wenn auch Feanor dies durch eignes Tun erreicht hatte; und die Verbitterung, die Melkor gesät, dauerte fort und lebte noch lange hernach zwischen Fingolfins und Feanors Söhnen.

Melkor nun, als er erfuhr, daß seine Ränke entdeckt waren, verbarg sich und zog von Ort zu Ort wie eine Wolke in den Bergen; und vergebens suchte ihn Tulkas. Da schien es allen in Valinor, als wäre das Licht der Bäume getrübt; und die Schatten aller Dinge, die aufrecht standen, wurden zu der Zeit länger und dunkler.

Es wird erzählt, eine Zeitlang sei Melkor in Valinor nicht mehr gesehen worden, noch hörte man irgendein Gerücht über ihn, bis er plötzlich nach Formenos kam und mit Feanor sprach, vor seiner Tür. Freundschaft schützte er vor mit schlauen Reden und gemahnte ihn an seinen alten Wunsch, aus den Netzen der Valar zu entfliehen; und er sagte: »Bedenk nur, wie wahr alles ist, was ich gesprochen, und wie ungerecht sie dich verbannt haben. Wenn aber Feanors Herz immer noch so frei und kühn ist, wie es seine Reden in Tirion waren, so will ich ihm helfen und ihn weit herausführen aus diesem engen Land. Denn bin nicht auch ich ein Vala? Ich bin's, und mehr als die, welche da stolz in Valimar sitzen; und immer bin ich ein Freund der Noldor gewesen, des kunstreichsten und tapfersten unter den Völkern von Arda.«

Nun war Feanors Herz noch immer bitter von seiner Demütigung vor Mandos, und er sah Melkor schweigend an und überlegte, ob er diesem wohl soweit trauen könne, daß er ihm zur Flucht verhelfe. Und Melkor, der sah, daß Feanor schwankte, und wußte, welchen Platz die Silmaril in seinem Herzen einnahmen, sagte zuletzt: »Ein fester Platz ist dies hier und gut bewacht, doch glaube nicht, daß die Silmaril in irgendeiner Schatzkammer sicher liegen werden im Reich der Valar!«

Aber seine List traf übers Ziel hinaus. Seine Worte griffen zu tief und entfachten ein wilderes Feuer, als er beabsichtigt hatte; und Feanor sah Melkor mit Augen an, die durch sein edles Gebaren hindurchbrannten und alle Schleier seines Geistes zerrissen, und er sah sein wildes Gelüst nach den Silmaril. Haß vertrieb da Feanors Furcht, und er verwünschte Melkor und jagte ihn fort mit den Worten: »Schere dich weg von meiner Tür, du Krähe aus Mandos' Kerker!« Und vor dem mächtigsten aller Bewohner von Ea schlug er die Tür seines Hauses zu.

Da schlich Melkor in Schande davon, denn er war selbst in Gefahr, und noch sah er die Zeit seiner Rache nicht gekommen; sein Herz aber war schwarz vor Wut. Und Finwe war von tiefer Furcht erfüllt, und in aller Eile sandte er Boten zu Manwe in Valmar.

Dort saßen die Valar vor ihren Toren zu Rate, besorgt über die länger werdenden Schatten, als die Boten aus Formenos eintrafen. Sogleich sprangen Orome und Tulkas auf, doch als sie sich eben zur Verfolgung anschickten, kamen Boten aus Eldamar, die berichteten, Melkor sei durch den Calacirya geflohen, und von dem Hügel von Túna aus hatten die Elben ihn im Zorn vorbeiziehen sehen, wie eine Gewitterwolke. Und sie sagten, von dort aus habe er sich nach Norden gewandt, denn die Teleri in Alqualonde hatten seinen Schatten über ihrem Hafen gesehen, wie er gen Araman zog.

So verschwand Melkor aus Valinor, und eine Zeitlang schienen die Zwei Bäume wieder ungetrübt, und das Land war voller Licht. Doch vergebens forschten die Valar nach ihres Feindes Verbleib; und wie eine Wolke in weiter Ferne, die immer höher heraufzieht, getragen von einem leisen kalten Wind, so hing nun ein Zweifel über allen Freuden der Bewohner von Aman, ein Bangen, sie wußten nicht, vor welchem Unglück.

VIII
Von der Verdunkelung Valinors

Als Manwe erfuhr, welchen Weg Melkor genommen, schien es ihm klar, daß er in seine alten Hochburgen im Norden von Mittelerde zu entkommen gedachte; und Orome und Tulkas eilten nach Norden, so schnell sie konnten, um ihn einzuholen, doch weder Spur noch Gerücht fanden sie von ihm jenseits es Ufers der Teleri, in den unbevölkerten Öden, die sich zum Eise hin erstreckten. Darauf wurden die Wachen an den nördlichen Grenzen von Aman verdoppelt. Doch umsonst, denn ehe noch die Verfolger sich aufmachten, war Melkor schon umgekehrt und heimlich weit in den Süden gegangen. Denn noch war er einer der Valar und vermochte die Gestalt zu wechseln oder ihrer ganz zu entraten, wie die andren Valar, auch wenn er diese Kraft bald für immer einbüßen sollte.

Ungesehen kam er so schließlich in den dunklen Bezirk von Avathar. Dieses schmale Stück Land lag südlich der Bucht von Eldamar, unter den Osthängen der Pelóri, und seine langen und traurigen Küsten erstreckten sich weit in den Süden, lichtlos und unerforscht. Dort, unter den kahlen Wänden der Berge und an dem kalten, dunklen Meer waren die tiefsten und dichtesten Schatten der Welt; und dort in Avathar, geheim und keinem bekannt, hatte Ungolianth sich niedergelassen. Die Eldar wußten nicht, woher sie kam, doch manche haben gesagt, vor vielen Altern sei sie aus dem Dunkel um Arda herabgestiegen, als Melkor anfing, Manwe sein Königreich zu neiden, und eine von jenen sei sie gewesen, die er gleich zu Anfang verführte, ihm zu dienen. Sie aber hatte ihrem Herrn aufgekündigt, denn Herrin ihrer eigenen Begierden wollte sie sein und alle Dinge für sich nehmen, um ihre Leere damit zu füttern; und sie floh in den Süden, wo sie sicher war vor den Angriffen der Valar und vor den Jägern Oromes, denn die achteten immer nur auf den Norden, und der Süden blieb lange unbewacht. Von dort war sie näher an das Licht des Segensreiches herangekrochen, denn sie hungerte nach dem Licht und haßte es.

In einer Schlucht hauste sie, in Gestalt einer ungeheuren Spinne, und wob ihre schwarzen Netze über einen Schrund in den Bergen. Da sog sie alles Licht auf, das sie nur finden konnte, und spann daraus dunkle Netze von würgender Finsternis, bis kein Lichtschimmer mehr zu ihr durchdrang und sie am Verhungern war.

Nach Avathar kam nun Melkor und suchte sie auf; und er nahm wieder die Gestalt an, in welcher er als Tyrann von Utumno erschienen war, ein dunkler Fürst, groß und schrecklich. Diese Gestalt behielt er fortan für immer. Dort, in den schwarzen Schatten, wohin selbst Manwe von seinen höchsten Hallen aus nicht sehen konnte, heckte Melkor mit Ungolianth seine Rache aus. Als aber Ungolianth Melkors Absicht begriff, da schwankte sie zwischen Gier und Furcht, denn sie scheute sich, den Gefahren von Aman und der Macht seiner schrecklichen Herren zu begegnen, und sie mochte sich aus ihrem Versteck nicht rühren. Daher sagte Melkor zu ihr: »Tu, wie ich dir sage, und wenn du dann, nachdem alles vollbracht, immer noch hungrig bist, dann will ich dir geben, wonach immer es dich gelüstet, fürwahr, mit beiden Händen.« Leichthin schwur er den Eid, wie immer, und er lachte in sich hinein. So ködert der große Dieb den geringern.

Einen Mantel von Dunkelheit wob Ungolianth um sie beide, als sie mit Melkor aufbrach: das Unlicht, in welchem die Dinge nicht mehr dazusein schienen und das kein Auge durchdringen konnte, denn es war leer. Dann spann sie langsam ihre Netze, Tau über Tau von Spalte zu Spalte, von Fels zu Fels, immer weiter hinauf, kriechend und klebend, bis sie zuletzt auf dem obersten Gipfel des Hyarmentir anlangte, des höchsten Berges in diesem Teil der Welt, weit südlich des großen Taniquetil. Dort hielten die Valar keine Wache, denn westlich der Pelóri lag nur ein leeres Land im Dämmerlicht, und nach Osten zu sah man von den Bergen aus, bis auf das vergessene Avathar, nur die trüben Wasser des weglosen Meeres.

Auf dem Berggipfel aber lag nun die dunkle Ungolianth, und sie flocht eine Leiter aus Tauen und warf sie hinab; und Melkor stieg herauf und kam auf den hohen Platz, und als er neben ihr stand, sah er hinab, auf das Bewachte Reich. Unter ihnen lagen Oromes Wälder, und im Westen schimmerten Yavannas Wiesen und Felder, Gold unter dem hohen Weizen der Götter. Melkor aber blickte nach Norden und sah in der Ferne die leuchtende Ebene und die silbernen Kuppeln von Valmar, wie sie im gemischten Licht Telperions und Laurelins glänzten. Da lachte Melkor laut auf und sprang geschwind die langen westlichen Hänge hinunter; und Ungolianth war an seiner Seite, und ihr Dunkel deckte sie beide.

Nun war eben die Zeit eines Festes, wie Melkor wohl wußte. Denn wenn auch alle Wetter und Jahreszeiten den Valar zu Willen standen und Valinor den Winter des Todes nicht kannte, so lebten die Valar damals dennoch im Königreich Arda, und dies war nur ein kleiner Bezirk in den Hallen von Ea, deren Leben die Zeit ist, die stets vom ersten Ton bis zu Erus letztem Akkord dahinströmt. Und so wie es den Valar eine Freude war (wie in der *Ainulindale* berichtet), sich in die Gestalt der Kinder Ilúvatars zu hüllen wie in ein Kleid, so aßen und tranken sie auch und pflückten die Früchte Yavannas von der Erde, die sie unter Eru geschaffen.

Yavanna bestimmte daher die Zeiten, zu denen alles, was in Valinor wuchs, blühte und reifte; und zum Beginn jeder Ernte gab Manwe ein großes Fest, Eru zu Ehren, wo alle Völker von Valinor ihre Freude in Musik und Liedern auf dem Taniquetil ausließen. Dies war nun die Stunde, und Manwe befahl ein Fest an, das glänzender sein sollte als alle früheren, seit die Eldar nach Aman gekommen. Denn wenn auch Melkors Flucht Kummer und Mühen verhieß und niemand zu sagen wußte, welche Wunden Arda noch leiden mochte, ehe er wieder gebändigt war, so wollte zu dieser Zeit Manwe doch das Übel heilen, von dem die Noldor befallen waren; und alle wurden in seine Hallen auf dem Taniquetil geladen, um dort den Zwist unter ihren Prinzen zu begraben und alle Lügen des Feindes vergessen zu machen.

Es kamen die Vanyar, und es kamen die Noldor aus Tirion, und die Maiar waren versammelt, und die Valar erschienen in all ihrer Pracht und Schönheit; und sie sangen vor Manwe und Varda in ihren hohen Hallen oder tanzten auf den grünen Hängen des Berges, die nach Westen, zu den Bäumen hin, abfielen. Die Straßen von Valmar waren leer an diesem Tag, und auf den Stufen von Tirion war es still, und das ganze Land lag und schlief in Frieden. Nur die Teleri jenseits der Berge sangen noch an den Ufern des Meeres, denn sie kümmerten sich wenig um Ernten und Jahreszeiten und machten sich keine Gedanken über die Sorgen der Herrscher von Arda, noch über den Schatten, der auf Valinor gefallen war, denn sie hatte er noch nicht berührt.

Eines nur verdarb Manwes Plan. Feanor kam zwar, denn nur ihm hatte Manwe befohlen, zu kommen, doch Finwe kam nicht, noch irgendein andrer der Noldor von Formenos. Denn, so sagte Finwe: »Solange der Bann auf Feanor liegt, meinem Sohn, daß er nicht nach Tirion gehen darf, so lange bin ich nicht König und so lange gehe ich nicht zu meinem Volk.« Und Feanor kam nicht im Festgewand und trug keinen Schmuck, weder Silber noch Gold, noch Gemmen; und er verweigerte den Valar und den Eldar den Anblick der Silmaril, denn die hatte er in ihrer eisernen Kammer in Formenos gelassen. Immerhin aber sprach er vor Manwes Thron mit Fingolfin, und in Worten war er versöhnt; und Fingolfin erklärte das gezogene Schwert für nichtig und vergessen. Und Fingolfin hob die Hand und sagte: »Wie ich versprochen, so tue ich jetzt. Ich verzeihe dir, und ich erinnere mich keines Zwistes.«

Dann nahm Feanor schweigend seine Hand; Fingolfin aber sagte: »Dein Halbbruder im Blut, doch ganz dein Bruder im Herzen will ich sein. Befiehl du, und ich will folgen. Möge kein Zwist uns scheiden!«

»Ich höre dich«, sagte Feanor. »So sei es.« Aber sie wußten nicht, welcher Sinn ihren Worten zuwachsen sollte.

Es wird erzählt, daß, als Feanor und Fingolfin eben vor Manwe standen, die Vermischung der Lichter eintrat, so daß beide Bäume leuchteten und die stille Stadt Valmar sich mit silbernen und goldnen Strahlen erfüllte. Und in diesem Augenblick kamen Melkor und Ungolianth über die Felder von Valinor geeilt, wie der Schatten einer schwarzen Wolke auf dem Winde über die besonnte Erde streicht; und sie kamen zu dem grünen Hügel Ezellohar. Dann griff Ungolianths Unlicht den Bäumen an die Wurzeln, und Melkor sprang auf den Hügel, und seinen schwarzen Speer stieß er beiden Bäumen durchs Herz, beide tief verwundend; und Saft quoll hervor wie Blut und verspritzte auf dem Boden. Ungolianth aber leckte ihn auf, und dann, von einem Baum zum andern gehend, setzte sie den schwarzen Rüssel an ihre Wunden, bis sie ganz ausgesogen waren; und das Todesgift, das in ihr war, floß in die Adern der Bäume und verdorrte sie an Wurzel, Zweig und Blatt; und sie starben. Und immer noch war sie durstig, und so ging sie zu Vardas Brunnen und trank sie leer; und schwarze Dämpfe rülpste sie hervor, als sie trank, und schwoll zu solcher Größe und Abscheulichkeit, daß Melkor sich fürchtete.

So fiel das große Dunkel über Valinor. Von den Geschehnissen an jenem Tag werden viele im *Aldudéniё* berichtet, das Elemmíre von den Vanyar schrieb und das allen Eldar bekannt ist. Doch kein Lied und keine Erzählung vermag all das Leid und den Schrecken aufzunehmen, die nun hereinbrachen. Das Licht war fort; doch das Dunkel, das folgte, war mehr als nur Verlust des Lichtes. In jener Stunde wurde ein Dunkel gewirkt, das nicht ein Mangel zu sein schien, sondern ein Ding von eignem Leben: hatte doch Tücke es aus dem Licht selber erschaffen, und es hatte Kraft, durchs Auge in Herz und Geist zu dringen und den Willen selbst zu ersticken.

Varda blickte vom Taniquetil hinab und sah, wie sich der Schatten plötzlich zu Türmen von Finsternis aufwarf; Valmar lag in einem tiefen Meer von Nacht versunken. Bald stand der Heilige Berg allein, die letzte Insel einer untergegangenen Welt. Alle Lieder verstummten. Schweigen war in Valinor, und kein Laut war mehr zu hören, nur von fern her trug der Wind durch den Gebirgspaß Klagerufe der Teleri, wie die kalten Schreie der Möwen. Denn es blies kühl aus dem Osten zu jener Stunde, und die großen Schatten der See rollten gegen die Felsen am Ufer.

Manwe aber sah von seinem hohen Sitz hinaus, und sein Auge allein vermochte die Nacht zu durchdringen, bis auch er ein Dunkel in der Dunkelheit sah, das den Blick nicht einließ, riesengroß, doch in weiter Ferne, wo es in großer Eile nun nordwärts zog; und er wußte, daß Melkor gekommen und gegangen war.

Nun begann die Verfolgung; und die Erde zitterte unter den Rossen von Oromes Schar, und das Feuer, das Nahars Hufe schlugen, war das erste Licht, das man wieder in Valinor sah. Doch sobald die Reiter der Valar Ungolianths Wolke eingeholt hatten, fielen Blindheit und Verzagen über sie, und sie wurden versprengt und wußten nicht, wohin sie ritten; und der Klang des Valaróma stockte und erstarb. Und Tulkas wurde in einem schwarzen Netz von Nacht gefangen, und er stand machtlos da und schlug vergebens um sich. Und als das Dunkel vorüber war, da war es zu spät. Melkor war, wohin er gehen wollte, und seine Rache hatte er geübt.

IX
Von der Verbannung der Noldor

Nach einer Weile sammelte sich eine große Menge um den Schicksalsring; und die Valar saßen im Dunkeln, denn es war Nacht. Doch von oben herab schimmerten nun Vardas Sterne, und die Luft war rein, denn Manwes Winde hatten die Todesdämpfe weggeweht und die Schatten des Meeres vertrieben. Da erhob sich Yavanna und trat auf den Grünen Hügel Ezellohar, doch der war nun schwarz und kahl. Und sie legte die Hände auf die Bäume, doch sie waren dunkel und tot, und jeder Zweig, den sie anrührte, brach ab und fiel ihr leblos zu Füßen. Da brachen viele Stimmen in Klagen aus, und den Trauernden schien es, als hätten sie den Becher des Leids schon bis zur Neige geleert. Doch dem war nicht so.

Yavanna sprach zu den Valar und sagte: »Das Licht der Bäume ist hin und lebt jetzt nur noch in den Silmaril. Hellsichtig war Feanor! Einmal, nur einmal können auch die Mächtigsten unter Ilúvatar manche Werke vollbringen. Das Licht der Bäume habe ich zum Sein erweckt, und nie wieder kann ich es tun, solange Ea dauert. Doch hätte ich nur ein wenig von diesem Licht, so könnte ich die Bäume wieder ins Leben zurückrufen, ehe ihre Wurzeln verfault sind; und dann wäre unser Schmerz geheilt und Melkors Tücke vereitelt.«

Da sprach Manwe und sagte: »Hast du vernommen, was Yavanna gesagt, Feanor, Finwes Sohn? Wirst du gewähren, was sie verlangt?«

Lange schwiegen sie, doch Feanor erwiderte kein Wort. Da rief Tulkas: »Sprich, o Noldo, ja oder nein! Doch wer könnte Yavanna dies verwehren? Und ist das Licht der Silmaril nicht von ihrem Werke genommen?«

Doch Aule, der Meister, sagte: »Vorlaut sprichst du! Mehr verlangen wir von ihm, als du ahnst. Laßt ihn noch eine Weile in Frieden.«

Doch nun sprach Feanor, bitterlich weinend: »Der Geringe wie der Hohe kann manches Werk nur einmal vollbringen, und an diesem Werk hängt sein Herz. Ich kann vielleicht meine Steine hergeben, doch nie mehr werde ich ihresgleichen schaffen; und wenn ich sie zerbrechen muß, so zerbreche ich mein Herz, und ich werde erschlagen, als erster von allen Eldar in Aman.«

»Nicht als erster«, sagte Mandos, doch das verstand niemand, und wieder war Schweigen, während Feanor im Dunkeln brütete. Ihm schien, er sei umringt von Feinden, und Melkors Worte fielen ihm wieder ein, daß die Silmaril nicht sicher seien, weil die Valar sie besitzen wollten. »Und ist er nicht ebenso ein Vala wie sie«, dachte er, »und sollte er ihr Herz nicht kennen? Fürwahr, der Dieb wird die Diebe verraten!« Dann rief er laut aus: »Dies tu ich nicht aus freiem Willen! Wenn aber die Valar mich zwingen, dann weiß ich, wahrlich von ihrer Sippe ist Melkor.«

Da sagte Mandos: »Du hast gesprochen.« Nienna aber erhob sich und ging auf den Ezellohar und warf ihren grauen Schleier zurück und wusch mit ihren Tränen den Schmutz Ungolianths ab; und klagend sang sie von der Bitterkeit der Welt und vom Verderben Ardas.

Doch während Nienna noch klagte, kamen Boten aus Formenos; es waren Noldor, und sie brachten Nachricht von neuem Unheil. Eine blinde Dunkelheit, so berichteten sie, war nach Norden gekommen, und darin ging eine Kraft, für die es keinen Namen gab, und die Dunkelheit wuchs aus ihr hervor. Doch auch Melkor war da, und er kam zum Hause Feanors und dort, vor seiner Tür, erschlug er Finwe, den König der Noldor, und vergoß das erste Blut im Segensreich; denn Finwe allein war vor dem Schrecken des Dunkels nicht geflohen. Und sie berichteten, daß Melkor die Befestigungen von Formenos durchbrochen und alle Edelsteine der Noldor, die dort verwahrt lagen, weggenommen hatte; und die Silmaril waren fort.

Da stand Feanor auf, und die Faust vor Manwe erhebend, verfluchte er Melkor und hieß ihn *Morgoth,* den Schwarzen Feind der Welt; und für immer hernach kannten ihn die Eldar nur unter diesem Namen. Und er verfluchte auch die Stunde, zu der Manwe ihn auf den Taniquetil gerufen hatte, denn vor Wut und Schmerz von Sinnen meinte er, seine Kraft, wäre er in Formenos geblieben, hätte zu mehr getaugt, als ihm gleichfalls den Tod zu bereiten, wie es Melkors Absicht gewesen war. Dann lief Feanor fort aus dem Schicksalsring und floh in die Nacht hinaus; denn teurer war ihm sein Vater als das Licht von Valinor oder das unvergleichliche Werk seiner Hände; und wer von allen Söhnen der Elben und Menschen hätte seinen Vater je höher in Ehren gehalten?

Viele waren da bekümmert über Feanors Schmerz, doch war der Verlust nicht nur der seine; und Yavanna weinte unter dem Hügel, in Furcht, das Dunkel werde die letzten Strahlen des Lichtes von Valinor für immer verschlingen. Denn wenn auch die Valar noch nicht recht verstanden, was geschehen war, so erkannten sie doch, daß Melkor Hilfe erlangt hatte, die nicht von Arda kam. Die Silmaril waren fort, und einerlei mag es scheinen, ob Feanor ja oder nein zu Yavannas Bitte gesagt; hätte er aber zuerst ja gesagt, ehe die Botschaft aus Formenos kam, so hätt er vielleicht später anders gehandelt. Nun aber rückte das Schicksal der Noldor heran.

Morgoth unterdessen, der Verfolgung durch die Valar entkommen, war in die Ödlande von Araman gelangt, Diese lagen im Norden zwischen dem Gebirge der Pelóri und dem Großen Meer, ähnlich wie Avathar im Süden; Araman aber war größer, und zwischen den Küsten und dem Gebirge erstreckten sich kahle Ebenen, die, je näher zum Eise hin, immer kälter wurden. Dieses Gebiet nun durcheilten Morgoth und Ungolianth, und so kamen sie durch die großen Nebelfelder von Oiomúre zur Helcaraxe, der Meerenge zwischen Araman und Mittelerde, die voller zermalmender Eisberge war. Sie gingen hinüber und kamen so endlich wieder in den Norden der Außenlande. Zusammen zogen sie weiter, denn Morgoth konnte Ungolianth nicht abschütteln; ihre Wolke war noch um ihn gebreitet, und alle ihre Augen lagen auf ihm. Und so kamen sie in die Lande nördlich des Fjords von Drengist. Morgoth näherte sich nun den Ruinen von Angband, wo seine große Burg im Westen gestanden war; und Ungolianth sah, worauf er hoffte, und sie wußte, dort würde er ihr zu entkommen trachten. Und so hielt sie ihn an und forderte, daß er sein Versprechen erfülle.

»Schwarzherz«, sagte sie, »ich habe getan, wie du mich geheißen. Aber noch immer bin ich hungrig.«

»Was verlangst du mehr?« sagte Morgoth. »Begehrst du die ganze Welt für deinen Bauch? Ich habe nicht gelobt, sie dir zu geben. Ich bin ihr Herr.«

»So viel nicht«, sagte Ungolianth. »Doch hast du einen großen Schatz aus Formenos, und das alles will ich haben. Fürwahr, mit beiden Händen sollst du es mir geben.«

Da überließ ihr Morgoth notgedrungen die Gemmen, die er bei sich trug, und grollend gab er ihr eine nach der andern; und sie verschlang sie, und ihre Schönheit verschwand aus der Welt. Größer und dunkler noch wurde Ungolianth, doch ihre Gier war ungestillt. »Mit einer Hand gibst du«, sagte sie, »allein mit der Linken. Öffne deine Rechte!«

Fest in seiner Rechten hielt Morgoth die Silmaril, und obgleich sie in einem kristallenen Kästchen steckten, fingen sie an, ihn zu versengen, und seine Hand war verkrampft vor Schmerz, doch wollte er sie nicht öffnen. »Nimmer!« sagte er. »Du hast dein Teil bekommen. Denn mit meiner Kraft, die ich dir verliehen, wurde dein Werk vollbracht. Deiner bedarf ich nicht mehr. Diese Dinge sollst du nicht haben noch sehen. Ich nenne sie mein eigen auf ewig.«

Doch Ungolianth war groß und er kleiner geworden durch die Kraft, die aus ihm geflossen war; und sie richtete sich vor ihm auf, und ihre Wolke schloß sich über ihm, und sie fing ihn in einem Netz klebriger Riemen, um ihn zu erwürgen. Da stieß Morgoth einen furchtbaren Schrei aus, der in den Bergen widerhallte. Jene Gegend wurde daher Lammoth geheißen, denn das Echo seiner Stimme hauste für immer dort, so daß jeder, der in diesem Lande laut schrie, es weckte und die ganze Öde zwischen den Bergen und der See mit einem Lärm wie von gepeinigten Stimmen erfüllte. Morgoths Schrei zu jener Stunde war der gewaltigste und schrecklichste, der in der nördlichen Welt je vernommen wurde; die Berge wankten, und die Erde bebte, und Felsen wurden gespalten. Tief an vergessenen Orten fand der Schrei Gehör. Weit unter den zertrümmerten Hallen von Angband, in Verliesen, bis zu denen die Valar in der Hast des Krieges nicht hinabgestiegen waren, lauerten noch immer Balrogs und warteten auf die Rückkehr ihres Herrn; diese stiegen nun geschwind herauf und kamen durch Hithlum wie ein Feuersturm nach Lammoth gefahren. Mit ihren Flammengeißeln zerfetzten sie Ungolianths Netze, und sie verzagte und wandte sich zur Flucht, schwarze Dämpfe ausspeiend, die sie deckten. Aus dem Norden floh sie hinab nach Beleriand, wo sie unter den Ered Gorgoroth hauste, in dem düstern Tale, das später Nan Dungortheb hieß, das Tal des Abscheulichen Todes, nach dem Grauen, das sie dort ausbrütete. Denn noch andere ekle Geschöpfe in Spinnengestalt nisteten dort seit der Zeit, als die Höhlen von Angband gegraben wurden, und mit diesen paarte sie sich, bevor sie sie fraß; und auch nachdem Ungolianth selbst abgezogen war in den vergessenen Süden der Welt, hauste ihre Brut weiter dort und wob ihre scheußlichen Netze. Keine Erzählung berichtet von Ungolianths Schicksal. Doch manche haben gesagt, vor langer Zeit habe sie ihr Ende gefunden, als sie im schlimmsten Hunger sich selbst verschlang.

Und so trat nicht ein, was Yavanna befürchtet hatte, daß die Silmaril verschlungen und ins Nichts fallen würden; doch blieben sie in der Gewalt Morgoths. Und der, nachdem er befreit war, scharte wieder all seine Diener um sich, die er noch finden konnte, und zog zu den Trümmern von Angband. Dort grub er von neuem seine gewaltigen Höhlen und Verliese, und über ihren Toren türmte er die dreizackigen Gipfel von Thangorodrim auf, die immer von einer großen Fahne schwarzen Rauches umlagert waren. Zahllos wurden dort die Scharen seines Getiers und seiner Dämonen, und die Brut der Orks, lange zuvor schon gezüchtet, wuchs und mehrte sich in den Eingeweiden der Erde. Dunkel fiel nun der Schatten auf Beleriand, wie noch zu erzählen ist; in Angband aber schmiedete Morgoth eine große Krone von Eisen und nannte sich König der Welt. Zum Zeichen solcher Würde setzte er die Silmaril in seine Krone. Seine Hände waren schwarzgesengt von der Berührung der geweihten Steine, und schwarz blieben sie für immer; noch war er jemals frei von dem Schmerz des Brandes und von der Wut über den Schmerz. Die Krone nahm er nie von seinem Haupte, obwohl ihre Last ihm zur unerträglichen Qual wurde. Nie, bis auf einmal und da insgeheim, verließ er für längere Zeit sein Gebiet im Norden; selten verließ er auch nur die tiefen Räume seiner Festung, sondern herrschte über seine Heere von seinem nördlichen Thron. Und nur einmal, solange sein Reich währte, griff er selber zur Waffe.

Denn mehr noch als in den Tagen von Utumno, ehe sein Stolz erniedrigt wurde, verzehrte ihn jetzt der Haß, und sein Geist ging darin auf, seine Diener zu knechten und in ihnen die Lust am Bösen zu stacheln. Doch die Hoheit seiner Erscheinung als einer der Valar blieb lange gewahrt, wenngleich zum Schrecken gewendet, und vor seinem Antlitz versanken bis auf die Mächtigsten alle in einer dunklen Grube der Angst.

Als nun laut wurde, daß Morgoth aus Valinor entkommen war und daß Verfolgung nichts fruchtete, blieben die Valar lange in der Dunkelheit im Schicksalsring sitzen, und die Maiar und Vanyar standen neben ihnen und weinten; von den Noldor aber kehrten die meisten nach Tirion zurück und trauerten über das Dunkel auf ihrer weißen Stadt. Durch die trübe Schlucht des Calacirya trieben Nebel von den schattigen Meeren herein und legten sich um die Türme, und die Lampe von Mindon brannte fahl in der Finsternis.

Da erschien plötzlich Feanor in der Stadt und rief alle auf, zum Hochgericht des Königs auf dem Gipfel des Túna zu kommen; das Urteil aber, das ihn verbannte, war noch nicht aufgehoben, und er rebellierte gegen die Valar. Eine große Menge versammelte sich daher sogleich, um zu hören, was er sagen werde; und der Hügel und alle Stufen und Straßen, die zu ihm hinaufführten, waren hell von dem Licht der Fackeln, die alle in den Händen trugen. Ein Meister der

Rede war Feanor, und seine Zunge hatte Gewalt über die Herzen; und in dieser Nacht hielt er den Noldor eine Rede, die sie nie vergaßen. Heiß und hart waren seine Worte, voller Zorn und Stolz; und die Noldor, als sie ihm zuhörten, wurden zum Wahnsinn getrieben. Seine Wut und sein Haß trafen am meisten Morgoth, und doch war fast alles, was er sagte, aus Morgoths Lügen selbst erwachsen; aber er war außer sich vor Schmerz um den erschlagenen Vater und vor Zorn über den Raub der Silmaril. Er forderte nun das Königtum über alle Noldor, denn Finwe war tot, und er verhöhnte die Gebote der Valar.

»Warum, o Volk der Noldor«, rief er, »warum sollten wir weiter den neidischen Valar dienen, die uns auch in ihrem eignen Reich vor ihrem Feinde nicht zu schützen vermögen? Zwar ist er jetzt ihr Feind, doch sind nicht sie und er von einem Geschlecht? Rache ruft mich fort von hier, doch wäre es selbst anders, ich wollte nicht längere in einem Lande wohnen mit der Sippe dessen, der meinen Vater erschlagen und meinen Schatz geraubt. Doch bin ich nicht der einzige Mutige in diesem mutigen Volk. Und habt nicht ihr alle euren König verloren? Und was alles habt ihr nicht außerdem verloren, hier eingepfercht in einem engen Lande zwischen den Bergen und dem Meer?

Hier war einmal das Licht, das die Valar Mittelerde nicht gönnten, doch nun macht das Dunkel alles gleich. Sollen wir hier auf ewig untätig trauern, ein Volk von Schatten und Nebelgängern, das vergebliche Tränen ins undankbare Meer schüttet? Oder sollen wir in unsere Heimat zurückkehren? Mild flossen die Wasser in Cuiviénen unter dem unbewölkten Sternenhimmel, und weite Lande lagen ringsum, wo ein freies Volk wandern konnte. Sie liegen dort noch immer und warten auf uns, die wir in unserem Wahn sie verlassen haben. Kommt, fort von hier! Mögen die Feiglinge diese Stadt hüten!«

Lange sprach er, stets den Noldor zuredend, daß sie ihm folgten und sich aus eigner Kraft Freiheit und große Reiche in den Ländern des Ostens errängen, bevor es zu spät sei; denn er redete Melkors Lügen nach, daß die Valar sie betrogen hätten und sie gefangen hielten, damit in Mittelerde die Menschen herrschen könnten. Viele der Eldar hörten hier zum ersten Mal von den Nachkömmlingen. »Glücklich soll der Ausgang sein«, rief er, »doch lang und hart ist der Weg. Sagt der Knechtschaft Lebwohl! Doch sagt auch der Ruhe Lebwohl! Sagt den Schwachen Lebwohl, sagt euren Schätzen Lebwohl! Größere werden wir erringen. Nehmt wenig mit auf den Weg: Doch vergeßt nicht eure Schwerter! Denn wir werden weiter gehen als Orome und länger standhalten als Tulkas: Wir werden nie ablassen von der Verfolgung. Hinter Morgoth sind wir her bis zu den Grenzen der Erde. Krieg soll er haben und Haß ohne Ende. Doch wenn wir gesiegt und die Silmaril zurückgewonnen haben, dann sind wir, wir allein, die Herren des unbesudelten Lichtes und Herren allen Glücks und aller Schönheit von Arda. Keine andere Rasse soll uns vertreiben!«

Dann schwor Feanor einen furchtbaren Eid. Seine sieben Söhne sprangen ihm zur Seite und legten mit ihm denselben Eid ab, und blutrot leuchteten ihre gezogenen Schwerter im Schein der Fackeln. Sie schworen einen Eid, wie keiner ihn brechen darf und keiner ihn schwören sollte, im Namen Ilúvatars selbst, und sie riefen das Ewige Dunkel auf sich herab, wenn sie ihn nicht hielten; und, Manwe zum Zeugen rufend, Varda und den heiligen Berg Taniquetil, gelobten sie, mit Haß und Rache bis ans Ende der Welt zu verfolgen jeden Vala, Dämon, Elben oder ungeborenen Menschen, oder jede Kreatur, ob groß oder klein, gut oder böse, welche die Zeit hervorbringen mochte bis ans Ende der Tage, wer immer einen Silmaril aus ihrem Besitz nehme, behalte oder verwahre.

So sprachen Maedhros und Maglor und Celegorm, Curufin und Caranthir, Amrod und Amras, Prinzen der Noldor; und vielen wurde bange, als sie die grimmigen Worte hörten. Denn so geschworen, ob gut oder böse, kann ein Eid nicht gebrochen werden, und Eidvollstrecker wie Eidbrecher verfolgt er bis ans Ende der Welt. Fingolfin und Turgon, sein Sohn, sprachen daher gegen Feanor, und böse

Worte wurden gewechselt, so daß nicht viel fehlte und die Wut hätte abermals die Schwerter entblößt. Finarfin aber sprach besänftigend, wie es seine Art war; er redete den Noldor zu, innezuhalten und sich zu bedenken, ehe getan werde, was dann nicht mehr ungetan zu machen sei; und Orodreth sprach als einziger von seinen Söhnen im gleichen Sinne. Finrod hielt es mit Turgon, seinem Freunde; doch Galadriel, die einzige Frau der Noldor, die an diesem Tage hoch und kühn unter den streitenden Prinzen stand, brannte darauf, fortzuziehen. Sie schwor keinen Eid, doch Feanors Worte über Mittelerde waren in ihrem Herzen aufgegangen, denn sie sehnte sich danach, die weiten, unbewachten Lande zu sehen und ein Reich nach eignem Gutdünken zu regieren. Gleichen Sinnes wie Galadriel war Fingon, Fingolfins Sohn; auch ihn hatten Feanors Worte bewegt, obgleich er ihn wenig liebte; und zu Fingon hielten, wie immer, Angrod und Aegnor, Finarfins Söhne. Doch diese alle blieben still und sprachen nicht gegen ihre Väter.

Am Ende, nach langem Streit, hatte Feanor seinen Willen, und den größeren Teil der versammelten Noldor entflammte er mit der Sehnsucht nach neuen Dingen und fremden Ländern. Als Finarfin daher noch einmal für Bedenken und Abwarten sprach, erhob sich lautes Geschrei: »Nimmer, wir wollen fort!« Und auf der Stelle begannen Feanor und seine Söhne den Aufbruch vorzubereiten.

Wenig konnten sie voraussehen, die es wagten, einen so dunklen Weg zu beschreiten. Doch alles geschah nun in Übereile, denn Feanor trieb sie an, besorgt, wenn erst ihre Herzen abkühlten, möchten seine Worte verblassen und anderen Ratschlüssen unterliegen; denn bei all seinen stolzen Reden vergaß er doch nicht die Macht der Valar. Aber aus Valmar kam keine Botschaft, und Manwe blieb stumm. Er mochte Feanors Vorhaben weder verbieten noch hindern; denn die Valar waren gekränkt, daß man ihnen zutraute, sie hegten böse Absichten gegen die Eldar oder hielten sie gar gegen ihren Willen gefangen. Jetzt wachten und warteten sie, denn noch glaubten sie nicht, daß Feanor das Volk der Noldor lange an seinen Willen binden könne.

Und in der Tat gab es sogleich Zwietracht, als Feanor die Noldor zum Aufbruch zu scharen begann. Denn zwar hatte er die Versammlung zu dem Entschluß bewogen, fortzuziehen, doch waren bei weitem nicht alle eines Sinnes, Feanor zum König zu nehmen. Beliebter waren Fingolfin und seine Söhne; und seine Verwandten und die meisten Bewohner von Tirion weigerten sich, ihm abzusagen, wenn er mit ihnen ginge; und so machten sich die Noldor zuletzt in zwei getrennten Scharen auf ihren bitteren Weg. Feanor und sein Gefolge zogen voraus, doch die größere Schar folgte unter Fingolfin nach. Fingolfin ging mit wider besseres Wissen, weil Fingon, sein Sohn, ihn drängte und weil er sich von seinem Volk, das begierig war zu gehen, nicht trennen und es nicht den unbedachten Ratschlüssen Feanors ausliefern mochte. Auch hatte er seine Worte vor Manwes Thron nicht vergessen. Mit Fingolfin ging auch Finarfin, aus ähnlichen Gründen, doch mit dem größten Widerstreben. Und von allen Noldor in Valinor, die nun ein zahlreiches Volk geworden waren, wollte nur der zehnte Teil nicht auf den Weg: manche aus Liebe zu den Valar (und nicht zuletzt zu Aule), manche aus Liebe zu Tirion und den vielen Dingen, die sie geschaffen, niemand aus Furcht vor Gefahr.

Als aber die Trompete erschallte und Feanor aus den Toren von Tirion trat, kam schließlich doch ein Bote von Manwe und sagte: »Gegen Feanors Wahn höret nur meinen Rat. Gehet nicht fort! Denn bös ist die Stunde, und euer Weg führet in Leid, das ihr nicht vorausseht. Keine Hilfe werden euch die Valar gewähren zu dieser Fahrt, doch werden sie euch auch nicht hindern. Denn wisset dies: Wie ihr frei hierher gekommen, so seid ihr frei zu gehen. Du aber, Feanor, Finwes Sohn, bist ausgestoßen, aufgrund deines Eides. Bitter soll es dir werden, Melkors Lügen zu verlernen. Ein Vala ist er, sagst du. Dann hast du vergebens geschworen, denn keinen der Valar kannst du überwinden, jetzt nicht und niemals, solange Ea dauert, und wenn Eru, den du angerufen, dich dreimal größer geschaffen hätte, als du bist.«

Feanor aber lachte und sprach nicht zu dem Herold, sondern zu den Noldor und sagte: »So denn! Dies tapfere Volk wird also den Erben seines Königs mit seinen Söhnen allein in die Verbannung schicken und in seine Knechtschaft zurückkehren? Doch wenn noch einige mit mir kommen wollen, so sage ich ihnen: Ist euch Leid vorbestimmt? Nun, wir kennen es aus Aman. In Aman sind wir durch Glück zum Leid gekommen. Umgekehrt versuchen wir es jetzt: durch Leid zur Freude – oder wenigstens zur Freiheit.«

Dann, sich dem Herold zuwendend, rief er: »Sag dies zu Manwe Súlimo, dem Hohen König von Arda: Wenn Feanor Morgoth nicht besiegen kann, so zögert er doch nicht, ihn anzugreifen, und sitzt nicht müßig in Trauer da. Und vielleicht hat Eru mir ein Feuer gegeben, das stärker ist, als du ahnst. Wunden jedenfalls will ich dem Feind der Valar schlagen, daß auch die Mächtigen im Schicksalsring es mit Erstaunen vernehmen sollen. Fürwahr, am Ende werden sie mir folgen. Lebwohl!«

So gebieterisch wurde Feanors Stimme in dieser Stunde, daß selbst der Herold der Valar sich vor ihm verneigte wie vor einem Mächtigen, ehe er schied; und die Noldor waren überwältigt. Daher setzten sie den Marsch fort, und Feanors Sippe eilte ihnen voraus, entlang der Küste von Elende: Kein einziges Mal wandten sie die Augen zurück nach Tirion auf dem grünen Hügel von Túna. Langsamer und weniger entschlossen zog Fingolfins Schar hinter ihnen drein. Ihr ging Fingon voraus; mit der Nachhut aber kamen Finarfin und Finrod und viele der Edelsten und Klügsten der Noldor, und oft blickten sie sich um nach ihrer weißen Stadt, bis daß die Lampe auf dem Mindon Eldaliéva sich in der Nacht verlor. Mehr als alle andern unter den Auswandernden nahmen sie Erinnerungen an das Glück, von dem sie sich abwandten, mit fort, und auch manche Dinge, die sie geschaffen, trugen sie mit sich; ein Trost und eine Bürde auf dem Weg.

Nun führte Feanor die Noldor nordwärts, denn sein erstes Vorhaben war, Morgoth zu folgen. Überdies lag Túna unter dem Taniquetil nahe am Gürtel von Arda, und hier war das Große Meer unermeßlich weit, während nach Norden zu das Scheidemeer schmaler wurde und das Ödland von Araman den Küsten von Mittelerde näher rückte. Als aber Feanors Geist kühler wurde und Rat annahm, da erkannte er allzu spät, daß all die großen Scharen niemals den langen Weg nach Norden zurücklegen oder zuletzt das Meer überqueren könnten, es sei denn mit Hilfe von Schiffen; doch würde es viel Zeit und Mühe kosten, eine so große Flotte zu bauen, selbst dann, wenn die Noldor sich auf diese Kunst verstanden hätten. Er beschloß daher, die Teleri, die alten Freunde der Noldor, zum Mitkommen zu überreden; und in seiner Empörung dachte er auch, daß so das Glück von Valinor weiter vermindert und seine eigene Streitmacht gegen Morgoth vermehrt werden möchte. Er eilte also nach Alqualonde und sprach zu den Teleri, so wie er zuvor in Tirion gesprochen.

Doch die Teleri blieben unbewegt, was er auch sagte. Wohl waren sie bekümmert, daß ihre Verwandten und alten Freunde fortgingen, doch mochten sie ihnen lieber abraten als helfen; und kein Schiff wollten sie ihnen leihen oder bauen helfen gegen den Willen der Valar. Was sie anging, so begehrten sie keine andere Heimat als die Ufer von Eldamar und keinen anderen Herrn als Olwe, den Fürsten von Alqualonde. Und Olwe hatte Morgoth nie Gehör geschenkt, noch ihn in seinem Lande empfangen, und er vertraute noch darauf, daß Ulmo und die andren Großen unter den Valar für die Schäden Morgoths Abhilfe schaffen und daß die Nacht einem neuen Morgen weichen würde.

Da wurde Feanor zornig, denn noch immer fürchtete er den Aufschub, und hitzig sprach er zu Olwe: »Zur Stunde, da wir ihrer bedürfen, brichst du unsere Freundschaft«, sagte er. »Doch froh wart ihr über unsere Hilfe, als ihr endlich an diese Ufer kamt, mit leeren Händen, mutlose Zauderer. In Hütten am Strande wohntet ihr noch, hätten nicht die Noldor euren Hafen und eure Häuser gebaut.«

Olwe aber antwortete: »Wir brechen keine Freundschaft. Doch Freundesdienst kann es sein, des Freundes Wahn zu widerstehen. Und als die Noldor uns willkommen geheißen und uns Hilfe geleistet, da war es anders, als du gesagt: Im Lande Aman sollten wir wohnen für immer, als Brüder, deren Häuser Seite an Seite stehen. Doch was unsere weißen Schiffe angeht: die habt nicht ihr uns gegeben. Diese Kunst haben wir nicht von den Noldor gelernt, sondern von den Herren des Meeres; und ihre weißen Planken haben wir mit eigenen Händen gezimmert, und die weißen Segel haben unsere Frauen und Töchter gewoben. Darum geben wir sie nicht her, und sie sind uns nicht feil, für keinen Bund und keine Freundschaft. Denn ich sage dir, Feanor, Finwes Sohn, sie sind für uns, was die Gemmen für die Noldor sind: das Werk unseres Herzens, desgleichen wir kein zweites schaffen können.«

Darauf verließ ihn Feanor und saß in dunklem Sinnen vor den Mauern von Alqualonde, bis seine Schar versammelt war. Als er glaubte, stark genug zu sein, ging er zum Schwanenhafen und begann die Schiffe zu bemannen, die dort ankerten, und sie mit Gewalt zu nehmen. Doch die Teleri widerstanden und warfen viele der Noldor ins Meer. Da wurden die Schwerter gezogen, und heiß wurde auf den Schiffen gekämpft und ringsum auf den lampenerhellten Kaien und Stegen des Hafens, selbst auf dem großen Bogen des Hafentores. Dreimal wurden Feanors Leute zurückgeworfen, und viele wurden auf beiden Seiten erschlagen; doch die Vorhut der Noldor erhielt durch Fingon Verstärkung, mit den Vordersten aus Fingolfins Schar, die, als sie ankamen, eine Schlacht im Gange und ihre Blutsverwandten fallen sahen und eingriffen, ehe sie recht wußten, um was man stritt; manche glaubten auch, die Teleri hätten auf Geheiß der Valar den Zug der Noldor aufhalten wollen.

So wurden zuletzt die Teleri überwunden und ein großer Teil ihrer Seeleute, die in Alqualonde wohnten, grausam erschlagen. Denn die Noldor waren wild und verzweifelt geworden, und die Teleri waren weniger stark und meist nur mit leichten Bogen bewaffnet. Nun zogen die Noldor die weißen Schiffe fort und bemannten die Ruder, so gut sie es verstanden, und fuhren nach Norden die Küste entlang. Und Olwe rief Osse an, doch kam er nicht, denn die Valar ließen es nicht zu, daß die Flucht der Noldor mit Gewalt behindert werde. Uinen aber weinte um die Seeleute der Teleri, und die See bäumte sich wütend gegen die Mörder auf, so daß viele der Schiffe untergingen und die Leute auf ihnen ertranken. Mehr wird über den Sippenmord von Alqualonde in jenem Klagelied mit Namen *Noldolante,* der Sturz der Noldor, erzählt, das Maglor dichtete, ehe er verschwand.

Dennoch, der größere Teil der Noldor entkam, und als der Sturm vorüber war, setzten sie ihren Weg fort, manche zu Schiff und manche zu Lande; doch der Weg war lang und wurde immer böser, je weiter sie kamen. Nachdem sie lange Zeit durch die unermeßliche Nacht marschiert waren, gelangten sie schließlich an die nördlichen Grenzen des Bewachten Reiches, am kalten und gebirgigen Rande der leeren Einöde von Araman. Dort erblickten sie plötzlich eine dunkle Gestalt, die auf einem hohen Felsen stand und auf das Ufer herabsah. Manche sagen, kein geringerer Bote Manwes als Mandos selbst sei es gewesen. Und sie hörten eine laute Stimme, würdig und schrecklich, die ihnen gebot, zu halten und zu hören. Und sie hielten alle und standen still, und vom einen Ende des Zuges bis zum andern vernahm man die Stimme, wie sie den Fluch und das Urteil sprach, welche die Weissagung des Nordens und der Spruch der Noldor genannt werden. Vieles kündete sie in dunkler Rede voraus, das die Noldor erst später verstanden, als das Unheil wirklich hereingebrochen war; alle aber hörten den Fluch, der über jene gesprochen wurde, die nicht bleiben wollten noch das Urteil und die Vergebung der Valar erbitten.

»Ungezählte Tränen sollt ihr vergießen; und die Valar werden Valinor gegen euch umzäunen und euch ausschließen, so daß kein Echo von euren Klagen über die Berge dringt. Auf dem Hause Feanor liegt der Zorn der Valar, vom Westen bis in den Osten, und so auf allen, die ihm folgen. Ihr Eid wird sie treiben und sie doch betrügen und ihnen immer wieder jene Schätze entreißen, nach denen sie zu jagen geschworen. Zu bösem Ende wird alles sich wenden, was sie wohl beginnen; und dies geschehe durch Verrat des Bruders am Bruder und durch Furcht vor Verrat. Die Enteigneten sollen sie sein für immer.

Wider das Recht habt ihr das Blut eures Geschlechts vergossen und das Land Aman befleckt. Für Blut werdet ihr mit Blut entgelten, und jenseits der Grenzen von Aman lebt ihr im Schatten des Todes. Denn wenn auch Eru euch nicht bestimmt hat, in Ea zu sterben, und keine Krankheit euch befallen kann, so könnt ihr doch erschlagen werden, und erschlagen sollt ihr werden: durch Waffen, und durch Leid und Qual; und nach Mandos werden eure unbehausten Geister dann kommen. Da sollt ihr lange wohnen und um eure Leiber trauern, und wenig Erbarmen werdet ihr finden, und wenn alle, die ihr gemordet, für euch bitten sollten. Und jene, die in Mittelerde ausharren und nicht nach Mandos kommen, sollen der Welt müde werden wie einer schweren Last und sollen verfallen und wie Schatten der Reue werden vor dem jüngeren Geschlecht, das nach euch kommt. Die Valar haben gesprochen.«

Viele verzagten da; doch Feanor panzerte sein Herz und sagte: »Geschworen haben wir, und nicht mit leichtem Sinn. Diesen Eid halten wir. Mit vielerlei Unheil werden wir bedroht, und nicht das geringste ist der Verrat; eines aber wird nicht gesagt: daß wir an Kleinmut leiden werden, an Feigheit oder der Furcht vor Feigheit. Daher sage ich, wir gehen weiter, und dies eine künde ich voraus: Taten werden wir leisten, die besungen werden sollen bis ans Ende aller Tage von Arda.«

Doch in dieser Stunde wandte sich Finarfin von dem Zuge ab und kehrte um, voller Leid und voller Bitterkeit gegen das Haus Feanor, denn sein Schwiegervater war Olwe von Alqualonde; und mit Finarfin gingen viele seiner Leute denselben Weg in Kummer zurück, bis sie von fern wieder den Schein des Mindon auf dem Túna gewahrten, der noch leuchtete in der Nacht; und so kamen sie zurück nach

Valinor. Dort erlangten sie Vergebung von den Valar, und Finarfin wurde eingesetzt, die Reste der Noldor im Segensreich zu regieren. Seine Söhne aber waren nicht bei ihm geblieben, denn sie mochten sich von Fingolfins Söhnen nicht trennen; und Fingolfins ganze Schar zog weiter mit, denn sie sahen sich gezwungen durch Blutsbande und durch den Willen Feanors; überdies fürchteten sie das Urteil der Valar, denn nicht alle waren sie beim Sippenmord von Alqualonde ohne Schuld geblieben. Auch waren Fingon und Turgon mutigen Herzens und mochten nicht aufgeben, was sie einmal begonnen, bis zum bitteren Ende, wenn es denn bitter sein mußte. So zog die größte Schar weiter, und rasch begann das verheißene Unheil sein Werk.

Die Noldor kamen zuletzt in den hohen Norden von Arda; und sie sahen die ersten Zähne des Eises, das im Meer schwamm, und wußten, sie näherten sich der Helcaraxe. Denn zwischen dem Lande Aman, das im Norden ostwärts abbog, und den Ostküsten von Endor (was Mittelerde heißt), die sich westwärts hinzogen, lag eine Meerenge, in der die kalten Wasser des Umzingelnden Meeres und die Wellen von Belegaer ineinanderflossen, und dort gab es weite Dunst- und Nebelfelder von tödlicher Kälte, und die Meeresströmungen waren erfüllt vom Klirren der Eisberge und vom Knirschen des Grundeises. Dies war die Helcaraxe, und noch niemand bis auf die Valar und Ungolianth hatte es gewagt, sie zu betreten.

Dort machte Feanor Halt, und die Noldor berieten, welchen Weg sie nun nehmen sollten. Doch sie begannen Qualen zu leiden von der Kälte und den zähen Nebeln, durch die kein Schimmer von einem Stern drang; und viele waren des Weges leid, und vor allem die aus Fingolfins Gefolge begannen zu murren, Feanor verwünschend, den sie den Anstifter allen Übels für die Eldar nannten. Feanor aber, der von allem wußte, was gesagt wurde, beriet sich mit seinen Söhnen, und nur zwei Wege sahen sie, um von Araman nach Endor zu entkommen: über das Eis der Meerenge oder zu Schiff. Die Helcaraxe aber glaubten sie unüberschreitbar, während der Schiffe zu wenige waren. Viele hatten sie auf der langen Reise verloren, und nicht genug waren übrig, um die ganze große Schar auf einmal überzusetzen; niemand aber war bereit, am westlichen Ufer zu warten, während andre zuerst überfuhren: Schon war die Furcht vor Verrat unter den Noldor erwacht. So kam es Feanor und seinen Söhnen in den Sinn, mit allen Schiffen plötzlich abzufahren; die Herrschaft über die Flotte nämlich hatten sie seit der Schlacht im Hafen in den eigenen Händen behalten, und die Schiffe waren nur mit jenen bemannt, die dort gekämpft hatten und an Feanor gebunden waren. Und wie gerufen kam ein Wind von Nordwesten auf, und Feanor schlich sich heimlich an Bord, mit allen, die er sich ergeben glaubte, stach in See und ließ Fingolfin in Araman zurück. Und da der Meeresarm schmal war, gelangte er, nach Osten und ein wenig nach Süden steuernd, ohne Verluste hinüber und setzte als erster von allen Noldor von neuem den Fuß auf die Küste von Mittelerde; und Feanors Landeplatz lag an der Mündung des Fjords, der Drengist genannt wurde und der sich nach Dor-lómin hineinzog.

Nachdem sie aber gelandet waren, sprach Maedhros, sein ältester Sohn, der einst der Freund Fingons gewesen war, ehe Morgoths Lügen sich zwischen sie drängten, zu Feanor und sagte: »Welche Schiffe und Ruderer hast du nun ausersehen, zurückzukehren, und wen sollen sie zuerst herüberholen? Fingon, den Tapferen?«

Da lachte Feanor wie ein Verdammter und rief: »Keinen einzigen! Nicht als Verlust achte ich, was ich zurückgelassen; als nutzloses Gepäck auf dem Weg hat es sich erwiesen. Sollen jene, die meinen Namen verfluchen, mich weiterhin verfluchen und winselnd zurückkehren in die Käfige der Valar! Brennen sollen die Schiffe!«
Da trat Maedhros allein beiseite, Feanor aber ließ an die weißen Schiffe der Teleri das Feuer legen. So fanden an jenem Orte, der Losgar hieß, an der Mündung des Fjords von Drengist, die schönsten Schiffe, die je die Meere befuhren, in einem großen Brand ihr Ende, leuchtend und schrecklich. Und Fingolfin und sein Gefolge sahen das Licht aus der Ferne, einen roten Schein unter den Wolken;

und sie wußten, sie waren verraten worden. Dies waren die ersten Früchte des Sippenmords und des Verhängnisses der Noldor.

Da war Fingolfin voller Bitterkeit, als er sah, daß Feanor ihn verlassen hatte, so daß er in Araman umkommen oder in Schande nach Valinor zurückkehren müßte; doch mehr denn zuvor begehrte er nun, einen Weg nach Mittelerde zu finden und Feanor noch einmal zu begegnen. Und lange wanderten er und seine Schar im Elend, doch Mut und Ausdauer wuchsen mit ihren Mühen; denn ein starkes Volk waren sie, die älteren, die unsterblichen Kinder von Eru Ilúvatar, als sie noch Neuankömmlinge aus dem Segensreich waren und noch nicht müde von der Last der Erde. Das Feuer in ihren Herzen war jung, und geführt von Fingolfin und seinen Söhnen und von Finrod und Galadriel wagten sie sich in den kältesten Norden; und da sie keinen anderen Weg fanden, nahmen sie zuletzt die Schrecknisse der Helcaraxe und der erbarmungslosen Eisberge auf sich. Von den späteren Taten der Noldor waren wenige kühner als dieser verzweifelte Übergang, und wenige waren opferreicher. Elenwe, Turgons Gattin, verloren sie dort, und noch viele andere kamen um; und mit einer verringerten Schar setzte Fingolfin endlich den Fuß auf die Außenlande. Wenig Liebe hegten sie für Feanor und seine Söhne, die nun hinter ihnen dreinzogen und in Mittelerde ihre Trompeten bliesen beim ersten Aufgang des Mondes.

X
Von den Sindar

Nun war, wie erzählt wurde, Elwes und Melians Macht in Mittelerde gewachsen, und alle Elben von Beleriand, von den Seeleuten Círdans bis zu den wandernden Jägern der Blauen Berge jenseits des Gelionstromes, ehrten Elwe als Fürsten; Elu Thingol wurde er in der Sprache seines Volkes genannt, König Graumantel. Dies sind die Sindar, die Grau-Elben des sternbeschienenen Beleriand; und wenn sie auch Moriquendi waren, so wurden sie unter Thingols Herrschaft und Melians Unterweisung doch zu den schönsten, klügsten und kunstfertigsten aller Elben von Mittelerde. Und gegen Ende des ersten Alters von Melkors Gefangenschaft, als die ganze Erde Frieden hatte und Valinors Glanz im Mittag stand, kam Lúthien zur Welt, Thingols und Melians einziges Kind. Wenn auch Mittelerde zum größten Teil im Schlafe Yavannas lag, so gab es dank Melians Kräften in Beleriand doch Leben und Freude, und die Sterne schienen hell wie silberne Fackeln; und dort, im Walde von Neldoreth, wurde Lúthien geboren, und die weißen Blüten der *Niphredil* gingen auf, als Sterne der Erde, um sie zu grüßen.

Es geschah im zweiten Alter von Melkors Gefangenschaft, daß die Zwerge über die Blauen Berge der Ered Luin nach Beleriand kamen. Sie selbst nannten sich Khazâd, die Sindar aber nannten sie die Naugrim, die Kurzgewachsenen, oder die Gonnhirrim, die Herren der Steine. Weit im Osten lagen die ersten Wohnsitze der Naugrim, doch hatten sie sich, wie es ihres Volkes Art ist, große Hallen und Paläste auf der Ostseite der Ered Luin gegraben; und ihre Städte dort hießen in ihrer Sprache Gabilgathol und Tumunzahar. Nördlich unter dem hohen Gipfel des Dolmed lag Gabilgathol, das die Elben Belegost nannten, Große Festung; und im Süden war Tumunzahar eingegraben, von den Elben Nogrod, Hohlburg, geheißen. Die größte aller Zwergenstädte war Khazad-dûm, die Zwergengrube, Hadhodrond in der Elbensprache, später, in ihren dunklen Zeiten, Moria genannt; doch sie lag fernab im Nebelgebirge, hinter den weiten Ebenen von Eriador, und für die Eldar blieb es ein Name und ein Gerücht aus den Reden der Zwerge von den Blauen Bergen.

Aus Nogrod und Belegost kamen die Zwerge nach Beleriand, und die Elben waren voller Verwunderung, denn sie hatten geglaubt, daß sie selbst die einzigen Lebewesen in Mittelerde seien, die mit Worten sprachen und mit den Händen werkten, alle andren aber seien bloß Vögel und Getier. Doch konnten sie kein Wort aus der Sprache der Naugrim verstehen, die in ihren Ohren roh und unfreundlich klang; und nur wenige Eldar haben sie je erlernt. Die Zwerge aber lernten rasch, und sie waren sogar eher bereit, die Elbensprache zu erlernen, als Fremden die eigene Sprache zu verraten. Wenige der Eldar kamen je nach Nogrod oder Belegost, bis auf Eol von Nan Elmoth und Maeglin, seinen Sohn; die Zwerge aber zogen oft mit Waren nach Beleriand hinein und legten eine große Straße an, die an den Ausläufern des Dolmed vorbei den Flußlauf des Ascar entlang führte und bei Sarn Athrad, der Furt der Steine, wo es später zur Schlacht kam, den Gelion überquerte. Kühl war stets die Freundschaft zwischen den Naugrim und den Eldar, obgleich beide viel Vorteil voneinander hatten; zu jener Zeit aber war das Unheil, das zwischen sie treten sollte, noch nicht geschehen, und König Thingol hieß die Zwerge willkommen. In späterer Zeit aber gewährten die Zwerge den Noldor bereitwilliger Freundschaft als allen anderen Elben und Menschen, denn gemeinsam liebten und ehrten sie Aule, und die Gemmen der Noldor priesen sie höher als alle anderen Schätze. Schon während der Dunkelheit von Arda schufen die Zwerge prächtige Werke, denn von den ersten Tagen ihrer Sieben Väter an verstanden sie sich wunderbar auf die Metalle und Steine; doch in jener ältesten Zeit arbeiteten sie lieber in Eisen und Kupfer als in Silber und Gold.

Nun sah Melian so manches voraus, wie es die Art der Maiar, und als das zweite Alter von Melkors Gefangenschaft vorüber war, da warnte sie Thingol, nicht ewig werde der Friede von Arda dauern. Und so sann er nach, wie er sich eine Königsburg schaffen könnte, einen Ort, der sicher wäre, wenn das Unheil in Mittelerde wieder erwachte; und die Zwerge von Belegost bat er um Rat und Hilfe. Beides gewährten sie gern, denn unermüdlich waren sie in jenen Tagen und stets bereit zu neuen Arbeiten; und obwohl die Zwerge immer und für alles, was sie taten, ihren Preis forderten, ob es ihnen Vergnügen bereitete oder Verdruß, diesmal glaubten sie sich zur Genüge belohnt. Denn Melian lehrte sie vieles, das sie zu erfahren begehrten, und Thingol belohnte sie mit vielen herrlichen Perlen. Diese gab ihm Círdan, denn sie fanden sich in großer Anzahl in den flachen Gewässern um die Insel Balar, die Naugrim aber hatten ihresgleichen noch nie gesehen und schätzten sie hoch. Eine darunter war groß wie ein Taubenei, und sie schimmerte wie die Sterne auf der schäumenden See; Nimphelos wurde sie genannt, und dem Zwergenfürsten von Belegost war sie teurer als ein Berg voller Schätze.

Lange und freudig arbeiteten daher die Naugrim für Thingol und schufen Paläste für ihn, die nach der Art ihres Volkes tief in die Erde eingegraben waren. Wo der Esgalduin herabfloß, Neldoreth von Region scheidend, erhob sich mitten im Walde ein felsiger Berg, den Flußlauf zu Füßen. Dort erbauten sie die Tore zu Thingols Hallen, und eine steinerne Brücke über den Fluß war der einzige Zugang. Hinter den Toren führten weite Gänge in hohe Hallen und Kammern tief unter dem Berge, die in den gewachsenen Stein gehauen waren, so viele und so große, daß der Ort Menegroth genannt wurde, die Tausend Grotten.

Doch auch die Elben hatten an den Arbeiten teil, und Elben und Zwerge vereinigten ihre Künste, um zusammen die Gesichte Melians auszuführen, Bilder von den Wundern und der Schönheit Valinors jenseits des Meeres. Die Säulen von Menegroth wurden nach dem Bilde von Oromes Buchen gemeißelt, mit Stamm, Ast und Blatt, und sie wurden von goldnen Laternen erhellt. Nachtigallen sangen wie in den Gärten von Lórien, und es gab silberne Brunnen, Marmorbecken und gekachelte Böden aus vielfarbigen Steinen. Steinfiguren von Tieren und Vögeln zogen sich an den Wänden entlang, kletterten die Säulen empor oder lugten durch die mit vielen Blumen umflochtenen Zweige. Und im Laufe der Jahre schmückten Melian und ihre Mägde die Hallen mit gewebten Wandbehängen, auf denen die Taten der Valar zu sehen waren und vieles, was in Arda seit den Anfängen geschehen war, und Schatten der Dinge, die noch kommen sollten. Es war das schönste Haus, das je ein König östlich des Meeres besessen hat.

Und als Menegroth erbaut war und noch Frieden herrschte in Thingols und Melians Reich, da kamen die Zwerge weiterhin von Zeit zu Zeit über die Berge und zogen in Geschäften durch die Lande; nur selten aber gingen sie in die Falas, denn sie haßten das Tosen des Meeres und fürchteten sich vor seinem Anblick. Andere Nachrichten oder Gerüchte aus der Welt draußen kamen nicht nach Beleriand.

Als aber das dritte Alter der Gefangenschaft Melkors anbrach, wurden die Zwerge unruhig, und sie sprachen mit König Thingol und sagten, die Valar hätten die Übel des Nordens nicht ganz und gar vertilgt, und die restlichen, die sich nun lange im Dunkeln vermehrt, kämen nun wieder hervor und schweiften weit und breit umher. »Grausames Getier«, sagten sie, »ist in dem Lande östlich der Berge, und eure alten Stammesbrüder, die dort leben, fliehen aus den Ebenen ins Hügelland.«

Und nicht lange, so kamen die üblen Geschöpfe auch bis nach Beleriand, über die Gebirgspässe oder von Süden her durch die dunklen Wälder. Wölfe waren es, oder Wesen in Wolfsgestalt, oder andere nicht geheure Gestalten des Schattens, unter ihnen auch die Orks, die später Beleriand verheerten; aber noch waren sie scheu und wenig zahlreich und schnüffelten nur erst das Land aus, denn sie warteten noch auf die Rückkehr ihres Herrn. Woher sie stammten oder wer sie waren, das wußten die Elben damals nicht; sie glaubten aber, es seien vielleicht verkommene oder verwilderte Avari, womit sie, wie es heißt, der Wahrheit nur allzu nahe kamen.

Thingol sann daher auf Bewaffnung, deren sein Volk zuvor nicht bedurft hatte; und zuerst schmiedeten die Naugrim ihnen Waffen, denn darin waren sie alle sehr geschickt, auch wenn keiner die Meister von Nogrod übertraf, deren berühmtester Telchar der Schmied war. Von Anbeginn waren alle Naugrim ein kriegerisches Geschlecht, und erbittert kämpften sie gegen jeden, der ihnen schadete, ob gegen die Diener Melkors, Eldar, Avari oder wilde Tiere, und nicht selten auch gegen ihre Stammesbrüder, die Zwerge von anderen Fürstensitzen. Die Schmiedekunst erlernten die Sindar von ihnen schon bald; einzig in der Härtung des Stahls wurden die Zwerge niemals übertroffen, auch nicht von den Noldor, und ihre Kettenpanzer, die zuerst von den Schmieden aus Belegost verfertigt wurden, hatten nicht ihresgleichen.

Zu dieser Zeit waren also die Sindar wohlgerüstet, und sie verjagten alle Kreaturen des Unheils und hatten wieder Frieden. Thingols Waffenkammern aber waren reich versehen mit Äxten und Speeren und Schwertern, hohen Helmen und langen Umhängen aus schimmernden Ketten; denn die Panzerhemden der Zwerge waren so geschaffen, daß sie nie rosteten, sondern stets glänzten wie frisch poliert. Und das war gut so für Thingol in der Zeit, die bevorstand.

Nun hatte einer mit Namen Lenwe, wie erzählt wurde, den Zug der Eldar zu der Zeit verlassen, als die Teleri an den Ufern des Großen Stromes haltmachten, an den Grenzen der westlichen Lande von Mittelerde. Wenig ist bekannt über die Wanderungen der Nandor, die er den Anduin hinabführte: Manche, so heißt es, lebten lange in den Wäldern des Flußtales, manche kamen zuletzt an die Mündungen und ließen sich dort am Meer nieder, und wieder andere gelangten über die Ered Nimrais, die Weißen Berge, zurück nach Norden und drangen in die Wildnis von Eriador zwischen den Ered Luin und dem fernen Nebelgebirge vor. Diese nun waren ein Waldvolk geworden und besaßen keine Waffen von Stahl, und als die Untiere aus dem Norden kamen, fürchteten sie sich sehr, wie die Naugrim König Thingol in Menegroth berichteten. Als daher Denethor, Lenwes Sohn, von Thingols Macht und Größe und von dem Frieden in seinem Reiche Kunde erhielt, sammelte er von seinem verstreuten Volk, so viele er nur konnte, und führte sie über die Berge nach Beleriand. Thingol hieß sie dort willkommen als lange verloren geglaubte Brüder, die zurückgekehrt waren, und sie wohnten in Ossiriand, dem Land der Sieben Flüsse.

Von den langen Jahren des Friedens, die auf Denethors Ankunft folgten, ist wenig vermeldet. In jenen Tagen, so wird gesagt, erfand Daeron der Spielmann, der größte Gelehrte in Thingols Reich, seine Runenschrift; und die Naugrim, die zu Thingol kamen, fanden großen Gefallen an seiner Erfindung und achteten Daerons Kunst höher als die Sindar, sein eigenes Volk. Durch die Naugrim gelangten die *Cirth* nach Osten über die Berge und gingen in das Wissen vieler Völker ein; die Sindar aber machten wenig Gebrauch von ihnen und hielten nicht viele Berichte fest, bis in die Tage des Krieges, und vieles, das nur im Gedächtnis aufbewahrt wurde, ging in den Trümmern von Doriath verloren. Doch vom Glück und vom frohen Leben gibt es wenig zu sagen, bevor es ein Ende hat; so sind große und herrliche Werke ihr eigener Nachruhm, solange sie dauern und Augen sie sehen können, und erst wenn sie in Gefahr sind oder für immer zerbrochen, gehen sie in die Lieder ein.

Durch Beleriand schweiften die Elben in jenen Tagen, und die Flüsse flossen, und die Nachtblumen verteilten ihre Düfte; die Schönheit Melians stand auf der Mittagshöhe, und die Schönheit Lúthiens war wie die erste Morgendämmerung des Frühlings. In Beleriand herrschte König Thingol auf seinem Throne wie die Fürsten der Maiar, deren Kraft ein Ruhen und deren Freude wie ein Lufthauch ist, den sie alle Tage atmen, und deren Gedanken gelassen von den Höhen zu den Tiefen hinunterströmen. In Beleriand jagte zuweilen noch Orome, der große Reiter, wie ein Wind, der über das Gebirge weht, und der Schall seines Horns drang durch die sternhellen Weiten herunter; und die Elben fürchteten sein glänzendes Gepränge und den gewaltigen Lärm von Nahars Hufschlag, doch sie wußten wohl, wenn das Valaróma von den Hügeln widerhallte, daß alle Dinge von Unheil das Weite suchten.

Doch so geschah es zuletzt, daß das Glück zu Ende ging und der Mittag von Valinor in die Dämmerung auslief. Denn wie erzählt wurde und wie allenthalben bekannt ist, von den Gelehrten aufgeschrieben und in vielen Liedern besungen, Melkor mordete die Bäume der Valar mit Hilfe Ungolianths; er entfloh und kam wieder nach Mittelerde. Weit im Norden ereignete sich der Kampf zwischen Morgoth und Ungolianth; Morgoths großer Schrei aber hallte durch ganz Beleriand, und alle seine Bewohner zogen die Köpfe ein vor Angst, denn wenn sie auch nicht wußten, was er verhieß, so vernahmen sie nun doch den Herold des Todes. Wenig später kam Ungolianth von Norden in König Thingols Reich geflohen, und ein dunkles Grauen war um sie her; doch Melians Kraft hielt sie auf, und sie drang nicht nach Neldoreth hinein, sondern hauste lange Zeit unter dem Schatten der Klüfte, in denen Dorthonion nach Süden abfiel. Und diese wurden als die Ered Gorgoroth bekannt, die Berge des Grauens, und keiner wagte sich dorthin oder in ihre Nähe; Leben und Licht wurden dort erwürgt, und alle Wasser waren vergiftet. Morgoth aber, wie zuvor erzählt, kehrte nach Angband zurück, baute es neu auf und errichtete über seinen Toren die stinkenden Türme von Thangorodrim. Und Morgoths Tore langen nur einhundertfünfzig Meilen entfernt von der Brücke von Menegroth; weit und doch viel zu nah.

Nun wurden die Orks stark und frech, die sich im Dunkel der Erde vermehrt hatten, und ihr dunkler König gab ihnen die Lust an Tod und Trümmern ein; und unter den Wolken, die Morgoth über sie breitete, rückten sie aus den Toren von Angband und zogen in aller

Stille in die Hochlande im Norden. Dann stieß plötzlich ein großes Heer nach Beleriand hinein und griff König Thingol an. Nun wanderten in seinem weiten Reich viele Elben frei in der Wildnis umher oder lebten in Frieden und weit voneinander entfernt in kleinen Sippschaften, und nur um Menegroth, in der Mitte des Landes, und an den Falas, im Lande der Seeleute, wohnten zahlreiche Völkerschaften. Die Orks aber drangen von beiden Seiten her gegen Menegroth vor, und von ihren Lagern im Osten aus, zwischen dem Celon und dem Gelion, und im Westen zwischen Sirion und Narog, zogen sie plündernd umher; und Thingol wurde von Círdan in Eglarest abgeschnitten. Daher wandte er sich an Denethor, und die Elben kamen gerüstet aus Region über den Aros und aus Ossiriand; sie schlugen die erste Schlacht in den Kriegen von Beleriand. Und das Ostheer der Orks nördlich des Andram wurde auf halbem Wege zwischen dem Aros und dem Gelion zwischen den Heeren der Eldar eingeschlossen und vernichtend geschlagen; und auf jene, die aus dem großen Gemetzel nach Norden entkamen, warteten die Äxte der Naugrim in der Gegend um den Berg Dolmed. Nicht viele Orks kehrten nach Angband zurück.

Doch teuer war der Sieg der Elben erkauft. Denn die von Ossiriand waren nur leicht bewaffnet und den Orks nicht gewachsen, die eisenbeschlagene Stiefel und eiserne Schilde und große Lanzen mit breiten Spitzen trugen; und Denethor wurde abgeschnitten und auf dem Berge von Amon Ereb umzingelt. Dort fiel er mit all seinen Anverwandten, die bei ihm waren, ehe Thingols Heer ihm zu Hilfe eilen konnte. Bitter wurde er gerächt, als Thingol die Orks im Rücken angriff und sie zuhauf erschlug, doch Denethors Volk klagte lange um ihn und nahm nie wieder einen König. Manche kehrten nach der Schlacht heim nach Ossiriand, und was sie berichteten, erfüllte den Rest ihres Volkes mit solcher Furcht, daß sie hernach nie mehr offen in den Krieg zogen, sondern sich ganz auf Vorsicht und Heimlichkeit verließen; und diese nannte man die Laiquendi, die Grün-Elben, weil sie Gewänder von der Farbe des Laubes trugen. Viele aber gingen nach Norden in Thingols bewachtes Reich und verschmolzen mit seinem Volk.

Und als Thingol wieder nach Menegroth kam, erfuhr er, daß im Westen das Heer der Orks siegreich gewesen war und Círdan bis ans Ufer des Meeres gedrängt hatte. Er rief daher all die Völker, die seine Boten erreichen konnten, in die dichten Wälder von Neldoreth und Region zusammen, und Melian bot ihre Macht auf und umgab den ganzen Bezirk ringsum mit einem unsichtbaren Zaun von Schatten und Irrwerk: Dies war der Gürtel Melians, den niemand hinfort gegen ihren und König Thingols Willen durchschreiten konnte, solange kein Mächtigerer kam als Melian die Maia. Und dieser innere Bezirk, der lange Eglador geheißen hatte, wurde hernach Doriath genannt, das Bewachte Königreich, das Land im Gürtel. Darinnen bestand ein wachsamer Friede, doch ringsum lauerten Gefahren und Schrecken, und Morgoths Diener gingen um, wie sie wollten, außer in den befestigten Häfen der Falas.

Doch neue Ereignisse waren eingetreten, die niemand in Mittelerde hatte kommen sehen, weder Morgoth in seinen Höhlen, noch Melian in Menegroth; denn keine Botschaft kam mehr aus Aman nach dem Tod der Bäume, nicht durch Boten, noch durch Geister oder Traumgesichte. Zur selben Zeit kam Feanor über das Meer auf den weißen Schiffen der Teleri, landete am Fjord von Drengist und verbrannte dort die Schiffe bei Losgar.

XI
Von Sonne und Mond und der Verhüllung Valinors

Erzählt wurde, wie die Valar nach Melkors Flucht lange regungslos auf ihren Thronen im Schicksalsring saßen; doch müßig, wie Feanor in seiner Verblendung gesagt hatte, waren sie nicht. Denn vieles können die Valar mit Gedanken statt mit Händen bewirken, und stumm, ohne zu sprechen, können sie miteinander Rat halten. So wachten sie in der Nacht von Valinor, und ihre Gedanken gingen zurück bis vor Ea und voraus bis an das Ende; doch keine Kraft noch Weisheit milderte ihr Leid und Wissen um das Unheil zur Stunde, da es geschah. Und um den Tod der Bäume trauerten sie nicht mehr als um die Verderbnis Feanors: von allen Werken Melkors eines der bösesten. Denn der Gewaltigste unter allen Kindern Ilúvatars war Feanor an allen Gliedern von Leib und Geist, an Kühnheit, an Beharrlichkeit, Schönheit, Wissen und Kunst, List und Kraft, und eine helle Flamme brannte in ihm. Die Wunder, die er zum Ruhme Ardas hätte schaffen können, vermochte nur Manwe halbwegs zu ermessen. Und später erzählten die Vanyar, welche mit den Valar wachten: als die Boten Manwe berichteten, was Feanor seinen Herolden geantwortet, da habe Manwe geweint und den Kopf sinken lassen. Bei Feanors letzten Worten aber, daß die Noldor wenigstens Taten leisten würden, die auf immer in den Liedern leben sollten, da hob er den Kopf, als lauschte er auf eine Stimme von fern, und sagte: »So sei es! Als teuer bezahlt mögen jene Lieder gelten, und doch als wohlfeil. Denn der Preis könnte kein anderer sein. Wie Eru zu uns gesprochen: Unerahnte Schönheit werde Ea zuteil, und Böses soll gut sein, wenn es gewesen ist.«

Mandos aber sagte: »Und doch böse bleiben. Zu mir wird Feanor bald kommen.«

Als aber die Valar zuletzt erfuhren, daß die Noldor tatsächlich Aman verlassen hatten und nach Mittelerde zurückgekehrt waren, da erhoben sie sich und begannen auszuführen, was sie in Gedanken beschlossen hatten, um die Übel Melkors gutzumachen. Manwe bat Yavanna und Nienna, all ihre Kräfte des Wachsens und Heilens aufzubieten, und sie wandten sich ganz den Bäumen zu. Doch Niennas Tränen halfen nicht, die tödlichen Wunden zu heilen, und lange Zeit sang Yavanna allein in den Schatten. Doch als alle Hoffnung schwand und ihr Lied erstarb, da trug Telperion zuletzt eine große silberne Blüte an einem blattlosen Ast, und Laurelin trug eine einzige goldene Frucht.

Diese nahm Yavanna; dann starben die Bäume, und ihre leblosen Stämme stehen noch in Valinor, zum Gedenken vergangenen Glücks. Die Blüte und die Frucht aber gab Yavanna Aule, und Manwe weihte sie, und Aule und seine Gehilfen schufen Gefäße, um sie darinnen zu halten und ihren Glanz zu wahren – wovon im *Narsilion* berichtet wird, dem Lied von Sonne und Mond. Diese Gefäße gaben die Valar Varda, damit sie Himmelslichter aus ihnen erschaffe, welche, da sie näher bei Arda stünden, die alten Sterne überglänzten; und Varda verlieh ihnen die Kraft, die unteren Regionen des Ilmen zu durchqueren, und brachte sie auf ihre vorbestimmte Bahn über dem Gürtel der Erde, von West nach Ost und zurück.

Dies taten die Valar, da sie in ihrer Dämmerung der Dunkelheit in den Landen von Arda gedachten; und sie beschlossen nun, Mittelerde zu erhellen und mit dem Licht Melkors Werke zu hindern. Denn sie erinnerten sich der Avari, die an den Wassern, wo sie erwacht, geblieben waren, und sie gaben die Noldor in ihrer Verbannung nicht ganz und gar auf; und Manwe wußte auch, daß die Stunde nahe war, wo die Menschen erwachen würden. Und es heißt, ebenso wie die Valar um der Quendi willen gegen Melkor in den Krieg gezogen waren, so seien sie nun um die Hildor besorgt gewesen, die Nachzügler, die jüngeren Kinder Ilúvatars. Denn so schwere Wunden Mittelerde in dem Krieg gegen Utumno auch geschlagen worden waren, die Valar befürchteten, es könne jetzt noch schlimmer kommen, obgleich doch die Hildor sterblich sein würden und schwächer als die Quendi im Ertragen von Angst und Erschütterung. Auch war es Manwe nicht offenbar, wo die Geburtsstätte der Menschen sein werde, ob im Norden, Süden oder Osten. Daher sandten die Valar das Licht und befestigten im übrigen das Land, wo sie selber wohnten.

Isil, der Schein, so nannten einst die Valar den Mond, Telperions Blüte in Valinor; und Anar, die Feuriggoldne, nannten sie die Sonne, Laurelins Frucht. Die Noldor aber nannten ihn auch Rána, den Bummler, und sie Vása, das Feuerherz, das erweckt und verzehrt; die Sonne nämlich wurde als Zeichen für das Erwachen der Menschen und das Vergehen der Elben gesetzt, während der Mond ihr Andenken bewahrt.

Das Mädchen, das die Valar unter den Maiar dazu ausersahen, das Schiff der Sonne zu steuern, hieß Arien, und die Insel des Mondes lenkte Tilion. In den Tagen der Bäume hatte Arien die goldenen Blumen in Vánas Gärten gepflegt und sie mit dem hellen Tau von Laurelin gewässert; Tilion aber war ein Jäger aus Oromes Gefolge, und er hatte einen silbernen Bogen. Silber liebte er über alles, und wenn er ruhen wollte, so pflegte er Oromes Wälder zu verlassen und nach Lórien zu gehen, wo er träumend an Estes Teichen lag, unter Telperions flimmernden Strahlen; und er bat darum, daß man ihn auf ewig damit betraue, die letzte Silberblüte zu pflegen. Stärker als er war das Mädchen Arien, und auf sie fiel die Wahl, weil sie die Hitze Laurelins nicht gefürchtet hatte und keinen Schaden von ihr nahm, denn von Anfang an war sie ein Feuergeist gewesen, den Melkor nicht zu betrügen oder in seinen Dienst zu locken vermochte. Zu hell leuchteten Ariens Augen, als daß selbst die Eldar hineinblicken konnten, und als sie Valinor verließ, gab sie die Gestalt und Hülle auf, die sie wie die Valar dort getragen hatte, und sie erschien wie eine nackte Flamme, schrecklich in ihrem vollen Glanz.

Isils Schiff wurde zuerst gebaut und zur Fahrt gerüstet, und als erster stieg er in die Sphäre der Sterne hinauf; er war von den beiden neuen Lichtern das ältere, wie Telperion der ältere von den Bäumen gewesen war. Nun hatte die Welt eine Zeitlang Mondschein, und viele Dinge regten sich und erwachten, die lange im Schlafe Yavannas gewartet hatten. Morgoths Diener wurden scheu, die Elben der Außenlande sahen freudig hinauf; und als der Mond eben über die Dunkelheit im Westen stieg, da ließ Fingolfin seine silbernen Trompeten blasen und begann seinen Marsch nach Mittelerde hinein, und lang und schwarz gingen seinen Leuten ihre Schatten voraus.

Tilion hatte siebenmal den Himmel überquert und befand sich gerade im fernsten Osten, als Ariens Schiff bereitgemacht wurde. Da stieg Anar auf in ihrem Glanze, und der erste Sonnenschein auf den Türmen der Pelóri war wie ein großes Feuer: die Wolken über Mittelerde wurden bewegt, und man vernahm den Laut vieler Wasserfälle. Nun war Morgoth erst recht entmutigt und stieg in die tiefsten Grüfte von Angband hinab; alle seine Diener rief er zurück und bereitete große Wolken von Dunst und Qualm über sein Land, um es vor dem Licht des Tagesgestirns zu verbergen.

Vardas Absicht war nun, daß die beiden Schiffe Ilmen durchwandern und stets am Himmel stehen sollten, doch nicht zusammen; beide sollten von West nach Ost fahren und zurückkommen, so daß das eine im Westen gerade abfuhr, wenn das andre im Osten umkehrte. Die ersten neuen Tage wurden daher wie bei den Bäumen gezählt, von der Mischung der Lichter an, wenn sich Arien und Tilion auf halbem Wege über der Mitte der Erde begegneten. Tilion aber war saumselig und hielt weder die Geschwindigkeit noch die vorgezeichnete Bahn ein; angezogen von ihrem Glanze, versuchte er, sich Arien zu nähern, obgleich Anars Flamme ihn versengte, und die Insel des Mondes wurde verdunkelt.

Mit Rücksicht auf Tilions Säumigkeit und mehr noch auf das Bitten von Lórien und Este, die klagten, Schlaf und Ruhe seien nun von der Erde verbannt und die Sterne verborgen, änderte daher Varda ihren Plan und sah wieder eine Zeit vor, zu der die Welt Schatten und Halblicht haben sollte. Anar blieb nun eine Weile in Valinor am kühlen Busen des Außenmeeres liegen, und der Abend, die Zeit, wo die

Sonne untergeht und ruht, war in Aman die Stunde des hellsten Lichts und der höchsten Freude. Bald darauf aber wurde die Sonne von Ulmos Dienern herabgezogen und in aller Eile ungesehen unter der Erde nach Osten gebracht, wo sie von neuem am Himmel aufstieg, damit die Nacht nicht allzu lange dauerte und kein Unheil sich unter dem Monde hervorwagte. Durch Anar aber wurden die Wasser des Außenmeeres erhitzt, und sie glühten in bunten Feuern, und auch wenn Arien fort war, hatte Valinor noch für eine Weile Licht. Wenn sie aber unter die Erde sank und nach Osten zog, verblaßte das Glühen, und Valinor wurde dunkel, und dann beklagten die Valar über alles den Tod von Laurelin. In der Morgendämmerung lasteten die Schatten, welche die Berge der Abwehr warfen, schwer auf dem Segensreich.

Dem Monde gebot Varda, in der gleichen Weise dahinzuziehen, unter der Erde nach Osten, um dort aufzugehen, doch erst nachdem die Sonne vom Himmel herniedergestiegen sei. Tilion aber ging bald schneller, bald langsamer, wie es noch immer seine Art ist, und nach wie vor zog ihn Arien an, wie sie ihn immer anziehen wird, so daß man oft beide zusammen über der Erde sehen kann; oder zu anderen Zeiten kommt er ihr so nahe, daß sein Schatten ihre Strahlen verbirgt, und dunkel wird es mitten am Tag.

Nach dem Kommen und Gehen Anars zählten daher die Valar fortan die Tage bis zur Wandlung der Welt. Denn Tilion verweilte selten in Valinor, sondern zog meist rasch über das Westland hinweg, über Avathar, Araman oder Valinor, und tauchte dann in die Kluft jenseits des Außenmeeres, von wo er allein seines Weges ging zwischen den Grotten und Höhlen an den Wurzeln von Arda. Dort wanderte er oft lange umher und kam spät erst wieder.

Immer noch war daher, auch nach der Langen Nacht, das Licht von Valinor größer und heller als das Licht von Mittelerde, denn die Sonne machte dort Rast, und die Himmelslichter kamen in jener Gegend der Erde näher. Doch weder Sonne noch Mond können das Licht zurückrufen, das einstmals war, das von den Bäumen fiel, ehe

Ungolianths Gift sie berührte. Jenes Licht lebt nun allein noch in den Silmaril.

Morgoth aber haßte die neuen Lichter und war eine Zeitlang verwirrt durch diesen unerwarteten Streich der Valar. Dann griff er Tilion an, indem er Schattengeister gegen ihn aussandte, und es gab einen Kampf in Ilmen, unter den Bahnen der Sterne; doch Tilion blieb Sieger. Und vor Arien fürchtete sich Morgoth zutiefst, wagte er doch nicht, ihr zu nahe zu kommen, denn dazu reichte seine Kraft nicht mehr. Indem er an Tücke wuchs und das Unheil, das er ersann, seinen üblen Kreaturen eingab und in seine Lügen verstrickte, ging seine Kraft in diese über und verstreute sich, während er selbst immer erdgebundener wurde und nicht mehr geneigt war, aus seinen dunklen Burgen hervorzukommen. Mit Schatten verbarg er sich selbst und seine Diener vor Arien, deren Augen sie nicht lange standhalten konnten; und die Lande um seine Burg lagen in Rauch und große Wolken gehüllt.

Als die Valar aber sahen, wie Tilion angegriffen wurde, kamen ihnen Zweifel und Besorgnis, was Morgoths List und Tücke noch gegen sie aushecken mochte. Obgleich sie nicht gewillt waren, ihn in Mittelerde zu bekriegen, erinnerten sie sich doch der Zerstörung von Almaren; und sie beschlossen, daß dies sich in Valinor nicht wiederholen dürfe. Daher gaben sie ihrem Lande zu jener Zeit neue Befestigungen, und sie hoben die Berghänge der Pelóri im Osten, Norden und Süden zu steilen und furchtbaren Höhen an. Die Außenseiten waren dunkel und glatt, ohne Spalt oder Vorsprung, und sie stürzten tiefe Klüfte hinab, deren Boden hart war wie Glas, und wuchsen zu Türmen mit Kronen von weißem Eis empor. Auf diesen stand eine niemals schlafende Wache, und kein Paß führte hindurch bis auf den einen am Calacirya: Diesen aber schlossen die Valar nicht, den Eldar zuliebe, die ihnen treu geblieben waren; und in der Stadt Tirion auf dem grünen Hügel regierte immer noch Finarfin die Reste der Noldor in der tiefen Schlucht zwischen den Bergen. Denn alle, die elbischen Geschlechtes sind, sogar die Vanyar und Ingwe, ihr König, müssen zuweilen die Luft von draußen atmen und den Wind spüren, der von ihren Geburtslanden über das Meer weht; und auch die Teleri wollten die Valar nicht gänzlich von ihren Stammesbrüdern trennen. Doch im Calarcirya erbauten sie starke Türme und stellten viele Wachen auf, und wo die Schlucht in die Ebenen von Valmar mündete, lagerte ein Heer, so daß weder Vogel noch Tier oder Elb oder Mensch noch irgendein andres Geschöpf, das in Mittelerde lebte, diesen Weg passieren konnte.

Und in jener Zeit, die in den Liedern *Nurtale Valinóreva* heißt, die Verhüllung von Valinor, wurden auch die Verwunschenen Inseln ins Meer gesetzt, und alle Gewässer um sie her waren voller Schatten und Zauberwerk. Und diese Inseln lagen wie ein Netz von Norden nach Süden im Schattigen Meer, bevor einer, der nach Westen segelt, Tol Eressea, die Einsame Insel, erreicht. Kaum vermochte ein Schiff zwischen ihnen hindurchzufinden, denn gefährlich ächzten die Wellen immer auf den dunklen, im Nebel verborgenen Felsen. Und im Dämmerlicht kam eine tiefe Müdigkeit über die Seeleute und ein Abscheu vor dem Meer; und alle, die je den Fuß auf die Inseln setzten, blieben dort gefangen und schliefen bis zur Wandlung der Welt. So geschah es, wie Mandos den Noldor in Araman vorausgesagt, daß das Segensreich den Noldor verschlossen wurde; und von den vielen Boten, die in späteren Tagen in den Westen fuhren, kam keiner je nach Valinor – bis auf einen, den größten Seefahrer der Lieder.

XII

Von den Menschen

Nun saßen die Valar in Frieden hinter ihren Bergen, und Mittelerde, nachdem es nun Licht hatte, kümmerte sie lange nicht mehr; und nur noch die Kühnheit der Noldor machte Morgoth die Herrschaft streitig. Am meisten behielt Ulmo die Verbannten im Sinn, der aus allen Wassern die Botschaften der Erde empfing.

Von dieser Zeit an wurden die Jahre nach der Sonne gezählt. Hastiger und kürzer waren sie als die langen Jahre der Bäume von Valinor. In jener Zeit wurde die Luft von Mittelerde schwer vom Atem des Wachsens und Sterbens, und das Wechseln und Altern aller Dinge beschleunigte sich über die Maßen. Es wimmelte von Leben auf der Erde und in den Gewässern im zweiten Frühling von Arda, und die Eldar mehrten sich, und unter der neuen Sonne wurde Beleriand grün und hell.

Beim ersten Aufgang der Sonne erwachten die Jüngeren Kinder Ilúvatars in dem Lande Hildórien, in den östlichen Gebieten von Mittelerde; das erste Mal aber ging die Sonne im Westen auf, und als sich die Augen der Menschen öffneten, waren sie ihr zugekehrt, und ihre Füße, als sie über die Erde wanderten, gingen meist in jene Richtung. Die Atani wurden sie von den Eldar genannt, das Zweite Volk, doch nannten sie sie auch die Hildor, die Nachkömmlinge, und gaben ihnen noch viele andere Namen: Apanónar, die Nachzügler, Engwar, die Kränklichen, oder Fírimar, die Sterblichen; und sie nannten sie auch die Usurpatoren, die Fremden, die Unbegreiflichen, die Selbst-Verfluchten, die Tolpatsche, die Nachtfürchtigen und die Kinder der Sonne. Von den Menschen wird in diesen Erzählungen wenig berichtet, denn sie handeln von den Ältesten Tagen vor der Ausbreitung der Sterblichen und dem Verschwinden der Elben; nur von jenen Vätern der Menschen, den Atanatári, ist die Rede, die in den ersten Jahren der Sonne und des Mondes in den Norden der Welt wanderten. Nach Hildórien kam kein Vala, um die Menschen zu führen oder sie nach Valinor zu rufen; und die Menschen fürchteten eher die Valar, als daß sie sie liebten, und sie verstanden nicht die Absichten der Mächte, sondern haderten mit ihnen und lagen mit aller Welt in Streit. Ulmo indessen dachte auch an sie, gemäß Manwes Ratschluß und Willen; und oft trugen ihnen Bach und Fluß seine Botschaften zu. Doch auf derlei Dinge verstehen sie sich nicht, und besonders nicht in jenen Tagen, bevor sie sich unter die Elben gemengt hatten. Daher liebten sie die Wasser, und ihre Herzen wurden bewegt, aber die Botschaften verstanden sie nicht. Doch heißt es, sie seien binnen kurzem an vielen Orten den Dunkel-Elben begegnet, die sie freundlich aufnahmen; und so wurden die Menschen in ihrer Kindheit zu Gefährten und Schülern dieses alten Wandervolks von elbischem Geschlecht, das sich nie auf den Weg nach Valinor gemacht hatte und für das die Valar nur ein Gerücht und ein fremder Name waren.

Morgoth war damals noch nicht lange wieder in Mittelerde, und seine Macht reichte nicht weit, und überdies gebot der plötzliche Aufgang des großen Lichtes ihm Einhalt. Wenig Gefahr war in den Ländern und Bergen; und neue Dinge, vor vielen Altern im Geist Yavannas entsprungen und als Samen in der Dunkelheit ausgesät, begannen nun endlich zu knospen und zu blühen. Nach Westen, Norden und Süden wandernd, breiteten die Menschenkinder sich aus, und ihre Freude war die Freude am Morgen, ehe der Tau trocken und wenn jedes Blatt noch grün ist.

Doch kurz ist der Morgen, und allzu oft nur leugnet der Tag, was er versprochen; und es nahte nun die Zeit der großen Kriege zwischen den Mächten des Nordens, als Noldor und Sindar und Menschen gegen die Heere von Morgoth Bauglir kämpften und zugrunde gingen. Zu diesem Ende hin wirkten stets die schlauen Lügen Morgoths, die er vor Zeiten gesät hatte und immer wieder von neuem unter seinen Feinden streute, der Fluch, der von dem Gemetzel in Alqualonde herrührte, und Feanors Eid. Nur ein Teil von den Ereignissen jener Tage wird hier erzählt, und am meisten ist von den Noldor die Rede, von den Silmaril und von den Sterblichen, die in ihre Geschicke verstrickt wurden. In jenen Tagen waren Elben und Menschen an Wuchs und Leibeskräften gleich, doch waren die Elben klüger, geschickter und schöner; und jene, die in Valinor gelebt und mit eigenen Augen die Mächte gesehen hatten, übertrafen die Dunkel-Elben in diesen Dingen ebenso, wie diese ihrerseits die Völker von sterblicher Art übertrafen. Nur im Reich von Doriath, dessen Königin Melian war, aus dem Geschlecht der Valar, kamen die Sindar den Calaquendi des Segensreiches nahezu gleich.

Unsterblich waren die Elben, und ihr Wissen wuchs von Alter zu Alter, und keine Krankheit oder Seuche brachte ihnen den Tod. Ihre Leiber waren jedoch von irdischem Stoff und konnten vernichtet werden, und in jenen Tagen waren sie den Menschen von Gestalt ähnlicher, denn das Feuer ihres Geistes hatte noch nicht so lange in ihnen gebrannt, das sie im Lauf der Zeiten von innen verzehrt. Die Menschen aber waren gebrechlicher, leichter niedergeschlagen von Waffen oder vom Unglück und weniger leicht geheilt; sie unterlagen Krankheiten und vielerlei Übeln, wurden alt und starben. Was mit ihrem Geist nach dem Tode geschehen mag, wissen die Elben nicht. Manche sagen, auch sie begeben sich in Mandos' Hallen, warten dort aber nicht am gleichen Ort wie die Elben, und wohin sie gehen nach der Zeit der Sammlung in jenen stillen Hallen am Außenmeer, das weiß von allen unter Ilúvatar bis auf Manwe nur Mandos allein. Keiner ist je aus den Häusern der Toten zurückgekehrt bis auf Beren, Barahirs Sohn, dessen Hand einen Silmaril berührt hatte; er aber sprach später nie mehr mit sterblichen Menschen. Nicht in den Händen der Valar liegt vielleicht das Schicksal der Menschen nach dem Tode, und nicht alles war in der Musik der Ainur schon geweissagt.

In späterer Zeit, als nach Morgoths Triumph Elben und Menschen einander fremd wurden, wie er es so sehnlich gewünscht, schwanden und verblaßten jene aus dem Elbengeschlecht, die noch in Mittelerde lebten; und vom Sonnenlicht ergriffen die Menschen

Besitz. Da wanderten die Quendi durch die einsamen Gegenden der großen Lande und über die Inseln, und sie hielten sich ans Mond- und Sternenlicht, an Wälder und Grotten, wie zu Schatten und Erinnerung werdend, bis auf manche, die nach Westen Segel setzten und aus Mittelerde verschwanden. In der Morgenröte der Jahre aber waren Elben und Menschen Bundesgenossen und glaubten sich verwandt, und unter den Menschen gab es manche, welche die Wissenschaft der Eldar erfuhren und zu großen und kühnen Kriegshauptleuten der Noldor wurden. Und vollen Anteil an Glanz und Schönheit der Elben und an ihrem Schicksal hatten die Nachkommen von Elben und Sterblichen, Earendil und Elwing und Elrond, ihr Sohn.

XIII
Von der Rückkehr der Noldor

Erzählt wurde, wie Feanor und seine Söhne als erste der Verbannten nach Mittelerde kamen und in der Öde von Lammoth, dem Großen Echo, an der Mündung des Fjords von Drengist landeten. Und als die Noldor den Strand betraten, da drangen ihre Rufe zwischen die Hügel hinauf und wurden vervielfacht, so daß ein Geschrei wie von unzähligen kraftvollen Stimmen alle Küsten des Nordens erfüllte; und den Lärm vom Brand der Schiffe bei Losgar trugen die See-winde fort als ein grimmiges Getöse, und alle, die in der Ferne diese Laute hörten, waren voller Verwunderung.

Nun sahen die Flammen des Brandes nicht nur Fingolfin und jene, die Feanor in Araman im Stich gelassen hatte, sondern auch die Orks und die Späher Morgoths. Keine Erzählung berichtet, was Morgoth im Herzen dachte bei der Nachricht, daß Feanor, sein bit-terster Feind, ein Heer aus dem Westen heranführte. Es mag sein, daß er ihn wenig fürchtete, denn noch hatten die Schwerter der Nol-dor ihm keine Probe geleistet, und bald konnte man sehen, daß er sie ins Meer zurückzutreiben gedachte.

Unter den kalten Sternen, ehe der Mond aufging, zog Feanors Schar den langen Fjord von Drengist hinauf, der die Echoberge der Ered Lómin durchschnitt; und so drangen sie von der Küste in das große Land Hithlum hinein. Schließlich kamen sie an den langen Mithrim-See, und an dessen Nordufer, in der Gegend gleichen Na-mens, schlugen sie ihr Lager auf. Doch Morgoths Heer, durch das Getöse von Lammoth und den Schein des Brandes bei Losgar auf-merksam gemacht, kam über die Pässe der Ered Wethrin, der Schat-tenberge, und griff Feanor unversehens an, ehe sein Lager noch fer-tig oder zur Verteidigung gerüstet war; und dort, auf den grauen Feldern von Mithrim, wurde die Zweite Schlacht in den Kriegen von Beleriand geschlagen. Dagor-nuin-Giliath wird sie genannt, die Schlacht-unter-Sternen, denn noch war der Mond nicht aufgegangen; und sie wird in den Liedern besungen. Die Noldor, obgleich in der Minderzahl und vom Feind überrascht, trugen doch schnell den Sieg davon, denn das Licht von Aman war in ihren Augen noch ungetrübt, und sie waren stark und behend und furchtbar im Zorn, und ihre Schwerter waren lang und tödlich. Die Orks flohen vor ihnen und wurden unter großem Gemetzel aus Mithrim vertrieben und über das Schattengebirge in die weite Ebene von Ard-galen gejagt, die nördlich von Dorthonion lag. Dort kamen jene Heere Morgoths ihnen zu Hilfe, die aus dem Süden heimkehrten,wo sie ins Tal des Sirion vorgedrungen waren und Círdan in den Häfen der Falas belagert hatten; und auch sie gerieten mit ins Verderben. Denn Celegorm, Feanors Sohn, der von ihrem Kommen Meldung hatte, lauerte ihnen mit einem Teil des Elbenheeres auf und jagte sie, von den Hügeln bei Eithel Sirion auf sie hinabstoßend, ins Fenn von Serech. Schlechte Nachricht also kam zuletzt nach Angband, und Morgoth war in Sorgen. Zehn Tage hatte die Schlacht gedauert, und nur mehr ein paar Häuflein kehrten von all den Scharen zurück, die er gerüstet hatte, um Beleriand zu erobern.

Doch einen Grund zu großer Freude hatte er, auch wenn der ihm noch eine Weile verborgen blieb. Denn Feanor, in seinem Haß auf den Feind, kannte kein Halten, und immer weiter drang er hinter den Resten der Orks her, hoffte er doch, so bis zu Morgoth selbst vorzustoßen; und er lachte laut, als er sein Schwert übte, und froh war er, den Zorn der Valar und die Gefahren des Weges nicht gescheut zu haben, wenn er die Stunde seiner Rache erleben könnte. Nichts wußte er von Angband und der großen Verteidigungsmacht, die Morgoth rasch gerüstet hatte; doch hätte er es auch gewußt, es hätte ihn nicht geschreckt, denn er war verdammt, und die Flamme des eignen Zorns verzehrte ihn. So kam es, daß er der Vorhut seines Heeres weit voraus war; und die Diener Morgoths, als sie dies sahen, stellten sich zum Kampf, und aus Angband eilten Balrogs zu ihrer Hilfe herbei. An der Grenze von Dor Daedeloth, dem Lande Morgoths, wurde Feanor umzingelt, und keine Freunde umgaben ihn dort. Lange focht er unverzagt, in Flammen gehüllt und aus vielen Wunden blutend, zuletzt aber schlug ihn Gothmog zu Boden, der Fürst der Balrogs, den später Ecthelion in Gondolin erschlug. Dort wäre Feanor umgekommen, wären nicht in diesem Augenblick seine Söhne mit Macht zu ihm durchgedrungen; und die Balrogs ließen ihn liegen und zogen sich nach Angband zurück.

Nun hoben die Söhne ihren Vater auf und trugen ihn zurück, nach Mithrim zu. Doch als sie sich Eithel Sirion näherten und den Gebirgspaß hinaufstiegen, gebot Feanor ihnen Halt, denn seine Wunden waren tödlich, und er wußte, sein Ende war da. Und von den Hängen der Ered Wethrin erblickte er mit seinem letzten Augenlicht in der Ferne die Gipfel von Thangorodrim, die mächtigsten Türme von Mittelerde, und mit der Voraussicht des Todes wußte er, daß keine Macht der Noldor sie je brechen würde; doch verfluchte er dreimal den Namen Morgoths, und seinen Söhnen erlegte er auf, ihren Eid zu halten und ihren Vater zu rächen. Dann starb er; doch gab man ihm weder Grab noch Stein, denn so heiß brannte sein Geist, als er aus ihm wich, daß sein Leib zu Asche verfiel und wie Rauch davongeweht wurde; und nie wieder ist seinesgleichen in Arda erschienen, noch hat sein Geist Mandos' Hallen verlassen. So endete der mächtigste der Noldor, aus dessen Taten ihr höchster Ruhm und tiefstes Leid erwuchs.

In Mithrim nun lebten Grau-Elben, Volk aus Beleriand, das über das Gebirge nach Norden gezogen war. Die Noldor begegneten ihnen freudig, als Stammesbrüdern, von denen sie lange getrennt gewesen waren; mit ihnen zu sprechen freilich war zuerst nicht leicht, denn während der langen Trennung waren die Sprachen der Calaquendi in Valinor und der Moriquendi in Beleriand einander unähnlich geworden. Durch die Elben von Mithrim erfuhren die Noldor von der Macht Elu Thingols, des Königs in Doriath, und von dem Banngürtel, der sein Reich umhegte; und Nachricht von ihren großen Taten im Norden gelangte nach Menegroth im Süden und in die Häfen von

Brithombar und Eglarest. Alle Elben Beleriands waren voller Verwunderung und Hoffnung bei der Ankunft ihrer mächtigen Vettern, die so unversehens in der Stunde der Not aus dem Westen zurückgekehrt waren; und zunächst glaubte man sogar, sie kämen als Abgesandte der Valar, um Beleriand zu retten.

Noch in Feanors Todesstunde aber traf bei seinen Söhnen eine Botschaft Morgoths ein, worin die Niederlage anerkannt und Verhandlungen angeboten wurden; sogar von der Übergabe eines der Silmaril war die Rede. Maedhros der Lange, Feanors ältester Sohn, bewog die Brüder, zum Schein darauf einzugehen und Morgoths Gesandten an dem verabredeten Ort zu begegnen; doch trauten die Noldor Morgoth so wenig wie dieser ihnen. Beide Gesandtschaften kamen daher mit stärkerem Gefolge als vereinbart, doch Morgoth hatte am meisten gesandt, und unter den Seinen waren Balrogs. Maedhros fiel in einen Hinterhalt, und all sein Gefolge wurde erschlagen; er selbst aber wurde auf Morgoths Geheiß lebendig gefangengenommen und nach Angband gebracht.

Nun zogen Maedhros' Brüder sich zurück und legten ein großes befestigtes Lager in Hithlum an; Morgoth aber hielt Maedhros als Geisel fest und ließ verlauten, nicht eher werde er ihn freigeben, als bis die Noldor den Krieg beendeten und in den Westen zurückkehrten oder aber weit fort von Beleriand in den Süden der Welt zögen. Feanors Söhne aber wußten, daß Morgoth sie betrügen und Maedhros keinesfalls freigeben würde, was immer sie taten; auch waren sie durch den Eid gebunden, und kein Grund erlaubte, daß sie vom Kriege gegen ihren Feind abließen. Morgoth nahm daher Maedhros und hängte ihn an einen Felsvorsprung von Thangorodrim, mit dem rechten Handgelenk in einer stählernen Schlinge, die an den Felsen geschmiedet war.

Nun kam Meldung von dem Zuge Fingolfins und jener, die ihm folgten und mit ihm über das Malm-Eis gegangen waren, in das Lager in Hithlum; und dann lag alle Welt in Erstaunen über den Aufgang des

Mondes. Als aber Fingolfins Schar in Mithrim einzog, da ging flammend im Westen die Sonne auf, und Fingolfin entrollte seine blausilbernen Banner und ließ die Hörner blasen; und zu Füßen seiner Schar wuchsen Blumen auf, und die Zeitalter der Sterne waren zu Ende. Morgoths Diener flohen beim Aufgang des großen Lichtes nach Angband hinein, und Fingolfin kam ohne Widerstand durch die Befestigungen von Dor Daedeloth, während seine Feinde sich unter die Erde verkrochen. Dann pochten die Elben an die Tore von Angband, und der Kampfruf ihrer Trompeten ließ die Türme von Thangorodrim erzittern; und Maedhros hörte sie in seiner Qual und schrie laut, doch seine Stimme ging unter im Echo von den Felsen.

Fingolfin aber, der anderen Gemütes war als Feanor und sich vor Morgoths Tücken in acht nahm, zog aus Dor Daedeloth ab und wandte sich zurück nach Mithrim, denn er hatte Meldung, dort werde er Feanors Söhne finden; außerdem wollte er das Schattengebirge als Schild zwischen sich und den Feinden wissen, solange die Seinen ausruhten und sich stärkten, denn er hatte gesehen, wie stark Angband war, und glaubte nicht, daß es mit Trompetenschall allein zu nehmen wäre. Als er schließlich nach Hithlum kam, schlug er daher sein erstes Lager an den Nordufern des Sees von Mithrim auf. Keine Freundschaft für das Haus Feanor empfanden sie, die Fingolfin folgten, denn Schweres hatten sie beim Übergang über das Eis erlitten, und in Feanors Söhnen sah Fingolfin Mitschuldige ihres Vaters. Nun bestand Gefahr, daß beide Lager handgemein wurden; doch so groß auch ihre Verluste unterwegs gewesen waren, Fingolfins Schar und die von Finrod, Finarfins Sohn, waren immer noch zahlreicher als die Feanors; und diese zog sich nun vor ihnen zurück und legte ein neues Lager am Südufer an, so daß der See zwischen ihnen war. Viele aus Feanors Gefolge bereuten zwar die Schiffsverbrennung bei Losgar, und voller Bewunderung waren sie für den Mut, der die Freunde, die sie verlassen, über das Eis des Nordens geführt hatte; doch aus Scham wagten sie es nicht, sie willkommen zu heißen.

So, wegen des Fluchs, der auf ihnen lag, richteten die Noldor nichts aus, während Morgoth zauderte und das Entsetzen vor dem Licht bei den Orks neu und stark war. Morgoth aber erwachte aus seinem Sinnen, und als er sah, daß seine Feinde uneins waren, da lachte er. In den Gruben von Angband ließ er gewaltigen Rauch und Qualm entfachen, und Wolken fielen von den stinkenden Gipfeln der Eisenberge, und aus der Ferne konnte man sie in Mithrim sehen, wie sie die klaren Lüfte in den ersten Morgentagen der Welt besudelten. Ein Wind kam aus Osten und wehte sie über Hithlum, die neue Sonne verdunkelnd; und sie sanken herab, krochen über die Felder und lagen über den Wassern des Mithrimsees, finster und giftig.

Da beschloß der tapfere Fingon, Fingolfins Sohn, die Fehde zu beenden, welche die Noldor trennte, ehe noch ihr Feind zum Krieg gerüstet wäre; denn der Boden zitterte in den Nordlanden über dem Dröhnen von Morgoths unterirdischen Schmieden. Vor langer Zeit, im glückseligen Valinor, ehe Melkors Fesseln abgenommen waren und seine Lügen Zwietracht gestiftet hatten, war Fingon Maedhros' Freund gewesen; und obgleich er noch nicht wußte, daß auch Maedhros vor der Verbrennung der Schiffe an ihn gedacht hatte, stach ihn der Gedanke an ihre alte Freundschaft ins Herz. Er wagte deshalb eine Tat, die mit Recht Ruhm genießt und unter allen Taten, welche die Prinzen der Noldor geleistet: Allein und ohne irgendeines andern Rat machte er sich auf die Suche nach Maedhros; und im Schutze der Dunkelheit, die Morgoth selbst geschaffen, kam er ungesehen durch das Land seiner Feinde. Hoch auf die Schultern von Thangorodrim kletterte er hinauf, verzweifelt in dem öden Lande umherblickend, doch keinen Durchlaß und kein Mauerloch fand er, die ihn in Morgoths Burg geführt hätten. Dann, den Orks zum Trotz, die noch in ihren dunklen Verliesen unter der Erde hockten, nahm er seine Harfe und sang ein Lied aus Valinor, das die Noldor einst gedichtet, ehe Streit unter Finwes Söhnen aufkam; und seine Stimme erscholl über den trostlosen Höhlen, die nie zuvor andres vernommen hatten als Schreie von Angst und Schmerz.

So fand Fingon, wen er suchte. Denn plötzlich hörte er über sich, schwach und von fern, wie sein Lied aufgenommen wurde und eine Stimme ihm antwortete. Maedhros war es, der in seinen Qualen sang. Fingon aber kletterte zum Fuße des Felsens, an dem sein Vetter hing, doch dann kam er nicht weiter; und er weinte, als er Morgoths grausames Werk sah. Maedhros nun, in seinem Schmerz und ohne Hoffnung, bat Fingon, ihn mit seinem Bogen zu erschießen, und Fingon legte einen Pfeil auf und spannte. Und da er keine andere Hoffnung mehr sah, rief er Manwe an und sagte: »O König, dem alle Vögel lieb sind, hilf nun auch diesem gefiederten Schaft und gedenke mit Erbarmen der Noldor in ihrer Not!«

Sein Gebet wurde sogleich beantwortet. Denn Manwe, dem alle Vögel lieb sind und dem sie Nachricht aus Mittelerde auf den Taniquetil tragen, hatte das Volk der Adler ausgesandt, mit dem Auftrag, in den Felsen des Nordens zu nisten und auf Morgoth Obacht zu geben; denn noch immer hatte Manwe Mitleid mit den verbannten Elben. Und von vielem, das in jenen Tagen geschah, trugen die Adler Nachricht an Manwes Ohr. Und jetzt, als Fingon eben den Bogen spannte, ließ sich aus den hohen Lüften Thorondor nieder, der König der Adler und der gewaltigste von allen Vögeln, die je gewesen, dessen ausgespannte Schwingen dreißig Faden maßen; und, Fingons Hand Einhalt gebietend, trug er ihn empor bis zu der Spitze des Felsens, wo Maedhros hing. Doch die Höllenfessel an seinem Handgelenk konnte Fingon weder biegen noch brechen oder vom Steine losreißen. Abermals bat ihn Maedhros in seiner Qual, ihn zu töten; Fingon aber schnitt ihm die Hand über dem Gelenk ab, und Thorondor trug sie beide zurück nach Mithrim.

Dort wurde Maedhros beizeiten geheilt; denn das Feuer des Lebens brannte heiß in ihm, und seine Kraft war die Kraft der alten Welt, wie sie jene besaßen, die in Valinor aufgewachsen waren. Sein Leib genas von der Qual und wurde gesund, doch der Schatten des Schmerzes blieb in seinem Herzen; und er regte das Schwert fortan mit der Linken tödlicher als zuvor mit der Rechten. Fingon gewann durch seine Tat einen großen Namen, und alle Noldor rühmten ihn; und der Haß zwischen den Häusern Fingolfins und Feanors wurde gemildert. Denn Maedhros bat um Verzeihung für ihre Flucht aus Araman, und er ließ den Anspruch auf das Königtum über alle Noldor fallen, indem er zu Fingolfin sagte: »Wenn kein Streit zwischen uns ist, Herr, so ist die Königswürde rechtens dein, denn der Älteste hier bist du aus Finwes Haus und nicht der Geringste an Weisheit.« Doch in dem waren nicht alle seine Brüder von Herzen einig.

Wie Mandos geweissagt, waren daher Feanors Söhne Enteignete, weil die Oberhoheit von ihnen, der älteren Linie, an das Haus Fingolfin überging, sowohl in Elende wie in Beleriand, und weil sie die Silmaril verloren hatten. Doch die Noldor, wieder geeint, stellten eine Wache an die Grenzen von Dor Daedeloth, und Angband wurde von Westen, Süden und Osten belagert; und weit und breit schickten sie Boten aus, um die Länder von Beleriand zu erkunden und mit den Völkern zu verhandeln, die dort lebten.

Nun begrüßte König Thingol nicht aus vollem Herzen die Ankunft so vieler mächtiger Prinzen aus dem Westen, die es nach neuen Reichen verlangte; und er öffnete sein Königreich nicht, noch hob er den Banngürtel auf, denn wohlberaten von Melian, vertraute er nicht darauf, daß Morgoth auf Dauer zurückgeworfen sei. Von den Prinzen der Noldor durften allein die aus Finarfins Haus die Grenzen von Doriath überschreiten; sie nämlich konnten Blutsverwandtschaft mit König Thingol selbst geltend machen, denn Earwen von Alqualonde, Olwes Tochter, war ihre Mutter.

Angrod, Finarfins Sohn, war der Erste der Verbannten, der nach Menegroth kam, als Bote seines Bruders Finrod, und lange sprach er mit dem König, berichtete ihm von den Taten der Noldor im Norden, von ihrer Anzahl und der Ordnung ihrer Streitmacht; da er aber ehrlich und klugen Sinnes war und alle Klagen nun verziehen glaubte, sprach er nicht von dem Sippenmord noch von den Gründen für die Auswanderung der Noldor und dem Eid Feanors. König Thingol hörte Angrods Worten zu, und ehe er ging, sagte er zu ihm: »Dies sollst du jenen, die dich gesandt, von mir ausrichten. In Hithlum steht es den Noldor frei zu wohnen, in den Hochland von Dorthonion und in den Landen östlich von Doriath, die leer und wild sind; andernorts aber wohnen viele von meinem Volk, und ich wünsche nicht, daß sie in ihrer Freiheit beschränkt, geschweige denn, daß sie aus ihrer Heimat vertrieben werden. Gebt daher acht, ihr Prinzen aus dem Westen, wie ihr euch hier betragt; denn der Herr von Beleriand bin ich, und alle, die dort leben mögen, sollen auf mein Wort hören. Nach Doriath darf niemand herein, um hier zu wohnen, sondern nur jene, die ich als Gäste begrüße oder die mich in großer Not aufsuchen.«

Nun hielten die Fürsten der Noldor in Mithrim Rat, und dorthin ging Angrod mit König Thingols Botschaft. Kalt schien dieser Gruß den Noldor, und Feanors Söhne verdrossen seine Worte; Maedhros aber lachte und sagte:»König ist, wer seinen Besitz zu wahren weiß, sonst ist sein Titel leer. Thingol gewährt uns nur Lande, wohin seine Macht nicht reicht. Doriath allein wäre sein Reich bis zu diesem Tage, wären die Noldor nicht gekommen. In Doriath mag er daher herrschen und froh sein, daß er Finwes Söhnen zu Nachbarn hat und nicht die Orks, die wir hier vorgefunden. Anderswo soll alles so zugehen, wie es uns gut dünkt.«

Doch Caranthir, der Finarfins Söhne nicht liebte und der von den Brüdern der bitterste und der am schnellsten erzürnte war, rief laut aus:»Fürwahr, und noch eins: Laßt nicht Finarfins Söhne in dieses Dunkel-Elben Höhle aus und ein gehen und ihm Geschichten zutragen! Wer hat sie zu unseren Sprechern ernannt, um mit ihm zu verhandeln? Und wenn sie nun auch tatsächlich nach Beleriand gekommen sind, so mögen sie doch nicht so rasch vergessen, daß zwar ihr Vater ein Fürst der Noldor, ihre Mutter aber aus anderm Geschlecht ist.«

Da war Angrod zornig und ging fort aus dem Rat. Maedhros wies auch Caranthir zurecht, doch die meisten der Noldor, aus beiden Lagern, die seine Worte gehört hatten, waren tief bestürzt und voll Sorge über den grimmigen Sinn von Feanors Söhnen, die anscheinend immer drauf und dran waren, in heftige Worte oder Gewalttat auszubrechen. Doch Maedhros zügelte seine Brüder, und sie verließen den Rat und zogen bald darauf fort aus Mithrim, nach Osten über den Aros, in die weiten Lande um den Berg von Himring. Daher wurde dieses Gebiet fortan Maedhros' Mark genannt, denn nach Norden zu bot es wenig Schutz durch Berge oder Flüsse gegen Angriffe aus Angband. Dort hielten Maedhros und seine Brüder Wache und scharten alles Volk um sich, das zu ihnen kommen mochte; und außer in Notzeiten hatten sie wenig Umgang mit ihren Verwandten im Westen. Es heißt sogar, Maedhros selbst habe dies so erdacht, um die Anlässe zum Streit zu mindern; und außerdem war er fest entschlossen, die größte Gefahr eines Angriffs selbst zu tragen. Für sein Teil wahrte er die Freundschaft mit den Häusern Fingolfin und Finarfin und nahm bisweilen an ihren Beratungen teil. Doch blieb auch er an den Eid gebunden, obgleich der nun eine Zeitlang schlief.

Caranthirs Gefolgsleute wohnten am weitesten östlich, jenseits des oberen Gelion, um den Helevorn-See unter dem Berg Rerir und weiter nach Süden; sie erstiegen die Höhen der Ered Luin und sahen verwundert nach Osten, denn wild und weit schienen ihnen die Lande von Mittelerde. Und so kam es, daß Caranthirs Volk den Zwergen begegnete, die nach dem Vordringen Morgoths und der Ankunft der Noldor den Handel mit Beleriand eingestellt hatten. Doch obwohl beide Völker kunstvolle Arbeiten schätzten und jedes begierig war, vom anderen zu lernen, herrschte keine große Freundschaft zwischen ihnen; die Zwerge nämlich waren Geheimniskrämer und schnell beleidigt, während Caranthir hochfahrend war und aus seiner Geringschätzung für das unliebenswürdige Volk der Naugrim kaum ein Hehl machte; und Caranthirs Volk stand seinem Fürsten an Hochmut nichts nach. Dennoch, da beide Völker Morgoth fürchteten und haßten, verbündeten sie sich und hatten viel Vorteil davon; denn die Naugrim lernten in jenen Tagen viele geheime Kunstgriffe, so daß die Schmiede und Mauerwerker von Nogrod und Belegost unter ihresgleichen berühmt wurden, und als die Zwerge ihre Reisen nach Beleriand wieder aufnahmen, gingen alle Güter aus ihren Bergwerken zuerst durch Caranthirs Hände, und so fielen große Reichtümer an ihn.

Als zwanzig Sonnenjahre vergangen waren, gab Fingolfin, der König der Noldor, ein großes Fest. Es wurde im Frühjahr gefeiert, an den Weihern von Ivrin, wo der schnellfließende Narog entsprang, denn dort lagen die Lande grün und hell zu Füßen des Schattengebirges, das sie nach Norden abschirmte. Lange noch erinnerte man sich später, in den Tagen des Leids, an den Glanz dieses Festes; und es wurde Mereth Aderthad geheißen, das Fest der Versöhnung. Viele der Edlen und Gefolgsleute Fingolfins und Finrods kamen, und von Feanors Söhnen kamen Maedhros und Maglor mit Kriegern aus der östlichen Mark; und es kamen in großer Zahl Grau-Elben, die Wanderer aus den Wäldern von Beleriand, und Volk von den Häfen mit Círdan, seinem Fürsten. Sogar Grün-Elben aus Ossiriand kamen, dem Land der Sieben Flüsse fern unter den Hängen der Blauen Berge; doch aus Doriath kamen nur zwei Boten, Mablung und Daeron, mit Grüßen von ihrem König.

Viele Beratungen in gutem Einvernehmen gab es beim Mereth Aderthad, und Bündnisse und Freundschaften wurden in Eiden beschworen; und es heißt, die Sprache der Grau-Elben sei bei diesem Fest auch von den Noldor am meisten gesprochen worden, denn sie hatten schnell die Sprache von Beleriand erlernt, während die Sindar nur langsam die von Valinor lernten. Die Noldor waren hochgemut und voller Zuversicht, und vielen schien es, daß Feanors Worte sich als richtig erwiesen hätten, als er sie Freiheit und weite Reiche in Mittelerde suchen hieß; und wirklich folgten darauf viele Jahre des Friedens, in denen ihre Schwerter Beleriand vor Morgoths Unheil schützten und ihn hinter seinen Mauern eingeschlossen hielten. Freude war in jenen Tagen unter den neuen Lichtern von Sonne und Mond, und das ganze Land war froh; aber noch immer brütete der Schatten im Norden.

Und nachdem abermals dreißig Jahre vergangen waren, machte sich Turgon, Fingolfins Sohn, aus Nevrast auf, wo er saß, und besuchte seinen Freund Finrod auf der Insel Tol Sirion, und gemeinsam wanderten sie nach Süden den Fluß entlang, denn sie waren für eine Weile der nördlichen Gebirge überdrüssig geworden; und unterwegs überraschte sie die Nacht an den Dämmerseen um das Flußbett des Sirion, und dort legten sie sich unter den Sommergestirnen zum Schlafe nieder. Doch Ulmo, der den Strom heraufkam, gab ihnen tiefen Schlaf und schwere Träume; und die Träume blieben bedrückend, auch nachdem sie erwacht waren, doch sagte keiner dem andren ein Wort, denn sie erinnerten sich nicht klar, und jeder meinte, ihm allein habe Ulmo Botschaft gesandt. Doch stets hernach war die Unrast in ihnen und der Zweifel, was kommen werde, und oft wanderten sie allein durch weglose Länder und suchten nach Orten von verborgener Kraft; denn jeder glaubte, er sei geheißen worden, sich für den Tag des Unheils zu rüsten und eine Zuflucht zu schaffen, damit Morgoth, wenn er aus Angband hervorbräche, nicht alle Heere des Nordens überwältige.

Einmal nun waren Finrod und seine Schwester Galadriel zu Gast bei Thingol, ihrem Verwandten in Doriath. Da staunte Finrod über die Stärke und Pracht von Menegroth mit seinen Schatz- und Waffenkammern und den säulenreichen steinernen Hallen, und es kam ihm in den Sinn, daß auch er solche weiten Hallen hinter Tag und Nacht bewachten Toren bauen wollte, an einem tiefen und geheimen Ort unter den Bergen. Daher öffnete er Thingol sein Herz und erzählte ihm von seinen Träumen; und Thingol sprach zu ihm von der tiefen Schlucht des Flusses Narog und den Höhlen unter Hoch-Faroth an seinem steilen westlichen Ufer, und als Finrod schied, gab er ihm Führer mit, die ihn zu jenem Orte brachten, den erst wenige kannten. So kam Finrod zu den Naroghöhlen und begann dort tiefe Hallen und Kammern zu bauen, wie er sie in Menegroth gesehen, und jene Burg wurde Nargothrond geheißen. Bei der Arbeit halfen ihm die Zwerge von den Blauen Bergen, und sie wurden reich belohnt, denn Finrod hatte mehr Schätze aus Tirion mitgebracht als alle andern Prinzen der Noldor. Und zu der Zeit wurde ihm das Nauglamír gefertigt, das Halsband der Zwerge, ihre berühmteste Arbeit während der Ältesten Tage. Es war ein Halsgeschmeide von Gold, mit ungezählten Gemmen aus Valinor besetzt, doch hatte es eine Kraft in sich, daß es leicht wie ein Faden Flachs an seinem Träger hing, und um welchen Hals es auch geschlungen war, es saß immer genau und anmutig.

Dort in Nargothrond ließ Finrod mit vielen aus seinem Volke sich nieder, und in der Zwergensprache nannte man ihn Felagund, den Höhlenschleifer, und diesen Namen behielt er bis an sein Ende. Doch war Finrod Felagund nicht der erste, der in Höhlen am Narog lebte.

Seine Schwester Galadriel ging nicht mit ihm nach Nargothrond, denn in Doriath lebte Celeborn, ein Anverwandter von Thingol, und groß war die Liebe zwischen ihnen. Daher blieb sie im Verborgenen Königreich und wohnte bei Melian, und von ihr erfuhr sie große Wissenschaft und Weisheit, Mittelerde betreffend.

Turgon aber gedachte der Stadt auf dem Hügel, des weißen Tirion mit seinem Turm und Baum, und er fand nicht, was er suchte, sondern kehrte nach Nevrast zurück und lebte in Frieden in Vinyamar am Ufer des Meeres. Und im Jahr darauf erschien ihm Ulmo selbst und hieß ihn wieder allein aufbrechen, in das Tal des Sirion; und Turgon ging und entdeckte dank Ulmos Führung das verborgene Tal von Tumladen in den Umzingelnden Bergen, in dessen Mitte sich ein steinerner Hügel erhob. Davon sprach er vorerst zu niemandem, sondern kehrte wieder nach Nevrast zurück, und dort begann er insgeheim den Plan zu einer Stadt nach dem Vorbild von Tirion auf Túna zu zeichnen, nach der sein Herz in der Verbannung verlangte.

Morgoth nun, der den Berichten seiner Späher glaubte, daß die Fürsten der Noldor umherwanderten, ohne viel an Krieg zu denken, stellte die Stärke und Wachsamkeit seiner Feinde auf die Probe.

Wieder einmal, ohne Vorwarnung, regte er seine Kräfte, und plötzlich gab es Erdbeben im Norden, und Feuer quoll aus Erdspalten, und die Eisenberge spien Flammen aus, und Orks strömten über die Ebene von Ard-galen. Von da aus stießen sie im Westen durch den Paß des Sirion vor, und im Osten brachen sie durch Maglors Land, in der Lücke zwischen Maedhros' Hügelland und den Ausläufern der Blauen Berge. Fingolfin und Maedhros aber schliefen nicht, und während andere die verstreuten Haufen der Orks jagten, die durch Beleriand schweiften und viel Unheil stifteten, überraschten sie das Hauptheer von zwei Seiten, als es eben Dorthonion angriff; und sie besiegten Morgoths Diener, jagten sie über die Ebene von Ard-galen und vernichteten sie bis auf den letzten Mann, in Sichtweite der Tore von Angband. Das war die dritte große Schlacht der Kriege von Beleriand, und sie wurde Dagor Aglareb genannt, die Ruhmreiche Schlacht.

Ein Sieg war es und doch eine Warnung; und die Prinzen bedachten dies wohl und schlossen hernach ihre Grenzen noch dichter, verstärkten und ordneten ihre Wachen und legten eine Belagerung um Angband, die fast vierhundert Sonnenjahre lang dauerte. Für lange Zeit nach der Dagor Aglareb wagte sich kein Diener Morgoths mehr aus den Toren, aus Furcht vor den Fürsten der Noldor; und Fingolfin prahlte, nie wieder könne Morgoth, es sei denn durch Verrat unter den Eldar selbst, aus ihrem Sperrgürtel ausbrechen oder sie unversehens überfallen. Doch konnten die Noldor weder Angband einnehmen noch die Silmaril zurückgewinnen; und der Krieg kam während der ganzen Zeit der Belagerung nie ganz zur Ruhe, denn Morgoth heckte neues Unheil aus, und dann und wann stellte er seine Feinde auf die Probe. Auch konnte Morgoths Festung nie ganz eingeschlossen werden, denn die Eisenberge, aus deren großem, gebogenen Wall die Türme von Thangorodrim vorsprangen, schützten sie von beiden Seiten, und wegen ihres Schnees und Eises waren sie unüberschreitbar für die Noldor. In seinem Rücken und nach Norden zu hatte also Morgoth keine Feinde, und in dieser Richtung zogen bisweilen seine Späher aus und gelangten dann auf Umwegen nach Beleriand. Und da er vor allem Furcht und Zwietracht unter den Eldar säen wollte, befahl er den Orks, jeden, den sie fangen konnten, lebendig und in Fesseln nach Angband zu bringen; und manche ängstigte er so mit der Folter seines Blicks, daß sie auch ohne Fesseln in steter Furcht vor ihm lebten und ihm zu Willen waren, wo immer sie sich aufhielten. So erfuhr Morgoth von all dem, was seit Feanors Aufruhr geschehen war, und er frohlockte, sah er darin doch den Samen zu mancherlei Zwist unter seinen Feinden.

Als nahezu hundert Jahre seit der Dagor Aglareb vergangen waren, versuchte Morgoth, Fingolfin unversehens zu überfallen (denn Maedhros' Wachsamkeit kannte er); und er schickte ein Heer in den weißen Norden, das sich dann nach Westen und zuletzt nach Süden wandte und die Küste entlang zum Fjord von Drengist zog, auf demselben Weg, auf dem Fingolfin vom Malm-Eis gekommen war. So gedachten sie von Westen her nach Hithlum einzufallen; doch wurden sie beizeiten ausgekundschaftet, und Fingon überraschte sie zwischen den Bergen am Ende des Fjords, und die meisten der Orks wurden ins Meer gejagt. Diese Schlacht wurde nicht zu den großen gerechnet, denn die Orks waren nicht stark an Zahl, und nur ein Teil der Männer von Hithlum kämpfte dort. Hernach aber herrschte für viele Jahre Ruhe, und kein offener Angriff kam mehr aus Angband, denn Morgoth sah nun ein, daß die Orks ohne andere Hilfe den Noldor nicht gewachsen waren; und in seinem Herzen sann er auf neue Wege.

Abermals hundert Jahre später stieg Glaurung, der erste der Urulóki, der Feuerdrachen des Nordens, des Nachts aus den Toren von Angband. Er war noch jung und kaum zur Hälfte ausgewachsen, denn lang und langsam ist das Leben der Drachen, doch die Elben flohen entsetzt vor ihm in die Ered Wethrin und nach Dorthonion, und er verwüstete die Felder von Ard-galen. Da zog Fingon, Prinz von Hithlum, mit berittenen Bogenschützen gegen ihn aus und umringte ihn mit schnellen Reitern; und Glaurung konnte ihre Pfeile nicht ertragen, war doch sein Panzer noch nicht ganz geschlossen; und so floh er nach Angband zurück und kam viele Jahre lang nicht mehr hervor. Fingon erwarb hohen Ruhm, und die Noldor waren froh, denn nur wenige erkannten im voraus die ganze Bedeutung und Gefahr dieses neuen Dings. Morgoth war verdrossen, daß Glaurung sich voreilig hatte sehen lassen; und nach dieser Niederlage gab es den langen Frieden, der fast zweihundert Jahre währte. In der ganzen Zeit gab es nur noch Scharmützel an den Grenzen, und ganz Beleriand blühte und wurde reich. Hinter der Wache ihrer Heere im Norden bauten die Noldor ihre Paläste und Türme, und viele schöne Dinge schufen sie in jenen Tagen, Gedichte und Geschichten und Bücher von Wissenschaft. In vielen Teilen des Landes verschmolzen Noldor und Sindar zu einem Volke und sprachen die gleiche Sprache; der Unterschied allerdings blieb zwischen ihnen, daß die Noldor über die größeren Geistes- und Leibeskräfte geboten und die mächtigeren Krieger und Gelehrten waren; und sie bauten mit Stein und liebten die Berghänge und die offenen Lande. Die Sindar dagegen hatten die schöneren Stimmen und verstanden sich besser auf die Musik, ausgenommen allein Maglor, Feanors Sohn, und sie liebten die Wälder und die Flußufer; und manche Grau-Elben wanderten immer noch nach Belieben umher, ohne feste Heimstätte, und sie sangen auf ihrem Weg.

XIV
Von Beleriand und seinen Reichen

Hier wird berichtet, wie die Länder, in welche die Noldor kamen, in den nördlichen Westgebieten von Mittelerde, in alten Zeiten aussahen; und hier wird auch gesagt, wie sich die Häupter der Eldar nach der Dagor Aglareb, der dritten Schlacht in den Kriegen von Beleriand, in die Länder teilten und den Sperrgürtel um Morgoth legten.

Im Norden der Welt hatte Melkor in früheren Altern die Ered Engrin aufgerichtet, die Eisenberge, als Schutzwehr für seine Burg Utumno; sie standen an den Grenzen zu den Regionen des Ewigen Eises, in einer großen Biegung von Osten nach Westen verlaufend. Hinter den Wällen der Ered Engrin im Westen, wo sie nach Norden abbogen, baute Melkor eine zweite Festung zum Schutz gegen einen Angriff, der aus Valinor käme; und als er nach Mittelerde zurückkehrte, da nahm er, wie erzählt wurde, seinen Sitz in den bodenlosen Verliesen von Angband, der Eisenhölle, denn während des Kriegs der Mächte, in der Eile ihres Bemühens, Melkor in seiner großen Festung Utumno zu überwältigen, hatten die Valar Angband nicht von Grund auf zerstört und nicht alle seine tiefsten Höhlen durchsucht. Unter dem Ered Engrin grub er nun einen großen Tunnel, mit dem Ausgang südlich der Berge, und dort baute er ein gewaltiges Tor. Über dem Tor aber und dahinter, auf gleicher Höhe mit den Bergen, stapelte er die Donnertürme von Thangorodrim auf, aus der Asche und Schlacke seiner unterirdischen Öfen und den Schuttmasssen von seinen Grabungen. Sie waren schwarz und kahl und stiegen über alles Maß hoch; und aus ihren Spitzen quoll schwarzer, stinkender Rauch in den nördlichen Himmel. Viele Meilen weit nach Süden zog sich vor den Toren von Angband eine Dreckwüste über die weite Ebene von Ard-galen; doch nach dem Aufgang der Sonne sproß dichtes Gras dort auf, und solange Angband belagert wurde und seine Tore geschlossen blieben, wuchs Grünzeug sogar zwischen den Gruben und zertrümmerten Felsen vor den Pforten der Hölle.

Westlich von Thangorodrim lag Hísilóme, das Land des Nebels, denn so nannten es die Noldor in ihrer Sprache, wegen der Wolken, die Morgoth dorthin getrieben hatte, als sie ihr erstes Lager aufschlugen; Hithlum wurde daraus in der Sprache der Sindar, die in diesen Gebieten lebten. Es war ein schönes Land, solange die Belagerung von Angband währte, obgleich die Luft dort kühl und der Winter hart war. Im Westen begrenzten es die Ered Lómin, das Echogebirge, das sich nahe am Meer entlangzog, im Osten und Süden die große Biegung der Ered Wethrin, der Schattenberge, von denen man über Ard-galen und das Tal des Sirion hinblickte.

Fingolfin und Fingon, sein Sohn, regierten Hithlum, und der größte Teil von Fingolfins Volk wohnte in Mithrim an den Ufern des großen Sees; Fingon war Dor-lómin zugefallen, das westlich des Gebirges von Mithrim lag. Ihre größte Festung aber stand bei Eithel Sirion, im Osten der Ered Wethrin; von hier aus hielten sie Wache über Ard-galen, und ihre Reiterei durchstreifte die Ebene bis zu den Schatten von Thangorodrim, denn ihre Pferde, deren zuerst nur wenige gewesen waren, hatten sich rasch vermehrt, und das Gras von Ard-galen war fett und grün. Viele dieser Pferde stammten von Tieren aus Valinor ab; Maedhros hatte sie Fingolfin zum Ausgleich für seine Verluste gegeben, denn sie waren zu Schiff nach Losgar gebracht worden.

Westlich von Dor-lómin, jenseits des Echogebirges, das sich südlich des Fjords von Drengist ins Binnenland hineinzieht, lag Nevrast, was in der Sprache der Sindar die Hinnenküste bedeutet. Diesen Namen trugen zuerst alle Küstengebiete südlich des Fjordes, später aber nur noch das Land, dessen Küstenstreifen zwischen Drengist und dem Tarasberg lag. Dies war viele Jahre lang das Reich Turgons des Klugen, Fingolfins Sohn; es wurde begrenzt vom Meer, von den Ered Lómin und von den Hügeln, in denen sich die Wälle der Ered Wethrin nach Westen hin fortsetzten, von Ivrin bis zum Taras, der sich auf einem Landvorsprung erhob. Manche meinten, daß Nevrast eher zu Beleriand als zu Hithlum gehörte, denn es war ein milderes Land, bewässert durch die feuchten Seewinde und geschützt vor den kalten Nordwinden, die über Hithlum bliesen. Das Land lag tief, umgeben von Bergen und großen Klippen an der Küste, die höher lagen als die Ebenen dahinter, so daß kein Fluß hier ins Meer mündete; und inmitten des Landes war ein großer See mit oft wechselnden Ufern, umgeben von weiten Marschen. Linaewen hieß dieser See, wegen der vielen Vögel, die dort nisteten, von allen Arten, die hohes Riedgras und flache Teiche lieben. Zur Zeit, als die Noldor kamen, lebten viele Grau-Elben in Nevrast nahe an der Küste und besonders um den Taras im Südwesten, denn an diesen Ort waren in alten Zeiten Ulmo und Osse gern gekommen. All diese Völker nahmen Turgon zum Fürsten, und die Vermischung der Noldor mit den Sindar schritt hier am schnellsten voran; und Turgon wohnte lange dort in seinen Hallen, die er Vinyamar nannte, am Fuß des Taras und am Meeresufer.

Südlich von Ard-galen erstreckte sich das große Hochland namens Dorthonion sechzig Meilen weit von West nach Ost, mit großen Kiefernwäldern besonders an der Nord- und an der Westseite. In sanften Hängen stieg es von der Ebene bis zu einem kahlen Hochland an, in dem viele Bergseen lagen, zu Füßen nackter Felsen, deren Spitzen höher aufragten als die Gipfel der Ered Wethrin; im Süden aber, nach Doriath hin, fiel es plötzlich steil in fürchterliche Tiefen ab. Von den Nordhängen Dorthonions blickten Angrod und Aegnor, Finarfins Söhne, über die Felder von Ard-galen hin; sie waren Vasallen ihres Bruders Finrod, des Herrn von Nargothrond, und ihr Volk war nicht zahlreich, denn das Land war unfruchtbar, und die großen Hochlande dahinter konnten als ein Bollwerk gelten, das Morgoth nicht so leicht überschreiten würde.

Zwischen Dorthonion und dem Schattengebirge lag ein enges Tal, dessen steile Hänge nur mit Tannen bewachsen waren, doch das Tal selbst war grün, denn der Sirion floß hindurch, in raschem Lauf nach Beleriand hin. Den Sirion-Paß bewachte Finrod, und auf der Insel Tol Sirion inmitten des Flusses erbaute er einen mächtigen Wachturm, Minas Tirith; nach dem Bau von Nargothrond aber ließ er diese Festung meist in der Obhut seines Bruders Orodreth.

Das große, schöne Land Beleriand nun lag beiderseits des gewaltigen, vielbesungenen Sirion. Der Sirion entsprang bei Eithel Sirion und kroch am Rande von Ard-galen entlang, bevor er sich durch den Paß stürzte, immer mehr Wasser von den Bergbächen aufnehmend. Von da floß er einhundertunddreißig Meilen weit südwärts, mit vielen Zuflüssen auf dem Wege, bis er als ein mächtiger Strom seine vielen Mündungen und das sandige Delta in der Bucht von Balar erreichte. Und den Sirion abwärts kamen von Norden nach Süden auf dem rechten Ufer in West-Beleriand zuerst der Wald von Brethil zwischen Sirion und Teiglin, dann das Reich von Nargothrond zwischen Teiglin und Narog. Der Narog entsprang in den Fällen von Ivrin an der Südseite von Dor-lómin und floß, ehe er in den Sirion mündete, etwa achtzig Meilen weit durch Nan-tathren, das Land der Weidenbäume. Südlich von Nan-tathren lag ein Wiesenland voller Blumen, wo nur wenige Leute lebten, und dann kamen die Marschen und Schilfinseln um die Mündungen des Sirion und die Sanddünen des Deltas, wo nichts Lebendiges war außer den Seevögeln.

Das Reich von Nargothrond aber erstreckte sich auch nach Westen über den Narog hinaus bis zum Fluß Nenning, der bei Eglarest ins Meer floß; und Finrod wurde zum obersten Fürsten aller Elben Beleriands zwischen dem Sirion und dem Meer, ausgenommen die in den Falas. Dort wohnten diejenigen Sindar, die noch immer die Schiffe liebten, und Círdan der Schiffbauer war ihr Fürst; Círdan und Finrod aber waren Freunde und Bundesgenossen, und mit Hilfe der Noldor wurden die Häfen von Brithombar und Eglarest neu aufgebaut. Hinter ihren hohen Mauern wurden sie zu schönen Hafenstädten mit steinernen Kaien und Pieren. Auf dem Westkap von Eglarest erbaute Finrod den Turm von Barad Nimras, um das Westmeer zu bewachen, doch der erwies sich als unnötig, denn zu keiner

Zeit versuchte Morgoth je Schiffe zu bauen oder Seekrieg zu führen. Das Wasser scheuten alle seine Diener, und keiner von ihnen mochte dem Meer zu nahe kommen, es sei denn in äußerster Not. Mit Hilfe der Elben aus den Häfen bauten manche Nargothronder neue Schiffe und fuhren aus, um die große Insel Balar zu erkunden, in der Absicht, dort eine letzte Zufluchtsstätte für Notzeiten zu schaffen; doch ihr Schicksal war nicht, je dort zu wohnen.

So war Finrods Reich bei weitem das größte, obgleich er der jüngste war unter den großen Fürsten der Noldor: Fingolfin, Fingon, Maedhros und Finrod Felagund. Fingolfin aber galt als oberster Fürst aller Noldor, und Fingon nach ihm, obwohl ihr eigenes Reich nur aus dem nördlichen Lande Hithlum bestand; ihr Volk jedoch war das kühnste und streitbarste, von den Orks am meisten gefürchtet und Morgoth am bittersten verhaßt.

Linker Hand von Sirion lag Ost-Beleriand, an der weitesten Stelle hundert Meilen breit vom Sirion bis zum Gelion und den Grenzen von Ossiriand. Zuerst, zwischen Sirion und Mindeb, kam das leere Land von Dimbar unter den Gipfeln des Crissaegrim, den Horstplätzen der Adler. Zwischen dem Mindeb und dem Oberlauf des Esgalduin lag das Unland von Nan Dungortheb; und diese Gegend war voller Schrecknisse, denn auf der einen Seite friedete Melians Kraft die Nordgrenze von Doriath ein, während auf der anderen Seite die steilen Klüfte der Ered Gorgoroth, der Berge des Grauens, vom hohen Dorthonion herabstürzten. Dorthin hatte sich, wie schon erzählt, Ungolianth vor den Geißeln der Balrogs geflüchtet, und dort blieb sie eine Weile und erfüllte die Schluchten mit ihrer Todfinsternis, und auch nachdem sie fortgezogen war, lauerte dort noch ihre Brut und wob ihre finstern Netze; und die dünnen Wasser, die von den Ered Gorgoroth herabfielen, waren verseucht, und gefährlich war es, davon zu trinken, denn die Herzen derer, die sie gekostet hatten, wurden vom Schatten des Wahnsinns und der Verzweiflung befallen. Alle andren Lebewesen mieden dies Land, und nur in arger Not durchquerten es die Noldor, auf einem Weg an den Grenzen von Doriath entlang und in weitem Abstand von den unheimlichen Hügeln. Dieser Weg war vor langer Zeit angelegt worden, vor Morgoths Rückkehr nach Mittelerde, und wer ihn ostwärts ging, kam an den Esgalduin, wo zur Zeit der Belagerung noch die steinerne Brücke von Iant Iaur stand. Von dort aus ging es durch Dor Dínen, das Stille Land, und über die Arossiach (was die Furten des Aros heißt) kam man in die Nordmarken von Beleriand, wo die Söhne Feanors wohnten.

Im Süden lagen die behüteten Wälder von Doriath, das Gebiet Thingols, des Verborgenen Königs, das niemand betrat, es sei denn mit Thingols Willen. Der kleinere Teil von Doriath im Norden, der Wald von Neldoreth, wurde nach Osten und Süden von dem dunklen Fluß Esgalduin begrenzt, der in der Mitte des Landes nach Westen abbog; und zwischen Aros und Esgalduin lagen die dichteren und größeren Wälder von Region. Auf dem Südufer des Esgalduin, dort wo er sich nach Westen dem Sirion zuwendet, lag die Tiefburg von Menegroth; und ganz Doriath lag östlich des Sirion, bis auf einen schmalen Streifen Waldland zwischen der Teiglinmündung und den Dämmerseen. Die Leute von Doriath nannten diesen Wald Nivrim, die Westmark; große Eichen wuchsen dort, und er war mit eingeschlossen in Melians Gürtel, damit auch ein Stück des Sirion, den sie aus Verehrung für Ulmo liebte, ganz unter Thingols Herrschaft stünde.

Im Südwesten von Doriath, wo der Aros in den Sirion mündete, lagen große Teiche und Marschen zu beiden Seiten des Stromes, der hier seinen Lauf unterbrach und träge in vielen Kanälen dahinzog. Dieses Gebiet hieß Aelin-uial, die Dämmerseen, denn es war in Nebel gehüllt, und der Bann von Doriath lag über ihm. Der ganze nördliche Teil von Beleriand fiel zu diesem Punkt hin ab, und dann blieb das Land für eine Weile eben, so daß die Strömung des Sirion stockte. Südlich von Aelin-uial aber fiel das Land plötzlich steil ab, und alle unteren Ebenen des Sirion wurden von den oberen durch diesen Fall geschieden, der einem, der von Süden nach Norden blickte, als eine endlose Hügelkette erschienen wäre, die sich von Eglarest im Westen jenseits des Narog bis zum Amon Ereb im Osten hinzog, wo man von fern schon den Gelion sehen konnte. Der Narog floß durch diese Hügel in einer tiefen Schlucht, über Stromschnellen, doch ohne Wasserfälle, und auf seinem Westufer stieg das Land zu den großen bewaldeten Hochflächen von Taur-en-Faroth an. Auf der Westseite dieser Schlucht, wo der kurze, schäumende Ringwil von Hoch-Faroth herab in den Narog stürzte, erbaute Finrod Nargothrond. Rund fünfundzwanzig Meilen östlich der Narog-Schlucht aber stürzte der Sirion von Norden in einem mächtigen Fall von den Seen herab und verschwand dann plötzlich unter der Erde, in großen Tunnels, die das Gewicht seiner herniederbrechenden Wasser gegraben hatte, und drei Meilen weiter südlich kam er mit viel Lärm und Dampf wieder aus den Felsgewölben am Fuß der Hügel hervor, die man die Pforten des Sirion nannte.

Diese trennende Hügelkette wurde Andram, der lange Wall, genannt, von Nargothrond bis Ramdal in Ost-Beleriand, wo sie endete. Doch nach Osten zu wurde die Kette flacher, denn das Tal des Gelion fiel gleichmäßig nach Süden hin ab, und der Gelion hatte auf seinem ganzen Lauf weder Fälle noch Schnellen, obwohl er rascher dahinströmte als der Sirion. Zwischen Ramdal und dem Gelion stand ein vereinzelter Berg von großer Ausdehnung und mit sanft ansteigenden Hängen; doch schien er größer, als er war, denn er stand allein; und dieser Berg wurde Amon Ereb genannt. Auf dem Amon Ereb fiel Denethor, der Fürst der Nandor, die in Ossiriand wohnten und Thingol gegen Morgoth zu Hilfe geeilt waren, in den Tagen, als die Orkheere zum ersten Male vordrangen und den sternbeschienenen Frieden von Beleriand störten; und auf diesem Berg war Maedhros' Sitz nach der großen Niederlage. Südlich des Andram aber, zwischen Sirion und Gelion, lag ein wildes Land mit dichten Wäldern, das niemand betrat, bis auf ein paar wandernde Dunkel-Elben hier und da; Taur-im-Duinath wurde es genannt, der Wald zwischen den Strömen.

Der Gelion war ein großer Strom, und er entsprang in zwei Quellen und hatte zuerst zwei Arme, den Kleinen Gelion, der vom Berg von Himring floß, und den Großen Gelion, der vom Berg Rerir kam. Von der Vereinigung der beiden Arme an floß er vierzig Meilen weit nach Süden, ehe er seine Nebenflüsse aufnahm, und bis zu seiner Mündung in die See war er doppelt so lang wie der Sirion, doch weniger breit und wasserreich, denn mehr Regen fiel in Hithlum und Dorthonion, wo der Sirion sich speiste, als im Osten. Von den Ered Luin herab kamen die sechs Zuflüsse des Gelion: Ascar (der später Rathlóriel genannt wurde), Thalos, Legolin, Brilthor, Duilwen und Adurant, schnelle und wilde Flüsse, da sie steil von den Bergen herabfielen. Und zwischen dem Ascar im Norden und dem Adurant im Süden und zwischen Gelion und Ered Luin lag das ferne grüne Land von Ossiriand, das Land der Sieben Flüsse. Der Adurant nun, an einer Stelle etwa in der Mitte seines Laufes, teilte und vereinigte sich wieder, und die Insel, die seine Wasser umschlossen, hieß Tol Galen, die Grüne Insel. Hier wohnten Beren und Lúthien nach ihrer Rückkehr.

In Ossiriand lebten die Grün-Elben, geschützt von ihren Flüssen, denn nach dem Sirion liebte Ulmo den Gelion am meisten von allen Wassern der westlichen Welt. So waldversteckt lebten die Elben von Ossiriand, daß ein Fremder ihr Land vom einen Ende zum andern durchschreiten mochte, ohne einen einzigen von ihnen zu Gesicht zu bekommen. Im Frühling und Sommer gingen sie in Grün gekleidet, und den Klang ihrer Gesänge konnte man bis über die Wasser des Gelion hören; weshalb die Noldor dieses Land Lindon nannten, das Land der Musik, und die Berge dahinter nannten sie Ered Lindon, denn sie hatten sie zuerst von Ossiriand aus erblickt.

Am offensten für Angreifer waren die Marken von Beleriand östlich von Dorthonion, denn nur Hügel von geringer Höhe schützten das Tal des Gelion nach Norden zu. In dieser Gegend, in Maedhros' Mark und den Ländern dahinter, wohnten Feanors Söhne mit zahlreichem Volk, und oft kamen ihre Reiter über die große nördliche Ebene, das weite, leere Lothlann, östlich von Ard-galen, damit Morgoth keine Ausfälle nach Ost-Beleriand unternehmen könne. Maedhros' größte Burg lag auf dem Berg von Himring, dem Ewig-Kalten, einem breitschultrigen, baumlosen Berg mit flachem Gipfel, umgeben von vielen kleineren Bergen. Zwischen Himring und Dorthonion verlief ein Paß, der äußerst steil war auf der Westseite, und das war der Aglon-Paß, ein Tor nach Doriath; und stets pfiff ein kalter Wind von Norden hindurch. Celegorm und Curufin aber hatten den Aglon befestigt und hielten ihn mit einer großen Streitmacht besetzt, und dazu im Süden das ganze Land von Himlad, zwischen dem Aros, der in Dorthonion entsprang, und seinem Zufluß, dem Celon, der vom Himring her kam.

Zwischen den Quellflüssen des Gelion war der Bezirk Maglors, und hier hörten die Hügel an einer Stelle ganz auf; hier war es, wo die Orks vor der Dritten Schlacht nach Ost-Beleriand durchbrachen. Die Noldor hielten daher an dieser Stelle eine starke Reiterei in der Ebene bereit, und Caranthirs Volk befestigte die Berge östlich von Maglors Lücke. Hier sprangen der Rerir und viele andere Gipfel von geringerer Höhe aus der Hauptkette der Ered Lindon nach Westen vor; und im Winkel zwischen dem Rerir und den Ered Lindon lag ein See, auf allen Seiten außer im Süden von Bergen überschattet. Dies war der tiefe, dunkle Helevorn-See, und an seinem Ufer wohnte Caranthir; das ganze große Land aber zwischen dem Gelion und dem Gebirge und zwischen Rerir und Ascar nannten die Noldor Thargelion, was heißt: das Land jenseits des Gelion, oder auch Dor Caranthir, das Land Caranthirs; und hier war es, wo die Noldor zuerst den Zwergen begegneten. Bei den Grau-Elben aber hatte Thargelion früher Talath Rhúnen, das Osttal, geheißen.

So waren also Feanors Söhne unter Maedhros' Führung die Herren von Ost-Beleriand; ihr Volk aber wohnte zu jener Zeit meist im Norden des Landes, und nach Süden ritt man nur, um in den Laubwäldern zu jagen. Dort aber saßen Amrod und Amras, die selten nach Norden kamen, solange die Belagerung dauerte; und dorthin ritten bisweilen auch andere der Elbenfürsten, sogar von weit her, denn das Land war wild und sehr schön. Am häufigsten kam Finrod Felagund, denn er reiste gern und kam sogar bis nach Ossiriand und wurde freund mit den Grün-Elben. Keiner der Noldor aber überschritt jemals die Ered Lindon, solange ihr Reich dauerte, und nur selten und spät kam Kunde nach Beleriand von dem, was in den Gebieten des Ostens geschah.

XV
Von den Noldor in Beleriand

Erzählt wurde, die Turgon aus Nevrast dank Ulmos Führung das versteckte Tal von Tumladen fand. Es lag (wie später bekannt wurde) östlich des oberen Sirion und war von einem Ring hoher und steiler Berge umgeben, und kein Lebewesen kam dorthin, bis auf Thorondors Adler. Tief unter den Bergen hindurch führte ein Weg, den die Wasser, die dem Sirion zuströmten, im Dunkel der Welt gebahnt hatten; und diesen Weg fand Turgon und kam so auf die grüne Ebene zwischen den Bergen, und er sah den Hügel, der dort stand wie eine Insel aus hartem, glattem Stein; das Tal nämlich war in alten Zeiten ein See gewesen. Da erkannte Turgon, daß er den Platz gefunden hatte, den er suchte, und er beschloß, eine schöne Stadt dort zu bauen, ein Andenken an Tirion auf dem Túna; dann aber kehrte er nach Nevrast zurück und lebte dort in Frieden, wenn er auch stets in Gedanken erwog, wie er sein Vorhaben ausführen könne.

Nach der Dagor Aglareb nun kehrte die Unruhe wieder, die ihm Ulmo ins Herz getan, und er rief viele der kühnsten und geschicktesten unter seinen Leuten zusammen und führte sie heimlich in das versteckte Tal; und dort begannen sie die Stadt zu bauen, wie Turgon sie sich gedacht hatte. Und ringsumher stellten sie Wachen auf, damit niemand von draußen sie bei der Arbeit überraschen könnte, und die Kraft Ulmos, die im Sirion floß, beschützte sie. Turgon aber blieb weiterhin zumeist in Nevrast, bis die Stadt nach zweiundfünfzig Jahren geheimen Mühens endlich fertig war. Es heißt, Turgon habe sie in der Sprache der Elben von Valinor Ondolinde genannt, den Felsen der Wassermusik, denn auf dem Hügel entsprangen Quellen; in der Sprache der Sindar aber änderte sich der Name und wurde zu Gondolin, der Verborgene Felsen. Nun schickte Turgon sich an, aus Nevrast fortzuziehen und seine Hallen am Meer in Vinyamar zu verlassen; und dort kam noch einmal Ulmo und sprach zu ihm. Und er sagte: »Endlich nun wirst du nach Gondolin gehen, Turgon, und ich will meine Kraft im Tal des Sirion lassen, und in allen Wassern darinnen, so daß keiner deinem Wege folgen soll, noch soll einer den versteckten Eingang finden wider deinen Willen. Am längsten von allen Reichen der Eldalië soll Gondolin gegen Melkor standhalten. Doch vertraue nicht zu fest auf deiner Hände Werk und deines Herzens Pläne; und dessen sei eingedenk, daß die wahre Hoffnung der Noldor im Westen liegt und vom Meere kommt.«

Und Ulmo warnte Turgon, daß auch er Mandos' Spruch unterliege, den Ulmo nicht aufzuheben vermochte. »So mag es geschehen«, sagte er, »daß der Fluch der Noldor vor dem Ende auch dich ereilt und Verrat in deinen Mauern erwacht. Dann werden sie in Feuersgefahr sein. Doch wenn diese Gefahr dir naherückt, dann wird von hier, aus Nevrast, einer kommen, dich zu warnen, und Hoffnung für Elben und Menschen wird er aus Brand und Trümmern retten. Laß daher Waffen und ein Schwert in diesem Hause, daß er sie in künftigen Jahren finden möge, und daran sollst du ihn erkennen und nicht betrogen sein.« Und Ulmo erklärte Turgon, von welcher Art und Größe Helm und Panzer und Schwert sein sollten, die er zurückließ.

Dann kehrte Ulmo ins Meer zurück, und Turgon schickte all sein Volk aus, den dritten Teil aller Noldor aus Fingolfins Gefolge und eine noch größere Menge der Sindar; und sie zogen davon, heimlich und zu wenigen, unter den Schatten der Ered Wethrin hindurch, und kamen ungesehen nach Gondolin, und niemand wußte, wohin sie gegangen. Und als letzter machte Turgon sich auf und zog mit den Seinen in aller Stille durch die Hügel, durchschritt die Tore in den Bergen, und hinter ihm wurden sie verschlossen.

Viele lange Jahre hindurch kam hernach niemand mehr hinein, bis auf Húrin und Huor; und Turgons Volk kam nie wieder hervor, bis zum Jahr des Jammers, dreihundertundfünfzig und mehr Jahre später. Hinter dem Ring der Berge aber wuchs und gedieh das Volk, und sie übten ihre Kunstfertigkeit in unermüdlicher Arbeit, so daß

Gondolin auf dem Amon Gwareth eine herrliche Stadt wurde, würdig, daß man es selbst mit Tirion jenseits des Meeres verglich. Hoch und weiß waren seine Mauern und glatt die Stufen auf den Treppen, und hoch und stark war der Turm des Königs. In schimmernden Brunnen spielte das Wasser, und in Turgons Gärten standen Bilder der Bäume von einst, die Turgon selbst mit Elbenkunst geschaffen; und der Baum, den er aus Gold schmiedet hatte, wurde Glingal geheißen, und der Baum, dessen Blüten er aus Silber machte, hieß Belthil. Schöner aber als alle Wunder von Gondolin war Idril, Turgons Tochter, die man auch Celebrindal, den Silberfuß, nannte, und ihr Haar war wie Laurelins Gold, ehe Melkor kam. So lebte Turgon lange im Glück; Nevrast aber war verlassen und blieb leer bis zum Untergang von Beleriand.

Während so insgeheim Gondolin erbaut wurde, war Finrod Felagund in den tiefen Kammern von Nargothrond geschäftig; seine Schwester Galadriel aber, wie berichtet worden, blieb in Thingols Reich in Doriath. Und zuweilen sprach Melian mit Galadriel von Valinor und dem Glück von einst; doch über die finstere Stunde hinaus, da die Bäume gestorben waren, mochte Galadriel nichts sagen, sondern fiel stets in Schweigen. Und einmal sagte Melian: »Irgendein Weh liegt auf dir und deinem Volke. Dies kann ich in dir sehen, doch alles weitere ist mir verborgen; denn kein Gesicht oder Gedanke zeigt mir, was sich im Westen zuträgt oder zugetragen hat: Ein Schatten liegt über dem ganzen Land von Aman und reicht weit übers Meer hinaus. Warum willst du mir nicht mehr sagen?«

»Dies Weh ist vergangen«, sagte Galadriel, »und ich würde zunichte machen, was hier noch bleibt an Freude, ungetrübt von Erinnerung. Und vielleicht steht noch genug Weh, bevor, obwohl die Hoffnung hell scheinen mag.«

Da sah ihr Melian in die Augen und sagte: »Ich glaube nicht, daß die Noldor als Boten der Valar gekommen sind, wie es anfangs hieß – nicht, obwohl sie gerade in der Stunde unserer Not kamen. Denn nie sprechen sie von den Valar, noch haben ihre hohen Herrn

Thingol Botschaften überbracht, weder von Manwe noch von Ulmo, noch auch nur von Olwe, Thingols Bruder, und von seinem Volk, das übers Meer gezogen. Aus welchem Grunde, Galadriel, wurden die Edlen der Noldor als Flüchtlinge aus Aman vertrieben? Oder welches Unheil liegt auf Feanors Söhnen, daß sie so hochfahrend und grimmig sind? Komme ich nicht der Wahrheit nahe?«

»Nahe«, sagte Galadriel, »doch wurden wir nicht vertrieben, sondern kamen aus eignem Willen und gegen den Willen der Valar. Und durch große Gefahr und den Valar zum Trotz sind wir zu diesem Zwecke gekommen: Rache zu nehmen an Morgoth und zurückzugewinnen, was er gestohlen.«

Dann sprach Galadriel zu Melian von den Silmaril und davon, wie König Finwe in Formenos erschlagen wurde; noch immer aber sagte sie kein Wort von dem Eid, von dem Sippenmord oder der Verbrennung der Schiffe bei Losgar. Melian aber sagte: »Viel sagst du mir jetzt, und mehr noch kann ich sehen. Dunkel breitest du über den langen Weg von Tirion, doch ich sehe Unheil dort, von dem Thingol erfahren sollte.«

»Vielleicht«, sagte Galadriel. »Doch nicht von mir.«

Und Melian sprach mit Galadriel nicht mehr von diesen Dingen; König Thingol aber berichtete sie alles, was sie über die Silmaril erfahren hatte. »Dies sind große Dinge«, sagte sie, »größer noch, als die Noldor selbst es begreifen; denn das Licht von Aman und das Schicksal von Arda liegen nun in diesen Steinen verschlossen, dem Werk Feanors, welcher dahin ist. Nicht durch die Macht der Eldar werden sie zurückgewonnen werden, das sage ich voraus; und die Welt wird bersten in den Schlachten, die kommen werden, ehe man sie Morgoth entreißt. Sieh nun, Feanor haben sie den Tod gebracht und manchem andren, wie ich errate; der erste aber von allen, die um ihretwillen gestorben sind und noch sterben werden, war Finwe, dein Freund. Morgoth hat ihn erschlagen, ehe er aus Aman floh.«

Da war Thingol stumm, voll Kummer und Vorahnung, zuletzt aber sagte er: »Nun freilich verstehe ich, wonach ich mich oft gefragt, warum die Noldor aus dem Westen gekommen. Nicht zu unserer Hilfe sind sie gekommen (es sei denn aus Zufall); denn jene, die in Mittelerde wohnen, überlassen die Valar ihrem eigenen Schicksal, bis in die äußerste Not. Zur Rache sind sie hier und zum Rückgewinn dessen, was sie verloren. Doch um so treuer nur werden sie als Bundesgenossen gegen Morgoth sein, mit dem sie, wie nun anzunehmen, niemals Frieden schließen werden.«

Melian aber sagte: »Gewiß, aus diesen Gründen sind sie gekommen, doch aus andren ebenso. Nimm dich in acht vor Feanors Söhnen! Der Schatten des Zorns der Valar lastet auf ihnen, und sie haben Schlimmes getan, ich seh' es, in Aman wie auch gegen ihr eigenes Volk. Ein Zwist, den man nur in Schlaf gewiegt hat, liegt zwischen den Prinzen der Noldor.«

Und Thingol antwortete: »Was bedeutet das für mich? Von Feanor weiß ich nur aus Berichten, nach denen er fürwahr ein Großer gewesen ist. Von seinen Söhnen höre ich nicht viel, das mir behagte, doch werden sie gewiß die bittersten Feinde unsres Feindes sein.«

»Zwei Schneiden werden ihre Schwerter haben und ihre Ratschlüsse«, sagte Melian, und dann sprach sie nicht mehr davon.

Nicht lange darauf begann man unter den Sindar zu flüstern, was die Noldor getan, ehe sie nach Beleriand kamen. Gewiß ist, woher diese Gerüchte stammten, und die schlimme Wahrheit darin war durch Lügen verschlimmert und vergiftet. Die Sindar aber waren noch arglos geneigt, Worten zu glauben, und Morgoth (wie man sich wohl denken kann) erkor sie zum ersten Ziel seiner Tücke, denn sie kannten ihn noch nicht. Und Círdan, als er diese dunklen Geschichten vernahm, war besorgt; denn er war klug und erkannte gleich, daß sie, ob wahr oder falsch, zu dieser Zeit nur aus Tücke ausgestreut sein konnten; doch meinte er, von den Prinzen der Noldor gehe die Tücke aus, und von der Eifersucht zwischen ihren Häusern. Er sandte Boten zu Thingol, um ihm alles zu berichten, was er gehört.

Es traf sich, daß zu der Zeit Finarfins Söhne wieder bei Thingol zu Gast waren, denn sie wollten ihre Schwester Galadriel sehen. Da sprach Thingol tief bewegt und im Zorn zu Finrod: »Übel hast du an mir gehandelt, Anverwandter, so großes Übel vor mir zu verbergen. Denn jetzt habe ich von allen Untaten der Noldor erfahren.«

Finrod aber antwortete: »Was habe ich dir Übles getan, Herr? Oder was haben die Noldor in deinem ganzen Reiche Übles getan, das dich kränkt? Weder gegen dich, den König, noch gegen einen aus deinem Volk haben sie Übles getan oder gedacht.«

»Ich staune über dich, Earwens Sohn«, sagte Thingol. »Kommst du zur Tafel deines Oheims mit blutigen Händen vom Mord am Stamm deiner Mutter und sagst doch nichts zu deiner Verteidigung, noch suchst du Vergebung?«

Da war Finrod tief betroffen, doch er blieb stumm, denn er konnte sich nicht verteidigen, ohne die andren Prinzen der Noldor anzuklagen; und das mochte er vor Thingol nicht tun. Doch in Angrods Herzen stieg bitter die Erinnerung an Caranthirs Worte auf, und er rief: »Herr, ich weiß nicht, was für Lügen du vernommen hast, noch von wo sie kommen; doch haben wir keine blutigen Hände. Schuldlos sind wir gekommen, es sei denn schuldig des Wahns, daß wir auf die Worte des grimmigen Feanor gehört und berauscht waren wie vom Weine, doch ebenso kurz auch. Kein Übel haben wir auf unserm Wege getan, sondern selber großes Unrecht erlitten und es verziehen. Und dafür beschimpft man uns noch, wir trügen dir Geschichten zu und verrieten die Noldor: zu Unrecht, wie du weißt, denn aus Treue sind wir vor dir still geblieben und haben deinen Zorn erregt. Doch diese Vorwürfe nun sind nicht länger zu ertragen, und die Wahrheit sollst du wissen.«

Dann sprach Angrod erbittert gegen Feanors Söhne und erzählte von dem Blutvergießen in Alqualonde, von Mandos' Spruch und der Verbrennung der Schiffe bei Losgar. Und er rief aus: »Womit sollen wir, die wir über das Malm-Eis gekommen sind, die Beschimpfung als Sippenmörder und Verräter verdient haben?«

»Doch liegt Mandos' Schatten auch auf euch«, sagte Melian.

Thingol aber blieb lange stumm, ehe er sprach. »Geht nun!« sagte er. »Denn das Herz ist mir heiß. Später möget ihr wiederkommen, wenn ihr wollt, denn ich will euch, meinen Neffen, nicht auf ewig die Tür verschließen, die ihr in Unrecht verstrickt wart, das ihr nicht gewollt. Auch mit Fingolfin und seinem Volk will ich Freundschaft halten, denn soweit sie Schuld tragen, haben sie bitter gebüßt. Und vergessen sei unser Zwist im Haß auf die Macht, die all dies Unheil gestiftet. Doch höret mich an! Niemals wieder klinge mir die Sprache jener in den Ohren, die mein Volk in Alqualonde erschlugen! Und in meinem ganzen Reich soll sie nicht mehr laut werden, solange meine Herrschaft dauert. Alle Sindar sollen auf mein Gebot hören, in der Sprache der Noldor weder mehr zu sprechen noch auf sie zu antworten. Und alle, die sie gebrauchen, sollen als reuelose Mörder und Verräter von Blutsverwandten gelten.«

Da schieden Finarfins Söhne schweren Herzens aus Menegroth, erkannten sie doch, daß Mandos' Worten immer von neuem Wahrheit zuwuchs und daß keiner der Noldor, die Feanor gefolgt waren, dem Schatten entgehen könnte, der auf seinem Hause lag. Und es geschah, wie Thingol gesagt hatte, denn die Sindar hörten auf ihn und weigerten sich fortan in ganz Beleriand, die Noldorsprache zu sprechen, und wer sie dennoch laut gebrauchte, wurde gemieden; die Verbannten aber nahmen für alle täglichen Belange das Sindarin an, und die Hochsprache des Westens sprachen nur mehr die Fürsten der Noldor, wenn sie unter sich waren. Doch lebte ihre Sprache fort als eine Sprache der Wissenschaft, wo immer noch einer aus ihrem Volk lebte.

Nun begab es sich, als Nargothrond fertig war (während Turgon noch in den Hallen von Vinyamar wohnte), daß Finarfins Söhne sich dort zu einem Fest versammelten; und Galadriel kam aus Doriath und blieb eine Weile. König Finrod Felagund hatte kein Weib, und Galadriel fragte ihn, warum dies so sei; doch als sie sprach, kam Vorwissen über Felagund, und er sagte: »Einen Eid werde auch ich schwören, und frei muß ich sein, ihn zu erfüllen und ins Dunkel zu treten. Nichts wird dauern von meinem Reich, was ein Sohn erben könnte.«

Doch es heißt, erst von jener Stunde an hätte so kalter Sinn ihn geleitet; denn die er geliebt hatte, war Amarië von den Vanyar, und die war nicht mit ihm in die Verbannung gegangen.

XVI
Von Maeglin

Aredhel Ar-Feiniel, die Weiße Dame der Noldor, Fingolfins Tochter, lebte in Nevrast bei Turgon, ihrem Bruder, und mit ihm zog sie ins Verborgene Königreich. Doch wurde sie der bewachten Stadt Gondolin müde, und immer mehr, je länger sie dort blieb, verlangte es sie, wieder über Land zu reiten und durch die Wälder zu gehen, wie es in Valinor ihre Gewohnheit gewesen; und als zweihundert Jahre vergangen waren, seit Gondolin stand, sprach sie mit Turgon und bat um Erlaubnis, auszureiten. Turgon mochte dies nicht gewähren und schlug es ihr lange ab, zuletzt aber gab er nach und sagte: »Geh denn, wenn du willst, wenn auch gegen meinen Rat; und mir ahnt, daß nichts Gutes dabei herauskommt, weder für dich noch für mich. Doch nur deinen Bruder Fingon darfst du besuchen, und die, welche ich dir zum Geleit mitgebe, sollen wieder hierher nach Gondolin zurückkehren, so schnell sie können.«

Aredhel aber sagte: »Deine Schwester bin ich, nicht deine Dienerin, und jenseits deiner Grenzen gehe ich, wohin es mir beliebt. Und mißgönnst du mir eine Eskorte, so geh' ich allein.«

Da erwiderte Turgon: »Nichts mißgönne ich dir, was ich besitze. Doch wünsche ich, daß außerhalb meiner Mauern niemand sei, der den Weg hierher kennt; und wenn ich auch dir, meiner Schwester, vertraue, so bin ich doch bei andren weniger gewiß, ob sie ihre Zunge zu hüten verstehen.«

Und Turgon gab drei Edlen aus seinem Hause Auftrag, mit Aredhel zu reiten und sie zu Fingon nach Hithlum zu bringen, sofern sie etwas über sie vermöchten. »Und gebt gut acht«, sagte er, »denn wenn auch Morgoth noch im Norden eingeschlossen sein mag, so ist Mittelerde doch voller Gefahren, von denen diese Dame nichts weiß.« Dann brach Aredhel auf, und Turgons Herz war schwer, als sie aus Gondolin schied.

Als sie aber an die Furt von Brithiach im Sirion kam, sagte sie zu ihren Begleitern: »Wenden wir uns nun nach Süden, und nicht nach Norden, denn nach Hithlum will ich nicht reiten; mein Herz verlangt vielmehr, Feanors Söhne zu sehen, meine alten Freunde.« Und weil sie davon nicht abzubringen war, wandten sie sich nach Süden, wie sie befahl, und baten um Einlaß nach Doriath. Doch die Wachen an der Grenze wiesen sie ab, denn Thingol ließ bis auf seine Verwandten aus Finarfins Haus keinen der Noldor über den Gürtel, schon gar nicht Freunde von Feanors Söhnen. Die Grenzwächter sagten daher zu Aredhel: »Zu dem Land Celegorms, wohin du willst, Frau, darfst du mitnichten durch König Thingols Reich; ihr müßt den Gürtel Melians umgehen, im Süden oder im Norden. Der kürzeste Weg ist der über die Pfade, die von der Brithiach nach Osten durch Dimbar führen, entlang der Nordgrenze dieses Königreichs, bis ihr über die Esgalduin-Brücke und die Furten des Aros und in die Länder hinter dem Berg von Himring gelangt. Dort, soviel wir wissen, leben Celegorm und Curufin, und es mag sein, daß du sie dort findest; doch gefährlich ist der Weg.«

Da kehrte Aredhel um und schlug den gefahrvollen Weg zwischen den verfluchten Tälern der Ered Gorgoroth und dem Nordgürtel von Doriath ein; und als sie sich dem Unheilsbezirk von Nan Dungortheb näherten, verwirrten Schattennetze die Reiter, und Aredhel entfernte sich von ihren Begleitern und war verschwunden. Lange suchten sie nach ihr, doch vergebens, und sie fürchteten, sie sei gefangen oder sie habe von den vergifteten Wassern dieses Landes getrunken; Ungolianths grimmige Kreaturen aber, die in den Schluchten hausten, waren wach und jagten die Reiter, und mit Mühe retteten sie das eigene Leben. Als sie schließlich zurückkehrten und berichteten, was sie erlebt, da herrschte Trauer in Gondolin, und Turgon saß lange allein in stummem Leid und Zorn.

Aredhel jedoch hatte vergebens nach ihren Begleitern gesucht und war dann allein weitergeritten, denn sie war furchtlos und beherzt wie alle Kinder Finwes; sie blieb auf ihrem Weg, und nachdem sie den Esgalduin und den Aros überquert hatte, kam sie in das Land von Himlad zwischen Aros und Celon, wo Celegorm und Curufin zu jener Zeit lebten, ehe die Belagerung von Angband durchbrochen wurde. Sie waren nicht daheim, denn sie ritten gerade mit Caranthir im Osten durch Thargelion, doch Celegorms Gefolge hieß sie willkommen und bat sie, bis zu seiner Rückkehr als Ehrengast zu warten. Dort war sie eine Zeitlang zufrieden, und voll Freude schweifte sie frei durch die Wälder; doch als das Jahr sich hinzog und Celegorm nicht kam, wurde sie von neuem rastlos und ritt immer weiter über Land, auf der Suche nach fremden Wegen und nie begangenen Wäldern. So traf es sich, als das Jahr zu Ende ging, daß Aredhel in den Süden von Himlad kam und den Celon überschritt; und ehe sie sich's versah, hatte sie sich in Nan Elmoth verirrt.

Dies war der Wald, wo vor Zeiten Melian umgegangen war, im Dämmerlicht von Mittelerde, als die Bäume noch jung waren; und noch immer lag ein Zauber auf dem Wald. Jetzt aber waren die Bäume von Nan Elmoth die höchsten und dichtesten in ganz Beleriand, und nie drang die Sonne hinein; und dort lebte Eol, den man den Dunkel-Elben nannte. Einst war er von Thingols Volk gewesen, doch rastlos und unzufrieden in Doriath, und als Melian ihren Gürtel um den Wald von Region legte, wo er wohnte, da floh er nach Nan Elmoth. Dort lebte er im tiefen Schatten, denn er liebte die Nacht und das Dämmerlicht unter den Sternen. Die Noldor mied er, denn er hielt sie für schuldig, daß Morgoth zurückgekehrt war, um den Frieden von Beleriand zu stören; für die Zwerge jedoch hatte er mehr Zuneigung als alle anderen aus dem alten Elbenvolk. Von ihm erfuhren die Zwerge vieles von dem, was in den Ländern der Eldar vorging.

Nun kamen die Zwerge mit ihren Waren von den Blauen Bergen auf zwei Wegen durch Ost-Beleriand, und der nördliche führte dicht an Nan Elmoth vorüber zu den Aros-Furten; und dort pflegte Eol sich mit den Naugrim zu treffen und mit ihnen zu reden. Und als ihre Freundschaft enger geworden war, ging er zuweilen fort und wohnte zu Gast in den unterirdischen Hallen von Nogrod und Belegost. Dort erfuhr er so manches von der Schmiedekunst und erwarb in ihr gro-ßes Geschick; und er mischte ein Metall, das hart war wie der Stahl der Zwerge, aber so geschmeidig, daß er es dünn und leicht walzen konnte, und immer noch widerstand es allen Klingen und Pfeilen. Er nannte es *Galvorn,* denn es war schwarz und glänzte wie Pech, und er hüllte sich darein, wann immer er fortging. Doch obwohl von der Schmiedearbeit gebeugt, war Eol kein Zwerg, sondern ein großer Elb aus hohem Geschlecht von den Teleri, edel, wenn auch finsteren Angesichts; und seine Augen vermochten tief in Schatten und dunkle Orte zu dringen. Und es traf sich, daß er Aredhel Ar-Feiniel sah, wie sie zwischen den hohen Bäumen am Rande von Nan El-moth umherging, ein weißer Schimmer in dem dunklen Lande. Sehr schön erschien sie ihm, und er begehrte sie. Und er legte seine Zau-ber um sie, daß sie den Rückweg nicht mehr fand und seiner Behau-sung inmitten des Waldes immer näher kam. Dort waren seine Werk-statt und seine düsteren Hallen und seine wenigen Diener, still und heimlich wie ihr Herr. Und als Aredhel, des Herumirrens müde, schließlich an seine Tür kam, da zeigte er sich, hieß sie willkommen und geleitete sie in sein Haus. Und da blieb sie, denn Eol nahm sie zum Weibe, und lange dauerte es, bis ihre Verwandten wieder von ihr hörten.

Wie es heißt, war Aredhel ihm nicht ganz und gar abgeneigt, und das Leben in Nan Elmoth war ihr viele Jahre lang nicht unerträglich. Denn wenn sie auch auf Eols Geheiß das Sonnenlicht meiden mußte, so zogen sie doch zusammen weit unter den Sternen oder beim Licht der Mondsichel umher; oder sie ging allein, wohin sie wollte, nur daß Eol ihr verbot, Feanors Söhne oder irgendeinen andren von den Nol-dor zu besuchen. Und in den Schatten von Nan Elmoth gebar sie Eol einen Sohn, und im Herzen gab sie ihm einen Namen in der verbote-nen Sprache der Noldor, Lómion, das heißt das Kind der Dämme-rung; sein Vater aber gab ihm keinen Namen, ehe er nicht zwölf Jahre alt war. Dann nannte er ihn Maeglin, was der Scharfe Blick heißt, denn er sah, daß seines Sohnes Augen noch schärfer als die seinen waren und daß sein Geist durch den Nebel der Worte die Geheimnisse der Herzen zu lesen vermochte.

Als Maeglin herangewachsen war, ähnelte er an Gesicht und Leib eher seinen Anverwandten unter den Noldor, an Geist und Gemüt aber war er seines Vaters Sohn. Er sprach nicht viel, außer von Dingen, die ihm nahegingen, und dann hatte seine Stimme die Kraft, die Zuhörer zu bewegen und die Widerstrebenden zu zwingen. Er war groß und schwarzhaarig, von weißer Haut, die Augen dunkel, doch klar und scharf wie die Augen der Noldor. Oft ging er mit Eol in die Zwergenstädte im Osten der Ered Lindon, und dort lernte er eifrig, was man ihn lehrte, vor allem aber die Kunst, das Erz der Metalle in den Bergen zu finden.

Doch heißt es, daß Maeglin seine Mutter mehr liebte, und wenn Eol fort war, dann saß er lange an ihrer Seite und lauschte allem, was sie ihm von ihrem Volk und seinen Taten in Eldamar erzählen mochte und von der Macht und Kühnheit der Prinzen aus dem Hause Fingolfins. All dies grub sich in sein Herz ein, am meisten aber, was er von Turgon hörte, und daß er keinen Erben habe; denn Elenwe, sein Weib, war beim Übergang über die Helcaraxe umgekommen, und seine Tochter Idril Celebrindal war sein einziges Kind.

Als sie von ihren Anverwandten erzählte, erwachte in Aredhel der Wunsch, sie wiederzusehen, und sie verstand nicht, wie sie des Lichtes von Gondolin hatte müde werden können, all der Springbrunnen in der Sonne und der grünen Wiese von Tumladen unter dem windigen Frühlingshimmel; überdies blieb sie oft in den Schatten allein, wenn sowohl ihr Sohn als auch ihr Gemahl fort waren. Aus ihren Erzählungen erwuchs auch der erste Streit zwischen Maeglin und Eol. Denn um keinen Preis wollte seine Mutter Maeglin verraten, wo Turgon wohnte oder auf welche Weise man dorthin gelangen könnte; und er wartete ab, darauf vertrauend, daß er ihr das Geheimnis schon noch abschmeicheln oder vielleicht, in einem unbewachten Augenblick, es aus ihrem Geiste lesen werde. Ehe es aber soweit war, wünschte er, die Noldor zu sehen und mit Feanors Söhnen zu sprechen, seinen Anverwandten, deren Wohnsitz nicht fern war. Doch als er dieses Vorhaben Eol erklärte, war sein Vater voller Zorn. »Aus dem Hause Eols bist du, Maeglin, mein Sohn«, sagte er, »und nicht aus dem der Golodhrim. Und dies Land ist das Land der Teleri, und mit den Mördern unseres Stammes, den Eindringlingen und den Räubern unserer Heimat will ich keinen Umgang haben, und mein Sohn soll es auch nicht. Darin wirst du mir gehorchen, oder ich lege dich in Ketten.« Und Maeglin gab keine Antwort, sondern war kalt und stumm und ging nicht mehr mit Eol auf Reisen; und Eol mißtraute ihm.

Nun geschah es, daß die Zwerge, wie es ihre Art war, zu Mittsommer Eol zu einem Fest in Nogrod einluden; und er ritt fort. So waren Maeglin und seine Mutter für eine Weile frei zu gehen, wohin sie wollten, und oft ritten sie zum Waldessaum, um das Sonnenlicht zu sehen; und in Maeglins Herzen wuchs das Verlangen, Nan Elmoth für immer zu verlassen. Daher sagte er zu Aredhel: »Frau, laß uns von hier fortgehen, solange noch Zeit ist! Was für Hoffnung gibt es denn in diesem Walde für dich oder für mich? Hier werden wir in Knechtschaft gehalten, und keinen Nutzen werde ich davon haben; denn ich habe alles gelernt, was mein Vater zu lehren weiß oder was die Naugrim mir verraten mögen. Wollen wir nicht nach Gondolin gehen? Sei du meine Führerin, und ich will dein Leibwächter sein.«

Da war Aredhel froh und blickte mit Stolz auf ihren Sohn. Und nachdem sie Eols Dienern gesagt, sie gingen Feanors Söhne besuchen, brachen sie auf und ritten zum Nordsaum von Nan Elmoth. Dort überquerten sie den schmalen Fluß Celon und ritten durch das Land von Himlad zu den Furten des Aros, und so weiter nach Westen, die Grenzen von Doriath entlang.

Eol aber kam früher, als es Maeglin vorausgesehen, aus dem Osten zurück, als sein Weib und sein Sohn erst zwei Tage fort waren; und so groß war sein Zorn, daß er ihnen sogar bei Tageslicht nachritt. Als er nach Himlad kam, bemeisterte er seine Wut und ritt vorsichtig weiter, die Gefahr bedenkend, in die er sich begab, denn Celegorm und Curufin waren mächtige Fürsten und alles andere als Eols Freunde, und besonders Curufin hatte gefährliche Launen. Die Späher vom Aglon aber hatten Maeglin und Aredhel zu den Aros-Furten reiten sehen, und Curufin, der erkannte, daß seltsame Dinge im Gange waren, kam vom Paß herab nach Süden und lagerte nahe bei den Furten. Und Eol war noch nicht weit durch Himlad geritten, da hielten ihn Curufins Reiter schon an und brachten ihn zu ihrem Herrn.

Da sagte Curufin zu Eol: »Was führt dich in meine Lande, Dunkel-Elb? Ein dringliches Geschäft muß es wohl sein, das einen so Lichtscheuen bei Tag hinaustreibt.«

Und Eol, die Gefahr kennend, unterdrückte die bitteren Worte, die ihm auf die Zunge kamen. »Ich habe erfahren, Herr Curufin«, sagte er, »daß mein Sohn und mein Weib, die Weiße Dame von Gondolin, ausgeritten sind, um euch zu besuchen, während ich nicht zu Hause war, und da schien es mir geziemend, daß ich mich ihnen anschließen sollte.«

Da lachte Curufin Eol ins Gesicht und sagte: »Weniger herzlich möchten sie hier begrüßt worden sein, als sie gehofft, hättest du sie begleitet; doch wie dem auch sei, nicht dies war ihr Ziel. Keine zwei Tage ist es her, seit sie die Arossiach überquerten, und von da sind sie eilends nach Westen geritten. Es scheint, du willst mich täuschen, es sei denn, du selber wurdest getäuscht.«

Und Eol antwortete: »Dann darf ich jetzt vielleicht gehen, Herr, um die Wahrheit in dieser Sache zu entdecken.«

»Leicht wird mir der Abschied«, sagte Curufin. »Je schneller du aus meinem Land verschwindest, desto lieber ist mir's.«

Nun stieg Eol zu Pferde und sagte: »Es tut gut, Herr Curufin, einen hilfreichen Verwandten zu finden, wenn man ihn braucht. Ich werde mich daran erinnern, wenn ich zurück bin.« Da sah Curufin Eol finster an. »Prahle du vor mir nicht mit dem Titel deines Weibes«, sagte er. »Denn wer die Töchter der Noldor stiehlt und sie zum Weib nimmt, ohne nach Mitgift oder Erlaubnis zu fragen, wird nicht verwandt mit ihren Verwandten. Ich habe dir erlaubt zu gehen, und nun pack dich! Nach den Gesetzen der Eldar darf ich dich zu dieser Zeit nicht töten. Und diesen Rat geb' ich dir noch: Reite jetzt heim in deine finstre Behausung in Nan Elmoth, denn mein Herz sagt mir, nimmer wirst du dorthin zurückkehren, wenn du jetzt die verfolgst, die dich nicht mehr lieben.«

Da ritt Eol in Eile davon, voller Haß gegen alle Noldor, denn er begriff nun, daß Maeglin und Aredhel nach Gondolin flohen. Getrieben von Wut und Scham über seine Demütigung setzte er über die Aros-Furten und ritt scharf den Weg dahin, den sie vor ihm gekommen waren; doch obgleich sie nicht wußten, daß er sie verfolgte, und obgleich er das schnellste Pferd hatte, bekam er sie nicht mehr zu Gesicht, bis daß sie die Brithiach erreichten und ihre Pferde zurückließen. Da verriet sie ein mißgünstiger Zufall, denn ihre Pferde wieherten laut, und Eols Pferd hörte sie und rannte auf sie zu; und von fern sah Eol Aredhels weißes Gewand und merkte sich den Weg, den sie gingen.

Nun kamen Aredhel und Maeglin ans Außentor von Gondolin und zur Dunklen Wache unter den Bergen, und dort wurde Aredhel freudig begrüßt. Nachdem sie die Sieben Tore durchschritten hatte, kam sie mit Maeglin zu Turgon auf dem Amon Gwareth. Da hörte der König nun mit Erstaunen alles an, was Aredhel zu erzählen hatte, und mit Wohlgefallen sah er auf Maeglin, seiner Schwester Sohn, denn würdig schien er ihm, unter die Prinzen der Noldor gewählt zu werden.

»Froh bin ich, daß Aredhel Ar-Feiniel nach Gondolin heimgekehrt ist«, sagte er, »und heller soll meine Stadt wieder scheinen als in den Tagen, da ich sie verloren glaubte. Und Maeglin soll in meinem Reich höchste Ehren genießen.«

Da verbeugte sich Maeglin tief und huldigte Turgon als Herrn und König, dessen Wille ihn leiten solle; darauf aber wurde er still und sah sich aufmerksam um, denn der Glanz und die Pracht von Gondolin übertrafen alles, was er sich nach den Erzählungen seiner

Mutter vorgestellt hatte, und er staunte über die Stärke der Befestigungen und die Scharen der Stadtbewohner und die vielen schönen und merkwürdigen Dinge, die er erblickte. Nichts aber zog öfter seinen Blick an als Idril, die Königstochter, die neben ihm saß; denn goldblond war sie wie die Vanyar, ihrer Mutter Geschlecht, und Maeglin erschien sie wie die Sonne, welche die ganze Halle des Königs mit Licht erfüllte.

Eol aber, als er Aredhel folgte, fand den Trockenen Fluß und den Geheimpfad, und wie er so heimlich heranschlich, ergriff ihn die Wache und verhörte ihn. Und als er angab, Aredhel sei sein Weib, waren die Wachen erstaunt und schickten eilends einen Boten in die Stadt, und der trat nun in des Königs Halle.

»Herr«, rief er, »die Wachen haben einen gefangengenommen, der sich ans Dunkle Tor heranschlich. Eol nennt er sich, und er ist ein großer Elb, dunkel und grimmig, vom Geschlecht der Sindar; doch behauptet er, Frau Aredhel sei sein Weib, und er verlangt, dir vorgeführt zu werden. Groß ist sein Zorn, und kaum vermochten wir ihn zu bändigen, doch haben wir ihn nicht erschlagen, weil dein Gesetz es verbietet.«

Da sagte Aredhel: »Wehe, Eol ist uns gefolgt, wie ich befürchtet. Doch gut verborgen muß er gewesen sein, denn als wir den geheimen Weg betraten, haben wir keinen Verfolger gehört oder gesehen.« Dann sagte sie zu dem Boten: »Er spricht die Wahrheit. Er ist Eol, und ich bin sein Weib, und er ist der Vater meines Sohnes. Erschlagt ihn nicht, sondern bringt ihn herbei, damit der König urteile, wenn es ihm so beliebt.«

Und so geschah es. Eol wurde in Turgons Halle gebracht und stand vor Turgons Thron, stolz und verschlossen. Obwohl er nicht minder erstaunt war als sein Sohn über all das, was er sah, war sein Herz nur um so mehr von Wut und Haß gegen die Noldor erfüllt. Turgon aber empfing ihn in Ehren; er erhob sich und wollte ihm die Hand reichen und sagte: »Willkommen, Schwager, denn als solchen betrachte ich dich. Hier sollst du leben, wie es dir beliebt, nur mußt du hier bleiben und darfst mein Reich nicht verlassen; denn mein Gesetz will es so, daß keiner, der den Weg hierher findet, wieder fort darf.«

Eol aber zog die Hand zurück. »Dein Gesetz gilt mir nichts«, sagte er. »Kein Recht hast du oder wer immer aus deinem Geschlecht, in diesem Lande Reiche zu gründen oder Grenzen zu setzen, weder hier noch dort. Dies ist das Land der Teleri, in das ihr Krieg und Unruhe tragt mit eurem stolzen und ungerechten Gebaren. Deine Geheimnisse kümmern mich nicht, und nicht um dir nachzuspüren bin ich gekommen, sondern um zu fordern, was mein ist: mein Weib und meinen Sohn. Doch da auf Aredhel, deine Schwester, auch du ein Recht hast, so mag sie hierbleiben. Soll der Vogel zurück in den Käfig, den er bald wieder leid sein wird, so wie schon einmal. Nicht aber Maeglin! Meinen Sohn darfst du mir nicht vorenthalten. Komm, Maeglin, Eols Sohn! Dein Vater befiehlt dir. Verlaß das Haus seiner Feinde und der Mörder unserer Anverwandten, oder sei verflucht!« Maeglin aber gab keine Antwort.

Da setzte sich Turgon auf seinen Thron und nahm seinen Gerichtsstab zur Hand und sprach mit strenger Stimme: »Ich streite nicht mit dir, Dunkel-Elb. Die Schwerter der Noldor allein schützen eure sonnenlosen Wälder. Die Freiheit, dort umherzuschweifen, verdankt ihr meinem Volke; Arbeitssklaven wäret ihr längst ohne uns in den Gruben von Angband. Und hier bin ich König, und ob es dir gefällt oder nicht, mein Urteil ist Gesetz. Diese Wahl nur hast du: hier zu wohnen oder hier zu sterben, und so auch dein Sohn.«

Da sah Eol König Turgon in die Augen, und er war nicht erschrocken, sondern stand lange da, ohne ein Wort oder eine Bewegung, und es wurde totenstill in der Halle; und Aredhel hatte Angst, denn sie wußte, er war gefährlich. Plötzlich, schnell wie eine Schlange, ergriff er den Spieß, den er unter seinem Mantel verborgen hielt, warf ihn nach Maeglin und rief: »Das Zweite ist meine Wahl, und so auch für meinen Sohn! Du sollst nicht haben, was mein ist.«

Doch Aredhel sprang dazwischen, und der Spieß traf sie in die Schulter, und Eol wurde von vielen überwältigt und in Fesseln gelegt. Man führte ihn hinweg, während andere sich um Aredhel kümmerten. Maeglin aber blickte schweigend auf seinen Vater.

Verfügt wurde, daß Eol am nächsten Tage dem König vorgeführt werde, um sein Urteil zu empfangen; und Aredhel und Idril bewogen Turgon zur Gnade. Am Abend jedoch wurde Aredhel krank, obgleich ihre Wunde gering schien; sie fiel ins Dunkel und starb noch in derselben Nacht; denn die Spitze des Spießes war vergiftet, doch keiner erkannte es, ehe es zu spät war.

Daher fand Eol keine Gnade, als er vor Turgon erschien; man führte ihn hinweg zum Caragdûr, einem schwarzen Felsvorsprung an der Nordseite des Hügels von Gondolin, um ihn dort von den hohen Mauern der Stadt hinabzustoßen. Und Maeglin stand dabei und sagte nichts; Eol aber rief zuletzt aus: »So läßt du deinen Vater im Stich und seine Sippe, mißratener Sohn! Hier sollen alle deine Hoffnungen scheitern, und hier wirst du desselben Todes sterben wie ich.«

Dann stieß man Eol vom Caragdûr hinab, und dies war sein Ende, und allen in Gondolin schien es gerecht; Idril aber war bestürzt, und von diesem Tage an mißtraute sie ihrem Vetter. Maeglin aber blühte auf und wurde ein Großer unter den Gondolindrim, von allen gerühmt und in hoher Gunst bei Turgon; denn nicht nur lernte er schnell und willig, was es zu lernen gab, sondern er hatte auch so manches zu lehren. Und er scharte um sich alle, die am meisten von der Schmiedekunst und vom Bergbau wußten, und grub in den Echoriath (das heißt: den Umzingelnden Bergen) und fand reiche Adern von den Erzen mannigfacher Metalle. Am höchsten schätzte er das harte Eisen der Mine von Anghabar im Norden der Echoriath, und daraus gewann er reichlich Schmiedeeisen und Stahl, so daß die Waffen der Gondolindrim noch fester und schärfer wurden; und das kam ihnen in späteren Tagen zustatten. Klug im Rate war Maeglin und bedachtsam, und doch unentwegt und tapfer, wenn nötig. Und das sah man in späteren Tagen: Denn als im schlimmen Jahr der Nir-naeth Arnoediad Turgon seine Tore öffnete und auszog, um Fingon im Norden zu Hilfe zu kommen, da mochte Maeglin nicht als Statt-halter des Königs in Gondolin bleiben, sondern zog mit in den Krieg und focht an Turgons Seite und bewies Mut und Kraft in der Schlacht.

Also schien Maeglins Schicksal glücklich, denn ein Mächtiger unter den Prinzen der Noldor war er geworden, bis auf einen der Höchste im ruhmreichsten ihrer Länder. Sein Herz aber offenbarte er nicht; und wenn auch nicht alles so ging, wie er wollte, so trug er es doch schweigend und verbarg seine Gedanken, so daß niemand sie lesen konnte, es sei denn Idril Celebrindal. Denn von seinen er-sten Tagen in Gondolin an trug er ein Leid in sich, das immer schlimmer wurde und ihm alle Freude raubte: Er liebte Idrils Schön-heit und begehrte sie, doch ohne Hoffnung. Die Eldar vermählten sich nicht mit so nahen Verwandten, und noch niemand hatte dies je gewünscht. Und wie dem auch sein mochte, Idril liebte Maeglin nicht im mindesten, um so weniger, da sie wußte, wie er über sie dachte. Denn ihr erschien dies als ein sonderbarer, unehrlicher Zug an ihm, und so haben auch die Eldar es seither immer verstanden: als eine böse Frucht des Sippenmords, wodurch der Schatten von Mandos' Fluch auch auf die letzte Hoffnung der Noldor fiel. Doch während die Jahre hingingen, sah Maeglin immer noch auf Idril und wartete, und Liebe verdunkelte sein Herz. Um so mehr trachtete er, seinen Willen in andren Dingen zu haben, und er scheute keine Last noch Mühe, wenn es Macht zu gewinnen galt.

So stand es um Gondolin; und in all dem Glück jenes Reiches, während seine Macht noch dauerte, wurde die dunkle Saat des Un-heils gesät.

XVII

Von den ersten Menschen im Westen

Dreihundert und mehr Jahre, nachdem die Noldor nach Beleriand gekommen waren, begab sich Finrod Felagund, Fürst von Nargothrond, in die Lande östlich des Sirion und ging zur Jagd mit Maglor und Maedhros, Feanors Söhnen. Doch bald war er des Jagens müde und zog allein weiter, auf die Berge der Ered Lindon zu, die er in der Ferne schimmern sah. Er hielt sich auf der Zwergenstraße und überquerte den Gelion an der Furt von Sarn Athrad; dann, sich nach Süden wendend, kam er über den Oberlauf des Ascar in den Norden von Ossiriand.

In einem Tal zwischen den Ausläufern der Berge, unterhalb der Quellen des Thalos, sah er eines Abends Lichter, und von fern hörte er Singen. Dies verwunderte ihn sehr, denn die Grün-Elben in diesem Lande entzündeten keine Feuer, noch sangen sie des Nachts. Zuerst befürchtete er, eine Bande Orks sei durch die Sperren im Norden gedrungen, doch als er näher kam, merkte er, daß sie in einer nie zuvor gehörten Sprache sangen, die weder die der Zwerge noch die der Orks war. Dann sah Felagund, sich im nächtlichen Schatten der Bäume haltend, in das Lager hinein, und dort erblickte er ein merkwürdiges Volk.

Dies nun war ein Teil aus der Sippe und dem Gefolge Beors des Alten, wie er später geheißen wurde, eines Häuptlings der Menschen. Nach vielen Altern, die sie von Osten her gewandert waren, hatte er sie schließlich über die Blauen Berge geführt, die ersten aus dem Geschlecht der Menschen, die Beleriand betraten; und sie sangen, weil sie froh waren und glaubten, allen Gefahren entronnen und nun endlich in ein Land ohne Schrecken gekommen zu sein.

Lange sah Felagund ihnen zu, und Neigung regte sich in seinem Herzen, doch blieb er zwischen den Bäumen verborgen, bis sie alle in Schlaf gesunken waren. Dann trat er zwischen die Schlafenden und setzte sich an ihr verlöschendes Feuer, an dem niemand Wache hielt; und er nahm eine klobige Harfe zur Hand, die Beor beiseite gelegt hatte, und spielte darauf eine Musik, wie sie die Ohren der Menschen noch nicht vernommen hatten; denn niemand hatte sie noch in dieser Kunst unterwiesen, außer den Dunkel-Elben in den wilden Wäldern.

Nun erwachten die Menschen und hörten Felagund zu, wie er spielte und sang, und jeder meinte, ihm träume, bis er sah, daß auch die Gefährten an seiner Seite wach waren; doch sie sprachen oder rührten sich nicht, solange Felagund spielte, so schön und voller Wunder waren die Musik und sein Lied. Weisheit war in den Worten des Elbenkönigs, und die Herzen wurden klüger, die ihm lauschten; denn die Dinge, von denen er sang, die Erschaffung Ardas und das Glück von Aman jenseits der Schatten des Meeres, traten als klare Gesichte vor ihre Augen, und seine Elbensprache verstand ein jeder so gut er's vermochte.

So kam es, daß die Menschen König Felagund, der ihnen als erster von allen Eldar begegnet war, Nóm nannten, was in der Sprache dieses Volkes Weisheit bedeutet, und nach ihm benannten sie sein Volk Nómin, die Weisen. Zuerst hielten sie Felagund sogar für einen der Valar, von denen sie gehört hatten, daß sie weit im Westen wohnten; und dies war (so sagen manche) der Grund ihrer Wanderung gewesen. Felagund aber verweilte unter ihnen und lehrte sie wahrhaftiges Wissen, und sie verehrten ihn und nahmen ihn zum König und waren dem Hause Finarfin hernach stets treu ergeben.

Nun waren die Eldar sprachenkundiger als alle anderen Völker, und Felagund entdeckte auch bald, daß er jene Gedanken der Menschen, die sie auszusprechen gedachten, in ihrem Geiste lesen konnte, so daß ihre Worte leicht zu verstehen waren. Es heißt auch, diese Menschen hätten lange mit den Dunkel-Elben östlich der Berge Umgang gehabt und viel von deren Sprache erlernt; und da alle Sprachen der Quendi eines Ursprungs waren, ähnelte die Sprache Beors und seines Volkes der Sprache der Elben in vielen Formen und Wörtern. Nicht lange, so konnte daher Felagund mit Beor sprechen, und dies tat er oft, während er bei ihnen blieb. Fragte er ihn aber nach der Herkunft der Menschen und nach ihren Wanderungen, so sagte Beor nicht viel, und viel wußte er auch nicht, denn die Väter seines Volkes hatten wenig über ihre Vergangenheit gesprochen, und ein Stillschweigen lag auf ihrem Gedächtnis. »Ein Dunkel liegt hinter uns«, sagte Beor, »und von ihm haben wir uns fortgewandt, und nicht einmal in Gedanken wollen wir dorthin zurückkehren. Dem Westen sind unsere Herzen zugewandt, und wir glauben, daß wir dort Licht finden.«

Später jedoch hieß es unter den Eldar, als die Menschen beim Aufgang der Sonne in Hildórien erwachten, da seien die Späher Morgoths auf der Hut gewesen, und sogleich hätte er Nachricht erhalten. Die Sache schien ihm so wichtig, daß er selber insgeheim unter einem Schatten sich aufmachte und aus Angband nach Mittelerde kam, Sauron mit dem Oberbefehl über das Heer zurücklassend. Von seinen Geschäften mit den Menschen wußten die Eldar zu jener Zeit noch gar nichts, und auch später erfuhren sie nicht viel; daß aber ein Dunkel auf den Herzen der Menschen lag (wie der Schatten des Sippenmords und Mandos' Spruch auf den Noldor), das erkannten sie deutlich selbst in dem Volk der Elbenfreunde, die ihnen als erste begegneten. Zu verderben oder zu vernichten, was immer Neues und Schönes entstand, war stets Morgoths heißester Wunsch, und ohne Zweifel war dies auch der Zweck bei diesem Unternehmen: durch Furcht und Lügen die Menschen zu Feinden der Eldar zu machen und sie von Osten her gegen Beleriand ins Feld zu führen. Doch dieser Plan reifte nur langsam und konnte nie ganz ausgeführt werden; denn die Menschen (so heißt es) waren zuerst nur sehr wenige an Zahl, während die wachsende Stärke und Einigkeit der Eldar Morgoth Sorgen machten; und so kehrte er zurück nach Angband und ließ fürs erste nur einige Diener bei den Menschen, solche ohne viel Macht und List.

Felagund nun erfuhr von Beor, daß es noch viele andere Menschen gab, die dachten wie sie und gleichfalls nach Westen zogen. »Auch andre aus meinem Volk haben das Gebirge überschritten«, sagte er, »und sie sind nicht fern von uns; und die Haladin, ein Volk, von dem wir uns in der Sprache unterscheiden, liegen noch in den Tälern an den Osthängen und warten auf Kundschaft, ehe sie sich weiter vorwagen. Und noch andre Menschen gibt es, deren Sprache der unseren ähnlicher ist, und mit denen wir zuweilen Umgang hatten. Sie waren uns auf dem Marsch nach Westen voraus, doch haben wir sie überholt, denn sie sind ein zahlreiches Volk und bleiben doch zusammen; deshalb kommen sie nur langsam voran. Sie werden alle von einem Häuptling regiert, den sie Marach nennen.«

Nun waren die Grün-Elben von Ossiriand über die Ankunft der Menschen verdrossen, und als sie erfuhren, daß sich ein Fürst der Eldar von jenseits des Meeres unter ihnen befinde, schickten sie Boten zu Felagund. »Herr«, sagten sie, »wenn du über die Neuankömmlinge Macht hast, so gebiete ihnen, daß sie den Weg zurückgehen, den sie gekommen, oder aber weiterziehen. Denn wir wünschen nicht, daß Fremde den Frieden dieses Landes brechen, wo wir leben. Baumfäller und Tierjäger sind diese Leute; deshalb sind wir unfreund mit ihnen, und wenn sie nicht abziehen, so wollen wir ihnen zu Leid tun, was wir nur können.«

Darauf sammelte Beor auf Felagunds Anraten all die wandernden Sippen und Familien seines Volkes, und sie zogen über den Gelion fort und ließen sich in den Landen von Amrod und Amras nieder, an den Ostufern des Celon südlich von Nan Elmoth, nahe an der Grenze von Doriath; und der Name dieses Landes war fortan Estolad, das Lager. Als aber Felagund, nachdem ein Jahr vergangen war, wieder in sein eigenes Land heimkehren wollte, erbat Beor die Erlaubnis, mit ihm zu kommen, und solange er lebte, blieb er im Dienste des Königs von Nargothrond. So kam er zu seinem Namen, Beor, denn zuvor hatte er Balan geheißen, und Beor bedeutete »Vasall« in der Sprache seines Volkes. Die Herrschaft über sein Volk übertrug er Baran, seinem ältesten Sohn; und er kehrte nicht mehr nach Estolad zurück.

Bald nach Felagunds Aufbruch kamen auch die andren Menschen nach Beleriand, von denen Beor gesprochen hatte. Zuerst kamen die Haladin; doch nachdem sie die Unfreundschaft der Grün-Elben kennengelernt hatten, zogen sie nach Norden und ließen sich in Thargelion nieder, dem Land von Caranthir, Feanors Sohn. Dort hatten sie eine Zeitlang Frieden; und Caranthirs Volk kümmerte sich wenig um sie. Im nächsten Jahr führte Marach sein Volk übers Gebirge; dies waren große und kriegerische Leute, die in Reih und Glied marschierten, und die Elben von Ossiriand versteckten sich und hielten sie nicht auf. Als Marach aber hörte, daß Beors Volk in einem grünen und fruchtbaren Lande lebte, zog er die Zwergenstraße entlang und ließ sich im Süden und Osten des Gebiets nieder, wo das Volk von Baran, Beors Sohn, wohnte; und beide Völker lebten miteinander in enger Freundschaft.

Felagund selbst kam oft zurück, um die Menschen zu besuchen, und viele andere Elben aus den Westlanden, Noldor wie Sindar, reisten nach Estolad, begierig, die Edain zu sehen, deren Ankunft vor so langer Zeit schon geweissagt worden war. Die Atani, das Zweite Volk, hießen die Menschen in der Wissenschaft von Valinor, wo von ihrer Ankunft die Rede war; in der Sprache von Beleriand aber wurde dieser Name zu Edain, und er wurde nur für die drei Völker der Elbenfreunde gebraucht.

Fingolfin als König aller Noldor sandte den Menschen eine Willkommensbotschaft, und darauf zogen viele junge und tatenlustige Männer der Edain fort und nahmen Dienst bei den Königen und Fürsten der Eldar. Unter ihnen war Malach, Marachs Sohn, der vierzehn Jahre lang in Hithlum lebte; er erlernte die Elbensprache und erhielt den Namen Aradan.

Die Edain blieben in Estolad nicht lange ruhig, denn viele wollten noch weiter nach Westen; doch kannten sie den Weg nicht. Vor ihnen lag der Grenzgürtel von Doriath und weiter südlich der Sirion mit seinen undurchdringlichen Sümpfen. Die Könige der drei Häuser der Noldor, die von den Söhnen der Menschen eine Verstärkung erhofften, sandten daher Nachricht, daß jeder der Edain, der wolle, kommen und unter ihrem Volk leben möge. So begannen die Wanderungen der Edain: Zuerst waren es nur wenige, dann aber machten ganze Familien und Sippen sich auf und verließen Estolad, bis nach etwa fünfzig Jahren viele Tausende in die Länder der Könige gezogen waren. Viele von ihnen schlugen den langen Weg nach Norden ein, bis ihnen die Wege besser bekannt waren. Das Volk Beors kam nach Dorthonion und lebte in den Ländern, die vom Hause Finarfin regiert wurden. Das Volk Aradans (denn Marach, sein Vater, blieb bis zu seinem Tode in Estolad) zog zum größten Teil nach Westen weiter; und manche kamen nach Hithlum, doch Magor, Aradans Sohn, und viele von seinem Volk gingen den Sirion hinunter und nach Beleriand hinein, wo sie eine Zeitlang in den Tälern an den Südhängen der Ered Wethrin blieben.

Es heißt, in all diesen Dingen habe sich außer Finrod Felagund niemand mit König Thingol beraten, und schon aus diesem Grunde war er wenig erbaut; überdies hatten ihn Träume von der Ankunft der Menschen schon beunruhigt, ehe noch die ersten Nachrichten von ihnen kamen. Er befahl daher, daß die Menschen keine Wohngebiete nehmen dürften außer im Norden und daß die Fürsten, denen sie dienten, für all ihr Tun verantwortlich zu halten seien. Und er sagte:»Nach Doriath soll kein Mensch kommen, solange mein Reich dauert, nicht einmal die aus dem Hause Beors, die unserm guten Freund Finrod dienen.« Melian sagte damals nichts zu ihm, später aber sagte sie zu Galadriel:»Nun eilt die Welt großen Dingen entgegen. Und einer von den Menschen, sogar einer aus Beors Haus, wird dennoch kommen, und Melians Gürtel wird ihn nicht aufhalten, denn ein Schicksal, größer als meine Macht, sendet ihn; und die Lieder, die aus seiner Ankunft entspringen, werden noch dauern, wenn ganz Mittelerde anders sein wird.«

Viele Menschen blieben jedoch in Estolad, und lange Jahre über lebte dort noch ein Mischvolk, bis es im Untergang von Beleriand überwältigt wurde oder zurück in den Osten floh. Denn abgesehen von den Alten, welche meinten, daß für sie die Zeit des Wanderns vorüber sei, gab es nicht wenige, die ihrer eigenen Wege zu gehen wünschten, und sie fürchteten die Eldar und das Licht ihrer Augen; und dann erwachten Zwistigkeiten unter den Edain, worin man den Schatten Morgoths erkennen mag, denn gewiß ist, daß er von der Einwanderung der Menschen nach Beleriand und ihrer wachsenden Freundschaft mit den Elben wußte.

Die Anführer der Unzufriedenen waren Bereg aus dem Hause Beors und Amlach, einer von Marachs Enkeln, und sie sagten unverhohlen: »Weit sind wir gewandert, um den Gefahren von Mittelerde und den dunklen Wesen, die dort leben, zu entkommen, denn wir hatten gehört, Licht sei im Westen. Nun aber hören wir, das Licht sei jenseits des Meeres. Dorthin können wir nicht gehen, wo die Götter in Glückseligkeit wohnen. Nur einer, der Herr des Dunkels, steht hier vor uns, und die Eldar, weise, doch grausam, die endlos Krieg gegen ihn führen. Im Norden wohnt er, sagen sie, und dort sind das Leid und der Tod, vor denen wir geflohen sind. Dorthin wollen wir nicht gehen.«

Nun wurden ein Rat und eine Versammlung der Menschen einberufen, und in großer Zahl kamen sie zusammen. Und die Elbenfreunde antworteten und sagten: »Gewiß, von dem Dunklen König kommen alle Übel, vor denen wir geflohen sind, doch strebt er nach Herrschaft über ganz Mittelerde, und wohin könnten wir nun gehen, ohne daß er uns verfolgte, wenn er nicht hier besiegt oder wenigstens belagert wird? Nur die Tapferkeit der Eldar gebietet ihm Halt, und vielleicht war es zu dem Zweck, ihnen in der Not zu helfen, daß wir in dieses Land geführt wurden.«

Darauf erwiderte Bereg: »Sollen die Eldar sich darum sorgen! Unser Leben ist kurz genug.« Dann aber stand einer auf, von dem alle meinten, er sei Amlach, Imlachs Sohn, und führte so schwarze Rede, daß allen, die ihn hörten, das Herz stockte: »All dies sind bloß Elbenmärchen, um leichtgläubige Neulinge zu betrügen. Das Meer hat kein Ufer. Es gibt kein Licht im Westen. Einem Blendwerk der Elben seid ihr gefolgt, bis ans Ende der Welt. Wer von euch hat je auch nur den Geringsten von den Göttern gesehen? Wer hat den Dunklen König im Norden gesehen? Wer hier nach Herrschaft über Mittelerde strebt, sind die Eldar. In ihrer Gier nach Schätzen und Geheimnissen haben sie in der Erde gegraben und den Zorn derer erregt, die unter ihr wohnen, seit je und auf immer. Laßt den Orks ihr Reich, und wir werden das unsere haben! Platz genug ist in der Welt, wenn ihn die Eldar uns nur gönnen.«

Da saßen die Zuhörer eine Weile sprachlos da, und ein Schatten der Furcht fiel auf ihre Herzen, und sie beschlossen, weit fortzuziehen aus den Ländern der Eldar. Später aber kam Amlach wieder unter sie und leugnete, daß er bei diesem Streit zugegen gewesen sei und die Worte gesprochen habe, die man von ihm berichtete; und Zweifel und Bestürzung herrschten unter den Menschen. Da sagten die Elbenfreunde: »Nun werdet ihr zumindest dies glauben: Den Dunklen König gibt es wirklich, und seine Späher und Sendlinge sind unter uns, denn er fürchtet uns und unsere Kraft auf seiten seiner Feinde.«

Doch immer noch antwortete jemand: »Er haßt uns nur, und um so mehr, je länger wir hier bleiben und uns in seinen Streit mit den Eldarkönigen mischen, ohne Gewinn für uns.« Viele von denen, die noch in Estolad wohnten, machten sich daher zum Aufbruch bereit; und Bereg führte tausend aus Beors Volk nach Süden davon, und sie verschwanden aus den Liedern jener Tage. Amlach aber bereute und sagte: »Jetzt habe ich meinen eignen Streit mit diesem Meister der Lügen, und der soll dauern bis an mein Lebensende.« Und er ging nach Norden und trat in Maedhros' Dienst. Doch diejenigen aus seinem Volke, die mit Bereg eines Sinnes waren, wählten sich einen neuen Führer und gingen zurück über die Berge nach Eriador und sind nun vergessen.

Während dieser Zeit blieben die Haladin in Thargelion und waren zufrieden. Morgoth aber, als er sah, daß er mit Lug und Trug Elben und Menschen nicht ganz und gar trennen konnte, war voller Zorn und Eifer, den Menschen Schaden zu tun, wo er nur konnte. So schickte er eine Schar Orks aus, die sich nach Osten an der Belagerung vorbeischlichen und heimlich auf den Pässen der Zwergenstraße über die Ered Lindon wieder nach Westen kamen; und sie überfielen die Haladin in den südlichen Wäldern von Caranthirs Land.

Nun lebten die Haladin nicht unter der Herrschaft eines Fürsten oder zu vielen an einem Platze, sondern in vereinzelten Gehöften, deren jedes seine eigene Ordnung hatte, und so waren sie nicht schnell zu vereinigen. Doch unter ihnen war ein furchtloser Mann namens Haldad, dessen Wort etwas galt; und er sammelte alle Tapferen, die er finden konnte, und zog sich auf die Landzunge zwischen dem Ascar und dem Gelion zurück, und im äußersten Winkel baute er einen Palisadenzaun von Ufer zu Ufer; und dahinter brachten sie alle Frauen und Kinder in Sicherheit, die sie retten konnten. Dort wurden sie belagert, bis sie nichts mehr zu essen hatten.

Haldad hatte Zwillingskinder: Haleth, seine Tochter, und Haldar, seinen Sohn; und beide zeichneten sich bei der Verteidigung aus, denn Haleth war eine Frau von großem Herzen und großer Stärke. Zuletzt aber wurde Haldad bei einem Ausfall gegen die Orks erschlagen, und Haldar, der hinausstürzte, um seines Vaters Leichnam vor ihrem Schlächterwerk zu retten, wurde neben ihm niedergehauen. Nun hielt Haleth die Leute beisammen, obgleich keine Hoffnung mehr war; und manche stürzten sich in die Flüsse und ertranken. Doch sieben Tage später, als die Orks zum letzten Ansturm kamen und schon durch die Palisaden gebrochen waren, erschallten plötzlich Trompeten, und Caranthir kam mit seinem Heer von Norden und trieb die Orks in die Flüsse.

Caranthir sah nun die Menschen freundlicher an und erwies Haleth hohe Ehren; und er bot ihr Entschädigung für ihren Vater und

Bruder. Und da er nun allzu spät erkannte, welcher Mut in den Edain steckte, sagte er zu ihr: »Wenn ihr hier fortzieht und euch weiter im Norden ansiedelt, so habt ihr die Freundschaft und den Schutz der Eldar, und freies Land steht euch zur Verfügung.«

Haleth aber war stolz und nicht geneigt, sich beschirmen oder regieren zu lassen, und die meisten der Haladin waren gleichen Sinnes. Daher dankte sie Caranthir, erwiderte jedoch: »Mein Entschluß, Herr, ist schon gefaßt; ich will fort aus dem Schatten der Berge und nach Westen gehen, wohin schon andre aus unserem Geschlecht gegangen sind.« Nachdem daher die Haladin alle von ihrem Volk, die vor den Orks in die Wälder geflohen waren und noch lebten, versammelt und die Reste ihrer Habe aus ihren verbrannten Gehöften hervorgesucht hatten, wählten sie Haleth zur Anführerin; und sie führte sie schließlich nach Estolad, und dort wohnten sie eine Weile.

Doch sie blieben ein Volk für sich, und bei Elben und Menschen hießen sie fortan immer nur das Volk Haleths. Haleth blieb ihre Führerin, solange sie lebte, doch sie heiratete nicht, und die Führung ging später an Haldan über, den Sohn ihres Bruders Haldar. Bald wollte Haleth wieder nach Westen weiterziehen, und obwohl ihr Volk in der Mehrzahl gegen diesen Plan war, führte sie es erneut fort; und sie wanderten ohne Schutz oder Hilfe von seiten der Eldar, und nachdem sie den Celon und Aros überschritten hatten, zogen sie durch das gefahrvolle Land zwischen den Bergen des Grauens und dem Gürtel Melians. Wenn auch dieses Land damals noch nicht so schlimm war wie später, so war es doch kein Weg für sterbliche Menschen, denen niemand half, und nur unter Mühen und Verlusten brachte Haleth ihr Volk hindurch, indem sie es mit der Kraft ihres Willens vorantrieb. Als sie zuletzt über die Brithiach kamen, reute so manchen diese Reise bitterlich; doch gab es nun kein Zurück mehr. In den neuen Ländern nahmen sie daher ihr altes Leben wieder auf, so gut es ging; und sie lebten in freien Gehöften in den Wäldern von Talath Dirnen südlich des Teiglin, und manche wanderten weiter bis in das Reich von Nargothrond. Doch viele waren unter ihnen, welche die Frau Haleth verehrten und ihr zu folgen wünschten, wohin sie auch ginge, um unter ihrer Hoheit zu leben; und mit diesen zog sie in den Wald von Brethil, zwischen Teiglin und Sirion. Dorthin folgten in den späteren schlimmen Zeiten viele aus ihrem verstreuten Volk.

Nun galt Brethil als ein Teil von König Thingols Reich, obgleich es nicht im Gürtel Melians lag, und Thingol hätte Haleth den Zutritt verweigert; Felagund aber, der Thingols Freundschaft genoß und der erfuhr, was Haleths Volk alles erlitten hatte, erwirkte diese Erlaubnis für sie: Sie durften frei in Brethil wohnen, doch unter der Bedingung, daß sie die Übergänge über den Teiglin gegen alle Feinde der Eldar schützten und den Orks keinen Eingang in ihre Wälder gewährten. Worauf Haleth erwiderte: »Wo sind Haldad, mein Vater, und mein Bruder Haldar? Wenn der König von Doriath Freundschaft zwischen Haleth und jenen befürchtet, die ihre Anverwandten gefressen, dann sind die Gedanken der Eldar den Menschen fremd.« Und Haleth blieb in Brethil bis zu ihrem Tode; und ihr Volk warf über ihrem Grab in den Anhöhen des Waldes einen grünen Hügel auf, Tûr Haretha, das Grab der Frau, Haudh-en-Arwen in der Sprache der Sindar.

So geschah es, daß sich die Edain in den Ländern der Eldar niederließen, manche hier, manche da, manche umherschweifend, manche seßhaft, in Sippen oder kleinen Völkern; und die meisten lernten bald die Sprache der Grau-Elben, sowohl für den täglichen Gebrauch, wenn sie unter sich waren, als auch in dem Bemühen vieler von ihnen, die Wissenschaft der Elben zu erfahren. Nach einiger Zeit aber sahen die Elbenkönige, daß es Elben wie Menschen nicht guttat, wenn sie ohne Ordnung zusammen wohnten, und daß die Menschen ihre eigenen Fürsten haben müßten, und so wiesen sie den Menschen besondere Gebiete zu, wo sie nach eignem Gutdünken leben könnten, und ernannten Häuptlinge, um diese Länder frei zu regieren. Im Krieg waren die Menschen Bundesgenossen der Eldar, doch zogen sie unter eignen Anführern aus. Viele der Edain aber genossen die Freundschaft der Elben und lebten unter ihnen, solange man es ihnen nur irgend gewährte; und ihre jungen Männer nahmen oft eine Zeitlang in den Heeren der Könige Dienst.

So kam Hador Lórindol, Hathols Sohn und Enkel Magors, des Sohnes von Malach Aradan, in seiner Jugend in Fingolfins Haus und wurde ein Liebling des Königs. Daher übertrug ihm Fingolfin die Herrschaft über Dor-lómin, und in diesem Lande versammelte er die meisten aus seinem Volke und wurde der mächtigste Häuptling der Edain. In seinem Hause wurde nur elbisch gesprochen, doch geriet auch die eigene Sprache nicht in Vergessenheit, und aus ihr wurde die gemeinsame Sprache von Númenor. In Dorthonion aber wurde die Herrschaft über das Volk Beors und das Gebiet von Ladros an Boromir verliehen, Sohn Borons, welcher ein Enkel Beors des Alten war.

Hadors Söhne waren Galdor und Gundor; und Galdors Söhne waren Húrin und Huor; und Húrins Sohn war Túrin, Glaurungs Verderber; und Huors Sohn war Tuor, Vater Earendils des Gesegneten. Boromirs Sohn war Bregor, dessen Söhne Bregolas und Barahir waren; und Bregolas' Söhne waren Baragund und Belegund. Baragunds Tochter war Morwen, Túrins Mutter; und die Tochter Belegunds war Rían, Tuors Mutter. Barahirs Sohn aber war Beren der Einhänder, welcher von Lúthien, Thingols Tochter, Liebe errang und von den Toten heimkehrte; von ihnen stammten Elwing, Earendils Weib, und alle späteren Könige von Númenor.

Sie alle wurden verstrickt in das Schicksal der Noldor, und sie verrichteten Großes, dessen die Eldar in der Geschichte ihrer alten Könige noch immer gedenken. Und in jenen Tagen verstärkte die Kraft der Menschen die Streitmacht der Noldor, und hoch gingen die Hoffnungen; Morgoth wurde dicht eingeschlossen, denn Hadors Volk scheute weder Kälte noch weite Märsche und ging zuweilen bis hoch in den Norden, um von dort her des Feindes Bewegungen zu verfolgen. Die Menschen aus allen drei Häusern gediehen und mehrten sich, doch am größten war unter ihnen das

Haus Hadors des Goldscheitels, der mit den Elbenfürsten auf gleichem Fuße stand. Sein Volk war von großer Leibeskraft und hohem Wuchs, kühn, standhaft und wachen Sinnes, schnell erzürnt und schnell erheitert, mächtig unter den Kindern Ilúvatars in der Jugend der Menschheit. Gelbhaarig und blauäugig waren sie zumeist; anders dagegen Túrin, dessen Mutter Morwen war, aus dem Hause Beors. Die Menschen aus diesem Stamme hatten dunkles oder braunes Haar und graue Augen, und von allen Menschen sahen sie den Noldor am ähnlichsten und waren bei diesen die beliebtesten, denn sie waren wißbegierig, feinhändig, begriffen schnell und behielten lange und waren eher zum Mitleid als zum Spott geneigt. Ihnen ähnlich waren Haleths Waldleute, doch von kleinerem Wuchs und weniger neugierig auf Wissenschaft. Sie machten nicht viele Worte und liebten keine großen Menschenhaufen, und viele unter ihnen erfreuten sich der Einsamkeit, frei in den Laubwäldern umherwandernd, solange die Lande der Eldar ihnen in ihrer Herrlichkeit neu waren. Doch in den Reichen des Westens waren ihre Tage gezählt und unglücklich.

Die Lebensjahre der Edain wurden nach menschlichen Maßen länger, seit sie nach Beleriand gekommen waren; schließlich aber starb Beor der Alte, nachdem er dreiundneunzig Jahre gelebt, vierundvierzig davon im Dienste König Felagunds. Und als er tot war, von keiner Wunde und keinem Leid, sondern nur vom Alter geschlagen, da sahen die Eldar zum ersten Male das rasche Verlöschen des Menschenlebens und den Tod aus Müdigkeit, den sie selbst nicht kannten; und sie trauerten sehr um den Verlust ihrer Freunde. Beor aber hatte zuletzt sein Leben willig fahren lassen und war in Frieden gegangen; und die Eldar stellten sich manche Fragen über das merkwürdige Schicksal der Menschen, denn in all ihrer Wissenschaft stand davon nichts, und welches Ende es nahm, war ihnen verborgen.

Dennoch lernten die Edain von einst rasch alle Kunst und Wissenschaft von den Eldar, die sie nur aufnehmen konnten, und ihre

Söhne wurden noch klüger und geschickter, bis sie bei weitem alle andern aus dem Menschengeschlecht übertrafen, die noch östlich des Gebirges lebten und die Eldar nicht kannten und nicht in die Gesichter geblickt hatten, die noch das Licht von Valinor gesehen.

XVIII
Vom Verderben Beleriands und von Fingolfins Ende

Fingolfin, König des Nordens und Hoher König der Noldor, als er nun sah, daß sein Volk zahlreich und stark wurde und daß viele tapfere Menschen mit ihm verbündet waren, da erwog er von neuem den Angriff auf Angband. Er wußte, in Gefahr lebten sie, solange der Belagerungsring nicht geschlossen war und Morgoth in der Tiefe seiner Bergwerke nach Belieben Unheil wirken konnte, das niemand vorauszusehen vermochte, ehe er es nicht losgelassen. Fingolfin dachte klug – nach dem Maße seines Wissens, denn die Noldor hatten noch nicht erkannt, wie mächtig Morgoth in Wahrheit war und daß es ohne Hilfe gegen ihn zuletzt doch keine Hoffnung gab, ob sie den Krieg nun beschleunigten oder verzögerten. Weil aber ihre Länder blühten und ihre Reiche groß waren, gaben sich die meisten der Noldor mit der Lage der Dinge zufrieden und hofften zuversichtlich, daß alles so bleiben werde; und sie hatten es nicht eilig, einen Angriff zu beginnen, bei dem, ob siegreich oder unterliegend, gewiß viele umkommen mußten. Daher waren sie wenig geneigt, auf Fingolfin zu hören, und Feanors Söhne zu jener Zeit am allerwenigsten. Von den Noldorfürsten waren nur Angrod und Aegnor eines Sinnes mit dem König, denn sie saßen in Gebieten, von wo aus Thangorodrim zu sehen war, und die Gefahr blieb ihnen gegenwärtig. Also wurde nichts aus Fingolfins Plänen, und das Land hatte für eine Weile Frieden.

Doch als die sechste Generation der Menschen nach Beor und Marach noch nicht ganz erwachsen war, im vierhundertfünfundfünfzigsten Jahre nach Fingolfins Ankunft, da brach das Unheil herein, das ihm lange geahnt hatte, doch härter und jäher als in seinen schlimmsten Befürchtungen. Denn lange hatte Morgoth in aller Stille gerüstet, während sein Herz immer tückischer und sein Haß auf die Noldor immer bitterer wurden; und nicht mehr begehrte er nur, seinen Feinden ein Ende zu machen, sondern auch die Länder, welche sie besessen und bebaut hatten, zu verheeren und zu schänden. Und es heißt, sein Haß sei seiner List im Wege gestanden, denn hätte er es nur ertragen können, noch länger abzuwarten, bis alle seine Pläne reif waren, so wären die Noldor ganz und gar verloren gewesen. Doch seinerseits achtete er die Tapferkeit der Elben zu gering, und mit den Menschen rechnete er noch gar nicht.

Es kam eine Winternacht, dunkel, ohne Mondschein, und die weite Ebene von Ard-galen lag unter den kalten Sternen, von den Festungen der Noldor in den Hügeln bis zu den Füßen von Thangorodrim. Die Wachtfeuer brannten niedrig, und der Wachen waren wenige, selbst bei den Reitern aus Hithlum in ihren Lagern in der Ebene. Da schickte Morgoth plötzlich große Ströme von Flammen aus, die schneller als Balrogs von Thangorodrim herabkamen und sich über die ganze Ebene ergossen; und die Eisenberge spien Feuer in vielerlei giftigen Farben, und ihr Qualm verpestete die Luft und tötete. So verging Ard-galen, und das Feuer fraß seine Gräser, und nachher war es eine wüste, verbrannte Öde voll würgenden Staubs, kahl und ohne Leben, und es wurde Anfauglith geheißen, der Erstickende Staub. Viele verkohlte Gebeine fanden dort ihr dachloses Grab; denn viele der Noldor wurden von den vorwärtsstürmenden Flammen erfaßt, ehe sie auf die Hügel flüchten konnten. Die Höhen von Dorthonion und die Ered Wethrin hielten die Feuerfluten auf, doch all ihre Wälder an den Hängen nach Angband zu brannten, und der Rauch stiftete Verwirrung unter den Verteidigern. So begann die vierte der großen Schlachten, Dagor Bragollach, die Schlacht des Jähen Feuers.

Vor dem Feuer einher zog Glaurung der Goldene, der Vater der Drachen, nun in voller Größe; und in seinem Gefolge kamen Balrogs und dahinter die schwarzen Heere der Orks, in Massen, wie sie die Noldor nie gesehen oder geahnt hatten. Und sie stürmten die Festungen der Noldor und brachen den Belagerungsring um Angband und erschlugen die Noldor und ihre Bundesgenossen, Grau-Elben und Menschen, wo immer sie sie fanden. Viele der Beherztesten unter Morgoths Feinden wurden schon in den ersten Tagen dieses Krieges vernichtet, versprengt und entmutigt, und sie konnten ihre Kräfte nicht mehr ins Feld führen. Von da an hörte der Krieg in Beleriand nie mehr ganz auf, doch rechnet man zur Schlacht des Jähen Feuers nur die Zeit bis zum Beginn des Frühlings, als Morgoths Ansturm nachließ.

So endete die Belagerung von Angband, und Morgoths Feinde waren verstreut und voneinander getrennt. Die meisten der Grau-Elben flohen nach Süden und kehrten dem Krieg im Norden den Rükken; viele wurden in Doriath aufgenommen, und Thingols Königreich wurde zu der Zeit stärker und mächtiger, denn die Kraft Melians, der Königin, war um seine Grenzen gewoben, und das Unheil drang noch nicht bis ins Verborgene Reich. Andere suchten Zuflucht in den Festungen am Meer und in Nargothrond, und manche flohen aus dem Lande und versteckten sich in Ossiriand oder überstiegen das Gebirge und wanderten heimatlos durch die Wildnis. Und die Gerüchte vom Krieg und vom Zusammenbruch der Belagerung drangen bis zu den Ohren der Menschen im Osten von Mittelerde.

Die Hauptlast des Angriffs hatten Finarfins Söhne zu tragen, und Angrod und Aegnor wurden erschlagen; an ihrer Seite fiel Bregolas, der Fürst des Hauses von Beor, mit einem großen Teil der Krieger seines Volkes. Barahir jedoch, Bregolas' Bruder, nahm an den Kämpfen weiter im Westen teil, in der Nähe des Sirion-Passes. Dort wurde König Finrod Felagund, der von Süden heraneilte, von seinem Heer abgeschnitten und mit wenigen Begleitern im Fenn von Serech umzingelt; und er wäre erschlagen oder gefangen worden, doch Barahir drang mit den tapfersten seiner Männer zu ihm durch, und sie richteten einen Wall von Speeren um ihn auf und schlugen sich unter großen Verlusten ins Freie durch. So entkam Felagund und kehrte in seine Tiefburg Nargothrond zurück; doch schwor er einen Eid, Barahir und seinem ganzen Geschlecht in jeder Not

Freundschaft und Hilfe zu gewähren, und zum Zeichen dieses Gelöbnisses gab er Barahir seinen Ring. Barahir war nun der rechtmäßige Fürst des Hauses von Beor, und er kehrte nach Dorthonion zurück; die meisten aus seinem Volk aber flohen von ihren Wohnsitzen und suchten Schutz in Hithlum.

So gewaltig war Morgoths Ansturm, daß Fingolfin und Fingon Finarfins Söhnen nicht zu Hilfe kommen konnten; und die Heere von Hithlum wurden mit großen Verlusten in die Festungen der Ered Wethrin zurückgeschlagen, und kaum vermochten sie diese gegen die Orks zu halten. Vor den Mauern von Eithel Sirion fiel Hador der Goldscheitel, als er die Nachhut seines Königs Fingolfin verteidigte; sechsundsechzig Jahre alt war er, und mit ihm fiel Gundor, sein jüngerer Sohn, von vielen Pfeilen durchbohrt; und die Elben trauerten um sie. Nun übernahm Galdor der Lange die Würde seines Vaters. Und dank der Stärke und Höhe des Schattengebirges, das den Feuerfluten standhielt, und der Tapferkeit der Elben und Menschen des Nordens, deren noch kein Ork und kein Balrog Herr wurde, blieb Hithlum unerobert, eine Gefahr in Morgoths Flanke; doch ein Meer von Feinden trennte Fingolfin von seinen Stammverwandten.

Denn schlecht stand der Krieg bei Feanors Söhnen, und fast alle Ostmarken waren im Sturm erobert worden. Morgoths Heere erzwangen den Übergang über den Aglon-Paß, wenn auch mit großen Verlusten; und Celegorm und Curufin flohen besiegt nach Südwesten, an den Grenzen von Doriath entlang, und zuletzt suchten sie in Nargothrond Zuflucht bei Finrod Felagund. So geschah es, daß ihre Leute die Streitmacht von Nargothrond verstärkten; wie sich aber später zeigte, wären sie besser im Osten bei ihrem eigenen Volke geblieben. Maedhros leistete tapferen Widerstand, und die Orks flohen vor seinem Angesicht; denn seit seiner Marter auf Thangorodrim brannte der Geist wie ein weißes Feuer in ihm, und er kämpfte wie ein von den Toten Heimgekehrter. So wurde die große Festung auf dem Berg von Himring nicht genommen, und viele der Tapfersten, die aus Dorthonion und von den Ostmarken noch übrig waren, scharten sich dort um Maedhros; und für eine Weile vermochte er den Aglon-Paß wieder zu schließen, so daß die Orks auf diesem Wege nicht nach Beleriand kamen. Doch überwältigten sie die Reiter aus Feanors Volk in Lothlann, denn Glaurung erschien dort und brach durch Maglors Lücke und verwüstete alles Land zwischen den Quellflüssen des Gelion. Und die Orks nahmen die Festung am Westhang des Rerirbergs und verheerten ganz Thargelion, Caranthirs Land, und besudelten den Helevorn-See. Von da aus drangen sie sengend und mordend über den Gelion weit nach Ost-Beleriand hinein. Maglor schlug sich zu Maedhros auf dem Himring durch, doch Caranthir floh mit den Resten seines Volkes; sie vereinigten sich mit dem verstreuten Jägervolk in Amrods und Amras' Land und zogen sich über Ramdal in den Süden zurück. Auf dem Amon Ereb unterhielten sie eine Wache und eine kleine Streitmacht; die Grün-Elben halfen ihnen, und die Orks kamen nicht nach Ossiriand hinein, noch nach Taur-im-Duinath und in die Wildnisse des Südens.

Nun gelangten die Nachrichten nach Hithlum, daß Dorthonion verloren und Finarfins Söhne besiegt und Feanors Söhne aus ihren Landen vertrieben seien. Da sah Fingolfin den (so schien es ihm) endgültigen Untergang der Noldor und die nie wieder gutzumachende Niederlage aller ihrer Häuser gekommen, und in Zorn und Verzweiflung bestieg er sein großes Pferd Rochallor und ritt allein davon, und keiner konnte ihn zurückhalten. Er ritt über Dor-nu-Fauglith, wie der Wind durch den Staub fährt, und alle, die ihn sahen, flohen voll Entsetzen, glaubten sie doch, Orome selbst käme geritten, denn der Wahnsinn des großen Zorns war in ihm, so daß seine Augen leuchteten wie die Augen der Valar. Allein kam er vor die Tore von Angband, und er stieß in sein Horn und pochte zum zweiten Mal an die eisernen Pforten, Morgoth zum Zweikampf fordernd. Und Morgoth kam.

Es war das letzte Mal in jenen Kriegen, daß er aus den Toren seiner Burg hervortrat, und es heißt, daß er sich der Forderung ungern stellte, denn obgleich seine Macht größer war als jede andere in dieser Welt, so war ihm als einzigem von den Valar doch die Furcht nicht fremd. Vor den Augen seiner Hauptleute aber konnte er sich diesem Kampf nicht entziehen, denn die Felsen hallten von Fingolfins schneidendem Hornklang, und hell und scharf drang seine Stimme bis in die Tiefen von Angband herab; und Fingolfin hieß Morgoth einen Feigling und Sklavenkönig. Also kam Morgoth langsam von seinem Thron in der Tiefe heraufgestiegen, und das Scharren seiner Füße war wie unterirdischer Donner. Und er trat heraus in einem schwarzen Panzer und stand wie ein Turm, eisengekrönt, vor dem König, und sein großer Schild, pechschwarz und ohne Wappen, warf einen Schatten über ihn wie eine Gewitterwolke. Fingolfin aber leuchtete daraus hervor wie ein Stern, denn sein Kettenhemd war mit Silber ausgelegt und sein blauer Schild mit Kristallen besetzt; und er zog sein Schwert Ringil, das glitzerte wie Eis.

Dann schwang Morgoth Grond hoch in die Luft, den Unterwelthammer, und schmetterte ihn nieder wie einen Donnerschlag. Doch Fingolfin sprang beiseite, und Grond schlug eine mächtige Grube in die Erde, aus der Rauch und Feuer hervorsprühten. Viele Male versuchte Morgoth, ihn zu zerschmettern, und jedesmal wich Fingolfin aus, wie der Blitz unter einer dunklen Wolke hervorspringt; und er verwundete Morgoth mit sieben Wunden, und siebenmal stieß Morgoth einen Schmerzensschrei aus, bei dem die Heere von Angband mit den Gesichtern zu Boden fielen vor Furcht, und seine Schreie hallten in den Nordlanden wider.

Zuletzt aber ermattete der König, und Morgoth hieb ihm den Schild über den Kopf. Dreimal wurde er in die Knie gezwungen, und dreimal stand er wieder auf, brachte den geborstenen Schild wieder empor und rückte sich den zerbeulten Helm zurecht. Doch die Erde um ihn war nun voller Löcher und Gruben, und er strauchelte und fiel rücklings Morgoth vor die Füße; und Morgoth setzte den linken Fuß auf seinen Hals, schwer wie ein stürzender Berg. Doch mit einem letzten und verzweifelten Streich hieb Fingolfin ihm Ringil in den Fuß, und das Blut sprudelte schwarz und dampfend hervor und füllte die Gruben, die Grond gehauen hatte.

So starb Fingolfin, der Hohe König der Noldor, der stolzeste und tapferste der Elbenkönige von einst. Die Orks machten von jenem Zweikampf am Tor kein Rühmens, und auch die Elben besingen ihn nicht, denn zu tief ist ihr Schmerz. Doch wird seiner Tat noch gedacht, denn Thorondor, der König der Adler, brachte die Kunde nach Gondolin und nach dem fernen Hithlum. Und Morgoth nahm den Leichnam des Elbenkönigs und zerbrach ihn und wollte ihn seinen Wölfen zum Fraß vorwerfen; doch Thorondor kam aus seinem Horst in den Gipfeln der Crissaegrim herbeigeeilt und stieß auf Morgoth nieder und zerfetzte ihm das Gesicht. Thorondors Flügelschlag klang wie das Rauschen von Manwes Winden, und er packte den Leichnam mit seinen mächtigen Fängen, und steil vor den Orkpfeilen aufffliegend, trug er den König davon. Und auf einem Berggipfel, der von Norden auf das versteckte Tal von Gondolin herabblickte, legte er ihn nieder; und Turgon kam hinauf und baute eine hohe Pyramide über dem Leib seines Vaters. Kein Ork wagte hernach jemals, Fingolfins Berg zu überschreiten oder sich seinem Grabmal zu nahen, solange Gondolins Verhängnis noch nicht erfüllt und der Verrat unter seinem Volk noch nicht geboren war. Morgoth hinkte von jenem Tage an auf einem Fuß, und der Schmerz seiner Wunden war nicht zu heilen, und im Gesicht trug er die Narbe von Thorondors Krallen.

Laut waren die Klagen in Hithlum, als Fingolfins Ende bekannt wurde, und trauernd übernahm Fingon sein Erbe als Fürst des Hauses Fingolfin und König der Noldor; seinen kleinen Sohn Ereinion aber (den man später Gil-galad hieß) sandte er zu den Häfen.

Morgoths Macht überschattete nun die Nordlande; doch Barahir wollte nicht aus Dorthonion fliehen, sondern blieb, um jeden Fußbreit Bodens mit den Feinden kämpfend. Dann hetzte Morgoth Barahirs Volk zu Tode, bis nur noch wenige übrig waren; und alle Wälder auf den Nordhängen des Landes wurden nach und nach in ein solches Gebiet von Schrecken und Verdammnis verwandelt, daß selbst die Orks sich nur noch, wenn Not sie trieb, hineinwagten; und das Land wurde Deldúwath geheißen und Taur-nu-Fuin, der Wald unter dem Nachtschatten. Die Bäume, die dort nach dem Brande aufwuchsen, waren schwarz und kahl, die Wurzeln verknotet und gleich Klauen ins Dunkel greifend; und wer zwischen ihnen hindurchging, verirrte sich und sah nichts mehr, und Schreckensgeister erwürgten ihn oder trieben ihn zum Wahnsinn. So verzweifelt war zuletzt Barahirs Lage, daß sein Weib Emeldir die Mannesmutige (deren Sinn eher danach stand, an ihres Sohnes und ihres Gatten Seite zu kämpfen als zu fliehen) alle Frauen und Kinder, die noch übrig waren, um sich scharte und denen Waffen gab, die sie zu tragen vermochten; und sie führte sie durch die Berge und auf gefährlichen Pfaden weiter, bis sie endlich mit Verlusten und in Elend nach Brethil kamen. Manche wurden dort von den Haladin aufgenommen, manche zogen weiter über die Berge nach Dor-lómin zu dem Volk von Galdor, Hadors Sohn, und unter diesen waren Rían, Belegunds Tochter, und Morwen, auch Eledhwen, das heißt Elbenschein, genannt, Baragunds Tochter. Doch keine sah je die Männer wieder, die sie zurückgelassen. Denn diese wurden erschlagen, einer nach dem andern, bis nur noch zwölf bei Barahir waren: Beren, sein Sohn, Baragund und Belegund, seine Neffen, Bregolas' Söhne, und neun Getreue seines Hauses, deren Namen in den Liedern der Noldor noch lange gedacht wurde: Radhruin und Dairuin hießen sie, Dagnir und Ragnor, Gildor und Gorlim der Unglückliche, Arthad und Urthel, und Hathaldir der Jüngling. Gehetzte ohne Hoffnung wurden sie, eine Bande von Verzweifelten, die nicht mehr entkommen konnten und nicht weichen wollten, denn ihre Häuser waren zerstört, ihre Frauen und Kinder gefangen, getötet oder geflohen. Aus Hithlum kam weder Nachricht noch Hilfe, und Barahir und seine Männer wurden gejagt wie wilde Tiere; und sie zogen sich in das kahle Hochland über den Wäldern zurück und schlichen zwischen den Bergseen und felsigen Sümpfen dieser Gegend umher, möglichst fern dem Spuk und den Spähern Morgoths. Ihr Bett war das Heidekraut und ihr Dach der bewölkte Himmel.

Fast zwei Jahre lang verteidigten die Noldor nach der Dagor Bragollach noch den westlichen Paß über die Quellen des Sirion, denn Ulmos Kraft war im Wasser des Flusses, und Minas Tirith widerstand den Orks. Zuletzt aber, nach dem Ende Fingolfins, zog Sauron, Morgoths größter und furchtbarster Diener, in der Sindarinsprache Gorthaur geheißen, gegen Orodreth aus, den Hüter des Turms auf Tol Sirion. Sauron war nun zu einem Zauberer von furchtgebietender Macht geworden, ein Meister der Schatten und Phantome, voll ruchloser Weisheit und grausamer Stärke, verunstaltend, was immer er anfaßte, verderbend, wen er regierte, der Herr der Werwölfe; sein Reich war die Folter. Er nahm Minas Tirith im Sturm, denn eine dunkle Wolke der Angst senkte sich über die Verteidiger; und Orodreth wurde vertrieben und floh nach Nargothrond. Nun verwandelte Sauron Minas Tirith in einen Wachturm für Morgoth, eine Drohung und eine Festung des Unheils; und die schöne Insel Tol Sirion wurde ein verfluchter Ort, Tol-in-Gaurhoth geheißen, die Insel der Werwölfe. Kein Geschöpf, das lebte, kam durch jenes Tal, ohne daß Sauron von dem Turme, wo er saß, es erspähte. Und als Morgoth nun den westlichen Paß besetzt hielt, da drangen seine Greuel in die Felder und Wälder Beleriands vor. Unablässig verfolgte er seine Feinde, außer in Hithlum, spürte ihre Verstecke auf und nahm ihre Burgen, eine nach der andren. Immer kühner wurden die Orks, die nun nach Belieben umherziehen konnten; sie kamen den Sirion im Westen und den Celon im Osten herab und schlossen Doriath ein, alles Land so verheerend, daß Tier und Vogel flohen und Schweigen und Verwüstung sich stetig von Norden her ausbreiteten. Viele der Noldor und Sindar schleppten sie gefangen nach Angband und machten Knechte aus ihnen, sie zwingend, Kunst und Wissen in den Dienst Morgoths zu stellen. Und Morgoth sandte seine Späher aus, und sie waren unter entlehnten Gestalten verborgen, und Trug war in ihren Worten; freigebig versprachen sie Belohnung, und mit schlauer Rede suchten sie Furcht und Neid unter die Völker zu streuen, Könige und Fürsten der Habgier und den einen des Verrats am andern zeihend. Und aufgrund des Fluches von dem Sippenmord in Alqualonde wurden diese Lügen nicht selten geglaubt; ja, als die Zeit dunkler wurde, wuchs ihnen ein Teil Wahrheit zu, denn Herz und Geist der Elben von Beleriand waren von Angst und Verzweiflung umnachtet. Am meisten aber fürchteten die Noldor den Verrat derer aus dem eigenen Geschlecht, die in Angband geknechtet worden waren; denn manche von diesen verwandte Morgoth für seine Unheilspläne und schickte sie fort, zum Schein ihnen die Freiheit schenkend, während ihr Wille an den seinen gekettet blieb und sie nur umherirrten, um wieder zu ihm zurückzukehren. Entkam daher einer seiner Gefangenen wirklich und kehrte zu seinem Volk heim, so war er dort wenig willkommen und wanderte allein umher, ausgestoßen und verzweifelt.

Den Menschen spiegelte Morgoth Erbarmen vor, wenn sie nur auf seine Botschaften hören wollten, in denen es hieß, ihre Leiden kämen allein von ihrer Knechtschaft unter den aufrührerischen Noldor; aus den Händen des rechtmäßigen Herrn von Mittelerde aber würden sie Ehren und den Lohn der Tapferen empfangen, wenn sie vom Aufruhr abließen. Doch nur wenige Menschen aus den Drei Häusern der Edain liehen ihm ihr Ohr, selbst jene nicht, die man den Qualen von Angband aussetzte. Daher verfolgte Morgoth sie mit seinem Haß, und er schickte Boten über die Berge.

Es heißt, zu dieser Zeit seien die ersten Dunkelmenschen nach Beleriand gekommen. Manche standen bereits unter der geheimen Herrschaft Morgoths und kamen auf sein Geheiß; doch nicht alle, denn das Hörensagen über Beleriand, seine Lande und Wasser, seine Kriege und Schätze, drang nun weit hinaus, und die Blicke der wandernden Menschen in jenen Tagen waren stets gen Westen gerichtet. Diese Menschen waren klein und stämmig, mit starken, langen Armen, die Haut dunkel oder gelblich und das Haar dunkel wie ihre Augen. Ihrer Geschlechter waren viele, und manche hatten mehr Neigung für die Zwerge aus den Bergen als für die Elben. Doch Maedhros, der wußte, wie schwach die Noldor und Edain waren, während die Gruben von Angband unerschöpflich und immer von neuem ihre Greuel zu gebären schienen, verbündete sich mit diesen neuangekommenen Menschen und gewährte ihren größten Häuptlingen, Bór und Ulfang, seine Freundschaft. Morgoth war es wohl zufrieden, denn genau so hatte er sich's gedacht. Bórs Söhne waren Borlad, Borlach und Borthand, und sie folgten Maedhros und Maglor und machten Morgoths Hoffnungen zunichte, denn sie blieben treu. Die Söhne Ulfangs des Schwarzen waren Ulfast und Ulwarth und Uldor der Verfluchte, und sie folgten Caranthir, schworen ihm Treue und erwiesen sich als Verräter.

Wenig Neigung bestand zwischen den Edain und den Ostlingen, und sie trafen selten zusammen, denn die Neuankömmlinge blieben lange in Ost-Beleriand, während Hadors Volk in Hithlum eingeschlossen und Beors Stamm nahezu vernichtet war. Das Volk Haleths blieb von dem Krieg im Norden zuerst unberührt, denn sie lebten weiter südlich im Wald von Brethil; nun aber kam es zum Kampf mit den eindringenden Orks, denn die Haladin waren mutigen Herzens und gaben nicht ohne Not die Wälder auf, die sie liebten. Und unter all den Geschichten von den Niederlagen jener Zeit wird der Taten der Haladin in Ehren gedacht: Denn nach der Eroberung von Minas Tirith kamen die Orks über den Westpaß, und vielleicht hätten sie bis zu den Mündungen des Sirion alles verwüstet, doch Halmir, das Haupt der Haladin, sandte eilends Nachricht an Thingol; er war nämlich mit den Elben, welche an den Grenzen von Doriath wachten, befreundet. Beleg Langbogen, der Hauptmann von Thingols Grenzwächtern, kam nun mit einer großen Schar axtbewehrter Sindar nach Brethil, und aus den Tiefen des Waldes hervorbrechend, überraschten Halmir und Beleg eine Legion der Orks und vernichteten sie. Damit war die schwarze Flut aus Norden in diesem Gebiet aufgehalten, und die Orks wagten viele Jahre lang nicht mehr den Teiglin zu überschreiten. Haleths Volk lebte in wachsamem Frieden im Wald von Brethil, und hinter dieser Hut hatte das Königreich Nargothrond eine Atempause und konnte seine Kräfte sammeln.

Zu dieser Zeit lebten Húrin und Huor, die Söhne Galdors von Dor-lómin, bei den Haladin, mit denen sie verwandt waren. In den Tagen vor der Dagor Bragollach waren diese beiden Häuser der Edain zu einem großen Fest zusammengekommen, als Galdor und Glóredhel, Hador Goldscheitels Kinder, mit Hareth und Haldir vermählt wurden, den Kindern Halmirs, des Oberhaupts der Haladin. So kam es, daß Galdors Söhne in Brethil von ihrem Onkel Haldir aufgezogen wurden, nach dem Brauch der Menschen zu jener Zeit; und sie zogen beide mit in die Schlacht gegen die Orks, selbst Huor, denn er ließ sich nicht abhalten, obwohl er erst dreizehn Jahre alt war. Doch sie gingen mit einem Trupp, der von den übrigen abgeschnitten wurde, und kamen auf der Flucht zur Furt von Brithiach, und dort verhinderte nur Ulmos Kraft, die im Sirion noch stark war, daß sie gefangen oder erschlagen wurden. Ein Nebel stieg aus dem Flusse auf und verbarg sie vor den Feinden, und sie entkamen über die Brithiach nach Dimbar und wanderten zwischen den Hügeln unter den steilen Wänden der Crissaegrim einher, bis sie ratlos zwischen den Trugwerken jenes Landes standen und nicht mehr vor noch zurück wußten. Dort erspähte sie Thorondor, und er sandte ihnen zwei seiner Adler zu Hilfe; und die Adler trugen sie empor, über die Umzingelnden Berge hinweg in das versteckte Tal von Tumladen und die Stadt Gondolin, die noch kein Mensch je gesehen hatte.

Dort empfing sie König Turgon mit Wohlwollen, als er ihre Abstammung erfuhr, denn Botschaften und Träume waren den Sirion hinauf von Ulmo, dem Herrn der Wasser, zu ihm gelangt, der ihn vor dem kommenden Unheil warnte und ihm riet, freundlich zu den Söhnen aus dem Hause Hador zu sein, von denen ihm Hilfe in der Not zuteil werden sollte. Húrin und Huor wohnten fast ein ganzes Jahr lang als Gäste im Hause des Königs; und es heißt, in dieser Zeit habe Húrin viel Wissenschaft von den Elben und auch manches von den Gedanken und Plänen des Königs erfahren. Denn Turgon faßte große Zuneigung zu Galdors Söhnen und sprach oft mit ihnen; und es war eher aus Liebe, daß er sie in Gondolin zu halten wünschte, als um seines Gesetzes willen, daß kein Fremder, ob Elb oder Mensch, der den Weg zum versteckten Königreich gefunden und die Stadt erblickt habe, je wieder fort dürfe, solange der König nicht selbst die Tore öffnete und das versteckte Volk hervorkäme.

Húrin und Huor aber wünschten, zu ihrem Volk zurückzukehren und an den Kriegen und Nöten teilzuhaben, die es nun litt. Und Húrin sagte zu Turgon:»Herr, wir sind nur sterbliche Menschen und nicht wie die Eldar. Sie mögen es ertragen, lange Jahre hindurch auf den Kampf mit ihren Feinden an einem fernen Tage zu warten; unsere Zeit aber ist kurz, und unsere Kraft und Hoffnung geht schnell dahin. Überdies haben wir den Weg nach Gondolin nicht gefunden, und wir wissen auch nicht genau, wo diese Stadt liegt, denn in Furcht und Erstaunen wurden wir auf dem hohen Weg durch die Lüfte hierher getragen, und eine gnädige Ohnmacht verschleierte uns die Augen.« Da gab Turgon der Bitte statt und sagte:»Auf dem Wege, den ihr gekommen, sei euch erlaubt, wieder zu scheiden, wenn Thorondor einwilligt. Euer Abschied bekümmert mich; doch binnen kurzem, nach der Rechnung der Eldar, mögen wir uns wiedersehen.«

Maeglin aber, des Königs Schwestersohn, der ein Großer in Gondolin war, bekümmerte der Abschied nicht im mindesten, doch mißgönnte er ihnen die Gunst des Königs, denn er hatte keine Neigung zu irgendeinem aus dem Menschengeschlecht; und er sagte zu Húrin:»Größer ist des Königs Gnade, als ihr wißt, und nicht mehr so streng wie einst ist das Gesetz, keine andre Wahl wäre euch sonst geblieben, als hier zu wohnen bis an euer Ende.«

Da antwortete ihm Húrin:»Groß ist des Königs Gnade, fürwahr, doch wenn unser Wort nicht genügt, so wollen wir dir einen Eid schwören.« Und die Brüder schworen, niemals Turgons Pläne zu verraten und über alles, was sie in seinem Reiche gesehen, zu schweigen. Dann nahmen sie Abschied, und die Adler kamen und trugen sie fort bei Nacht und setzten sie vor Morgen in Dor-lómin nieder. Ihre Sippe war froh, sie wiederzusehen, denn Boten aus Brethil hatten berichtet, daß sie verschwunden waren; doch nicht einmal ihrem Vater mochten sie erklären, wo sie gewesen waren, nur daß die Adler sie aus der Wildnis gerettet und heimgebracht hätten. Doch Galdor sagte: »Habt ihr wohl ein Jahr in der Wildnis gehaust? Oder haben euch die Adler in ihren Horsten beherbergt? Aber ihr habt Nahrung und feine Kleider gefunden und kehrt heim wie junge Prinzen, nicht wie Waldläufer.« Und Húrin antwortete: »Sei zufrieden, daß wir heimgekehrt sind, denn nur unter einem Eid, zu schweigen, wurde es uns erlaubt.« Nun fragte Galdor nicht weiter, doch er und viele andere errieten die Wahrheit, und nicht lange, so war Húrins und Huors merkwürdiges Schicksal auch den Dienern Morgoths zu Ohren gekommen.

Als nun Turgon erfuhr, daß die Belagerung von Angband gebrochen war, ließ er nicht zu, daß Leute aus seinem Volk in den Krieg hinauszogen, denn er glaubte, daß Gondolin stark und die Zeit noch nicht reif sei, es zu offenbaren. Doch glaubte er auch, daß mit dem Ende der Belagerung der Sturz der Noldor beginne, wenn keine Hilfe käme; und insgeheim schickte er Gesandtschaften der Gondolindrim zu den Mündungen des Sirion und auf die Insel Balar. Dort bauten sie Schiffe und setzten Segel und fuhren in Turgons Auftrag in den äußersten Westen, Valinor suchend, um Vergebung und Hilfe von den Valar zu erbitten; und sie flehten die Vögel des Meeres an, ihnen den Weg zu zeigen. Doch die Meere waren weit und wild, und Schatten und Zauberwerk lagen auf ihnen, und Valinor blieb verborgen. So gelangte keiner von Turgons Boten in den Westen, viele gingen verloren, und wenige kehrten wieder; das Schicksal Gondolins aber rückte näher.

Gerüchte von diesen Dingen kamen zu Morgoth, und er hatte keine Ruhe, mitten in seinen Siegen; dringend wünschte er, Meldung über Felagund und Turgon zu erhalten. Denn aus seinen Nachrichten waren sie verschwunden und waren doch nicht tot; und er machte sich Sorgen, was sie gegen ihn unternehmen möchten. Von Nargothrond wußte er immerhin den Namen, doch weder wo es lag, noch wie stark es war; von Gondolin aber wußte er überhaupt nichts, und der Gedanke an Turgon quälte ihn um so mehr. Daher schickte er immer mehr Späher nach Beleriand aus; doch das Haupttheer der Orks rief er nach Angband zurück, denn er erkannte, daß er noch nicht die letzte siegreiche Schlacht liefern konnte, ehe er nicht neue Kräfte gesammelt, und daß er die Tapferkeit der Noldor und die Waffengewalt der Menschen, die an ihrer Seite kämpften, nicht richtig ermessen hatte. So groß seine Siege in der Schlacht des Bragollach und in den Jahren darauf auch gewesen waren, und so schwer auch die Schäden, die er seinen Feinden zugefügt hatte, so waren seine eigenen Verluste doch nicht geringer; und obgleich er weiterhin Dorthonion und den Sirion-Paß besetzt hielt, begannen nun die Eldar, sich vom ersten Schrecken erholend, das Verlorene zurückzugewinnen. So erlebte Beleriand im Süden noch einmal einige kurze Jahre scheinbaren Friedens; doch die Schmieden von Angband waren geschäftig.

Als seit der Vierten Schlacht sieben Jahre vergangen waren, griff Morgoth von neuem an und schickte eine große Streitmacht gegen Hithlum aus. Heftig war der Ansturm auf die Pässe über das Schattengebirge, und bei der Belagerung von Eithel Sirion wurde Galdor der Lange, Herr von Dor-lómin, von einem Pfeil getötet. Diese Festung verteidigte er für Fingon, den Hohen König, und am selben Orte war sein Vater Hador Lórindol gefallen, wenige Jahre zuvor. Húrin, sein Sohn, war zu der Zeit eben erst zum Manne erwachsen, doch war er von großer Kraft an Geist wie Körper; und er vertrieb die Orks mit schweren Verlusten aus den Ered Wethrin und verfolgte sie weit über die Sandwüste von Anfauglith.

König Fingon aber hatte große Mühe, das Heer Angbands, das von Norden kam, aufzuhalten, und zur Schlacht stellte er sich erst auf den Ebenen von Hithlum. Dort war Fingon in Gefahr, von der

Übermacht erdrückt zu werden, doch Círdans Schiffe kamen in großer Zahl den Fjord von Drengist heraufgefahren, und zur Stunde der Bedrängnis griffen die Elben von den Falas Morgoths Heer von Westen an. Da wichen die Orks und flohen, und die Eldar hatten den Sieg, und ihre berittenen Bogenschützen verfolgten die Feinde bis in die Eisenberge.

Darauf regierte Húrin, Galdors Sohn, über das Volk Hadors in Dor-lómin und diente Fingon. Húrin war von kleinem Wuchs als seine Väter und kleiner auch als später sein Sohn, doch sein Leib war zäh und unermüdlich, behend und schnell, ganz vom Schlage seiner Mutter, Hareth von den Haladin. Sein Weib war Morwen Eledwhen, die Tochter Baragunds aus dem Hause Beors, dieselbe, die mit Rían, Belegunds Tochter, und Emeldir, Berens Mutter, aus Dorthonion geflüchtet war.

Zu dieser Zeit wurden auch die Bandenkrieger von Dorthonion aufgerieben, wie hernach berichtet wird, und Beren, Barahirs Sohn, entkam als einziger unter Mühen nach Doriath.

XIX

Von Beren und Lúthien

Unter den Erzählungen von Leid und Verfall, die aus dem Dunkel jener Tage auf uns gekommen sind, finden sich doch manche, wo inmitten der Tränen auch die Freude Raum hat und im Schatten des Todes das Licht brennt, das dauert. Und von all diesen Geschichten am freundlichsten klingt in den Ohren der Elben noch immer die von Beren und Lúthien. Über ihr Leben wurde das Leithian-Lied gedichtet, welches das zweitlängste unter den Liedern über die Welt von einst ist; hier aber wird die Geschichte in weniger Worten und ohne Gesang erzählt.

Erzählt wurde schon, wie Barahir Dorthonion nicht verlassen mochte und wie Morgoth sein Volk zu Tode hetzte, bis Barahir nur noch zwölf Gefährten blieben. Nun stieg der Wald von Dorthonion nach Süden zu einem gebirgigen Heideland an, und im Osten dieser Hochfläche lag ein See, Tarn Aeluin, von struppigen Heiden umgeben; und der ganze Landstrich war weglos und wild, denn selbst in den Tagen des Langen Friedens hatte niemand dort gelebt. Doch die Wasser des Bergsees Aeluin wurden in Ehren gehalten, denn sie waren klar und blau bei Tage und bei Nacht ein Spiegel der Sterne; und es hieß, Melian selbst habe vor Zeiten dieses Wasser geweiht. Dorthin zog sich Barahir mit seinen Gefährten zurück, und dort schlugen sie ihr Lager auf, und Morgoth konnte es nicht finden. Doch die Kunde von ihren Taten verbreitete sich, und Morgoth befahl Sauron, sie aufzuspüren und zu vernichten.

Unter Barahirs Gefährten war Gorlim, Angrims Sohn. Sein Weib hieß Eilinel, und groß war die Liebe zwischen ihnen, ehe das Unheil hereinbrach. Doch als Gorlim aus dem Krieg an den Grenzen heimkehrte, fand er sein Haus geplündert und verlassen, und sein Weib war fort; ob tot oder gefangen, wußte er nicht. Dann floh er zu Barahir, und von dessen Gefährten war er der grimmigste und verzweifeltste; doch Ungewißheit nagte an seinem Herzen, denn er dachte,

217

daß Eilinel vielleicht nicht tot sei. Bisweilen ging er allein und heimlich fort und suchte sein Haus auf, inmitten der Felder und Wälder, die er einmal besessen hatte; und dies wurde Morgoths Diener bekannt.

Eines Tages im Herbst kam er in der Abenddämmerung, und als er nahe beim Haus war, meinte er, er sehe ein Licht im Fenster, und vorsichtig nähertretend blickte er hinein. Da sah er Eilinel, das Gesicht verhärmt vor Leid und Hunger, und ihm war, als hörte er ihre Stimme klagen, daß er sie verlassen habe. Doch kaum hatte er sie laut gerufen, da blies der Wind das Licht aus, Wölfe heulten, und auf den Schultern spürte er plötzlich die schweren Hände von Saurons Jägern. So war Gorlim in die Falle gegangen; und sie schleppten ihn in ihr Lager und quälten ihn, im Bestreben, Barahirs Schlupfwinkel und Geheimpfade zu erfahren. Doch nichts wollte Gorlim verraten. Dann versprachen sie ihm, er käme frei und Eilinel würde ihm wiedergegeben, wenn er redete, und er, da er den Schmerz nicht mehr aushielt und sich nach seinem Weibe sehnte, gab nach. Nun brachten sie ihn geradewegs in Saurons furchtbare Gegenwart, und Sauron sagte: »Ich höre, du willst nun mit mir handeln. Welches ist dein Preis?«

Und Gorlim antwortete, daß man ihm Eilinel wiedergeben und ihn mit ihr freilassen sollte, denn er glaubte, auch Eilinel sei gefangen.

Da lächelte Sauron und sagte: »Geringen Preis verlangst du für so großen Verrat. So soll es gewiß sein. Sprich nur!«

Nun kamen Gorlim Bedenken, doch gequält von Saurons Augen, sagte er zuletzt alles, was er wußte. Da lachte Sauron und verhöhnte Gorlim, ihm verratend, daß er nur ein Phantom gesehen hatte, ein Hexenwerk, um ihn zu fangen; denn Eilinel war tot. »Dennoch sei dir die Bitte gewährt«, sagte Sauron, »und so gehe denn hin zu Eilinel und sei meines Dienstes ledig!« Dann gab er ihm grausam den Tod.

Auf diese Weise wurde Barahirs Versteck gefunden, und Morgoth spannte seine Netze ringsum. Und die Orks kamen in den stillen

Stunden vor Morgen und überraschten die Männer von Dorthonion und erschlugen sie alle bis auf einen. Beren nämlich, Barahirs Sohn, war von seinem Vater auf einen gefährlichen Gang geschickt worden, um die Bewegungen des Feindes auszuspähen, und er war weit entfernt, als das Lager gestürmt wurde. Doch als er des Nachts im Walde schlief, da träumte ihm, daß Aaskrähen in dicken Trauben auf kahlen Bäumen an einem See saßen, und Blut tropfte ihnen von den Schnäbeln. Dann gewahrte Beren im Traume eine Gestalt, die über ein Wasser zu ihm kam, und es war Gorlims Geist, und er sprach zu ihm von seinem Verrat und seinem Tode und hieß ihn eilen, um seinen Vater zu warnen.

Da erwachte Beren und eilte durch die Nacht, und am zweiten Morgen kam er ins Lager der Bandenkrieger zurück. Doch als er näher kam, da flogen die Aaskrähen vom Boden auf und ließen sich nieder auf den Erlen am Aeluin-See, krächzend vor Hohn.

Dort begrub Beren seines Vaters Gebeine und warf einen Hügel von Felsbrocken über ihm auf, und er schwor Rache. Als erstes verfolgte er die Orks, die seinen Vater und seine Gefährten erschlagen hatten, und er fand ihr Lager bei Nacht an der Quelle des Rivil, oberhalb des Fenns von Serech, und als geübter Waldläufer kam er ungesehen bis nah an ihr Feuer. Dort prahlte ihr Hauptmann mit seinen Taten und hielt Barahirs Hand hoch, die er abgeschnitten hatte, zum Zeichen für Sauron, daß ihr Auftrag erfüllt sei; und Felagunds Ring war an der Hand. Da sprang Beren hinter einem Felsen vor und erschlug den Hauptmann, ergriff die Hand mit dem Ring und entkam, vom Glück beschirmt, denn die Orks waren verblüfft und ihre Pfeile ungezielt.

Vier Jahre lang zog Beren dann noch durch Dorthonion, ein Einzelgänger ohne Gesetz; doch er wurde freund mit Vogel und Tier, und sie halfen ihm und verrieten ihn nicht, und von der Zeit an aß er kein Fleisch und tötete nichts, das lebte, wenn es nicht in Morgoths Diensten stand. Nicht den Tod fürchtete er, nur die Gefangenschaft, doch verwegen und verzweifelt, wie er war, entging er beidem; und die Taten einsamen Wagemuts, die er leistete, erzählte man sich weit und breit in ganz Beleriand; sogar in Doriath hörte man von ihm. Endlich setzte Morgoth einen Preis auf seinen Kopf, der nicht geringer war als der Kopfpreis für Fingon, den Hohen König der Noldor; doch eher flohen die Orks bei dem Gerücht, er nahe, als daß sie ihn suchten. Ein ganzes Heer unter Sauron wurde daher gegen ihn ausgesandt; und Sauron brachte die Werwölfe mit, Raubtiere, von wütenden Geistern besessen, die er in ihren Leibern eingekerkert hatte.

Das ganze Land war nun voller Unwesen, und kein Ding blieb, das noch rein war; und so hart kam Beren in Bedrängnis, daß er zuletzt gezwungen war, aus Dorthonion zu fliehen. In Winter und Schnee verließ er seines Vaters Land und Grab, und in die hohen Regionen der Gorgoroth, der Berge des Grauens, hinaufsteigend, erblickte er von fern das Land Doriath. Da kam es ihm in den Sinn, daß er das Verborgene Königreich betreten werde, wie noch kein Sterblicher vor ihm.

Furchtbar war sein Weg nach Süden. Steil fiel die Ered Gorgoroth ab, und zu ihren Füßen warteten die Schatten, die vor Aufgang des Mondes gesponnen waren. Dahinter kam die Wildnis von Dungortheb, wo Saurons Hexenkünste und Melians Kraft aufeinandertrafen und Grauen und Wahnsinn umgingen. Spinnen aus Ungolianths giftiger Brut hausten dort, ihre unsichtbaren Netze spannend, in denen alles Lebende sich fing; und Ungeheuer, stumm und vieläugig, gingen auf Jagd, die in der langen Dunkelheit, ehe die Sonne aufging, geboren waren. Keine Nahrung für Elb oder Mensch gab es in jenem verfluchten Land, nur den Tod. Nicht als die geringste unter Berens Taten gilt diese Reise, doch er selbst sprach später zu keinem davon, um sich des Grauens nicht erinnern zu müssen, und keiner weiß, wie er den Weg fand und so auf Pfaden, die weder Mensch noch Elb je zu gehen gewagt, endlich an die Grenzen von Doriath gelangte. Und die Irrgärten, die Melian um Thingols Reich gewoben hatte, durchschritt er, wie sie selbst es vorhergesagt; denn ein großes Schicksal lag auf ihm.

Es heißt im Leithian-Lied, grau und gebeugt wie von vielen Jahren des Wehs sei Beren nach Doriath hineingestolpert, solche Qualen hatte er auf dem Wege erlitten. Doch als er im Sommer durch den Wald von Neldoreth ging, da traf er Lúthien, Thingols und Melians Tochter, zur Abendzeit, als der Mond aufging, und sie tanzte auf dem immergrünen Gras der Lichtungen am Esgalduin. Da schwanden ihm alle Erinnerungen an seine Leiden, und ein Zauber fiel auf ihn, denn Lúthien war das schönste von allen Kindern Ilúvatars. Blau wie der wolkenlose Himmel war ihr Gewand, ihre Augen aber waren grau wie der Abend unter den Sternen; ihr Mantel war mit goldnen Blumen bestickt, ihr Haar aber war dunkel wie die Schatten der Dämmerung. Wie Licht auf dem Laub der Bäume, wie die Stimme klarer Gewässer, wie die Sterne über den Nebeln der Welt, so war ihr Glanz und Liebreiz; und aus ihrem Antlitz schien ein Licht.

Doch sie verschwand vor seinen Augen; und er wurde stumm, wie vom Bann geschlagen, und lange schweifte er durch die Wälder, wild und scheu wie ein Tier, Lúthien suchend. Für sich nannte er sie Tinúviel, das heißt im Grau-Elbischen Nachtigall, Tochter der Dämmerung, denn anders kannte er sie nicht beim Namen. Und er sah sie von fern, wie Laub, das der Herbstwind wegführt, und im Winter wie einen Stern auf einem Hügel, doch eine Kette war um seine Glieder.

Es kam eine Zeit gegen Morgen, vor Frühlingsanfang, und Lúthien tanzte auf einem grünen Hügel, und plötzlich begann sie zu singen. Scharf und herzzerreißend war ihr Lied, wie das Lied der Lerche, die aus den Pforten der Nacht steigt und ihre Stimme unter die verblassenden Sterne ergießt, wenn sie die Sonne hinter den Mauern der Welt sieht; und Lúthiens Lied löste die Fesseln des Winters, und die gefrorenen Wasser sprachen wieder, und Blumen sprossen aus der kalten Erde, wo ihr Fuß sie berührt hatte.

Da fiel der Bann des Schweigens von Beren, und er rief sie, er schrie: »Tinúviel«, und ihr Name hallte aus den Wäldern wider. Da hielt sie verwundert inne und floh nicht mehr, und Beren trat zu ihr. Doch als sie ihn ansah, fiel das Urteil über sie, und sie liebte ihn; doch entschlüpfte sie seinem Arm und Blick, als eben der Tag anbrach. Da sank Beren zu Boden, ohne Besinnung, wie ein von Glück und Schmerz zugleich Getroffener, und er fiel in Schlaf wie in einen Abgrund von Schatten, und als er erwachte, war er kalt wie Stein und sein Herz verödet und verlassen. Und als er seine Gedanken wandern ließ, griff er um sich wie einer, der von plötzlicher Blindheit geschlagen das verschwundene Licht mit den Händen zu packen sucht. So begann er den Schmerzenszoll für das Schicksal zu zahlen, das auf ihm lag; und in sein Schicksal wurde Lúthien verstrickt, und obgleich unsterblich, hatte sie an seiner Sterblichkeit teil, obgleich frei, trug sie mit ihm seine Ketten; und größer war ihr Leid, als es je einer von den Eldalië erlitten.

Unverhofft kam sie wieder zu ihm, wo er im Dunkeln saß, und vor langen Zeiten im Verborgenen Königreich legte sie ihre Hand in die seine. Hernach kam sie oft, und heimlich gingen sie zusammen durch die Wälder, von Frühling bis Sommer, und nie haben andre Kinder Ilúvatars je solche Freude gekannt, so kurz ihre Zeit auch war.

Doch auch Daeron der Spielmann liebte Lúthien, und er spähte ihre Treffen mit Beren aus und meldete sie Thingol. Da war der König voller Zorn, denn Lúthien liebte er über alles; für jeden Elbenprinzen war sie ihm zu teuer, während er sterbliche Menschen nicht einmal in seiner Dienerschaft duldete. Daher sprach er zu Lúthien in Kummer und Befremden, doch sie verriet nichts, bis er ihr einen Eid schwor, daß er Beren weder töten noch ins Gefängnis werfen wolle. Doch schickte er seine Diener, daß sie Hand auf ihn legten und ihn als Missetäter nach Menegroth brächten; und dem kam Lúthien zuvor, indem sie Beren selbst wie einen ehrenwerten Gast vor Thingols Thron führte.

Da blickte Thingol in Zorn und Verachtung auf Beren; Melian aber blieb still. »Wer bist du«, sagte der König, »der du hierher kommst wie ein Dieb und es wagst, ungebeten meinem Throne zu nahen?«

Beren aber, eingeschüchtert von all der Pracht Menegroths und von der Majestät Thingols, gab keine Antwort, und so sprach Lúthien und sagte: »Er ist Beren, Barahirs Sohn, ein Fürst der Menschen und gefürchteter Feind Morgoths, und vom Ruhm seiner Taten singen schon die Elben.«

»Kann er nicht selber sprechen?« sagte Thingol. »Was willst du hier, unseliger Sterblicher, und aus welchem Grunde hast du dein eigenes Land verlassen, um in dieses einzudringen, das solchen von deiner Art verboten ist? Kannst du mir sagen, was mich hindern soll, deine Frechheit und Verblendung hart zu strafen?«

Da blickte Beren auf, zuerst in Lúthiens Augen, dann auch in Melians Antlitz, und es war ihm, als würden ihm Worte vorgesagt. Seine Furcht verließ ihn, und der Stolz des ältesten Hauses der Menschen kam ihm wieder, und er sagte: »Mein Schicksal, o König, hat mich hierhergeführt, auf gefahrvollen Wegen, wie auch die Elben sie nicht oft gehen. Und hier habe ich gefunden, was ich nicht suchte und was ich nun, da ich es gefunden, auf immer zu behalten gedenke. Denn dies ist höher als Gold und Silber und alle Edelsteine. Nicht Fels, noch Stahl, noch Morgoths Feuer, noch all die Macht der Elbenkönige sollen mir den Schatz verwehren, nach dem es mich verlangt. Denn Lúthien, deine Tochter, ist das schönste unter allen Kindern der Welt.«

Da wurde es still in Thingols Halle, denn allen, die dabeistanden, verschlug es die Sprache, und sie fürchteten, Beren werde sogleich erschlagen. Thingol aber sprach sehr langsam und sagte: »Tod hast du verdient mit dieser Rede, und raschen Tod solltest du finden, hätte ich nicht voreilig einen Eid geschworen; und das reut mich, Sterblicher aus gemeinem Geschlecht, der du wohl in Morgoths Reich gelernt hast, heimlich herbeizukriechen wie seine Späher und Knechte.«

Da erwiderte Beren: »Den Tod kannst du mir geben, verdient

oder unverdient; doch nicht gemeinen Geschlechts, noch Späher oder Knecht sollst du mich heißen. Felagunds Ring sei Zeuge, den er meinem Vater Barahir auf dem Schlachtfeld des Nordens gab, daß mein Haus solchen Schimpf von keinem Elben verdient, er sei König oder nicht.«

Stolz waren seine Worte, und aller Augen sahen nun auf den Ring, den er hochhielt, und grüne Juwelen schimmerten darauf, wie die Noldor sie in Valinor geschliffen. Denn dieser Ring glich zwei Schlangen, deren Augen Smaragde waren und deren Köpfe sich unter einer Krone goldner Blumen trafen, welche die eine hochhielt, während die andre sie verschlang; dies war das Wappen Finarfins und seines Hauses. Da lehnte Melian sich zu Thingol hin und gab ihm flüsternd den Rat, seinen Zorn abzutun. »Denn nicht von dir«, sagte sie, »wird Beren getötet werden, denn weit wird ihn sein Schicksal noch führen am Ende, und doch ist es mit dem deinen verknüpft. Bedenke dies!«

Thingol aber blickte schweigend auf Lúthien, und im Herzen dachte er: »Unselige Menschen, Kinder von kleinen Fürsten und kurzlebigen Königen! Soll so einer die Hand auf dich legen und doch am Leben bleiben?« Dann brach er das Schweigen und sagte: »Ich sehe den Ring, Barahirs Sohn, und ich bemerke, daß du deinen Stolz hast und dich mächtig glaubst. Doch eines Vaters Taten, und hätte er seinen Dienst mir selbst erwiesen, taugen nicht, um Thingols und Melians Tochter zu gewinnen. Höre nun! Auch mich verlangt es nach einem Schatz, der mir verwehrt ist. Denn Fels und Stahl und Morgoths Feuer hüten das Juwel, das ich gegen all die Macht der Elbenkönige gern besäße. Doch solche Hindernisse, hörte ich dich sagen, schrecken dich nicht. Geh also diesen Weg! Bring mir in deiner Hand einen Silmaril aus Morgoths Krone, und dann mag Lúthien, wenn sie will, ihre Hand in die deine legen. Dann sollst du auch mein Juwel haben, und für großzügig sollst du mich achten, wenn auch Ardas Geschick in den Silmaril beschlossen liegt.«

So fädelte er das Verhängnis von Doriath ein und wurde mitverurteilt duch Mandos' Spruch. Und die ihn hörten, erkannten seine Absicht: Beren in den Tod zu schicken, ohne doch eidbrüchig zu werden; sie wußten ja, daß alle Macht der Noldor, ehe ihr Belagerungsring gesprengt worden war, nicht gereicht hatte, um auch nur einmal von fern Feanors Silmaril leuchten zu sehen. Denn die waren in die Eisenkrone geschmiedet und wurden in Angband vor allen andren Gütern behütet; und Balrogs waren um sie her und zahllose Schwerter, uneinnehmbare Mauern und Morgoths dunkle Majestät.

Beren aber lachte: »Für geringes Entgelt«, sagte er, »bieten Elbenkönige ihre Töchter feil, für Gemmen oder andre Handarbeiten. Doch wenn dies ist, was du willst, Thingol, so werde ich's tun. Und wenn wir uns wieder begegnen, so werde ich einen Silmaril aus der Eisenkrone in der Hand tragen, denn nicht zum letzten Mal hast du Beren, Barahirs Sohn, gesehen.«

Dann sah er Melian in die Augen, und sie sagte nichts; und er sagte Lúthien Tinúviel Lebewohl, verneigte sich vor Thingol und Melian, schob die Wachen beiseite, die um ihn waren, und ging allein aus Menegroth fort.

Dann endlich sprach Melian, und sie sagte zu Thingol: »O König, schlau ist dein Plan. Doch wenn meine Augen noch sehen können, so geht es schlecht aus für dich, ob Beren nun scheitert oder seinen Auftrag erfüllt. Denn entweder hast du deine Tochter verurteilt oder dich selbst. Und nun wird Doriath ins Geschick eines mächtigeren Reiches verstrickt.«

Doch Thingol erwiderte: »Nicht an Elben noch Menschen gebe ich sie her, die mir über alle Schätze lieb und wert ist. Und wenn zu hoffen oder zu fürchten stünde, daß Beren jemals lebendig nach Menegroth zurückkehrt, so soll er das Licht des Himmels zum letzten Male gesehen haben, was ich auch geschworen habe.«

Lúthien aber schwieg, und von jener Stunde an sang sie nicht mehr in Doriath. Brütende Stille senkte sich über die Wälder, und die Schatten wurden länger in Thingols Reich.

Im Leithian-Lied heißt es, Beren sei unbehindert durch Doriath gezogen und schließlich in das Gebiet der Dämmerseen und der Sümpfe des Sirion gelangt; und Thingols Land verlassend, stieg er die Hügel über den Fällen des Sirion hinauf, wo der Fluß mit großem Getöse unter die Erde stürzt. Von da aus blickte er nach Westen, und durch den Nebel und Regen auf jenen Hügeln sah er Talath Dirnen, die Bewachte Ebene, die sich zwischen Sirion und Narog erstreckte; und dahinter erkannte er in der Ferne das Hochland von Taur-en-Faroth, das sich über Nargothrond erhob. Und in seiner Not, ohne Rat oder Hoffnung, lenkte er die Schritte dorthin.

Unaufhörlich hielten die Elben von Nargothrond in jener Ebene Wache; und jeder Hügel an den Grenzen trug versteckte Türme, und überall in den Wäldern und Feldern streiften heimlich und geschickt getarnt Bogenschützen umher. Ihre Pfeile waren treffsicher und tödlich, und nichts kam dort hindurch gegen ihren Willen. Ehe Beren daher weit auf seinem Wege gekommen war, hatten sie ihn bemerkt, und sein Tod war nahe. Doch kannte er die Gefahr und hielt stets Felagunds Ring in die Höhe; und obwohl er nichts Lebendes sah, denn die Wachen hielten sich wohl verborgen, spürte er doch, daß er beobachtet wurde, und er rief mehrmals laut aus: »Ich bin Beren, Barahirs Sohn, des Freundes von Felagund. Bringt mich zum König!«

Daher töteten die Wachen ihn nicht, sondern sammelten sich, lauerten ihm auf und geboten ihm Halt. Doch als sie den Ring sahen, verbeugten sie sich vor ihm, obgleich er übel aussah, verwildert und abgekämpft vom Wege; und sie führten ihn nach Norden und Westen, des Nachts marschierend, um ihre Wege nicht zu verraten. Denn zu jener Zeit gab es keine Furt oder Brücke vor den Toren von Nargothrond über den reißenden Narog; weiter im Norden aber, wo der Ginglith in den Narog floß, war die Strömung schwächer, und dort setzten die Elben über und wandten sich dann wieder südwärts, Beren im Mondschein an die dunklen Tore ihrer verborgenen Hallen geleitend.

So kam Beren vor König Finrod Felagund; und Felagund erkannte ihn, denn es bedurfte keines Ringes, um ihn an die Sippe Beors und Barahirs zu erinnnern. Hinter verschlossenen Türen saßen sie, und Beren erzählte vom Tode Barahirs und von allem, was ihm selbst in Doriath widerfahren; und er weinte, als er Lúthiens gedachte und ihrer gemeinsamen Freuden. Felagund aber hörte seine Geschichte mit Erstaunen und Unruhe an; und er erkannte, daß der Eid, den er geschworen, ihm zum Tode gereichen würde, wie er es vor langer Zeit einmal zu Galadriel gesagt hatte. Dann sprach er zu Beren, schweren Herzens: »Es ist klar, deinen Tod will Thingol; doch scheint es, daß dies Verhängnis über seine Absicht hinausgeht und daß Feanors Eid wieder am Werk ist. Denn die Silmaril sind verflucht mit einem Eid des Hasses, und wer sie nur in Begehren beim Namen nennt, weckt eine große Kraft aus dem Schlaf; und Feanors Söhne würden eher alle Reiche der Elben in Trümmer legen als dulden, daß irgendeiner außer ihnen selbst einen Silmaril gewinnt oder besitzt, denn der Eid treibt sie an. Und jetzt wohnen Celegorm und Curufin in meinen Hallen, und wenngleich ich, Finarfins Sohn, der König bin, so haben sie doch viel Macht im Reiche erlangt, und viele aus ihrem eigenen Volke sind mit ihnen gekommen. Mir haben sie Freundschaft erwiesen, wann immer ich ihrer bedurfte, doch befürchte ich, für dich werden sie weder Neigung noch Erbarmen kennen, wenn sie deinen Auftrag erfahren. Doch gilt mein Eid, und so sind wir alle gebunden.«

Dann sprach Felagund zu seinem Gefolge, an Barahirs Taten und an seinen eigenen Eid erinnernd; und er erklärte, auferlegt sei es ihm, Barahirs Sohn in seiner Not zu helfen, und dazu erbat er die Hilfe seiner Edlen. Da erhob sich Celegorm aus der Menge, zog sein Schwert und rief aus: »Er mag Freund oder Feind sein, ein Dämon Morgoths, Elb oder Menschenkind oder was immer lebt auf Arda, doch kein Gesetz, nicht Freundschaft noch Bund der Hölle oder Kraft der Valar, noch irgendeine Zaubermacht soll ihn vor dem Haß von Feanors Söhnen schützen, wenn er einen Silmaril nimmt oder findet und ihn behält. Denn die Silmaril gehören uns allein, bis an der Welt Ende.«

Noch viele Worte machte er, ebenso starke wie vor Zeiten in Tirion sein Vater, als er die Noldor erstmals zum Aufruhr entflammte. Und nach Celegorm sprach Curufin, bedächtiger, doch mit nicht geringerer Kraft; er beschwor im Geiste der Elben ein Gesicht herauf, von Krieg und von der Zerstörung Nargothronds. Solche Furcht pflanzte er ihnen ins Herz, daß fortan bis zur Zeit Túrins kein Elb aus jenem Reiche mehr offen in die Schlacht ziehen mochte; doch heimlich und aus dem Hinterhalt, mit Hexenkunst und vergifteten Pfeilen verfolgten sie alle Fremden, auch der Blutsbande nicht achtend. So verrieten sie den Mut und die Freiheit der Elben von einst, und ihr Land wurde dunkel.

Und jetzt murrten sie, kein Vala sei er, Finarfins Sohn, daß er ihnen befehlen dürfe, und sie wandten die Gesichter von ihm ab. Doch Mandos' Fluch kam über die Brüder, und dunkle Gedanken stiegen ihnen ins Herz, und sie gedachten, Felagund allein in den Tod zu schicken und dann vielleicht seinen Thron in Nargothrond an sich zu reißen, waren sie doch von der ältesten Linie der Noldorprinzen.

Und Felagund, der sich verlassen sah, nahm die silberne Krone von Nargothrond vom Kopfe, warf sie vor seine Füße und sagte: »Euren Treueid gegen mich mögt ihr brechen, ich aber muß meinen Eid halten. Doch wenn noch manche da sind, auf welche der Schatten unseres Fluchs noch nicht gefallen ist, so finde ich wohl einige wenige, die mir folgen, und muß nicht wie ein Bettler von hinnen ziehen, dem man die Tür gewiesen.« Zehn waren es, die zu ihm standen, und ihr Anführer, Edrahil mit Namen, bückte sich und hob die Krone auf, verlangend, daß sie bis zu Felagunds Heimkehr einem Regenten anvertraut werde. »Denn mein König bleibst du, und der ihre«, sagte er, »was auch geschehe.«

Da gab Felagund die Krone von Nargothrond seinem Bruder Orodreth, daß er an seiner Statt regiere; und Celegorm und Curufin sagten nichts, sondern lächelten und verließen die Hallen.

An einem Herbstabend brachen Felagund und Beren mit ihren zehn Gefährten von Nargothrond auf, und sie zogen den Narog entlang bis zu seiner Quelle in den Fällen von Ivrin. Am Fuß des Schattengebirges stießen sie auf eine Schar Orks und erschlugen sie alle in ihrem Nachtlager und nahmen ihnen die Kleider und Waffen ab. Durch Felagunds Künste wurden ihre eigenen Gestalten und Gesichter verwandelt, so daß sie wie Orks aussahen, und in dieser Verkleidung kamen sie weit auf ihrem Weg nach Norden voran und wagten sich in den West-Paß zwischen den Ered Wethrin und dem Hochland von Taur-nu-Fuin. Doch Sauron in seinem Turm hatte sie ins Auge gefaßt, und Zweifel kamen ihm, denn sie eilten vorüber und hielten nicht, um zu melden, was sie getan, wie es allen Dienern Morgoths auf diesem Wege geboten war. Daher ließ er sie anhalten, und sie wurden ihm vorgeführt.

So kam es zu dem berühmten Wettgesang Saurons mit Felagund. Denn Felagund konnte sich in Zauberliedern mit Sauron messen, und die Macht des Königs war sehr groß; zuletzt aber behielt Sauron die Oberhand, wie es im Leithian-Lied heißt:

> Ein Lied sang er von Hexenkraft,
> Das aufschließt, durchdringt, Einblick schafft,
> Verrät, enthüllt, begünstigt, droht.
> Doch plötzlich Felagund in der Not
> Mit Sang sich wehrte, Halt gebot,
> Singend zum Trotz dem Zauberwerke
> von Wissenwahrung, Turmesstärke,
> Umgangnem Trug und Hinterhalt,
> Vom Tausch und Wechsel der Gestalt,
> Von Freiheit, Flucht, getreuem Sinn:
> Die Kette bricht, die Kerker sinken hin.
>
> Hin wogt und her der beiden Sang,
> Schwellend, ermattend, und Felagund rang
> Schwer und schwerer. Doch unbesiegt

Er seinen Zauber in Worte fügt
Und alle alte Elbenmacht.
Leis hörten sie Vögel in der Nacht
Von Nargothrond, und übers Meer
Von fernher seufzten die Wellen schwer
Fern im Westen auf den Strand
Von Perlensand im Elbenland.
      Doch dichter nun die Nacht sich schließt.
Dunkel wuchert in Valinor; es fließt
Das Blut rot von den Landestegen.
Die Noldor Hand an die Schiffe legen,
Die Wogenreiter sie erschlagen
Am Lampenhafen. Stürme jagen.
Raben flüchten. Wölfe lärmen.
In Angband sich die Sklaven härmen.
Das Eis im Schlund des Meeres malmt.
Donner grollt, Feuer qualmt –
Und Finrod stürzte vor den Thron.

Nun riß Sauron ihnen die Verkleidung herunter, und nackt und voll
Furcht standen sie von ihm. Doch wenn so auch offenbar wurde, von
welcher Art sie waren, so fand Sauron doch nicht heraus, welches
ihre Namen waren und was sie vorhatten.

Daher warf er sie in ein tiefes Verlies, das finster und still war, und
drohte, sie grausam zu töten, wenn keiner ihm die Wahrheit verraten
wolle. Von Zeit zu Zeit sahen sie zwei Augen im Dunkeln glühen,
und ein Werwolf verschlang einen ihrer Gefährten; keiner aber verriet seinen Herrn.

Zu der Zeit, als Sauron Beren ins Verlies warf, drückte Furcht auf
Lúthiens Herz, und von Melian, die sie um Rat fragte, erfuhr sie, daß
Beren im Kerker von Tol-in-Gaurhoth liege, ohne Hoffnung auf Ret-
tung. Da sie nun erkannte, daß von niemand andrem auf Erden Hilfe

kommen werde, beschloß sie, aus Doriath zu fliehen und selber zu ihm zu gehen; doch erbat sie Daerons Beistand, und der verriet ihr Vorhaben dem König. Da war Thingol voller Schmerz und Verwunderung, und weil er Lúthien zurückhalten wollte, ohne sie doch des Tageslichtes zu berauben, damit sie nicht welke und vergehe, ließ er ein Haus bauen, aus dem sie nicht entkommen könnte. Unweit der Tore von Menegroth stand der größte aller Bäume im Walde von Neldoreth, einem Buchenwald, der die Nordhälfte des Königreiches bedeckte. Diese eine mächtige Buche wurde Hírilorn genannt, und sie hatte drei Stämme von gleichem Umfang, glatt in der Rinde und über alles Maß groß; und bis weit über dem Boden wuchsen keine Äste aus den Stämmen. Hoch oben zwischen den Stämmen von Hírilorn wurde nun ein Holzhaus gezimmert, und dort mußte Lúthien wohnen; und die Leitern wurden nur angelegt, wenn Thingols Diener ihr brachten, wessen sie bedurfte.

Im Leithian-Lied wird erzählt, wie sie aus diesem Haus entkam; denn sie setzte Zauberkünste ins Werk und ließ ihr Haar zu großer Länge wachsen, und daraus wob sie ein dunkles Gewand, das ihre Schönheit wie ein Schatten umhüllte; und von ihm ging ein Schlafzauber aus. Aus den restlichen Strähnen flocht sie ein Seil und ließ es aus ihrem Fenster hinab, und als das Ende über den Wachen schwebte, die unter dem Baume saßen, da fielen sie in tiefen Schlummer. Nun stieg Lúthien aus ihrem Gefängnis hinab, und ihr Schattenmantel verbarg sie allen Blicken, und sie verschwand aus Doriath.

Es traf sich, daß Celegorm und Curufin in der Bewachten Ebene auf Jagd gingen, und zwar, weil Sauron, der voller Argwohn war, viele Wölfe in die Länder der Elben schickte. So ritten sie aus mit ihren Hunden, und sie dachten, daß sie vor der Heimkehr vielleicht Neuigkeiten über König Felagund erfahren könnten. Das Leittier der Wolfshunde nun, die Celegorm folgten, hieß Huan. Huan war nicht in Mittelerde geboren, sondern kam aus dem Segensreich, denn Orome hatte ihn vor Zeiten in Valinor Celegorm geschenkt, und dort war er dem Horn seines Herrn gefolgt, bis das Unheil kam. Huan folgte Celegorm in die Verbannung und blieb ihm treu, und so fiel auch er unter den Fluch, der über die Noldor verhängt war; und sein Spruch lautete, daß er den Tod finden sollte, doch erst, wenn er dem mächtigsten Wolf begegnete, der je die Erde betreten.

Huan war es, der Lúthien fand, als sie floh wie ein Schatten, den Tageslicht unter den Bäumen überrascht, als Celegorm und Curufin nah an den Westgrenzen von Doriath eine Weile rasteten; denn nichts entging Huans Augen und Nase, und kein Zauber konnte ihn schrekken, und er schlief nie, weder bei Tag noch bei Nacht. Er brachte sie zu Celegorm, und Lúthien war froh, als sie erfuhr, daß er ein Prinz der Noldor war und ein Feind Morgoths; und sie streifte ihren Mantel ab und gab sich zu erkennen. So groß war ihre Schönheit, wie sie plötzlich in der Sonne erschien, daß Celegorm in Liebe entbrannte; doch sprach er freundlich zu ihr und verhieß ihr Hilfe in ihrer Not, wenn sie jetzt mit ihnen nach Nargothrond ginge. Mit keiner Miene verriet er, daß ihre Worte über Beren und seine Fahrt ihm nichts Neues sagten; noch gab er zu erkennen, daß ihn dies selber anging.

Also brachen sie die Jagd ab und kehrten nach Nargothrond zurück, und Lúthien wurde betrogen, denn sie hielten sie fest und nahmen ihr den Mantel fort, und sie durfte nicht zum Tore hinaus und mit niemandem sprechen als mit den Brüdern Celegorm und Curufin. Denn nun, da sie Beren und Felagund ohne Hoffnung auf Hilfe gefangen glaubten, gedachten sie den König umkommen zu lassen, Lúthien zu behalten und Thingol zu zwingen, daß er Celegorm ihre Hand gewährte. So könnten sie ihre Macht mehren und die größten unter den Noldorprinzen werden. Mit List oder Krieg nach den Silmaril zu streben gedachten sie nicht, noch wollten sie dulden, daß es andere taten, bis daß sie alle Macht der Elbenreiche in den eigenen Händen wüßten. Orodreth hatte nicht die Kraft, ihnen zu widerstehen, denn sie machten sich im Volk von Nargothrond die Herzen geneigt; und Celegorm sandte Boten an Thingol, um ihn mit seinem Antrag zu bedrängen.

Huan, der Jagdhund, aber war getreuen Herzens, und schon in der Stunde ihrer ersten Begegnung hatte ihn die Liebe zu Lúthien ergriffen, und ihn bekümmerte ihre Gefangenschaft. Daher kam er oft in ihre Kammer, und des Nachts lag er vor ihrer Tür, denn er spürte, das Unheil hatte Einzug gehalten in Nargothrond. In ihrer Verlassenheit sprach Lúthien oft zu Huan, sie erzählte ihm von Beren, welcher mit allen Tieren und Vögeln freund war, die nicht Morgoth dienten; und Huan verstand alles, was sie sagte. Denn er verstand die Sprache alles dessen, was Stimme hatte; ihm aber war nur dreimal vor seinem Tode beschieden, mit Worten zu reden.

Nun ersann Huan einen Plan, Lúthien zu helfen; und zur Nachtzeit kam er und brachte ihren Mantel mit, und da sprach er zum ersten Mal, ihr Rat erteilend. Dann führte er sie auf geheimen Wegen aus Nargothrond heraus, und sie flohen zusammen nach Norden; und er überwand seinen Stolz und ließ zu, daß sie auf ihm ritt wie auf einem Pferde, so wie auch die Orks bisweilen auf großen Wölfen ritten. So kamen sie gut voran, denn Huan war schnell und unermüdlich.

In Saurons Verliesen lagen Beren und Felagund, und alle ihre Gefährten waren nun tot; Sauron aber gedachte Felagund bis zuletzt zu verschonen, denn so viel hatte er erkannt, daß er ein Noldo von großer Macht und Weisheit war, und von ihm glaubte er das Geheimnis ihres Vorhabens erfahren zu können. Doch als der Wolf kam, um Beren zu holen, wandte Felagund all seine Kraft auf und sprengte seine Fesseln; und er rang mit dem Werwolf und tötete ihn mit Händen und Zähnen, doch auch er selbst wurde tödlich verwundet. Da sprach er zu Beren und sagte: »Ich begebe mich nun zur langen Ruhe in den zeitlosen Hallen jenseits der Meere und hinter den Bergen von Aman. Lange wird es dauern, bis man mich wiedersieht bei den Noldor, und es mag sein, daß wir beide uns im Tod wie im Leben nicht mehr begegnen, denn verschieden sind die Schicksale unsrer Geschlechter. Lebwohl!« Dann starb er in der Dunkelheit, auf Tol-in-Gaurhoth, dessen großen Turm er selbst erbaut hatte. So hielt König Finrod Felagund seinen Eid, der Schönste und Geliebteste aus dem Geschlecht Finwes; Beren aber klagte trostlos an seiner Seite.

Zu der Stunde kam Lúthien, und als sie auf der Brücke stand, die zu Saurons Insel führte, sang sie ein Lied, das Mauern von Stein nicht aufhalten konnten. Beren hörte es und glaubte, ihm träume, denn die Sterne leuchteten über ihm, und in den Bäumen sangen Nachtigallen. Und zur Antwort sang er ein Lied der Herausforderung, das er den Sieben Sternen zu Ehren gemacht hatte, der Sichel der Valar, die Varda als Zeichen für den Sturz Morgoths über den Norden gehängt hatte. Dann verließen ihn die Kräfte, und er sank nieder ins Dunkel.

Lúthien aber hörte seine Stimme antworten, und nun sang sie ein Lied von stärkerer Macht. Die Wölfe heulten, und die Insel bebte. Sauron stand auf seinem hohen Turm, in schwarze Gedanken gehüllt; doch er lächelte, als er ihre Stimme vernahm, denn er wußte, daß sie Melians Tochter war. Längst war der Ruf von Lúthiens Schönheit und ihrem herrlichen Gesang über Doriath hinausgedrungen; und Sauron gedachte, sie zu fangen und sie Morgoths Gewalt auszuliefern, denn groß würde sein Lohn sein.

Daher schickte er einen Wolf auf die Brücke. Doch den tötete Huan lautlos. Sauron sandte die nächsten, einen nach dem andern, und einen nach dem andern packte Huan an der Kehle und tötete ihn. Dann schickte Sauron Draugluin, ein furchtbares Geschöpf, altgeworden im Unheil, Fürst und Stammvater der Werwölfe von Angband. Groß war seine Kraft, und lang und heiß der Kampf zwischen Huan und Draugluin. Zuletzt aber floh Draugluin in den Turm zurück und starb zu Saurons Füßen, und im Sterben sagte er zu seinem Herrn: »Huan ist da.« Nun wußte Sauron wie alle in jenem Lande wohl, welches Schicksal dem Jagdhund von Valinor bestimmt war, und es kam ihm in den Sinn, ob nicht er selbst es erfüllen könnte. Daher nahm er die Gestalt eines Werwolfes an, des mächtigsten, den je die Erde betreten. Und er kam hervor, den Übergang über die Brücke zu erkämpfen.

So grauenvoll war sein Nahen, daß Huan beiseite wich. Nun sprang Sauron Lúthien an, und sie fiel in Ohnmacht bei dem Funkeln seiner gierigen Augen und dem heißen Gestank seines Atems. Doch als er sie packte, warf sie im Fallen noch eine Falte ihres dunklen Mantels vor seine Augen; und er taumelte, denn für einen Augenblick kam Schläfrigkeit über ihn. Da sprang ihn Huan an. Dort kam es zu dem Kampf zwischen Huan und dem Sauronswolf, und das Geheul und Gebell hallte in den Bergen wider, und die Späher an den Hängen der Ered Wethrin, jenseits des Tales, hörten es und fürchteten sich.

Doch kein Zauberbiß noch Hexenvers, nicht Gift noch Klaue, noch Teufelskunst oder Unholdsstärke vermochten Huan aus Valinor zu besiegen; und er griff sich den Feind bei der Kehle und drückte ihn nieder. Nun wechselte Sauron die Gestalt, vom Wolf zur Schlange und vom Ungetüm zu seiner gewohnten Gestalt; doch nichts entzog ihn Huans Griff, es sei denn, er hätte seinen Leib ganz aufgeben wollen. Und ehe sein schwarzer Geist seine dunkle Hülle verließ, trat Lúthien herbei und drohte ihm, seines Gewandes Fleisch solle er entkleidet und, nur noch jammernder Geist, zu Morgoth heimgeschickt werden. »Auf ewig sei dort dein nacktes Selbst der Folter seines Hohns preisgegeben«, sagte sie, »durchlöchert von seinen Blicken, wenn du mir nicht deinen Turm auslieferst.«

Da ergab sich Sauron, und Lúthien bemächtigte sich der Insel mit allem, was darauf war; und Huan ließ ihn los. Und sogleich nahm er die Gestalt eines Vampirs an, groß wie eine dunkle Wolke vor dem Mond, und entfloh, während Blut aus seiner Kehle auf die Bäume tropfte, und er flog nach Taur-nu-Fuin und hauste da, das Land mit Greueln erfüllend.

Nun trat Lúthien auf die Brücke und erklärte ihre Macht: und der Zauber wurde gelöst, der Stein an Stein band, und die Tore fielen ein, und die Mauern öffneten sich, und die Verliese wurden freigelegt; und viele Knechte und Gefangene kamen heraus, voll Furcht und Staunens, die Augen gegen das blasse Mondlicht abschirmend, denn sie hatten lange in Saurons Dunkel gelegen. Beren aber kam nicht. Daher suchten ihn Huan und Lúthien auf der ganzen Insel, und Lúthien fand ihn, wie er bei Felagund trauerte. So tief war sein Schmerz, daß er still dalag und ihre Schritte nicht hörte. Da glaubte sie ihn tot und warf die Arme über ihn und fiel in ein Dunkel des Vergessens. Doch Beren, als er aus der Grube der Verzweiflung wieder ans Licht kam, hob sie auf, und wieder sahen sie einander; und der Tag, der über den dunklen Hügeln anbrach, schien auf sie herab.

Felagunds Leichnam begruben sie auf dem höchsten Hügel seiner Insel, die nun wieder rein war; und das grüne Grab, wo Finrod, Finarfins Sohn, ruhte, der schönste aller Elbenprinzen, blieb unangetastet, bis das Land verwandelt und zerbrochen wurde und in vernichtenden Meeren unterging. Finrod aber wandelt mit Finarfin, seinem Vater, unter den Bäumen von Eldamar.

Nun waren Beren und Lúthien Tinúviel wieder frei, und zusammen zogen sie durch die Wälder, Liebesfreuden erneuernd. Zwar kam der Winter, doch ihnen tat er nicht weh, denn die Blumen welkten nicht, wo Lúthien ging, und die Vögel sangen unter den schneeweißen Hügeln. Der getreue Huan aber kehrte zu Celegorm, seinem Herrn, zurück, wenn auch die Liebe zwischen ihnen gemindert war.

Aufruhr herrschte in Nargothrond. Denn viele Elben kehrten nun dorthin zurück, die auf Saurons Insel gefangen gesessen hatten; und ein Schelten wurde laut, das keine Rede Celegorms beschwichtigen konnte. Bitter beklagten sie das Ende Felagunds, ihres Königs, und sagten, ein Mädchen habe vollbracht, was Feanors Söhne nicht wagten; viele aber erkannten auch, daß Verrat, nicht Furcht, Celegorm und Curufin geleitet hatte. So wandten sich die Herzen der Leute von Nargothrond, vom Einfluß der Brüder befreit, wieder dem Hause Finarfin zu, und sie gehorchten Orodreth. Der aber wollte nicht dulden, daß man die Brüder tötete, wie es manche verlangten; von neuem verwandtes Blut zu vergießen, würde Mandos' Fluch nur noch härter auf sie alle herabbringen. Doch nicht Brot noch Obdach wollte er Celegorm und Curufin mehr in seinem Reiche gewähren, und er schwor, keine Freundschaft solle fortan mehr sein zwischen Nargothrond und Feanors Söhnen.

»So sei es!« sagte Celegorm, ein drohendes Funkeln in den Augen; Curufin aber lächelte. Dann stiegen sie zu Pferde und ritten wie der Wind davon, um ihre Brüder im Osten aufzusuchen. Niemand aber mochte mit ihnen gehen, nicht einmal die aus ihrem eignen Volk, denn alle sahen, daß der Fluch schwer auf den Brüdern lag und Unheil ihnen folgte. Zu der Zeit sagte sich Celebrimbor, Curufins Sohn, von seines Vaters Taten los und blieb in Nargothrond; Huan aber folgte immer noch dem Pferd Celegorms, seines Herrn.

Nach Norden ritten sie, denn in ihrer Eile wollten sie Dimbar durchqueren, entlang den Nordgrenzen von Doriath, denn dies war der kürzeste Weg zum Himring, wo ihr Bruder Maedhros saß, und sie konnten hoffen, schnell hindurchzugelangen, wenn sie sich nahe an Doriath hielten und Nan Dungortheb und die ferne Gefahr der Berge des Grauens mieden.

Es heißt, Beren und Lúthien seien auf ihrer Wanderung in den Wald von Brethil und so schließlich wieder nahe an die Grenzen von Doriath gekommen. Nun dachte Beren an sein Gelöbnis, und gegen die Stimme des eigenen Herzens beschloß er, von neuem auszuziehen, wenn er Lúthien erst wieder in ihrer Heimat in Sicherheit wüßte. Sie aber war nicht gewillt, sich abermals von ihm trennen zu lassen, und sagte: »Eins von beiden, Beren: Entweder du läßt ab von deinem Auftrag, brichst deinen Eid und führst ein unstetes Leben auf Erden, oder du hältst Wort und forderst den Herrn des Dunkels auf seinem Throne heraus. Aber welchen Weg du auch gehst, ich gehe mit dir, und unser Schicksal wird eines sein.«

Während sie dies besprachen, unbekümmert um alles andre einherschreitend, kamen Celegorm und Curufin eilends durch den Wald geritten; und die Brüder erspähten und erkannten sie schon von weitem. Da wandte Celegorm sein Pferd und spornte es gegen Beren an, in der Absicht, ihn niederzureiten; Curufin aber bog ab, beugte sich vom Pferd herunter und zog Lúthien zu sich in den Sattel, denn er war stark und ein geschickter Reiter. Da sprang Beren, bevor Celegorm ihn erreichte, auf Curufins galoppierendes Pferd, das an ihm vorbeigestürmt war, und der Sprung Berens ist seither unter Elben und Menschen berühmt. Er packte Curufin von hinten an der Kehle und riß ihn zurück, und zusammen stürzten sie zu Boden. Das Pferd bäumte sich auf und stürzte ebenfalls, Lúthien aber wurde beiseite ins Gras geschleudert.

Dann würgte Beren Curufin, doch ihm selbst war der Tod nahe, denn Celegorm ritt mit dem Speer gegen ihn an. In jener Stunde kündigte Huan Celegorm den Dienst und sprang ihn an, so daß sein Pferd abschwenkte und sich gegen Beren nicht vorwagte, aus Angst vor dem großen Hund. Celegorm verwünschte Pferd und Hund, doch Huan blieb unbewegt. Lúthien stand auf und hieß Beren, Curufin nicht zu töten, doch raubte Beren ihm Kleider und Waffen und nahm ihm sein Messer Angrist ab. Telchar von Nogrod hatte es geschmiedet, und es hing ohne Scheide an der Seite; Eisen spaltete es wie grünes Holz. Nun hob Beren Curufin empor und schleuderte ihn von sich; und er hieß ihn zu seinen edlen Anverwandten zurückkehren, auf daß sie ihn lehrten, von seiner Kraft würdigeren Gebrauch zu machen. »Dein Pferd«, sagte er, »behalte ich für Lúthien, und glücklich mag es sich schätzen, eines solchen Herrn ledig zu sein.«

Da fluchte Curufin Himmel und Hölle auf Beren herab. »Geh du nur«, sagte er, »in deinen schnellen bittern Tod.« Celgorm nahm ihn hinter sich auf sein Pferd, und die Brüder taten so, als wollten sie fortreiten, und Beren wandte sich ab, ihrer Worte nicht weiter achtend. Curufin aber, voller Scham und Tücke, nahm Celgorms Bogen und schoß ihnen nach, und der Pfeil war auf Lúthien gezielt. Huan sprang dazwischen und fing ihn im Maule auf, doch Curufin schoß ein zweites Mal, und Beren sprang vor Lúthien, und der Pfeil traf ihn in die Brust.

Es heißt, Huan habe Feanors Söhne verfolgt, und sie flohen voller Furcht; und als er zurückkam, brachte er Lúthien ein Kraut aus dem Walde. Damit stillte sie Berens Wunde, und so, mit Kunst und Liebe, heilte sie ihn; und bald kamen sie wieder nach Doriath. Dort erhob sich Beren eines Morgens vor Sonnenaufgang, unschlüssig zwischen seinem Eid und seiner Liebe; doch da er Lúthien nun in Sicherheit wußte, überließ er sie Huans Obhut und schied in tiefem Kummer, während sie noch im Grase schlief.

Nach Norden ritt er wieder, so schnell er konnte, durch den Paß des Sirion, und als er an den Rand von Taur-nu-Fuin kam, blickte er über die Öde von Anfauglith und sah in der Ferne die Gipfel von Thangorodrim. Dort trennte er sich von Curufins Pferd und hieß es, nun aller Furcht und allen Dienstes ledig, frei durch das grüne Gras in den Landen am Sirion zu streifen. Als er nun allein war und an der Schwelle des letzten Wagnisses, machte er das Lied vom Abschied, Lúthien und den Himmelslichtern zu Ehren, denn er glaubte, nun der Liebe wie dem Licht Lebewohl sagen zu müssen. Ein Teil jenes Liedes waren diese Worte:

> Lebwohl, lieb Land, Nordhimmelstag,
> von Glück beglänzt, seit sie hier lag
> und hier mit leichten Gliedern lief
> im Sonnenlicht, durch Mondflut tief,
> Lúthien Tinúviel
> – kein Wort strahlt je wie sie so hell.
> Mag auch zerfallen einst die Welt,
> zurückgeschleudert und zerschellt
> im uralt finstren Unheilsschlund,
> gut wär das Werk, der Schöpfung Grund
> – Dämmerung, Frühe, Meer und Land –,
> weil Lúthien hier erschien und schwand.

Und er sang laut, unbesorgt, wer ihn hören mochte, den er war verzweifelt und sann nicht auf Flucht.

Doch Lúthien hörte sein Lied, und sie sang zur Antwort, als sie unverhofft durch die Wälder kam. Denn Huan hatte erneut eingewilligt, ihr als Reittier zu dienen, und hatte sie schnell auf Berens Fährte dahingetragen. Lange war er mit sich zu Rate gegangen, wie er die Gefahr dieser beiden, die er liebte, erleichtern könnte. Daher machte er an Saurons Insel halt und nahm den scheußlichen Wolfspelz von Draugluin und das Fledermausfell von Thuringwethil an sich. Diese war eine Botin Saurons, und sie pflegte in Vampirgestalt nach Angband zu fliegen, und ihre großen gefiederten Flügel trugen am Ende jedes Gliedes eine große Eisenklaue. In diesen Schreckensgewändern rannten Huan und Lúthien durch Taur-nu-Fuin, und alles floh vor ihnen.

Beren, als er sie kommen sah, war erschrocken; und er wunderte sich, denn er hatte Tinúviels Stimme gehört, und nun glaubte er, es sei ein Trugstück, um ihn zu fangen. Doch sie hielten und warfen ihre Verkleidung ab, und Lúthien rannte auf ihn zu. So trafen Beren und Lúthien sich wieder, zwischen Wüste und Wald. Eine Weile war er still und freute sich, dann aber bemühte er sich von neuem, Lúthien von dieser Fahrt abzubringen.

»Dreimal verflucht sei nun mein Eid gegen Thingol«, sagte er, »und eher wollte ich, er hätte mich in Menegroth erschlagen, als daß ich dich in den Schatten Morgoths führe.«

Da sprach Huan zum zweiten Male mit Worten, und er gab Beren Rat und sagte: »Vor dem Schatten des Todes kannst du Lúthien nicht länger bewahren, denn aufgrund ihrer Liebe unterliegt sie ihm schon. Du kannst dich von deinem Geschick abwenden und mit ihr fortziehen, vergebens Frieden suchend, solange du lebst. Wenn du aber nicht verleugnest, was dir beschieden ist, dann muß entweder Lúthien, von dir verlassen, mit Gewißheit allein sterben, oder aber sie muß mit dir dem Schicksal trotzen, das vor euch liegt – hoffnungslos, doch ungewiß. Weiteren Rat kann ich nicht geben, noch kann ich weiter mit euch gehen. Aber mein Herz sagt mir, daß auch ich sehen werde, was ihr am Tore findet. Alles übrige ist mir dunkel; doch kann es sein, daß unsere Pfade uns alle drei wieder nach Doriath führen, und dort sehen wir uns vielleicht noch vor dem Ende.«

Da erkannte Beren, daß er Lúthien nicht von dem Schicksal fernhalten konnte, das auf ihnen beiden lag, und er versuchte nicht länger, ihr abzuraten. Nach Huans Plan und mit Lúthiens Künsten wurde er nun in den Pelz von Draugluin gesteckt und sie in das geflügelte Fell von Thuringwethil. Beren sah nun in allem einem Werwolf gleich, nur daß aus seinen Augen ein zwar grimmiger, doch reiner Geist leuchtete; und Schrecken war in seinem Blick, als er neben sich ein fledermausähnliches Geschöpf sah, das sich mit Fingerflügeln an seine Seite klammerte. Dann sprang er, den Mond anheulend, den Hügel hinab, und die Fledermaus schlug ein Rad und flatterte über ihm.

Durch alle Gefahren hindurch kamen sie schließlich, staubbedeckt von ihrer langen und beschwerlichen Reise, in das öde Tal vor dem Tor von Angband. Schwarze Klüfte öffneten sich am Rand ihres Weges, aus denen Gestalten wie von Schlangen hervorringelten. Zu beiden Seiten standen die Klippen aufgereiht wie Festungsmauern, und darauf saßen Aasvögel und krächzten mit hungrigen Stimmen. Vor ihnen lag das undurchdringliche Tor, ein großer dunkler Bogen zu Füßen des Berges, und darüber erhob sich tausend Fuß hoch ein Felsen.

Dort ergriff sie die Furcht, denn am Tor stand ein Wächter, von dem noch keine Kunde hinausgelangt war. Gerüchte von Plänen, er wußte nicht welchen, unter den Elbenprinzen waren zu Morgoth gedrungen, und immer wieder hörte man aus den Waldschneisen Huan bellen, den großen Kriegshund, den vor langer Zeit die Valar losgelassen. Dann erinnerte sich Morgoth, welches Schicksal Huan verheißen war, und er wählte einen der Welpen von Draugluins Rasse aus und fütterte ihn eigenhändig mit lebendem Fleisch und gab ihm von seiner eigenen Kraft. Rasch wuchs der Wolf, bis er in keinen Zwinger mehr paßte, sondern stets wie ein hungriger Riese zu Morgoths Füßen lag. Dort drangen Feuer und Schmerz der Hölle in ihn ein, und er wurde von einem unersättlichen Geiste erfüllt, gemartert, schrecklich und stark. Carcharoth, der Rote Rachen, wird er in den

Geschichten aus jenen Tagen geheißen, oder Anfauglir, das Maul des Durstes. Und Morgoth hieß ihn vor dem Tor von Angband liegen, ohne zu schlafen, weil vielleicht Huan käme.

Jetzt hatte Carcharoth sie schon von weitem erblickt, und er war voller Zweifel, denn längst war Meldung nach Angband gekommen, daß Draugluin tot sei. Als sie sich daher nahten, versperrte er ihnen den Weg, und sie mußten stehenbleiben; und drohend kam er auf sie zu, nach etwas Merkwürdigem in der Luft um sie her schnüffelnd. Da plötzlich kam eine alte Kraft, ein Erbteil des göttlichen Geschlechts, über Lúthien, und sie trat vor, ihr ekles Gewand abwerfend, und stand vor dem Koloß, klein, doch strahlend und furchtgebietend. Die Hand erhebend, gebot sie ihm zu schlafen und sagte: »O du jammervoller Geist, sinke nun ins Dunkel des Schlafs, und vergiß für eine Zeit die furchtbare Strafe des Lebens.« Und Carcharoth sank hin, wie vom Blitz getroffen.

Nun durchschritten Beren und Lúthien das Tor und stiegen die labyrinthischen Treppen hinab; und zusammen vollbrachten sie die größte Tat, die je Elb oder Mensch gewagt. Denn sie kamen zu Morgoths Thron, in seiner tiefsten Halle, die von Grauen gestützt und von Feuer erhellt und mit Mord- und Marterwaffen geschmückt war. Dort sank Beren in Wolfsgestalt vor Morgoths Thron zu Boden; Lúthien aber wurde durch Morgoths Willen ihrer Verkleidung beraubt, und er richtete den Blick auf sie. Seine Augen bannten sie nicht; sie nannte ihren Namen und bot nach Art eines fahrenden Sängers ihre Dienste an, vor ihm zu singen. Da erfaßte Morgoth, als er ihre Schönheit sah, im Geiste ein böses Gelüst, und ein schwärzerer Plan als je einer seit seiner Flucht aus Valinor kam ihm ins Herz. So betrog ihn die eigene Tücke, denn er sah ihr zu und ließ ihr für einen Augenblick Freiheit, sich heimlich an seinem Gedanken weidend. Dann plötzlich entwich sie aus seinem Blick, und aus dem Schatten stimmte sie ein Lied an, von so bezwingendem Liebreiz und so blendender Gewalt, daß er nicht anders konnte als lauschen; und Blindheit kam über ihn, als seine Augen hin und her schweifend nach ihr suchten.

Sein ganzer Hofstaat fiel in Schlaf, und alle Feuer brannten nieder und erloschen; die Silmaril aber in der Krone auf Morgoths Haupt loderten plötzlich in weißem Flammenschein auf, und die Bürde der Krone und der Edelsteine drückte sein Haupt nieder, als trüge er die Welt darauf, beladen mit einer Last von Leid, Furcht und Begehren, die selbst Morgoths Wille nicht zu tragen vermochte. Dann sprang Lúthien, ihr Flügelkleid aufnehmend, in die Luft hinauf, und nun kam ihre Stimme herniedergerauscht wie Regen auf tiefe, dunkle Teiche. Sie schwang ihren Mantel vor seinen Augen und gab ihm einen Traum, dunkel wie die Äußere Leere, wo er einst allein gewandert war. Plötzlich, donnernd wie eine Lawine, fiel er vom Thron und lag lang hingestreckt auf dem Boden der Hölle. Die Eisenkrone rollte ihm schallend vom Haupte. Alles war still.

Wie ein totes Tier lag Beren auf dem Boden; Lúthien aber weckte ihn mit einer Berührung ihrer Hand, und er streifte die Wolfsgestalt ab. Dann zog er das Messer Angrist, und aus den eisernen Klauen, in die sie gefaßt waren, schnitt er einen der Silmaril.

Als er die Hand darum schloß, pulsierten die Strahlen durch sein lebendiges Fleisch, und seine Hand leuchtete wie eine Lampe; doch duldete der Stein seinen Griff und tat ihm nicht weh. Da kam es Beren in den Sinn, mehr zu tun, als sein Eid verlangte, und alle drei Steine Feanors aus Angband mit fortzunehmen; doch dies war nicht das Schicksal der Silmaril. Das Messer Angrist zerbrach, und ein Splitter von der Klinge traf Morgoths Wange. Er stöhnte und schüttelte sich, und der ganze Hof von Angband rührte sich im Schlaf.

Da erschraken Beren und Lúthien und flohen, Hals über Kopf und ohne Verkleidung; nur das Licht wollten sie noch einmal sehen. Sie wurden weder gehindert noch verfolgt, doch am Tor war ihnen der Ausgang verwehrt, denn Carcharoth war aus dem Schlafe erwacht und stand nun in Wut auf der Schwelle von Angband. Ehe sie ihn noch bemerkt hatten, sah er sie und sprang ihnen entgegen, wie sie rannten.

Lúthien war erschöpft und hatte weder Zeit mehr noch Kraft, den

Wolf zu bändigen. Beren aber trat vor sie hin, und in der rechten Hand hob er den Silmaril empor. Carcharoth blieb stehen und hatte für einen Augenblick Angst. »Fort mit dir, fliehe!« rief Beren, »denn das hier ist ein Feuer, das dich und alle Dinge des Bösen verzehren soll.« Und er schwenkte den Silmaril dem Wolf vor Augen.

Carcharoth aber blickte auf das heilige Juwel und war nicht eingeschüchtert, und der unersättliche Geist in ihm erwachte zu jähem Feuer; und plötzlich zuschnappend, packte er die Hand zwischen den Kiefern und biß sie am Gelenk durch. Sogleich erfüllten sich all seine Eingeweide mit einem flammenden Schmerz, und der Silmaril sengte sein verfluchtes Fleisch. Heulend rannte er davon, und sein Schmerzgeschrei hallte von den Wällen des Tales wider. So furchtbar wurde er in seiner Wut, daß alle Kreaturen Morgoths, die im Tale hausten oder sich auf dem Wege dorthin befanden, das Weite suchten, denn er tötete ohne Unterschied alles Lebende, das ihm begegnete; und aus dem Norden brach er mit Verheerung über die Welt herein. Von allen Schrecknissen, die je nach Beleriand kamen, ehe Angband fiel, war der tollwütige Carcharoth das furchtbarste, denn die Kraft des Silmaril brannte in ihm.

Nun lag Beren ohnmächtig vor dem gefahrvollen Tor, und der Tod nahte sich ihm, denn Gift war an den Fängen des Wolfes gewesen. Lúthien sog mit den Lippen das Gift aus und stillte mit schier versagenden Kräften die entsetzliche Wunde. Doch hinter ihnen, aus den Tiefen von Angband, stieg der Lärm der großen Wut herauf. Morgoths Scharen waren erwacht.

So hätte die Fahrt nach dem Silmaril wohl in Verderben und Verzweiflung ihr Ende gefunden; doch zu der Stunde erschienen über den Wällen des Tales drei mächtige Vögel, schneller als der Wind nach Norden fliegend. Unter allen Vögeln und Tieren waren Berens Wanderung und seine Not laut geworden, und Huan hatte alle gebeten, Obacht zu geben, wo sie ihm zu Hilfe kommen könnten. Hoch über Morgoths Reich kreisten nun Thorondor und seine Vasallen, und als sie den wütigen Wolf sahen und Berens Lage erkannten, stießen sie schnell herab, als eben die Kräfte von Angband sich aus den Schlingen des Schlafes befreit hatten.

Dann hoben sie Lúthien und Beren vom Boden auf und trugen sie hoch in die Wolken empor. Unter ihnen begannen plötzlich Donner zu grollen, und Blitze zuckten auf, und die Berge bebten. Feuer und Qualm erbrach Thangorodrim, und flammende Pfeile wurden weit hinausgeschleudert und stürzten verheerend auf ferne Lande nieder; und die Noldor in Hithlum zitterten. Thorondor aber nahm den Weg weit über der Erde, auf den hohen Straßen des Himmels, wo die Sonne tagelang unverdeckt scheint und der Mond zwischen unumwölkten Sternen dahinzieht. So kamen sie schnell über Dor-nu-Fauglith hinweg, dann über Taur-nu-Fuin, und bald waren sie über dem versteckten Tal von Tumladen. Keine Wolke und kein Nebel lag darüber, und Lúthien, als sie hinabblickte, sah weit drunten, wie ein weißes Licht, das von einem grünen Edelstein ausstrahlt, den Glanz des schönen Gondolin, wo Turgon lebte. Doch sie weinte, denn sie glaubte, daß Beren gewiß sterben werde; er sprach kein Wort und schlug die Augen nicht auf und wußte später nichts von dem Fluge. Und endlich gingen die Adler an den Grenzen von Doriath nieder; und sie kamen zu derselben Waldschlucht, wo Beren sich in seiner Verzweiflung davongestohlen und Lúthien schlafend zurückgelassen hatte.

Dort legten die Adler Lúthien an Berens Seite nieder und kehrten zu den Gipfeln der Crissaegrim und ihren hohen Horsten zurück; doch Huan kam zu ihr, und zusammen pflegten sie Beren, wie schon einmal, als sie ihn von der Wunde heilte, die ihm Curufin zugefügt. Lange lag Beren darnieder, und sein Geist wanderte an den dunklen Grenzen des Todes entlang, immer im Wissen um einen Schmerz, der ihn verfolgte von Traum zu Traum. Dann plötzlich, als sie die Hoffnung fast schon aufgegeben hatte, erwachte er und blickte auf und sah das Laub unter dem Himmel, und unter den Bäumen hörte er neben sich den leisen, langsamen Gesang Lúthien Tinúviels. Und es war wieder Frühling.

Fortan wurde Beren Erchamion geheißen, was der Einhänder bedeutet; und das Leiden war in sein Antlitz eingegraben. Zuletzt aber holte ihn Lúthiens Liebe doch ins Leben zurück, und wieder gingen sie zusammen durch die Wälder. Und sie hatten es nicht eilig weiterzuziehen, denn die Wälder schienen ihnen freundlich genug. Lúthien war sogar bereit, immer in der Wildnis umherzuwandern, ohne je heimzukehren, und Elternhaus und Volk und allen Glanz der Elbenkönige zu vergessen, und eine Zeitlang war auch Beren es zufrieden, doch auf die Dauer konnte er seinen Eid, nach Menegroth zurückzukehren, nicht vergessen, noch mochte er Lúthien für immer von ihrem Vater fernhalten. Denn er achtete die Gesetze der Menschen, nach denen es als gefährlich galt, den Willen des Vaters zu mißachten, es sei denn in der äußersten Not; auch schien es ihm unziemlich, daß eine so königliche und schöne Frau wie Lúthien immer nur in den Wäldern leben sollte, wie das rauhe Jägervolk unter den Menschen, ohne Haus und Hofstaat und all die köstlichen Dinge, an denen Elbenköniginnen Freude haben. Nach einiger Zeit hatte er sie daher überzeugt, und sie lenkten die Schritte fort aus den hauslosen Landen; und er betrat Doriath, Lúthien heimgeleitend. So wollte es ihr Schicksal.

Schlimme Tage waren über Doriath gekommen. Alles Volk war verdrossen und schweigsam, seit Lúthien fort war. Lange hatte man sie vergebens gesucht. Und es heißt, Daeron, Thingols Spielmann, sei zu jener Zeit aus dem Lande fortgezogen und nicht mehr gesehen worden. Er war es, welcher die Musik zu Lúthiens Tänzen und Liedern gemacht hatte, ehe Beren nach Doriath kam; und er hatte sie geliebt und all seine Gedanken an sie in Töne gesetzt. Er wurde zum größten Sänger der Elben östlich des Meeres, und er wird sogar vor Maglor genannt, Feanors Sohn. Doch als er verzweifelt nach Lúthien suchte, wanderte er auf fremden Wegen und kam über das Gebirge in den Osten von Mittelerde, wo er an dunklen Wassern viele Alter lang um Lúthien klagte, Thingols Tochter, das Schönste von allem, was lebt.

Zu jener Zeit wandte sich Thingol an Melian; doch nun verweigerte sie ihm den Rat und sagte, das Schicksal, das er gerufen, müsse zu seinem vorbestimmten Ende hin wirken und er solle die Zeit nur abwarten. Thingol hatte aber erfahren, daß Lúthien fern von Doriath gewandert war, denn, wie erzählt worden, von Celegorm waren geheime Botschaften gekommen, welche besagten, Felagund sei tot und Beren sei tot, Lúthien jedoch sei in Nargothrond, und Celegorm begehre sie zum Weibe. Da war Thingol voller Zorn und sandte Späher aus, in der Absicht, Krieg gegen Nargothrond zu führen; und so erfuhr er, daß Lúthien wieder geflohen war und daß man Celegorm und Curufin aus Nargothrond vertrieben hatte. Nun war guter Rat teuer, denn er war nicht stark genug, um alle sieben Söhne Feanors zu bekriegen; doch sandte er Boten nach Himring, mit der Aufforderung, bei der Suche nach Lúthien zu helfen, wenn schon Celegorm sie nicht zum Hause ihres Vaters zurückgeschickt noch für ihre Sicherheit gesorgt habe.

Doch schon im Norden seines Reiches begegneten seine Boten einer plötzlichen und unerwarteten Gefahr: dem Ansturm Carcharoths, des Wolfes von Angband. Im Heißhunger seiner Wut war er von Norden fortgerannt, durch den östlichen Teil von Taur-nu-Fuin gezogen und kam nun von den Quellen des Esgalduin daher wie ein vernichtendes Feuer. Nichts vermochte ihn zu hindern, und auch Melians Macht an den Grenzen des Landes hielt ihn nicht auf, denn Schicksal trieb ihn und die Kraft des Silmaril, der ihn quälte. So brach er ein in die unversehrten Wälder von Doriath, und alles floh in Furcht. Von den Boten des Königs entkam ihm allein Mablung, Thingols Feldhauptmann, und er brachte die grausige Nachricht.

Eben zu jener finstern Stunde kehrten Beren und Lúthien heim, von Westen herbeieilend, und die Meldung von ihrem Kommen ging ihnen voraus wie Musik, die der Wind in dunkle Häuser trägt, wo Menschen sich grämen. Endlich kamen sie zu den Toren von Menegroth, und eine große Menge folgte ihnen. Dann geleitete Beren Lúthien vor den Thron Thingols, ihres Vaters, und Thingol sah mit

Staunen auf Beren, den er tot geglaubt hatte; doch sah er ihn nicht gern, wegen all des Leides, das er über Doriath gebracht. Beren aber kniete vor ihm nieder und sagte: »Ich bin zurück, wie ich mein Wort gegeben. Ich verlange nun, was mein ist.«

Und Thingol antwortete: »Und dein Auftrag, dein Gelöbnis?«

Doch Beren sagte: »Es ist erfüllt. Ein Silmaril ist jetzt in meiner Hand.«

Da sagte Thingol: »Zeig ihn mir!«

Und Beren streckte die linke Hand aus und öffnete sie langsam, doch sie war leer. Dann hob er den rechten Arm, und von der Stunde an nannte er sich Camlost, der mit der leeren Hand.

Da wurde Thingol milder gestimmt; und Beren setzte sich zur Linken des Thrones und Lúthien zur Rechten, und sie erzählten die ganze Geschichte ihrer Fahrt, während alle, die zuhörten, voller Staunen waren. Und Thingol schien es, daß dieser Mensch anders als alle Sterblichen und einer der Großen von Arda sei, und Lúthiens Liebe erschien ihm neu und merkwürdig; und er erkannte, daß ihrem Schicksal keine Macht der Welt widerstehen konnte. Daher gab er zuletzt seine Einwilligung, und Beren nahm die Hand Lúthiens vor dem Thron ihres Vaters.

Doch ein Schatten fiel nun auf die Freude des Landes über Lúthiens, der Schönen, Rückkehr, denn als das Volk den Grund für Carcharoths Wüten erfuhr, waren alle nur um so mehr verängstigt, erkannten sie doch nun, daß diese Gefahr die entsetzliche Kraft des heiligen Steins in sich trug und kaum zu überwinden war. Und Beren, als er vom Vordringen des Wolfes erfuhr, erinnerte sich, daß sein Auftrag noch nicht erfüllt war.

Als daher Carcharoth mit jedem Tag Menegroth näher kam, machten sie sich zur Wolfshatz bereit, zum gefährlichsten aller Jagdzüge, von denen je erzählt worden ist. Zu jener Hatz zogen aus Huan, der Hund aus Valinor, und Mablung von der Schweren Hand und Beleg Langbogen und Beren Erchamion und König Thingol von Doriath. Morgens ritten sie fort und überquerten den Fluß Esgalduin; Lúthien aber blieb zurück hinter den Toren von Menegroth. Ein dunkler Schatten fiel auf sie, und es schien ihr, als wäre die Sonne krank und schwarz geworden.

Die Jäger wandten sich nach Osten und Norden, und schließlich, dem Lauf des Flusses folgend, trafen sie Carcharoth den Wolf in einem dunklen Tale, an dessen Nordseite der Esgalduin über steile Hänge herabstürzte. Am Fuß des Wasserfalls stillte Carcharoth seinen verzehrenden Durst, und er heulte, und so bemerkten sie ihn. Er aber sah sie kommen und griff sie nicht sogleich an. Da sein Schmerz für den Augenblick durch das süße Wasser des Esgalduin gelindert war, mag es sein, daß die Teufelslist seines Herzens wieder erwacht war, denn selbst als sie auf ihn zuritten, schlich er beiseite in ein dichtes Gebüsch und hielt sich dort versteckt. Doch sie umstellten den ganzen Ort mit Wachen und warteten, und die Schatten wurden länger im Walde.

Beren stand neben Thingol, und plötzlich bemerkten sie, daß Huan von ihrer Seite gewichen war. Dann kam ein lautes Bellen aus dem Dickicht. Huan, der ungeduldig geworden war und diesen Wolf sehen wollte, war allein dort eingedrungen, um ihn hinauszutreiben. Carcharoth aber wich ihm aus, und, plötzlich aus den Dornbüschen hervorbrechend, sprang er auf Thingol los. Rasch trat Beren mit einem Speer vor den König, doch Carcharoth fegte die Waffe beiseite und warf ihn um; dann biß er ihn in die Brust. In dem Augenblick sprang Huan aus dem Dickicht dem Wolf auf den Rücken, und sie fielen in heißem Ringen übereinander; und nie gab es einen Kampf zwischen Wolf und Hund gleich diesem, denn in Huans Bellen waren Oromes Hornklang zu hören und der Zorn der Valar, in Carcharoths Heulen aber Morgoths Haß und Tücke, grausamer als Zähne von Stahl; und die Felsen barsten von dem Lärm und stürzten von hoch oben herab und verstopften die Fälle des Esgalduin. Dort kämpften sie bis zum Tode; doch Thingol achtete nicht auf sie, denn er kniete neben Beren und sah, daß er schwer verwundet war.

Zu dieser Stunde tötete Huan Carcharoth; doch dort in den verwobenen Wäldern von Doriath erfüllte sich auch sein eigenes, längst gesprochenes Schicksal, und er wurde zu Tode verwundet, und Morgoths Gift drang in ihn ein. Als er nun kam und neben Beren niedersank, sprach er zum dritten Male mit Worten, und er sagte Beren Lebewohl, ehe er starb. Beren sprach nicht, doch er legte die Hand auf den Kopf des Hundes, und so schieden sie.

Mablung und Beleg kamen dem König zu Hilfe geeilt, doch als sie sahen, was geschehen war, warfen sie die Speere hin und weinten. Dann nahm Mablung ein Messer und schnitt dem Wolf den Bauch auf; und er war von innen fast ganz verzehrt wie von einem Feuer, doch Berens Hand, die den Stein hielt, war noch unversehrt. Doch als Mablung die Hand anrühren wollte, war sie nicht mehr da, und der Silmaril lag unverhüllt vor ihnen, und sein Licht erfüllte all die Schatten des Waldes um sie her. Da ergriff Mablung ihn schnell und ängstlich und legte ihn in Berens lebendige Hand; und die Berührung des Silmaril weckte Beren, und er hielt ihn empor und bat Thingol, ihn entgegenzunehmen. »Nun ist der Auftrag erfüllt«, sagte er, »und mein Schicksal vollendet«; und dann sagte er nichts mehr.

Sie trugen Beren Camlost, Barahirs Sohn, auf einer Bahre von Ästen, Huan den Wolfshund an seiner Seite, und vor Einbruch der Nacht waren sie zurück in Menegroth. Unter der großen Buche Hírilorn kam Lúthien ihnen langsamen Schrittes entgegen, und manche gingen mit Fackeln neben der Bahre. Dort umarmte sie Beren, küßte ihn und hieß ihn, sie jenseits des Westmeeres zu erwarten; und er blickte ihr in die Augen, ehe der Geist aus ihm wich. Doch das Sternenlicht war erloschen, und Dunkelheit war selbst über Lúthien Tinúviel gefallen. So endete die Fahrt nach dem Silmaril; doch das Lied von Leithian, von der Erlösung aus den Banden, endet nicht.

Denn auf Lúthiens Geheiß wartete Berens Geist in Mandos' Hallen, nicht gewillt, die Welt zu verlassen, ehe nicht Lúthien ihm ein letztes Lebewohl sagte an den dunklen Ufern des Außenmeeres, auf das die Menschen hinausfahren, wenn sie sterben, um nie wiederzukehren. Doch Lúthiens Geist fiel hinab ins Dunkel, und zuletzt entfloh er, und ihr Leib lag da wie eine Blume, die plötzlich geschnitten wird und verwelkt noch eine Weile im Grase liegt.

Winter kam da über Thingol, wie das Greisenalter über sterbliche Menschen. Lúthien aber ging in Mandos' Hallen, an den Ort, wo die Eldalië warten, hinter den Häusern des Westens und an den Rändern der Welt. Die Wartenden dort sitzen im Schatten ihrer Gedanken. Doch Lúthiens Schönheit war mehr als aller anderen Schönheit, und Lúthiens Leid tiefer als aller anderen Leid; und sie kniete vor Mandos nieder und sang für ihn.

Lúthiens Lied vor Mandos war das schönste, das je aus Worten geflochten wurde, und das traurigste, das die Welt je hören wird. Unvergänglich und unverändert wird es in Valinor noch immer gesungen, außer Hörweite der Welt, und die Valar sind bekümmert, wenn sie es hören. Denn Lúthien verwob zwei Themen in das Lied, von der Trauer der Eldar und vom Leid der Menschen, von den Zwei Geschlechtern, die Ilúvatar erschuf, auf daß sie Arda bewohnten, das Erdenreich inmitten der unzählbaren Sterne. Und als sie vor Mandos kniete, fielen ihre Tränen auf seine Füße, wie der Regen auf die Steine fällt; und Mitleid bewegte Mandos, wie es ihn niemals zuvor oder nachher bewegt hat.

Daher rief er Beren herbei, und so wie es Lúthien zur Stunde seines Todes gesagt hatte, trafen sie sich jenseits des Westmeeres. Doch stand es nicht in Mandos' Macht, die Geister der Menschen, welche gestorben waren, über die Zeit des Wartens hinaus in den Grenzen der Welt zu behalten; noch vermochte er in die Geschicke der Kinder Ilúvatars einzugreifen. Er ging daher zu Manwe, dem Fürsten der Valar, welcher in Ilúvatars Auftrag die Welt regierte; und Manwe suchte Rat in seinen innersten Gedanken, in denen sich Ilúvatars Wille offenbarte.

Dies beides stellte er Lúthien zur Wahl: Für ihre Taten und ihren Schmerz sollte sie von Mandos freigegeben werden und nach Valimar gehen, um dort bis an der Welt Ende unter den Valar zu wohnen, alles Leid ihres Lebens vergessend. Dorthin konnte Beren nicht kommen. Denn den Valar war es nicht erlaubt, ihm den Tod zu verweigern, welcher Ilúvatars Gabe an die Menschen ist. Doch dies war die zweite Wahl: Daß sie nach Mittelerde zurückkehrte und Beren mit sich nähme, um dort von neuem zu wohnen, doch ohne Gewißheit des Lebens oder des Glücks. dann müßte sie sterblich werden und einen zweiten Tod erleiden, ebenso wie Beren; und nicht lange, so würde sie die Welt für immer verlassen, und von ihrer Schönheit bliebe nur ein Gedenken im Liede.

Dies zweite Schicksal wählte sie, das Segensreich verlassend und auf alle Rechte der Verwandtschaft mit jenen, die dort wohnen, verzichtend; und so sollten die Geschicke von Beren und Lúthien, welches Leid auch noch auf sie warten mochte, vereint bleiben und ihre Pfade zusammen aus den Grenzen der Welt hinausführen. So kam es, daß sie als einzige unter den Eldalië wirklich gestorben ist und vor langer Zeit die Welt verlassen hat. Doch in ihrer Wahl wurden die Zwei Geschlechter vereint, und sie ist die Vorläuferin vieler, in denen die Eldar noch immer, obwohl alles in der Welt nun anders ist, ein Abbild Lúthiens der Geliebten sehen, die sie verloren.

XX

Von der Fünften Schlacht: Nirnaeth Arnoediad

Es heißt, Beren und Lúthien seien in die nördlichen Lande von Mittelerde zurückgekehrt und hätten dort eine Zeitlang zusammen als Mann und Frau gelebt; und in Doriath nahmen sie ihre sterbliche Form wieder an. Die sie sahen, waren froh und zugleich voller Furcht; und Lúthien ging nach Menegroth und heilte Thingols Winter mit einer Berührung ihrer Hand. Melian aber sah ihr in die Augen und las, welches Schicksal darin geschrieben stand; und sie wandte sich ab, denn sie wußte, ein Abschied bis übers Ende der Welt hinaus stand nun zwischen ihnen, und nie ist Schmerz über einen Verlust tiefer gewesen als der Schmerz Melians der Maia zu dieser Stunde. Dann gingen Beren und Lúthien allein fort, Hunger und Durst nicht fürchtend, und sie zogen über den Gelion nach Ossiriand, und dort lebten sie auf Tol Galen, der grünen Insel inmitten des Adurant, bis keine Nachricht mehr von ihnen kam. Die Eldar nannten diesen Landstrich später Dor Firn-i-Guinar, das Land der Toten, die leben; und dort wurde Dior Aranel der Schöne geboren, der später unter dem Namen Dior Eluchíl bekannt wurde, das heißt als Thingols-Erbe. Kein sterblicher Mensch hat je wieder mit Beren, Barahirs Sohn, gesprochen, und keiner hat gesehen, wie Beren und Lúthien die Welt verließen, oder vermerkt, wo ihre Leichname zuletzt lagen.

In jenen Tagen faßte sich Maedhros, Feanors Sohn, ein Herz, in der Erkenntnis, daß Morgoth nicht unangreifbar war; denn in vielen Liedern wurden in ganz Beleriand die Taten Berens und Lúthiens besungen. Doch würde Morgoth sie alle, einen nach dem andern, vernichten, wenn sie sich nicht wieder einten, ein neues Bündnis schlossen und gemeinsam Rat hielten; und um die Kräfte der Eldar aufzubieten, begann Maedhros jene Absprachen zu treffen, die man Maedhros' Bund nannte.

Doch der Eid Feanors und die Untaten, die er gewirkt hatte, schadeten Maedhros' Plan, und er bekam weniger Hilfe, als nötig gewesen wäre. Orodreth mochte nicht auf Bitten eines Sohnes von Feanor in den Krieg ziehen, wegen der Taten Celegorms und Curufins; auch glaubten die Elben von Nargothrond noch immer, ihre versteckte Burg am besten durch List und Heimlichkeit zu schützen. Von ihnen also kam nur ein kleines Häuflein, angeführt von Gwindor, Guilins Sohn, einem tapferen Prinzen; und auch er zog gegen Orodreths Willen gen Norden, weil er um den Verlust seines Bruders Gelmir in der Dagor Bragollach trauerte. Die Nargothronder trugen Fingolfins Banner und kämpften Seite an Seite mit Fingons Schar; und sie kehrten nie zurück, bis auf einen.

Aus Doriath kam wenig Hilfe. Denn Maedhros und seine Brüder hatten zuvor, durch ihren Eid gebunden, Botschaft an Thingol gesandt und ihn in stolzen Worten an ihre Rechte gemahnt; sie stellten ihn vor die Wahl, ihnen den Silmaril auszuhändigen oder ihr Feind zu sein. Melian riet zum Nachgeben, doch die Worte der Botschaft waren anmaßend und drohend, und Thingol dachte voller Zorn an Lúthiens Schmerz und Berens Blut, welche den Stein gewonnen hatten, gegen Celegorms und Curufins Tücke. Und mit jedem Tag, da er den Silmaril sah, begehrte er mehr, ihn für immer zu behalten; denn solche Macht war in dem Stein. Also schickte er die Boten mit verächtlichen Worten zurück. Maedhros gab keine Antwort, denn er suchte nun das Bündnis und die Einigung; Celegorm und Curufin aber gelobten öffentlich, Thingol würden sie erschlagen und sein Volk vernichten, wenn sie siegreich aus dem Kriege heimkehrten und der Stein nicht freiwillig ausgeliefert werde. Da befestigte Thingol die Grenzen seines Reiches, und er zog nicht in den Krieg, noch irgendeiner aus Doriath, bis auf Mablung und Beleg, denen es widerstrebte, daß sie an so großen Taten keinen Anteil nehmen sollten. Ihnen gab Thingol Erlaubnis, zu gehen, sofern sie nicht den Söhnen Feanors dienten, und sie gesellten sich zu Fingons Schar.

Doch hatte Maedhros Unterstützung von den Naugrim, die sowohl eine Streitmacht als auch große Vorräte an Waffen schickten; und die Schmieden von Nogrod und Belegost waren in jenen Tagen geschäftig. Und Maedhros sammelte seine Brüder um sich und alles Volk, das sich ihnen anschließen wollte; und die Menschen Bórs und Ulfangs wurden für den Krieg geübt und gerüstet, und sie riefen noch mehr von ihren Stammverwandten aus dem Osten herbei. Überdies saß im Westen Fingon, der von jeher Maedhros' Freund gewesen, und er sprach sich mit denen in Himring ab, und in Hithlum rüsteten die Noldor und die Menschen aus Hadors Geschlecht zum Kriege. Im Walde von Brethil sammelte Halmir seine Männer, der Fürst des Volkes von Haleth, und sie schliffen ihre Äxte; doch Halmir starb, ehe der Krieg begann, und sein Sohn Haldir regierte das Volk. Und auch nach Gondolin kam Nachricht, zu Turgon, dem verborgenen König.

Doch Maedhros ließ es zu früh zur Kraftprobe kommen, ehe seine Pläne ganz ausgereift waren; und obgleich die Orks aus allen nördlichen Gebieten von Beleriand vertrieben wurden und sogar Dorthonion für eine Weile frei kam, war doch Morgoth nun vor der Erhebung der Eldar und der Elbenfreunde gewarnt und richtete seine Pläne auf sie ein. Viele Spione und Verräter schickte er unter seine Feinde, was ihm jetzt um so leichter fiel, als die treulosen Menschen, die insgeheim ihm gehorchten, schon tief in die Geheimnisse von Feanors Söhnen eingeweiht waren.

Zuletzt beschloß Maedhros, nachdem er alle Streitkräfte der Elben, Menschen und Zwerge, die er aufbieten konnte, versammelt hatte, Angband von Osten und Westen her anzugreifen; und er gedachte, in offener Schlachtordnung und mit entrollten Fahnen über Anfauglith zu marschieren, und wenn, wie er hoffte, Morgoths Heere herausgelockt wären, um ihm zu begegnen, dann sollte Fingon aus den Pässen von Hithlum hervorbrechen, so daß sie Morgoths Streitmacht wie zwischen Hammer und Amboß zerschlagen könnten. Und zum Zeichen des Beginns sollte ein großes Leuchtfeuer über Dorthonion abgebrannt werden.

Am verabredeten Tage, am Mittsommermorgen, grüßten die Trompeten der Eldar den Sonnenaufgang; und im Osten wurde die Standarte der Söhne Feanors erhoben und im Westen die Standarte Fingons, des Hohen Königs der Noldor. Dann blickte Fingon von den Wällen von Eithel Sirion heraus, und sein Heer war in den Tälern und Wäldern an der Ostseite der Ered Wethrin aufmarschiert, wohlverborgen vor den Augen des Feindes; Fingon aber wußte, daß es sehr groß war. Denn all die Noldor von Hithlum waren da versammelt, und mit ihnen Elben von Falas und Gwindors Häuflein aus Nargothrond, und eine große Streitmacht der Menschen: zur Rechten lagerte das Heer von Dor-Lómin mit all den Tapferen um Húrin und seinen Bruder Huor, und zu ihnen hatte sich Haldir aus Bethil mit vielen seiner Waldläufer gesellt.

Dann blickte Fingon nach Thangorodrim hin, und es lag unter einer dunklen Wolke, und ein schwarzer Rauch stieg auf; und er wußte, daß Morgoths Wut geweckt und ihre Herausforderung angenommen war. Ein Schatten des Zweifels fiel auf Fingons Herz, und er blickte gen Osten, ob er nicht mit seinen Elbenaugen den Staub von Anfauglith vor Maedhros' Scharen könnte aufsteigen sehen. Er wußte nicht, daß Maedhros durch Uldor den Verfluchten aufgehalten wurde, der ihn mit falschen Warnungen vor Angriffen aus Angband täuschte.

Nun aber hub ein Geschrei an, das der Wind aus Süden von Tal zu Tal weitertrug, und Elben und Menschen erhoben die Stimmen in Staunen und Freude. Denn unaufgefordert und unerwartet hatte Turgon die Tore von Gondolin geöffnet und war mit einem Heer von zehntausend Mann gekommen, mit schimmernden Panzern und langen Schwertern und einem Wald von Speeren. Als Fingon nun von weitem die große Trompete Turgons, seines Bruders, hörte, da verging der Schatten, und sein Mut war erfrischt, und er rief laut aus: *»Utúlie' n aure! Aiya Eldalië ar Atanatári, utúlie' n aure!* Der Tag ist gekommen! Sehet, ihr Völker der Eldar und Väter der Menschen, der Tag ist gekommen!« Und alle, die hörten, wie seine laute

Stimme von den Hügeln widerhallte, riefen zur Antwort: »*Auta i lóme!* Die Nacht vergeht!«

Nun wählte Morgoth seine Stunde, der vieles von den Vorbereitungen und Plänen seiner Feinde wußte, und im Vertrauen auf seine verräterischen Diener, die Maedhros zurückhalten und die Vereinigung seiner Feinde hindern mußten, schickte er eine Streitmacht gegen Hithlum, die groß zu sein schien (und doch nur ein Teil alles dessen war, was er gerüstet hatte); und seine Leute waren alle in schmutziges Grau gehüllt und zeigten keinen blanken Stahl, und so waren sie schon weit über den Sand von Anfauglith gekommen, ehe ihr Nahen bemerkt wurde.

Nun begannen die Herzen der Noldor zu sieden, und ihre Hauptleute wünschten die Feinde auf der Ebene anzugreifen. Húrin aber sprach dagegen, vor Morgoths Heimtücke warnend, der stets stärker sei, als er scheine, und andres im Schilde führe, als er erkennen lasse. Und obwohl das Zeichen für Maedhros' Vormarsch nicht kam und das Heer ungeduldig wurde, drängte Húrin darauf, weiter zu warten und die Orks sich im Ansturm gegen die Hügel aufreiben zu lassen.

Doch Morgoths Hauptmann im Westen hatte Befehl, Fingon um jeden Preis schnell aus seinen Hügeln hervorzulocken. Er rückte daher an, bis seine vorderste Schlachtreihe sich jenseits des Sirion aufgestellt hatte, von den Mauern der Festung Eithel Sirion bis zur Mündung des Rivil im Fenn von Serech; und Fingons Vorposten konnten ihren Feinden in die Augen sehen. Doch keine Antwort kam auf seine Herausforderung, und das Hohngeschrei der Orks verstummte bald, als sie auf die schweigsamen Mauern und die drohenden Hügel blickten. Nun schickte Morgoths Hauptmann Reiter mit Heroldszeichen vor, und sie kamen bis zu den Außenbefestigungen des Barad Eithel geritten. Bei sich hatten sie Gelmir, Guilins Sohn, jenen Edlen von Nargothrond, den sie in der Dagor Bragollach gefangengenommen; und sie hatten ihm die Augen ausgestochen. Jetzt wiesen die Herolde von Angband auf ihn und riefen: »Noch viele wie ihn haben wir daheim, doch beeilt euch, wenn ihr sie finden wollt, denn so wollen wir mit ihnen allen verfahren, wenn wir zurückkehren.« Und vor den Augen der Elben hackten sie Gelmir die Hände und Füße ab und zuletzt den Kopf und ließen ihn liegen.

Das Unglück wollte es, daß an diesem Platz der Außenbefestigungen Gwindor aus Nargothrond stand, Gelmirs Bruder. Zum Wahnsinn trieb ihn der Zorn; er stürmte zu Pferde los und viele Reiter mit ihm. Sie verfolgten die Herolde und erschlugen sie und stießen dann weiter vor, tief in das Hauptheer hinein. Und bei diesem Anblick geriet das ganze Heer der Noldor in Flammen, und Fingon setzte seinen weißen Helm auf und ließ die Trompeten blasen, und das ganze Heer von Hithlum stürmte plötzlich aus den Hügeln hervor. Das Aufblitzen, als die Noldor die Schwerter zogen, war wie Feuer im Riedgras, und so hart und schnell kam ihr Angriff, daß Morgoths Pläne fast zunichte geworden wären. Das Heer, das er nach Westen geschickt hatte, wurde hinweggefegt, ehe er Verstärkung heranführen konnte, und Fingons Banner zogen über Anfauglith hinweg und wurden vor den Mauern von Angband aufgerichtet. Immer in der vordersten Reihe kämpften Gwindor und die Elben aus Nargothrond, und auch jetzt ließen sie sich nicht zurückhalten. Sie brachen durchs Tor und erschlugen die Wachen, bis auf die Treppen von Angband vordringend, und Morgoth zitterte auf seinem Thron in der Tiefe, als er hörte, wie sie gegen seine Türen hämmerten. Dort aber waren sie in der Falle, und alle wurden sie erschlagen, bis auf Gwindor, den man lebendig fing; denn Fingon konnte ihnen nicht zu Hilfe kommen. Durch viele geheime Tore von Thangorodrim hatte Morgoth sein Hauptheer ausrücken lassen, das er in Bereitschaft hielt, und Fingon wurde mit großen Verlusten von den Mauern zurückgeschlagen.

Dann, am vierten Tag des Krieges in der Ebene von Anfauglith, begann Nirnaeth Arnoediad, die Schlacht der Ungezählten Tränen, denn kein Lied und keine Erzählung kann von all ihrem Leid berichten. Fingons Heer zog sich über die Sandwüste zurück; und Haldir, der Fürst der Haladin, fiel in der Nachhut, und mit ihm fielen die meisten der Männer aus Brethil und kehrten nie mehr heim in ihre Wälder. Doch am fünften Tage, als schon die Nacht hereinbrach und sie noch weit von den Ered Wethrin waren, umzingelten die Orks das Heer von Hithlum, bis zum Morgen hindurch kämpfend, und sie schlossen den Ring immer enger. Am Morgen kam Hoffnung, als man Turgons Hörner vernahm, wie er mit dem Haupttheer von Gondolin anrückte; denn Turgon war im Süden geblieben, den Sirion-Paß bewachend, und er hatte den größten Teil seiner Leute von dem unbedachten Sturmangriff zurückgehalten. Nun eilte er seinem Bruder zu Hilfe; und die Gondolindrim waren stark und trugen Kettenpanzer, und ihre Reihen glänzten wie ein stählerner Fluß in der Sonne.

Nun brach die Leibwache des Königs in Phalanx durch die Reihen der Orks, und Turgon hieb sich den Weg zu seinem Bruder frei; und es heißt, freudig sei inmitten der Schlacht das Wiedersehen Turgons mit Húrin gewesen, der neben Fingon stand. Nun schöpften die Elben neue Hoffnung, und zur gleichen Zeit, um die dritte Morgenstunde, vernahm man endlich Maedhros' Trompeten, wie er von Osten heranrückte, und die Banner von Feanors Söhnen griffen den Feind im Rücken an. Manche haben gesagt, zu dieser Stunde hätten die Eldar noch den Sieg davontragen können, wären alle ihre Heere treu geblieben, denn die Orks wankten, und ihr Vordringen wurde aufgehalten, und schon wandten manche sich zur Flucht. Doch als Maedhros' Vorhut eben die Orks angriff, da ließ Morgoth seine letzten Streiter los, und Angband entleerte sich. Es kamen Wölfe und Wolfsreiter, und es kamen Balrogs und Drachen, und es kam Glaurung, der Vater der Drachen. Die Kraft und die Wut des Großen Wurms waren nun erst wahrhaft groß, und Elben wie Menschen sanken vor ihm dahin; und er stieß zwischen die Heere von Fingon und Maedhros und drängte sie auseinander.

Doch weder Wolf noch Balrog noch Drache hätten Morgoth zum Ziele geführt, ohne den Verrat der Menschen. In dieser Stunde wurden die Ränke Ulfangs offenbar. Viele von den Ostlingen machten kehrt und flohen, die Herzen voller Furcht und Lügen; die Söhne Ulfangs aber gingen plötzlich zu Morgoth über und griffen die Nachhut von Feanors Söhnen im Rücken an; und in der Verwirrung, die sie so stifteten, drangen sie fast bis zu Maedhros' Standarte vor. Den Lohn, den Morgoth ihnen verheißen, ernteten sie nicht, denn Maglor erschlug Uldor den Verfluchten, den Anführer des Verrats, und die Söhne Bórs erschlugen Ulfast und Ulwarth, ehe sie selber fielen. Doch neue Scharen der üblen Menschen rückten nach, die Uldor herbeigerufen und in den Hügeln im Osten versteckt gehalten hatte; und so wurde Maedhros' Heer nun von drei Seiten angegriffen, und es löste sich auf und wurde versprengt und floh in alle Richtungen. Doch verschonte das Schicksal Feanors Söhne, von denen zwar jeder Wunden empfing, aber keiner getötet wurde, denn sie drängten sich zusammen, scharten einen Rest der Noldor und der Naugrim um sich und hieben sich ins Freie durch und entkamen zum fernen Berg Dolmed im Osten.

Bis zuletzt hielten von dem Heer aus dem Osten die Zwerge von Belegost stand, und so gewannen sie Ruhm. Denn die Naugrim traten mutiger als Elben oder Menschen dem Feuer entgegen. Ihr Brauch war es, in der Schlacht große Masken zu tragen, die gräßlich anzusehen waren, ihnen aber gut zustatten kamen gegen die Drachen. Wären sie nicht gewesen, so hätten Glaurung und seine Brut alles verbrannt, was von den Noldor noch übrig war. Die Naugrim nämlich schlossen einen Kreis um ihn, als er sie angriff, und dann prüften ihre schweren Äxte seinen Panzer; und als Glaurung in seiner Wut sich umwandte und Azaghâl niedermachte, den Fürsten von Belegost, sich auf ihn wälzend, da stieß ihm dieser mit letzter Kraft von unten ein Messer in den Bauch und brachte ihm eine solche Wunde bei, daß er vom Schlachtfeld floh und alle Untiere von Angband, eingeschüchtert, ihm folgten. Dann hoben die Zwerge Azaghâls Leichnam auf und trugen ihn fort; und langsam schritten sie hinter ihm drein, aus tiefen Kehlen ein Klagelied anstimmend und der Feinde nicht weiter achtend, wie bei einer Begräbnisfeier in ihrem Lande; und niemand wagte sie aufzuhalten.

Auf dem westlichen Schlachtfeld aber wurden Fingon und Turgon nun von einer Flut von Feinden angefallen, die dreimal stärker war als alles, was von ihren Heeren noch übrigblieb. Gothmog war gekommen, Fürst der Balrogs und Feldherr von Angband; und er trieb einen dunklen Keil zwischen die Elbenheere, König Fingon umzingelnd, Turgon und Húrin aber seitwärts ins Fenn von Serech abdrängend. Und dann wandte er sich Fingon zu. Heiß war das Treffen. Zuletzt stand Fingon allein zwischen seinen gefallenen Leibwächtern und focht mit Gothmog, bis ein anderer Balrog von hinten eine Feuerschlinge um ihn warf. Da schlug Gothmog mit seiner schwarzen Axt zu, und eine weiße Flamme sprühte aus Fingons gespaltenem Helm. So fiel der Hohe König der Noldor; und sie hieben ihn in den Staub mit ihren Keulen, und sein blausilbernes Banner stampften sie in die Lachen von seinem Blut.

Die Schlacht war verloren, aber noch hielten Húrin und Huor und die Reste von Hadors Volk mit Turgon von Gondolin stand, und die Heere Morgoths vermochten den Paß des Sirion nicht zu nehmen. Da sprach Húrin zu Turgon und sagte: »Geh jetzt, Herr, solange noch Zeit ist! Denn in dir lebt die letzte Hoffnung der Eldar, und solange Gondolin steht, wird Morgoths Herz die Furcht nicht verlernen.«

Turgon aber antwortete: »Nicht lange kann Gondolin verborgen bleiben; und ist es einmal entdeckt, so muß es fallen.«

Da sprach Huor und sagte: »Doch wenn es nur noch eine kurze Weile steht, dann wird aus deinem Hause die Hoffnung der Elben und der Menschen kommen. Dies sag' ich dir, Herr, mit dem Weitblick des Todes: Auch wenn wir hier für immer scheiden und ich deine weißen Mauern nicht mehr sehen werde, so soll doch aus dir und aus mir ein neuer Stern kommen. Lebwohl!«

Und Maeglin, Turgons Schwestersohn, der dabeistand, vernahm diese Worte und vergaß sie nicht; aber er sagte nichts.

Da folgte Turgon dem Rate Húrins und Huors, und alles sammelnd, was sich von Gondolins Heer und von Fingons Leuten noch sammeln ließ, zog er sich zum Sirion-Paß hin zurück, während seine Hauptleute Ecthelion und Glorfindel die Flanken zur Rechten und Linken sicherten, damit kein Feind sie überholen könne. Für die Rückendeckung aber sorgten die Menschen von Dor-lómin, wie Húrin und Huor es wollten; denn sie wünschten von Herzen, die Nordlande nicht zu verlassen, und wenn sie sich nicht nach Hause durchschlagen konnten, so wollten sie hier bleiben bis zum Ende. So wurde Uldors Verrat gutgemacht; und von allen Kriegstaten, welche die Väter der Menschen für die Eldar vollbrachten, ist das letzte Gefecht der Männer von Dor-lómin die ruhmreichste.

So geschah es, daß Turgon sich nach Süden durchkämpfte, bis er, hinter Húrins und Huors Deckung gelangt, den Sirion abwärts entkam; und er verschwand in den Bergen und war den Blicken Morgoths verborgen. Die Brüder aber scharten die restlichen Menschen aus dem Volk Hadors um sich und wichen Fuß um Fuß zurück, bis sie hinter dem Fenn von Serech waren und den Bach Rivil vor sich hatten. Dort standen sie und wichen nicht mehr.

Alle Heere Angbands liefen nun gegen sie zusammen; sie überbrückten den Bach mit ihren Toten und schlossen sich um das letzte Häuflein aus Hithlum wie die steigende Flut um einen Felsen. Dort, am sechsten Tage, als die Sonne im Westen sank und der Schatten der Ered Wethrin dunkler wurde, fiel Huor, von einem Giftpfeil ins Auge getroffen, und um ihn her lagen all die tapferen Männer Hadors erschlagen auf einem Haufen; und die Orks schlugen ihnen die Köpfe ab und türmten sie übereinander, wie zu einem goldenen Hügel im Sonnenuntergang.

Als letzter von allen stand Húrin allein. Da warf er den Schild fort und schwang die Axt beidhändig; und im Liede heißt es, die Axt habe im schwarzen Blute von Gothmogs Trollgarde so sehr gequalmt, daß sie schließlich verbrannt sei, und bei jedem Schlag rief Húrin: »*Aure entuluva!* Es soll wieder Tag werden!« Siebzigmal stieß er diesen Ruf aus, doch zuletzt, auf Morgoths Geheiß, ergriffen sie ihn lebendig, denn die Orks packten ihn mit ihren Händen, die sich auch dann noch festklammerten, wenn er die Arme abgehauen hatte, und sie kamen in immer neuen Scharen, bis er zuletzt lebendig unter ihnen begraben lag. Dann fesselte ihn Gothmog und schleppte ihn unter Verhöhnungen nach Angband.

So endete die Nirnaeth Arnoediad, als die Sonne jenseits des Meeres unterging. Nacht wurde es in Hithlum, und ein großer Sturmwind kam aus Westen.

Groß war Morgoths Triumph, und ganz so, wie es ihm behagte, hatte er sein Ziel erreicht, denn Menschen hatten Menschen das Leben geraubt und die Eldar verraten, und Furcht und Haß waren zwischen jenen erweckt worden, die gegen ihn hätten einig sein sollen. Von jenem Tage an waren die Elben den Menschen von Herzen fremd geworden, ausgenommen allein jene aus den Drei Häusern der Edain.

Fingons Reich war nicht mehr, und Feanors Söhne trieben wie Blätter vor dem Winde. Ihre Heere waren versprengt, ihr Bündnis zerbrochen, und sie nahmen ein wildes Leben in den Wäldern zu Füßen der Ered Lindon auf und vermischten sich mit den Grün-Elben von Ossiriand, ihrer alten Macht und Herrlichkeit beraubt. In Brethil lebten noch einige wenige von den Haladin im Schutze ihres Waldes, und Handir, Haldirs Sohn, war ihr Oberhaupt; nach Hithlum aber kam nie einer von Fingons Heer zurück, noch einer der Menschen aus dem Volk Hadors, noch irgendeine Nachricht vom Ausgang der Schlacht und dem Schicksal der Fürsten. Doch Morgoth schickte die Ostlinge dorthin, die ihm gedient hatten, ihnen die reichen Lande von Beleriand verweigernd, die sie begehrten; und er schloß sie in Hithlum ein und verbot ihnen, es zu verlassen. Und dies gewährte er ihnen als Belohnung für ihren Verrat an Maedhros: Sie durften die alten Leute, die Frauen und Kinder von Hadors Volk schinden und plündern. Die Reste der Eldar von Hithlum wurden in die Bergwerke des Nordens geschleppt, wo sie als Sklaven arbeiteten, bis auf einige, die sich retten konnten und in die Wildnisse und Gebirge entkamen.

Die Orks und die Wölfe zogen unbehindert im ganzen Norden umher und drangen immer weiter südlich nach Beleriand vor; sie kamen sogar bis nach Nan-tathren, ins Land der Weidenbäume, und bis zu den Grenzen von Ossiriand, und niemand in Feld und Flur war vor ihnen sicher. Doriath jedoch blieb bestehen, und die Hallen von Nargothrond waren verborgen; doch um sie kümmerte Morgoth sich nicht, entweder weil er wenig von ihnen wußte oder weil nach den geheimen Plänen seiner Tücke ihre Stunde noch nicht gekommen war. Viele flohen nun zu den Häfen und suchten Schutz hinter Círdans Mauern; und die Seefahrer segelten an der Küste auf und ab und überraschten die Feinde mit schnellen Landungen. Im Jahr darauf aber schickte Morgoth über Hithlum und Nevrast eine große Streitmacht, welche die Flüsse Brithon und Nenning herabkam und die ganzen Falas verwüstete; und Brithombar und Eglarest wurden hinter ihren Mauern belagert. Schmiede und Stollengräber und Feuerwerfer brachten die Feinde mit, und große Maschinen stellten sie auf und brachen die Mauern, so tapfer auch die Verteidiger widerstanden. Dann wurden die Häfen in Trümmer gelegt und der Turm von Barad Nimras geschleift, und die meisten von Círdans Volk wurden getötet oder versklavt. Manche aber flohen zu Schiff, unter ihnen Ereinion Gil-galad, Fingons Sohn, den sein Vater nach der Dagor Bragollach zu den Häfen geschickt hatte. Diese Überlebenden fuhren mit Círdan nach Süden zur Insel Balar, und dort schufen sie eine Zuflucht für alle, die sich dorthin retten konnten; sie unterhielten nämlich auch an den Mündungen des Sirion einen Posten, und viele leichte und schnelle Schiffe lagen in den Buchten und Wasserläufen versteckt, wo die Riedfelder dicht wie ein Wald waren.

Und als Turgon davon erfuhr, sandte er erneut Boten an die Sirionmündungen und erbat die Hilfe Círdans des Schiffbauers. Auf Turgons Wunsch baute Círdan sieben schnelle Schiffe, und sie fuhren hinaus in den Westen; doch keine Nachricht von ihnen kam je wieder nach Balar, nur von einem, dem letzten. Die Seeleute auf diesem Schiff kämpften lange mit der See, und als sie zuletzt verzweifelt umkehrten, gingen sie in einem großen Sturm in Sichtweite der Küsten von Mittelerde unter; und einen von ihnen rettete Ulmo vor dem Zorn Osses, und die Wellen trugen ihn und warfen ihn in Nevrast an den Strand. Sein Name war Voronwe, und er war einer der Boten, die Turgon aus Gondolin entsandt hatte.

Morgoths Gedanken nun verweilten stets bei Turgon; denn Turgon war ihm entkommen, von all seinen Feinden der eine, den er am sehnlichsten zu fangen oder zu vernichten wünschte. Und der Gedanke beunruhigte ihn und verdarb ihm die Siegesfreude, denn Turgon aus dem mächtigen Hause Fingolfin war nun rechtens der König aller Noldor; und Morgoth fürchtete und haßte Fingolfins Haus, wegen der Freundschaft seines Feindes Ulmo, deren es sich erfreute, und wegen der Wunden, die Fingolfins Schwert ihm geschlagen hatte. Und am meisten unter allen dieses Hauses fürchtete Morgoth Turgon, denn schon einst in Valinor war der ihm ins Auge gestochen, und wann immer er nahe kam, war ein Schatten auf seine Seele gefallen, eine Vorahnung, daß zu einer noch im Dunkel verborgenen Zeit von Turgon sein Verderben kommen werde.

Daher wurde nun Húrin Morgoth vorgeführt, denn Morgoth wußte, daß er mit dem König von Gondolin freund war; doch Húrin begegnete ihm mit Verachtung und Spott. Da verfluchte Morgoth Húrin und Morwen und ihre Nachkommen und legte einen Spruch von Leid und Dunkel auf sie; und Húrin aus dem Gefängnis herausführend, setzte er ihn auf einen steinernen Stuhl auf einem hohen Gipfel von Thangorodrim. Dort wurde er mit Morgoths Kraft festgebunden, und Morgoth stand neben ihm und verfluchte ihn abermals. Und er sagte: »Hier magst du sitzen und hinaussehen auf die Lande, wo Unheil und Verzweiflung über jene kommen, welche du liebest. Gewagt hast du, meiner zu spotten und Widerrede zu führen gegen Melkor, den Meister aller Geschicke von Arda. So sieh denn mit meinen Augen und höre mit meinen Ohren; und nimmer sollst du von hinnen gehen, ehe nicht alles erfüllt ist, bis zum bittern Ende.«

Und genauso geschah es; doch wird nicht berichtet, daß Húrin von Morgoth je Gnade oder Tod erbeten hätte, weder für sich noch für einen seines Geschlechts.

Auf Morgoths Geheiß suchten die Orks unter großen Mühen die Leichen aller zusammen, die in der großen Schlacht gefallen waren, sowie alle ihre Rüstungen und Waffen; und sie warfen alles auf einen großen Haufen inmitten von Anfauglith, und er war wie ein Berg, und man konnte ihn von weit her sehen. Haudh-en-Ndengin nannten ihn die Elben, den Hügel der Erschlagenen und Haudh-en-Nirnaeth, den Hügel der Tränen. Doch auf diesem Hügel wuchs wieder Gras, hoch und grün, das einzige Gras in dieser ganzen Wüste, die Morgoth geschaffen hatte; und keine von Morgoths Kreaturen betrat hinfort mehr die Erde, unter welcher die Schwerter der Eldar und der Edain zu Rost zerfielen.

XXI

Von Túrin Turambar

Rían, Belegunds Tochter, war die Gattin von Huor, Galdors Sohn; und sie wurde mit ihm vermählt, zwei Monate bevor er mit seinem Bruder Húrin in die Schlacht der Nirnaeth Arnoediad zog. Als keine Nachricht kam von ihrem Gatten, floh sie in die Wildnis; dort halfen ihr die Grau-Elben von Mithrim, und als ihr Sohn Tuor geboren wurde, pflegten sie ihn. Dann schied Rían aus Hithlum, ging zum Haudh-en-Ndengin und legte sich darauf nieder und starb.

Morwen, Baragunds Tochter, war die Gattin Húrins, des Herrn von Dor-lómin; und ihr Sohn war Túrin, der im gleichen Jahr geboren wurde, als Beren Ercharmion im Walde von Neldoreth Lúthien begegnete. Sie hatten auch eine Tochter mit Namen Lalaith, was Lachen bedeutet, und sie wurde geliebt von Túrin, ihrem Bruder; doch als sie drei Jahre alt war, trug ein verfluchter Wind von Angband eine Seuche nach Hithlum, und sie starb.

Nach der Nirnaeth Arnoediad weilte Morwen noch in Dor-lómin, denn Túrin war erst acht Jahre alt, und sie trug von neuem ein Kind. Es waren schlimme Tage, denn die Ostlinge, die nach Hithlum kamen, taten denen, die von Hadors Volk noch da waren, Schimpf an, unterjochten sie, nahmen ihnen Land und Gut und versklavten ihre Kinder. Doch so groß war die Schönheit und Würde der Dame von Dor-lómin, daß die Ostlinge eingeschüchtert wurden und nicht wagten, Hand an sie oder die ihren zu legen; und sie tuschelten, daß sie gefährlich, eine zauberkundige Hexe und mit den Elben im Bunde sei. Doch war sie nun arm und hatte keine Hilfe, bis auf die heimliche Unterstützung einer Verwandten Húrins mit Namen Aerin, die Brodda, ein Ostling, zum Weibe genommen hatte; und Morwen war in großer Sorge, daß man ihr Túrin wegnähme und ihn versklavte. Daher kam es ihr in den Sinn, ihn insgeheim fortzuschicken und König Thingol zu bitten, daß er ihn beherberge, denn Beren, Barahirs Sohn, war ein Verwandter ihres Vaters, und überdies war er ein

Freund Húrins gewesen, ehe das Unheil hereinbrach. Im Herbst des jammervollen Jahres schickte sie also Túrin mit zwei alten Dienern über die Berge fort und hieß sie, wenn sie es vermöchten, Zutritt zum Königreich Doriath zu finden. So wurde das Schicksal Túrins gewoben, das vollständig in jenem Liede erzählt wird, welches *Narn i Hîn Húrin* heißt, die Geschichte von den Kindern Húrins, und das längste aller Lieder ist, die von jenen Tagen sprechen. Hier wird diese Geschichte in Kürze erzählt, denn sie ist mit dem Geschick der Silmaril und der Elben verflochten; und sie wird auch die Geschichte des Schmerzes genannt, denn sie ist voller Leid, und in ihr wird am meisten von den verfluchten Werken Morgoth Bauglirs offenbar.

Zu Anfang des Jahres gebar Morwen ihr Kind, Húrins Tochter, und sie nannte sie Nienor, was Trauer bedeutet. Túrin und seine Gefährten aber kamen unter großen Gefahren zuletzt an die Grenzen von Doriath, und dort fand sie Beleg Langbogen, der Hauptmann von Thingols Grenzwächtern, und führte sie nach Menegroth. Nun wurde Túrin von Thingol empfangen, der ihn in sein eigenes Haus nahm, zu Ehren Húrins des Standhaften; denn gegen die Häuser der Elbenfreunde hatte Thingols Sinn sich gewandelt. Darauf wurden Boten nach Hithlum entsandt, die Morwen aufforderten, Dor-lómin zu verlassen und mit ihnen nach Doriath zu kommen; doch mochte sie das Haus noch nicht verlassen, wo sie mit Húrin gewohnt. Und als die Elben von ihr schieden, gab sie ihnen den Drachenhelm von Dor-lómin mit auf den Weg, das teuerste Erbstück von Hadors Haus.

Túrin wurde stark und schön in Doriath, doch war er vom Unglück gezeichnet. Neun Jahre blieb er in Thingols Hallen, und während dieser Zeit wurde sein Leid geringer, denn zuweilen gingen Boten nach Hithlum, und wenn sie zurückkehrten, brachten sie gute Nachricht von Morwen und Nienor. Doch es kam ein Tag, da kehrten die Boten aus dem Norden nicht mehr zurück, und Thingol wollte keine weiteren mehr aussenden. Da war Túrin voller Angst um Mutter und Schwester, und düsteren Herzens trat er vor Thingol und bat um Rüstung und Schwert; und er setzte den Drachenhelm von Dorlómin auf und zog in die Kämpfe an den Grenzen von Doriath und wurde Waffengefährte von Beleg Cúthalion.

Und nachdem drei Jahre vergangen waren, kehrte Túrin wieder nach Menegroth zurück, da er aber aus der Wildnis kam, war er verlaust, und seine Rüstung und Kleider waren verschlissen. Nun gab es in Doriath einen aus dem Volk der Nandor, Saeros mit Namen, ein hoher Rat des Königs, der schon lange Túrin die Ehre mißgönnte, die er als Thingols Pflegesohn genoß; und er saß ihm an der Tafel gegenüber und verspottete ihn, indem er sagte: »Wenn die Männer von Hithlum so wüst und grimmig sind, welcher Art sind da die Frauen in jenem Land? Laufen sie umher wie das Wild, nur in ihr Haar gekleidet?« Da griff Túrin in großem Zorn nach einem Trinkgefäß und warf es nach Saeros, und der wurde übel verletzt.

Am nächsten Tag vertrat Saeros Túrin den Weg, als er von Menegroth wieder zu den Grenzen aufbrechen wollte; doch Túrin überwand ihn und jagte ihn nackt vor sich her durch die Wälder wie ein gehetztes Wild. Da stürzte Saeros, entsetzt vor ihm fliehend, in die Schlucht eines Flusses, und sein Leib zerschellte an einem großen Felsen im Wasser. Andere kamen hinzu, die gesehen hatten, was geschehen war, unter ihnen Mablung, und der gebot Túrin, mit ihm nach Menegroth zu gehen und sich dem Urteil des Königs zu stellen und seine Gnade zu erflehen. Túrin aber, sich nun als einen Gesetzlosen achtend und Gefangenschaft fürchtend, leistete Mablung nicht Folge und machte sich rasch davon; und Melians Gürtel durchschreitend kam er in die Wälder westlich des Sirion. Dort schloß er sich einer Bande so unbehauster und verwegener Männer an, wie man sie in jenen schlimmen Tagen in der Wildnis nur finden mochte; und sie erhoben die Hand gegen jeden, der ihres Weges kam, ob Elb, Mensch oder Ork.

Als aber alles, was vorgefallen, vor Thingol gebracht und erforscht worden war, da wurde Túrin vom König verziehen, weil ihm Unbill geschehen war. Zur selben Zeit kehrte Beleg Langbogen von den Nordgrenzen heim nach Menegroth und fragte nach Túrin; und Thingol sprach zu Beleg und sagte: »Traurig bin ich, Cúthalion, denn an Sohnes Statt nahm ich Húrins Sohn, und das soll er bleiben, wenn nicht Húrin selbst aus den Schatten heimkehrt, um zu fordern, was sein ist. Keiner soll sagen, in die Wildnis sei Túrin ungerecht vertrieben worden, und mit Freuden nähme ich ihn wieder auf, denn ich liebte ihn wohl.«

Und Beleg antwortete: »Ich werde Túrin suchen, bis ich ihn finde, und ihn nach Menegroth zurückbringen, wenn ich es vermag, denn ich liebe ihn gleichfalls.«

Dann schied Beleg aus Menegroth, und weit und breit in Beleriand forschte er unter vielen Gefahren vergebens nach Túrin.

Túrin aber blieb lange unter den Banditen und wurde ihr Hauptmann; und er nannte sich Neithan, der Gekränkte. Wohlverborgen hausten sie in dem Waldland südlich des Teiglin; doch als seit Túrins Flucht aus Doriath ein Jahr vergangen war, stieß Beleg eines Nachts auf ihr Lager. Es traf sich, daß Túrin zur selben Zeit fort war, und die Banditen ergriffen Beleg, fesselten und quälten ihn, denn sie fürchteten ihn als einen Späher des Königs von Doriath. Als aber Túrin zurückkam und sah, was geschehen war, regte sich ihm das Gewissen wegen all ihrer bösen und gesetzlosen Taten; er ließ Beleg frei, und sie erneuerten ihre Freundschaft, und Túrin schwor, niemanden mehr mit Krieg und Raub zu überziehen, bis auf die Diener von Angband.

Nun berichtete Beleg Túrin, daß König Thingol ihm verziehen habe, und mit allen Mitteln wollte er ihn überreden, daß er mit ihm nach Doriath heimkehre; an den Nordgrenzen des Reiches, so sagte er, seien Túrins Kraft und Kühnheit sehr willkommen. »Seit kurzem haben die Orks einen Weg von Taur-nu-Fuin herab gefunden«, sagte er; »sie haben eine Straße durch den Paß von Anach gelegt.«

»Ich kann mich nicht erinnern«, sagte Túrin.

»So weit sind wir nie von unsern Grenzen abgewichen«, sagte Beleg. »Doch hast du die Gipfel der Crissaegrim in der Ferne gesehen und nach Osten zu die dunklen Wände des Gorgoroth. Dazwischen liegt der Anach, über den hohen Quellen des Mindeb, ein mühseliger und gefahrvoller Weg, doch steigen viele jetzt dort herab, und Dimbar, einst ein friedliches Land, fällt unter die Schwarze Hand, und die Menschen von Brethil sind in Sorge. Dort braucht man uns.«

Doch in dem Stolz seines Herzens weigerte sich Túrin, die Verzeihung des Königs anzunehmen, und Belegs Worte fruchteten nichts und vermochten nicht seinen Sinn zu ändern. Und seinerseits drängte er nun Beleg, mit ihm in den Landen westlich des Sirion zu bleiben; das aber mochte Beleg nicht, und er sagte: »Hartnäckig bist du, Túrin, und störrisch. Ich muß also wählen. Wenn du den Langbogen neben dir wissen willst, so such' mich in Dimbar, denn dorthin will ich zurückkehren.«

Am nächsten Tag brach Beleg auf, und Túrin ging einen Bogenschuß weit vom Lager mit ihm, doch sagte er nichts. »Ist dies nun der Abschied, Sohn Húrins?« sagte Beleg. Da sah Túrin nach Westen und erblickte in der Ferne den hohen Gipfel des Amon Rûdh; und ohne zu wissen, was vor ihm lag, gab er zur Antwort: »Such' mich in Dimbar, hast du gesagt. Doch ich sage, such' mich auf dem Amon Rûdh! Wenn anders, dann ist dies unser letzter Abschied.« So trennten sie sich, traurig, doch in Freundschaft.

Beleg kehrte nun zu den Tausend Grotten zurück, und als er vor Thingol und Melian erschien, erzählte er ihnen alles, was geschehen war, nur nicht, wie übel ihn Túrins Gefährten behandelt hatten. Da seufzte Thingol und sagte: »Was könnte Túrin noch mehr von mir verlangen?«

»Gib mir Urlaub, Herr«, sagte Beleg, »und ich werde ihn behüten und lenken, so gut ich es vermag; dann soll kein Mensch sagen können, daß Elben allzu leicht ihr Wort gäben. Auch möchte ich ein so hohes Gut nicht in der Wildnis vergeudet sehen.«

Da gab Thingol ihm Urlaub, zu tun, wie ihm beliebte, und er sagte: »Beleg Cúthalion! Durch viele Taten schon hast du meinen

Dank verdient, doch nicht die geringste ist es, daß du meinen Pflegesohn gefunden. Bevor du jetzt scheidest, erbitte eine Gabe, und ich werde sie dir nicht abschlagen!«

»Dann bitte ich um ein Schwert von Rang«, sagte Beleg; »denn für den Bogen allein kommen die Orks nun zu zahlreich und zu nahe, und meine Klinge ist ihren Panzern nicht gewachsen.«

»So wähle eines unter allen, die ich besitze«, sagte Thingol, »nur nicht Aranrúth, mein eignes.«

Dann wählte Beleg Anglachel; und dies war ein Schwert von hohem Rang und trug seinen Namen, weil es aus Eisen geschmiedet war, das als glühender Stern vom Himmel gefallen war; und es spaltete alles Eisen, das aus der Erde kam. Nur noch ein anderes Schwert in Mittelerde war ihm gleich, und das kommt in dieser Geschichte nicht vor, obwohl es von demselben Schmied und aus demselben Erz gefertigt wurde; und dieser Schmied war Eol, der Dunkel-Elb, der Aredhel, Turgons Schwester, zum Weib genommen hatte. Anglachel hatte er widerwillig Thingol als Steuer überlassen, für das Recht, in Nan Elmoth zu wohnen; das Schwesterschwert Anguirel aber behielt er, bis es ihm von Maeglin, seinem Sohne, gestohlen wurde.

Doch als Thingol das Heft von Anglachel Beleg hinstreckte, blickte Melian auf die Klinge und sagte: »Tücke ist in diesem Schwert. Das dunkle Herz seines Schmiedes wohnt noch darinnen. Es wird die Hand nicht lieben, der es dient; noch wird es lange bei dir bleiben.«

»Dennoch will ich es gebrauchen, solange ich kann«, sagte Beleg.

»Eine andere Gabe will ich dir geben, Cúthalion«, sagte Melian, »welche dir in der Wildnis zustatten kommen soll, und auch denen, die du erwählst.« Und sie gab ihm einen Vorrat von *Lembas,* der Wegzehrung der Elben, in silberne Blätter gehüllt, und die Fäden, die sie zusammenhielten, trugen an den Knoten das Siegel der Königin, ein Stück weißes Wachs in Form einer Blüte Telperions; denn nach den Bräuchen der Eldalië waren Verwahrung und Verteilung der *Lembas* allein Sache der Königin. Durch nichts erwies Melian Túrin höhere Gunst als mit dieser Gabe, denn noch nie hatten die Eldar Menschen den Genuß dieser Wegzehrung gestattet, und auch später geschah es selten.

Dann schied Beleg mit diesen Gaben aus Menegroth, und er ging wieder an die Nordgrenzen, wo er seine Lager und viele Freunde hatte. Nun wurden die Orks aus Dimbar zurückgetrieben, und Anglachel frohlockte, daß es aus der Scheide kam; doch als es Winter wurde und der Krieg sich beruhigte, da wurde Beleg plötzlich von seinen Gefährten vermißt, und er kehrte nicht mehr zu ihnen zurück.

Als nun Beleg sich von den Banditen getrennt hatte und nach Doriath zurückgekehrt war, da führte Túrin sie nach Westen aus dem Tal des Sirion heraus, denn des ruhelosen Lebens, immer auf der Hut vor Verfolgung, waren sie müde, und sie suchten nach einem besser geschützten Lager. Und eines Abends geschah es, daß sie auf drei Zwerge trafen, die vor ihnen flohen; doch einen, der hinter den anderen zurückblieb, ergriffen sie und warfen ihn zu Boden, und einer aus der Bande nahm seinen Bogen und ließ den beiden andern, während sie in der Dämmerung verschwanden, einen Pfeil nachfliegen. Der Zwerg nun, den sie gefangen hatten, heiß Mîm; und er bat Túrin um sein Leben und bot als Lösegeld an, sie zu seinen versteckten Hallen zu führen, die niemand ohne seine Hilfe zu finden vermochte. Da erbarmte sich Túrin und verschonte Mîm und sagte: »Wo ist dein Haus?«

Da antwortete Mîm: »Hoch über den Landen liegt es, auf dem großen Berg Amon Rûdh, wie er jetzt heißt, seit die Elben alle Namen geändert haben.«

Da war Túrin still und sah den Zwerg lange an und sagte zuletzt: »Zu dem Ort sollst du uns bringen.«

Am nächsten Tage machten sie sich auf und folgten Mîm zum Amon Rûdh. Dieser Berg nun stand am Rande des Heidelands, das sich zwischen den Flußtälern von Sirion und Narog erhob, und hoch über die steinige Ebene reckte er seinen Gipfel. Die steile Kuppe aber war kahl bis auf das rote *Seregon,* welches den Fels bedeckte. Und als die Männer von Túrins Bande näher kamen, brach die Sonne von Westen her durch die Wolken und schien auf den Gipfel; und das *Seregon* stand in voller Blüte. Da sagte einer von ihnen: »Es ist Blut auf dem Gipfel.«

Mîm aber geleitete sie auf geheimen Pfaden die steilen Hänge des Amon Rûdh hinauf; und am Eingang zu seiner Höhle verneigte er sich vor Túrin und sagte: »Tritt ein in das Bar-en-Danwedh, das Haus der Auslöse, denn so soll es heißen.«

Und nun kam ein zweiter Zwerg mit einem Licht, ihn zu begrüßen; und sie sprachen miteinander und traten schnell ins Dunkel der Höhle; Túrin aber folgte ihnen und kam zuletzt in eine Kammer tief im Innern, trüb erhellt von Lampen, die an Ketten hingen. Dort fand er Mîm, wie er neben einem steinernen Bett an der Wand kniete, sich den Bart raufte und wehklagte, immerfort einen Namen rufend; und auf dem Bett lag ein dritter Zwerg. Túrin, der eingetreten war, stand neben Mîm und bot seine Hilfe an. Da blickte Mîm zu ihm auf und sagte: »Du kannst nicht helfen. Denn dies ist Khîm, mein Sohn, und er ist tot, von einem Pfeile durchbohrt. Er ist bei Sonnenuntergang gestorben. Mein Sohn Ibun hat es mir gesagt.«

Da erwachte Mitleid in Túrins Herzen, und er sagte zu Mîm: »Wehe! Könnte ich doch diesen Pfeil zurückrufen. Nun soll dieses Haus wahrlich Bar-en-Danwedh heißen; und wenn ich je zu Reichtum gelange, so will ich dir eine Auslösung in Gold zahlen für deinen Sohn, zum Zeichen des Schmerzes, auch wenn es dein Herz nicht mehr erfreuen kann.«

Da erhob sich Mîm und sah Túrin lange an. »Ich habe es vernommen«, sagte er. »Du sprichst wie ein Zwergenfürst von einst, und das verwundert mich. Nun ist mein Herz kühler, obgleich es nicht froh ist; und in diesem Hause magst du wohnen, denn ich werde meine Auslöse bezahlen.«

So begann Túrins Aufenthalt in dem versteckten Hause Mîms auf dem Amon Rûdh; und er ging über das Gras vor dem Eingang der Höhle und schaute nach Osten, Westen und Norden hinaus. Im Norden sah er den Wald von Brethil grün um den Amon Obel in seiner Mitte ansteigen, und dorthin wurden seine Augen wieder und wieder gezogen, er wußte nicht, warum; sein Herz nämlich war vielmehr nach Nordwesten gewandt, wo es ihm schien, daß er, viele Meilen entfernt, an den Rändern des Himmels das Schattengebirge erkennen könne, die Berge seiner Heimat. Abends jedoch sah Túrin nach Westen in die untergehende Sonne, wie sie rot in dem Dunst über den fernen Küsten versank, und das Tal des Narog lag tief in den Schatten dazwischen.

In der Zeit darauf sprach Túrin viel mit Mîm, und wenn er allein bei ihm saß, hörte er seine Wissenschaft und die Geschichte seines Lebens an. Denn Mîm stammte von Zwergen ab, die in alten Zeiten aus den großen Zwergenstädten des Ostens verbannt worden waren, und schon lange vor Morgoths Rückkehr waren sie westwärts nach Beleriand eingewandert; doch sie wurden kleiner an Wuchs und Schmiedekunst und führten ein Leben in Heimlichkeit, mit gebeugten Schultern und flüchtigen Schritten. Bevor die Zwerge von Nogrod und Belegost über die Berge nach Westen kamen, wußten die Elben von Beleriand nicht, wer diese andren seien, und sie machten Jagd auf sie und töteten sie. Später aber ließ man sie in Ruhe, und sie wurden in der Sindarinsprache die Noegyth Nibin, die Kleinzwerge, geheißen. Sie liebten niemanden als sich selbst, und wenn sie auch die Orks fürchteten und haßten, so haßten sie doch die Eldar nicht minder, und ganz besonders die Verbannten; denn die Noldor, so sagten sie, hätten ihnen Land und Heimat geraubt. Lange bevor König Felagund übers Meer gekommen war, hatten sie die Höhlen von Nargothrond entdeckt und mit den Grabungen begonnen; und unter den Gipfel des Amon Rûdh, des Kahlen Berges, hatten die langsamen Hände der Kleinzwerge in all den langen Jahren, die sie dort schon lebten, gegraben und die Höhlen vertieft, ungestört von den Grau-Elben der Wälder. Nun aber waren sie hingeschwunden, und in Mittelerde lebte niemand mehr von ihnen als Mîm und seine beiden Söhne; und Mîm war alt, selbst nach der Rechnung der Zwerge, alt und vergessen. Und in seinen Hallen ruhten die Schmiedehämmer, und die Äxte rosteten, und ihres Namens wurde nur noch in alten Geschichten aus Doriath und Nargothrond gedacht.

Doch als das Jahr auf Mittwinter zuging, kam der Schnee in schwereren Wolken von Norden herab, als sie es aus den Flußtälern kannten, und der Amon Rûdh war tief eingeschneit; und sie sagten, die Winter würden härter in Beleriand, je mehr Angbands Macht wachse. Da wagten nur die Verwegensten sich noch hinaus, und manche wurden krank, und alle peinigte sie der Hunger. Doch an einem trüben Winterabend, da erschien plötzlich ein Mann unter ihnen, wie es schien von großer Breite und Leibesfülle, in weißem Mantel und Kapuze; und er trat ohne ein Wort ans Feuer. Und als die Männer erschrocken aufsprangen, da lachte er und warf die Kapuze zurück, und unter seinem weiten Mantel trug er ein großes Bündel, und im Lichte des Feuers sah Túrin wieder Beleg Cúthalion ins Gesicht.

So kehrte Beleg noch einmal zu Túrin zurück, und froh war ihr Wiedersehen; und er brachte aus Dimbar den Drachenhelm von Dorlómin mit, in der Hoffnung, er könne Túrins Sinn wieder auf andres lenken als auf das Leben in der Wildnis als Anführer einer Räuberbande. Aber noch immer mochte Túrin nicht nach Doriath zurück, und Beleg, der Liebe gegen die Klugheit gehorchend, blieb bei ihm und ging nicht fort, und in dieser Zeit tat er vieles zum Wohl von Túrins Häuflein. Die Verwundeten und Kranken pflegte er, und er gab ihnen von Melians *Lembas*; und sie wurden rasch geheilt, denn wenn auch die Grau-Elben an Kunst und Wissen niedriger standen als die Verbannten aus Valinor, so hatten sie in allen Dingen des Lebens von Mittelerde doch Kenntnisse, die über Menschenwissen hinausgingen. Und da Beleg stark und beharrlich war und weit blicken konnte mit Geist und Auge, so genoß er unter den Banditen bald

Ansehen; doch Mîms Haß gegen den Elben, der Bar-en-Danwedh betreten hatte, wurde immer größer, und er saß mit seinem Sohn Ibun im tiefsten Schatten seines Hauses und sprach mit keinem. Túrin aber kümmerte sich nun wenig um den Zwerg; und als der Winter vorbeiging und der Frühling kam, gab es härtere Arbeit zu tun.

Wer nun kennt die Ratschlüsse Morgoths? Wer vermag die Gedanken dessen zu ergründen, der einst Melkor gewesen, ein Mächtiger unter den Ainur des Großen Liedes, und der nun, ein dunkler König auf dunklem Thron, im Norden saß und in seiner Tücke all die Meldungen abwog, die zu ihm gelangten, und mehr von den Zwekken und Taten seiner Feinde erkannte, als selbst die Weisesten unter ihnen befürchteten, ausgenommen nur Melian, die Königin? Nach ihr griffen Morgoths Gedanken oft hinaus, doch da wurden sie abgewiesen.

Und nun rührte Angbands Macht sich wieder, und wie die langen Finger einer gierigen Hand erkundeten die Vortrupps seiner Heere die Wege nach Beleriand. Über den Anach kamen sie, und Dimbar wurde eingenommen und alles Land nördlich der Marken von Doriath. Die alte Straße kamen sie herunter, die durch den langen Engpaß des Sirion führte, an der Insel vorbei, wo Finrods Minas Tirith gestanden hatte, und weiter durch das Land zwischen Malduin und Sirion, am Rand von Brethil entlang zu den Teiglin-Stegen. Von dort führte die Straße in die Bewachte Ebene hinein, doch hier kamen die Orks noch nicht weiter, denn in der Wildnis wohnte nun ein verborgener Schrecken, und auf dem roten Berg waren wachsame Augen, vor denen man sie nicht gewarnt hatte. Denn Túrin setzte Hadors Helm wieder auf; und weit und breit in Beleriand, über Wälder und Flüsse und Gebirgspässe lief ein Flüstern um, der Helm und der Bogen, die in Dimbar gefallen, seien unverhofft wieder aufgestanden. Da faßten viele neuen Mut, die führerlos und entrechtet, doch unerschrocken waren, und sie kamen, um sich den Zwei Kapitänen anzuschließen. Dor-Cúarthol, das Land von Bogen und Helm, nannte man zu jener Zeit das ganze Gebiet zwischen dem Teiglin und der Westgrenze von Doriath; und Túrin gab sich einen neuen Namen und nannte sich Gorthol, der Schreckenshelm, und sein Sinn stand wieder hoch. In Menegroth und in den tiefen Hallen von Nargothrond und selbst im versteckten Reich von Gondolin hörte man die Taten der Zwei Kapitäne rühmen; und auch in Angband kannte man sie. Da lachte Morgoth, denn der Drachenhelm verriet ihm Húrins Sohn; und nicht lange, so war der Amon Rûdh von Spähern umringt.

Gegen Ende des Jahres gingen Mîm der Zwerg und sein Sohn Ibun aus Bar-en-Danwedh fort, um in der Wildnis Wurzeln für ihren Wintervorrat zu sammeln; und sie wurden von den Orks gefangengenommen. Zum zweiten Male versprach nun Mîm, seine Feinde über die geheimen Pfade zu einer Behausung auf dem Amon Rûdh zu führen; doch versuchte er noch, die Erfüllung des Versprechens hinauszuzögern, und er verlangte, Gorthol dürfe nicht getötet werden. Da lachte der Hauptmann der Orks und sagte zu Mîm: »Sei unbesorgt, Túrin, Húrins Sohn, soll nicht getötet werden.«

So wurde Bar-en-Danwedh verraten, und die Orks, geführt von Mîm, kamen überraschend bei Nacht. Viele von Túrins Leuten wurden im Schlaf erschlagen; manche aber flohen über eine Treppe im Innern und kamen auf der Bergspitze heraus, und dort kämpften sie, bis sie fielen und ihr Blut über das *Seregon* floß, welches den Felsen bedeckte. Über Túrin aber wurde, während er focht, ein Netz geworfen, und nachdem er überwältigt und gefangen war, schleppte man ihn fort.

Und zuletzt, als alles wieder still war, kroch Mîm aus den Schatten seines Hauses hervor, und als die Sonne sich über die Nebelfelder des Sirion erhob, stand er zwischen den Toten auf der Bergspitze. Doch erkannte er, daß nicht alle, die dort lagen, tot waren, denn einer erwiderte seinen Blick, und er sah in die Augen Belegs, des Elben. Voll alten Hasses trat Mîm an Beleg heran und zog das Schwert Anglachel hervor, das unter dem Leichnam eines der neben Beleg Gefallenen lag; doch Beleg kam wankend auf die Füße und riß das Schwert wieder an sich und stieß damit nach dem Zwerg, und Mîm floh erschrocken und klagend vom Gipfel. Und Beleg rief ihm nach: »Der Rache von Hadors Haus entgehst du nicht!«

Nun war Beleg schwer verwundet, doch ein Mächtiger war er unter den Elben von Mittelerde und überdies ein Meister der Heilkunst. So starb er nicht, und langsam kehrten seine Kräfte wieder. Vergebens suchte er unter den Toten nach Túrin, um ihn zu begraben. Doch fand er ihn nicht, und so wußte er, daß Húrins Sohn noch am Leben war und nach Angband geschleppt wurde.

Mit wenig Hoffnung machte Beleg vom Amon Rûdh sich auf nach Norden, zu den Teiglin-Stegen, auf der Fährte der Orks; und er überquerte die Brithiach und ging durch Dimbar, auf den Anach-Paß zu. Und nun war er nicht mehr weit hinter ihnen, denn er ging, ohne zu schlafen, während sie unterwegs Halt gemacht hatten, um im Lande zu jagen, keine Verfolgung mehr fürchtend, als sie in den Norden kamen. Nicht einmal in den entsetzlichen Wäldern von Taur-nu-Fuin verlor er die Spur, denn Beleg war findiger als je ein andrer in Mittelerde. Doch als er des Nachts durch dieses verfluchte Land zog, da traf er auf einen, der schlafend unter einem großen toten Baum lag; und Beleg blieb neben dem Schläfer stehen und sah, daß es ein Elb war. Dann sprach er ihn an, gab ihm *Lembas* und fragte ihn, welches Schicksal ihn an diesen furchtbaren Ort geführt habe; und der andere nannte sich Gwindor, Guilins Sohn.

Traurig sah Beleg ihn an, denn Gwindor war an Geist und Gestalt nur mehr ein gebeugter, ängstlicher Schatten jenes Edlen von Nargothrond, der einst in der Nirnaeth Arnoediad mit ungestümem Mut bis zu den Toren von Angband geritten war, wo man ihn gefangennahm. Denn um ihres Geschicks in der Schmiedekunst und im Schürfen der Erze und Edelsteine willen ließ Morgoth die gefangenen Noldor nur selten töten; und so war auch Gwindor nicht getötet, sondern zur Arbeit in die Bergwerke des Nordens gesteckt worden. Durch geheime Tunnel, die nur sie selbst kannten, gelang es den Elben manchmal, aus den Bergwerken zu fliehen; und so kam es, daß

Beleg nun Gwindor traf, erschöpft und verirrt in den Labyrinthen von Taur-nu-Fuin.

Und Gwindor sagte ihm, als er hier gelegen und zwischen den Bäumen hervorgespäht, da sei ein großer Haufen Orks nach Norden vorübergezogen, von Wölfen begleitet; und unter ihnen sei ein Mensch gewesen, dessen Hände zusammengekettet waren und den sie mit Peitschen antrieben. »Sehr groß war er«, sagte Gwindor, »groß wie die Menschen aus den nebligen Hügeln von Hithlum.« Da erzählte ihm Beleg, was er selbst in Taur-nu-Fuin suchte; und Gwindor riet ihm ab und sagte, nur die gleichen Qualen würde er leiden, die Túrin erwarteten. Beleg aber mochte Túrin nicht im Stich lassen, und, selber verzweifelt, weckte er in Gwindors Herzen wieder Hoffnung, und zusammen gingen sie weiter, den Orks nach, bis sie aus dem Wald an die Berghänge kamen, die sich zu den kahlen Sanddünen von Anfauglith hinunterzogen. Dort, in Sichtweite der Gipfel von Thangorodrim, schlugen die Orks in einer kahlen Schlucht ihr Lager auf, als das Tageslicht schwand, und nachdem sie ringsum Wölfe als Wachen aufgestellt hatten, machten sie sich ans Zechen. Ein großer Sturm aus Westen kam auf, und Blitze zuckten in der Ferne um die Schattenberge, als Beleg und Gwindor auf die Schlucht zukrochen.

Als alle im Lager schliefen, nahm Beleg seinen Bogen, und in der Dunkelheit erschoß er die Wolfswachen, eine nach der andern und ohne Geräusch. Dann drangen sie unter großer Gefahr ins Lager ein und fanden Túrin an Händen und Füßen gefesselt und an einen verdorrten Baum gebunden; rings um ihn her steckten Messer im Stamm, die man nach ihm geworfen hatte, und er schlief, besinnungslos vor Erschöpfung. Beleg und Gwindor aber schnitten ihn von dem Baum los, hoben ihn auf und trugen ihn aus der Schlucht heraus; doch schon ein kleines Stück weiter oberhalb, in einem Dikkicht von Dornbäumen, mußten sie ihn absetzen. Dort legten sie ihn nieder; und nun kam der Sturm ganz nahe. Beleg zog sein Schwert Anglachel und schnitt damit Túrins Fesseln durch; doch das Schicksal war an diesem Tage stärker, denn die Klinge glitt ab, als er die Kettenglieder durchschnitt und ritzte Túrins Fuß. Da erwachte Túrin plötzlich in Wut und Angst, und als er einen mit nackter Klinge über sich gebeugt sah, da sprang er mit einem lauten Schrei auf, im Glauben, die Orks seien wieder da, um ihn zu quälen; und als er so im Dunkel mit ihm rang, packte er Anglachel und erschlug Beleg Cúthalion, ihn für einen Feind haltend.

Doch als er aufstand und sich frei sah, bereit, seine Haut teuer an die eingebildeten Feinde zu verkaufen, da leuchtete ein heller Blitz über ihnen auf, und in seinem Lichtschein sah er Beleg ins Gesicht. Da stand Túrin still und stumm wie ein Stein und starrte entsetzt den Toten an, begreifend, was er getan; und so furchtbar war sein Gesicht im Schein der Blitze, die um sie her zuckten, daß Gwindor sich zu Boden kauerte und die Augen nicht zu erheben wagte.

Doch unten in der Schlucht waren die Orks nun wach, und das ganze Lager war in Aufruhr, denn sie fürchteten sich vor dem Donner, der aus Westen kam, und glaubten, ihre großen Feinde jenseits des Meeres hätten ihn gegen sie ausgesandt. Dann erhob sich ein Wind, und ein mächtiger Regen fiel nieder, und von den Höhen Taur-nu-Fuins kamen Sturzbäche herunter; und als Gwindor Túrin anrief, ihn warnend vor ihrer gefährlichen Lage, da gab er keine Antwort, sondern blieb bewegungslos und ohne Tränen in dem Unwetter sitzen, neben dem Leichnam Beleg Cúthalions.

Als der Morgen kam, war der Sturm nach Osten über Lothlann abgezogen, und heiß und hell stieg die Herbstsonne empor; doch in dem Glauben, Túrin sei längst auf und davon und der Regen habe alle Spuren seiner Flucht verwischt, brachen die Orks in Eile auf, ohne ihn weiter zu suchen, und von weitem sah Gwindor sie über die dampfenden Sande von Anfauglith marschieren. So geschah es, daß sie mit leeren Händen zu Morgoth zurückkehrten und Húrins Sohn stumpf und von Sinnen an den Hängen von Taur-nu-Fuin zurückließen, mit einer Bürde, schwerer als ihre Ketten.

Dann brachte Gwindor Túrin wieder zu sich, damit er ihm helfe,

Beleg zu begraben, und er stand auf, wie ein Schlafwandler; und zusammen gruben sie Beleg ein flaches Grab, und an die Seite legten sie ihm Belthronding, seinen großen Bogen aus schwarzem Eibenholz. Das furchtbare Schwert Anglachel aber nahm Gwindor und sagte, besser solle es an den Dienern Morgoths Rache üben als nutzlos in der Erde liegen; und er nahm auch Melians *Lembas* mit, die sie in der Wildnis stärken sollten.

So starb Beleg Langbogen, der getreueste Freund und der Findigste unter allen, die in der Ältesten Zeit in den Wäldern von Beleriand lebten, von der Hand dessen, den er am meisten geliebt; und der Schmerz blieb in Túrins Antlitz eingegraben und verging nie. Doch neuen Mut und neue Kraft hatte der Elb von Nargothrond geschöpft, und er führte Túrin weit fort aus Taur-nu-Fuin. Kein einziges Wort sprach Túrin auf dem ganzen langen und gefahrvollen Weg, und er schritt dahin wie ohne Wunsch und Absicht, während das Jahr zur Neige ging und der Winter auf die Nordlande fiel. Doch immer war Gwindor an seiner Seite, um ihn zu behüten und zu leiten; und so zogen sie westwärts über den Sirion und kamen endlich nach Eithel Ivrin, an die Quellen unter dem Schattengebirge, aus denen der Narog entsprang. Dort sprach Gwindor zu Túrin und sagte: »Erwache nun, Túrin, Húrin Thalions Sohn! Lachen ohne Ende ist auf dem See von Ivrin. Aus nie versiegenden kristallenen Quellen wird er gespeist, und Ulmo, der Herr der Wasser, der ihn in alter Zeit zu solcher Schönheit erschaffen, bewahrt ihn vor allem Unreinen.« Da kniete Túrin nieder und trank von dem Wasser; doch plötzlich warf er sich hin, und nun endlich flossen ihm die Tränen, und er war vom Wahne geheilt.

Dort machte er ein Lied für Beleg und nannte es *Laer Cú Beleg,* das Lied vom Großen Bogen, und er sang es laut, der Gefahren nicht achtend. Und Gwindor legte ihm das Schwert Anglachel in die Hände, und Túrin wußte, daß es schwer und stark war und große Macht hatte, doch die Klinge war nun schwarz und taub und die Schneiden stumpf. Da sagte Gwindor: »Dies ist ein merkwürdiges Schwert, anders als alle, die ich in Mittelerde gesehen. Wie du trauert es um Beleg. Doch sei nun guten Mutes, denn ich kehre nach Nargothrond zurück, wo das Haus Finarfin herrscht, und du sollst mit mir kommen und geheilt und erfrischt werden.«

»Wer bist du?« sagte Túrin.

»Ein wandernder Elb, entflohener Sklave, dem Beleg begegnete und dem er wieder Mut gab«, sagte Gwindor. »Doch einst war ich Gwindor, Guilins Sohn, ein Edler von Nargothrond, bis ich in die Nirnaeth Arnoediad zog und in Angband zum Sklaven gemacht wurde.«

»So hast du Húrin, Galdors Sohn, gesehen, den Krieger aus Dorlómin?« fragte Túrin.

»Gesehen habe ich ihn nicht«, sagte Gwindor. »Doch sagt man von ihm in Angband, daß er Morgoth immer noch Trotz biete; und Morgoth hat einen Fluch auf ihn und all die Seinen gelegt.«

»Das glaub' ich wohl«, sagte Túrin.

Und dann erhoben sie sich und wanderten von Eithel Ivrin nach Süden die Ufer des Narog entlang, bis sie von Kundschaftern der Elben angehalten und als Gefangene in die verborgene Festung geführt wurden. So kam Túrin nach Nargothrond.

Zuerst wurde Gwindor von den eigenen Anverwandten nicht erkannt, denn jung und stark war er ausgezogen, und nun, nach all seinen Mühen und Qualen sah er aus wie einer der Alten unter den sterblichen Menschen; doch erkannte ihn Finduilas, König Orodreths Tochter, und sie begrüßte ihn, denn vor der Nirnaeth hatte sie ihn geliebt; und so sehr liebte Gwindor ihre Schönheit, daß er sie Faelivrin nannte, was das Glitzern der Sonne auf den Weihern von Ivrin bedeutete. Gwindor zuliebe wurde Túrin in Nargothrond aufgenommen, und er lebte dort in Ehren. Als aber Gwindor seinen Namen nennen wollte, gebot ihm Túrin Einhalt und sagte: »Ich bin Agarwaen, Úmarths Sohn (das heißt: der Blutbefleckte, Sohn des Unglücks), ein Jäger aus den Wäldern«; und die Elben von Nargothrond fragten ihn nicht weiter.

In der Zeit darauf stieg Túrin hoch in der Gunst Orodreths, und fast alle Herzen in Nargothrond schlossen sich ihm auf. Denn er war noch jung und kam jetzt erst ins volle Mannesalter; und wahrhaft wie der Sohn Morwen Eledhwens war er anzusehen: dunkelhaarig und hellhäutig, mit grauen Augen, und sein Gesicht war schöner als jedes andere unter den sterblichen Menschen der Ältesten Tage. Er sprach und gebärdete sich wie einer aus dem alten Königreich Doriath, und selbst unter den Elben konnte man ihn für einen aus den großen Häusern der Noldor halten; daher nannten viele ihn Adanedhel, den Elbenmenschen. Das Schwert Anglachel wurde ihm von klugen Schmieden in Nargothrond neu geschliffen, und obgleich es schwarz blieb, glänzten die Schneiden doch nun in fahlem Feuer; und er nannte es Gurthang, das Todeseisen. So fleißig war er im Krieg an den Grenzen der Bewachten Ebene, daß er als Mormegil, das Schwarze Schwert, bekannt wurde; und die Elben sagten: »Mormegil kann nicht erschlagen werden, es sei denn durch bösen Zufall oder einen Giftpfeil aus der Ferne.« Daher gaben sie ihm ein Kettenhemd aus den Zwergenschmieden; und in einer grimmigen Laune fand er auch eine Zwergenmaske in den Waffenkammern, über und über vergoldet; und die Feinde flohen bei seinem Anblick.

Dann wandte sich Finduilas' Herz von Gwindor ab, und gegen ihren Willen fiel ihre Liebe Túrin zu; Túrin aber bemerkte nicht, was geschehen war. Und Finduilas zerriß es das Herz, und sie wurde matt und still und bekümmert. Gwindor aber saß in dunklem Sinnen, und einmal sprach er zu Finduilas und sagte: »Tochter aus Finarfins Haus, laß kein Arg zwischen uns sein, denn wenn Morgoth auch mein Leben zuschanden gemacht, so liebe ich dich doch noch immer. Geh, wohin Liebe dich leitet, doch nimm dich in acht! Es schickt sich nicht, daß sich die Älteren Kinder Ilúvatars mit den Jüngeren vermählen, und klug ist es auch nicht, denn kurzlebig sind sie und gehen bald dahin und lassen uns verwitwet zurück, solange die Welt dauert. Auch wird das Geschick es nicht zulassen, es sei denn ein- oder zweimal, aus höchsten Schicksalsgründen, die wir nicht kennen. Doch ist dieser Mensch nicht Beren. Ein Schicksal zwar liegt auch auf ihm, wie jeder in ihm lesen kann, der Augen hat zu sehen, doch ein dunkles Schicksal ist es. Begib dich nicht mit hinein! Und wenn du es dennoch tust, so wird deine Liebe dir zu Bitternis und Tod gereichen. Denn hör' auf mich! Zwar ist er wahrhaft Agarwaen, Úmarths Sohn, sein richtiger Name aber ist Túrin, Sohn Húrins, den Morgoth in Angband gefangen hält und dessen Sippe er verflucht hat. Zweifle nicht an der Macht von Morgoth Bauglir! Steht sie mir nicht ins Gesicht geschrieben?«

Da saß Finduilas lange in Gedanken; zuletzt aber sagte sie nur: »Túrin, Húrins Sohn, liebt mich nicht und wird mich nicht lieben.«

Als Túrin nun von Finduilas erfuhr, was geschehen war, da war er erzürnt, und er sagte zu Gwindor: »In Liebe achte ich dich, weil du mich gerettet und sicher geführt hast. Nun aber hast du gemein an mir gehandelt, Freund, daß du meinen Namen verraten und meinen Spruch auf mich herabgerufen hast, vor dem ich mich verbergen will.«

Gwindor aber antwortete: »Der Spruch liegt in dir, nicht in deinem Namen.«

Als Orodreth erfuhr, daß Mormegil in Wahrheit der Sohn Húrin Thalions war, erwies er ihm hohe Ehren, und Túrin wurde ein Großer unter dem Volk von Nargothrond. Doch behagte ihm ihre Art des Krieges nicht, die Überfälle und das Anschleichen und die Pfeile aus dem Hinterhalt; ihn verlangte es nach mannhaftem Zweikampf und offener Schlacht, und mit der Zeit fand sein Rat beim König mehr und mehr Gehör. In jenen Tagen ließen die Elben von Nargothrond von ihrer Geheimhaltung ab und führten offen Krieg, und große Waffenlager wurden angelegt. Und auf Túrins Anraten bauten die Noldor vor den Toren Felagunds eine große Brücke über den Narog, um mit den Waffen schneller hinübergelangen zu können. Nun wurden Angbands Diener aus all dem Land zwischen Narog und Sirion nach Osten und nach Westen bis zum Nenning und den verwüsteten Falas vertrieben. Zwar sprach Gwindor im Rate des Königs stets gegen Túrin und verwarf dies alles als schlechte Kriegskunst, doch fiel er in Ungnade, und niemand beachtete ihn, denn seine Kräfte waren gering, und im Kampf war er nicht länger einer der Vordersten. So wurde Nargothrond dem Zorn und Haß Morgoths offenbar. Doch immer noch wurde Túrins wahrer Name nicht genannt, weil er es so wünschte; und wenn auch der Ruhm seiner Taten nach Doriath und an Thingols Ohr drang, so war doch immer nur von dem Schwarzen Schwert von Nargothrond die Rede.

In jener Zeit des Atemholens und der Hoffnung, als Mormegils Taten den Heeren Morgoths westlich des Sirion Einhalt geboten, floh Morwen endlich mit Nienor, ihrer Tochter, aus Dor-lómin und wagte die lange Reise zu Thingols Hallen. Dort wartete neues Leid auf sie, denn sie erfuhr, daß Túrin fort war, und nach Doriath war keine Nachricht von ihm gelangt, seit der Drachenhelm aus den Landen westlich des Sirion verschwunden war; doch blieben Morwen und Nienor als Gäste Thingols und Melians in Doriath und wurden in Ehren gehalten.

Nun geschah es, als vierhundertundneunundfünfzig Jahre seit dem Aufgang des Mondes vergangen waren, daß im Frühjahr zwei Elben nach Nargothrond kamen, mit Namen Gelmir und Arminas; sie stammten aus Angrods Volk, doch seit der Dagor Bragollach lebten sie im Süden bei Círdan dem Schiffbauer. Von ihren weiten Reisen brachten sie Nachricht mit, daß sich unter den Hängen der Ered Wethrin und im Paß des Sirion große Scharen von Orks und üblen Kreaturen sammelten; und sie berichteten auch, Ulmo sei zu Círdan gekommen und habe gewarnt, große Gefahr nahe sich Nargothrond.

»Vernimm die Worte des Herrn der Wasser!« sagten sie zum Könige. »So sprach er zu Círdan dem Schiffbauer: ›Das Unheil aus dem Norden hat die Quellen des Sirion besudelt, und meine Kraft zieht sich aus den Fingern der fließenden Wasser zurück. Doch schlimmer soll es noch kommen. Sag daher dem Fürsten von Nargothrond: Schließ die Tor der Festung und geh nicht hinaus. Wirf die

Steine deines Stolzes in den lauten Fluß, damit das kriechende Unheil den Eingang nicht finde.‹«

Orodreth war bestürzt über die dunklen Worte der Boten, doch nimmermehr mochte Túrin solchen Rat hören, und am wenigsten wollte er leiden, daß man die große Brücke einrisse; denn er war stolz und streng geworden und pflegte alles nach seinem Wunsch zu befehlen.

Bald darauf wurde Handir, der Herr von Brethil, erschlagen, denn die Orks drangen in sein Land, und Handir lieferte ihnen eine Schlacht; doch die Menschen von Brethil wurden besiegt und in die Wälder zurückgetrieben. Und im Herbst des Jahres, zu wohlbedachter Stunde, ließ Morgoth das große Heer, das er lange gerüstet, auf die Völker am Narog los; und Glaurung der Urulóki zog über Anfauglith hinweg, und von dort kam er in die nördlichen Täler des Sirion und richtete großes Unheil an. Unter den Schatten der Ered Wethrin besudelte er die Quellen von Eithel Ivrin, und von da ging er in das Reich von Nargothrond und verbrannte Talath Dirnen, die Bewachte Ebene zwischen Narog und Teiglin.

Da zogen die Krieger von Nargothrond hinaus, und groß und schrecklich erschien Túrin an jenem Tage, und der Mut des Heeres wurde aufgerichtet, als er zur Rechten Orodreths ritt. Doch bei weitem größer noch, als alle Kundschafter es gemeldet hatten, war Morgoths Heer, und keiner bis auf Túrin unter seiner Zwergenmaske konnte dem Nahen Glaurungs standhalten; und die Elben wurden zurückgeschlagen und von den Orks in das Feld von Tumhalad gedrängt, zwischen Ginglith und Narog, und dort wurden sie eingeschlossen. Das ganze stolze Heer von Nargothrond schmolz an jenem Tage dahin; und Orodreth fiel in der vordersten Reihe, und Gwindor, Guilins Sohn, wurde zu Tode verwundet. Doch Túrin kam ihm zu Hilfe, vor dem alle flohen; und er trug Gwindor aus dem Getümmel heraus, brachte ihn in einen Wald und legte ihn dort ins Gras.

Da sagte Gwindor zu Túrin: »Laß ein Tragen das andere entgelten! Doch zum Unglück habe ich dich getragen, und mich trägst du vergebens, denn keine Heilung gibt es für meine Wunden, und Mittelerde muß ich verlassen. Und wenn ich dich gleich liebe, Sohn Húrins, so reut mich doch der Tag, da ich dich vor den Orks gerettet. Doch um deiner Stärke und deines Stolzes willen sollte ich noch Liebe und Leben haben, und Nargothrond könnte noch eine Weile stehen. Nun aber, wenn du mein Freund bist, laß mich allein! Eile nach Nargothrond und rette Finduilas! Und als Letztes wisse dies: Sie allein steht zwischen dir und deinem Spruch. Wenn du sie verfehlst, so wird er nicht verfehlen, dich zu ereilen. Lebwohl!«

Da beeilte sich Túrin, daß er nach Nargothrond zurückkam, und von den Fliehenden nahm er mit, wen er unterwegs traf; und ein starker Wind blies die Blätter von den Bäumen, als sie dahineilten, denn der Herbst wich einem strengen Winter. Doch das Heer der Orks und der Drache Glaurung waren schon vor ihm und standen vor Nargothrond, ehe die Wachen, die zurückgeblieben waren, wußten, was sich auf dem Felde von Tumhalad zugetragen hatte. An jenem Tag erwies sich die Brücke über den Narog als ein Unglück, denn sie war groß und fest gebaut und ließ sich nicht schnell zerstören; und die Feinde kamen bequem über den tiefen Fluß, und Glaurung schnob all sein Feuer gegen die Tore Felagunds und riß sie ein und drang in die Festung.

Und als Túrin eintraf, war das schreckliche Ende von Nargothrond beinahe schon vollzogen. Die Orks hatten alle, die noch Waffen trugen, erschlagen oder verjagt und wühlten eben die großen Hallen und Kammern durch, plündernd und vernichtend; die Frauen und Mädchen aber, soweit sie nicht verbrannt oder getötet waren, hatten sie auf den Terrassen vor den Toren zusammengetrieben, als Sklavinnen, um Morgoth zu dienen. In dieses Weh und Verderben stieß Túrin, und keiner konnte ihm widerstehen, oder keiner wollte es, obwohl er alle niedermachte, die ihm in den Weg kamen; und er gelangte über die Brücke und schlug sich zu den Gefangenen hin durch.

Und nun stand er allein, denn die Wenigen, die ihm folgten, waren geflohen. Doch in dem Augenblick kam Glaurung aus dem weit offenen Tor und legte sich dahinter, zwischen Túrin und der Brücke. Dann plötzlich sprach er, kraft des bösen Geistes, der in ihm war, und er sagte: »Gegrüßt seist du, Sohn Húrins! Gut getroffen.«

Da sprang Túrin vor und lief ihm entgegen, und die Schneiden Gurthangs leuchteten wie von Flammen; Glaurung aber hielt seine Lohe zurück, und mit seinen weit geöffneten Schlangenaugen starrte er Túrin an. Furchtlos blickte Túrin in sie hinein, als er das Schwert erhob, und sogleich fiel er unter den Bann der lidlosen Augen und blieb regungslos stehen. Lange Zeit stand er da, wie aus Stein gehauen; und sie beide waren allein, stumm vor den Toren von Nargothrond. Doch Glaurung sprach abermals, Túrin verhöhnend, und sagte: »Bös' war allein dein Beginnen, Sohn Húrins. Undankbarer Pflegesohn, Bandit, Mörder deines Freundes, Dieb deiner Liebe, Usurpator von Nargothrond, unbesonnener Kriegshauptmann und Verräter deiner Sippe. Als Sklavinnen leben deine Mutter und Schwester in Dor-lómin, in Armut und Elend. Gewänder wie ein Prinz trägst du, doch sie gehen in Lumpen; und nach dir sehnen sie sich, doch was kümmert's dich? Froh wird dein Vater sein, wenn er erfährt, was er für einen Sohn hat, und erfahren soll er's.« Und Túrin, unter Glaurungs Bann, hörte auf seine Worte und sah sich wie in einem Spiegel, verunstaltet von Tücke, und was er sah, ekelte ihn.

Und während die Augen des Drachens seinen Geist noch in ihrer Marter hielten und er sich nicht zu rühren vermochte, trieben die Orks die zusammengebundenen Gefangenen weg, und sie kamen dicht an Túrin vorbei und überquerten die Brücke. Unter ihnen war Finduilas, und sie rief nach Túrin, als sie ging; doch erst als ihre Rufe und das Klagen der Gefangenen sich auf dem Weg nach Norden verloren hatten, gab Glaurung Túrin frei, und stets klang ihm hernach jener Ruf in den Ohren.

Dann wandte Glaurung seinen Blick plötzlich ab und wartete; und Túrin regte sich langsam, wie aus einem gräßlichen Traume erwachend. Dann, zu sich gekommen, sprang er mit einem Schrei auf den Drachen los. Glaurung aber lachte und sprach: »Willst du sterben, so sei es, und mit Freuden! Doch wenig nützt es Morwen und Nienor. Nicht gekümmert hat dich der Ruf der Elbenfrau. Wirst du auch den Ruf deines eigenen Blutes verleugnen?«

Túrin aber zielte mit dem Schwert und stieß nach den Augen des Drachen; und Glaurung bog sich flink zurück, und dann türmte er sich über ihm auf und sagte: »Nimmer! Doch tapfer bist du, mehr als alle, die ich getroffen. Und es lügt, wer da sagt, wir auf unserer Seite wüßten den tapferen Feind nicht zu ehren. Sieh nun! Ich biete dir Freiheit. Geh zu den Deinen, wenn du es vermagst. Fort mit dir! Und wenn noch Elben oder Menschen übrigbleiben, um von diesen Tagen zu erzählen, so werden sie gewiß voller Hohn deines Namens gedenken, verschmähst du dieses Geschenk.«

Túrin, immer noch behext von den Augen des Drachen, glaubte seinen Worten, so als stünde er vor einem Feinde, welcher das Mitleid kennt; und er wandte sich um und eilte über die Brücke. Doch während er lief, sprach Glaurung hinter ihm drein und sagte mit boshafter Stimme: »Spute dich nun, Húrins Sohn, auf nach Dor-lómin! Oder sollen vielleicht die Orks dir zuvorkommen, wie schon einmal? Und wenn du dich um der Elbin willen verweilst, so sollst du Morwen nie wiedersehen, und Nienor, deine Schwester, sollst du nicht kennen; und verfluchen werden sie dich.«

Doch Túrin zog davon auf der Straße nach Norden, und Glaurung lachte abermals, denn er hatte seines Herrn Auftrag erfüllt. Dann ergab er sich der eigenen Lust und schnob Flammen und verbrannte alles um sich her. Die Orks aber, die geschäftig am Plündern waren, trieb er ins Freie und jagte sie davon, denn er gönnte ihnen nicht das kleinste Stück von ihrem Raube. Dann riß er die Brücke ein und warf sie in den schäumenden Narog; und nachdem er so in Sicherheit war, fegte er alle Schätze und Reichtümer Felagunds auf einen Haufen und legte sich darauf in der innersten Halle, um eine Weile zu ruhen.

Und Túrin eilte die Wege nach Norden entlang, durch die nun verwüsteten Lande zwischen Narog und Teiglin; und der Grausame Winter kam ihnen entgegen, denn in jenem Jahr fiel der Schnee, ehe der Herbst noch vorüber war, und der Frühling kam verspätet und kalt. Immer war es ihm auf seinem Wege, als hörte er Finduilas' Schreie, wie sie hinter Wald und Hügel seinen Namen rief, und groß war sein Schmerz; doch da sein Herz noch heiß war von Glaurungs Lügen und er stets im Geiste vor sich sah, wie die Orks Húrins Haus niederbrannten oder Morwen und Nienor peinigten, blieb er auf seinem Weg und wich nie zur Seite.

Endlich, ganz erschöpft von der Eile und von der Länge des Wegs (denn vierzig Meilen und mehr war er gegangen, ohne zu ruhen), kam er, zugleich mit dem ersten Eis des Winters, zu den Weihern von Ivrin, die ihn schon einmal geheilt hatten. Doch nur mehr ein gefrorener Sumpf waren sie jetzt, und er konnte dort nicht mehr trinken.

So kam er mühsam über die Pässe von Dor-lómin, durch bitteren Schnee aus Norden, und sah das Land seiner Kindheit wieder. Öd und kahl war es; und Morwen war fort. Ihr Haus stand leer, zerfallen und kalt, und nichts Lebendes war in der Nähe. So ging Túrin wieder fort und kam zum Hause Broddas, des Ostlings, der Aerin, Húrins Verwandte, zum Weib genommen hatte; und dort erfuhr er von einer alten Dienerin, daß Morwen schon lange fort sei, denn sie war mit Nienor aus Dor-lómin geflohen; doch niemand als Aerin wußte, wohin.

Da ging Túrin zu Brodda und trat an seinen Tisch; er packte ihn, und das blanke Schwert ihm vorhaltend verlangte er zu wissen, wohin Morwen gegangen sei; und Aerin erklärte ihm, nach Doriath sei sie gezogen, ihren Sohn zu suchen. »Denn die Lande waren vom Unheil befreit«, sagte sie, »durch das Schwarze Schwert im Süden, das nun gefallen sein soll, wie man sagt.« Da gingen Túrin die Augen auf, und die letzten Fesseln von Glaurungs Bann fielen von ihm ab; und in seinem Schmerz und Zorn über die Lügen, die ihn getäuscht hatten, und im Haß auf Morwens Unterdrücker kam die schwarze Wut über ihn, und er erschlug Brodda in seiner eigenen Halle und andere Ostlinge mit ihm, die bei ihm zu Gast waren. Darauf floh er hinaus in den Winter, ein Gehetzter; doch halfen ihm manche, die von Hadors Volk noch da waren und die Wege in der Wildnis kannten, und mit ihnen entkam er im Schneegestöber zu einem Versteck der Bandenkrieger in den südlichen Bergen von Dorlómin. Von da ging er wieder fort aus seinem Heimatland und kehrte ins Tal des Sirion zurück. Bitter war sein Herz, denn in Dor-lómin hatte er nur noch größere Leiden über die Reste seines Volkes gebracht, und sie waren froh, als er wieder fortging; und nur den einen Trost hatte er, daß der Fleiß des Schwarzen Schwertes Morwen die Wege nach Doriath geöffnet. Und er sagte sich: ›So hat dieses Werk doch nicht allen Unheil gebracht! Und wo könnte ich die Meinen besser untergebracht haben, wäre ich auch früher gekommen? Denn wird Melians Gürtel gebrochen, so endet alle Hoffnung. Nein, am besten bleibt's, wie es ist; denn einen Schatten werfe ich, wohin ich auch gehe. Mag Melian sie behüten, und ich will sie für eine Weile in schattenlosem Frieden lassen.‹

Nun suchte Túrin, von den Ered Wethrin hinabsteigend, vergebens nach Finduilas; wild und scheu wie ein Tier durchstreifte er die Wälder unterhalb des Gebirges und lauerte an allen Straßen, die nach Norden zum Sirion-Paß hinführten. Doch er kam zu spät, denn alle Spuren waren nun zu alt oder vom Winter verwischt. Doch so kam es, daß Túrin, als er den Teiglin abwärts nach Süden ging, auf einige der Menschen aus Brethil stieß, die von Orks umzingelt waren; und er rettete sie, denn die Orks flohen vor Gurthang. Er nannte sich den Wilden Mann aus den Wäldern, und sie baten ihn, mitzukommen und bei ihnen zu leben; doch er sagte, eines habe er noch zu tun, nämlich, Finduilas zu suchen, die Tochter Orodreths von Nargothrond. Da gab ihm Dorlas, der Anführer der Waldläufer, die Schmerzensnachricht von ihrem Tode. Denn die Männer von Brethil hatten an den Teiglin-Stegen dem Orkheer aufgelauert, das die Gefangenen von Nargothrond wegführte, in der Hoffnung, diese zu retten; die Orks aber hatten die Gefangenen sogleich grausam getötet, und Finduilas spießten sie mit einem Speer an einen Baum. So war sie gestorben, und zuletzt hatte sie gesagt: »Sagt es Mormegil, daß Finduilas hier ist.« Daher hatten die Waldleute sie auf einem nahegelegenen Hügel begraben, der seither Haud-en-Elleth hieß, der Hügel des Elbenmädchens.

Túrin bat sie, ihn zu jenem Hügel zu führen, und dort fiel er in ein Dunkel des Leidens, das ihn dem Tod nahe brachte. An seinem schwarzen Schwert, dessen Ruhm bis in die Tiefen von Brethil gedrungen war, und an seiner Suche nach der Königstochter erkannte nun Dorlas, daß dieser Wilde in Wahrheit Mormegil von Nargothrond war, von dem es hieß, er sei der Sohn Húrins von Dor-lómin. So hoben ihn die Waldleute auf und trugen ihn zu ihren Häusern. Diese standen hinter einem Palisadenzaun an einem hochgelegenen Ort im Walde, Ephel Brandir auf dem Amon Obel; denn Haleths Volk war nun im Krieg zusammengeschmolzen, und Brandir, Handirs Sohn, der es regierte, war ein friedliebender Mann, von Kindheit an lahm, und um sie vor der Macht im Norden zu schützen, vertraute er mehr auf Heimlichkeiten denn auf Waffentaten. Daher mißfiel ihm, was Dorlas meldete, und als er Túrins Gesicht erblickte, wie er auf der Tragbahre lag, da sank eine Wolke von Vorahnungen auf sein Herz. Dennoch, bewegt durch Túrins Unglück, nahm er ihn in sein eigenes Haus und pflegte ihn, denn er verstand sich auf die Heilkunst. Und zu Frühjahrsanfang tat Túrin den dunklen Sinn von sich ab und wurde gesund; und er stand auf und dachte, in Brethil möchte er verborgen bleiben und seinen Schatten hinter sich lassen, Vergangnes vergessend. Einen neuen Namen nahm er daher an, Turambar, was in der Hochelbensprache Meister des Schicksals heißt; und die Waldleute bat er, nicht mehr daran zu denken, daß er ein Fremder unter ihnen sei oder daß er je einen andren Namen getragen. Doch mochte er von den Kriegstaten nicht ganz und gar lassen, denn er wollte es nicht leiden, daß die Orks zu den Teiglin-Stegen oder zum Haudh-en-Elleth kamen; und so traf er Sorge, daß dies ein Ort des Grauens für sie wurde, den sie mieden. Das schwarze Schwert aber legte er beiseite und nahm dafür Bogen und Speer.

Nun kam neue Nachricht aus Nargothrond nach Doriath, denn manche, die aus der Niederlage und der Vernichtung entkommen waren und den Grausamen Winter in der Wildnis überlebt hatten, baten zuletzt Thingol um Aufnahme; und die Grenzwachen brachten sie zum König. Und die einen sagten, die Feinde seien allesamt nach Norden abgezogen, andre dagegen, Glaurung hause noch in Felagunds Hallen; und die einen sagten, Mormegil sei tot, andre, er sei unter einen Bann des Drachen gefallen und stehe noch dort wie versteinert. Alle aber erklärten, in Nargothrond sei es bis zum Ende vielen bekannt geworden, daß Mormegil niemand anders war als Túrin, der Sohn Húrins von Dor-lómin.

Da war Morwen bestürzt, und sie nahm keinen Rat an von Melian, sondern ritt allein hinaus in die Wildnis, ihren Sohn oder doch wahre Meldung von ihm zu finden. Thingol schickte ihr Mablung mit vielen tapferen Grenzwächtern nach, um sie zu suchen und zu behüten und Neues in Erfahrung zu bringen; Nienor aber hieß man zurückbleiben. Doch wie ihr ganzes Haus war auch sie ohne Furcht; und zu böser Stunde, hoffend, daß Morwen umkehren werde, wenn sie sähe, daß ihre Tochter mit ihr in die Gefahr gehen wollte, verkleidete sie sich und zog als einer der Grenzwächter mit hinaus auf jenen unseligen Ritt.

An den Ufern des Sirion holten sie Morwen ein, und Mablung flehte sie an, nach Menegroth zurückzukehren; doch verdammt war sie und ließ sich nicht umstimmen. Nun wurde auch Nienor erkannt, und Morwens Befehl zum Trotz wollte sie nicht umkehren; und Mablung brachte sie notgedrungen zu den versteckten Booten an den Dämmerseen, und sie setzten über den Sirion. Und nachdem sie drei Tage lang geritten waren, kamen sie zum Amon Ethir, dem Hügel der Späher, den vor Zeiten Felagund unter großen Mühen hatte aufwerfen lassen, eine Meile vor den Toren von Nargothrond. Dort umgab Mablung Morwen und ihre Tochter mit einem Ring von Berittenen und verbot ihnen, weiterzugehen. Er aber, da er von dem Hügel aus keine Spur des Feindes erblickte, stieg mit seinen Kundschaftern zum Narog hinab, so heimlich sie es vermochten.

Glaurung aber wußte von allem, was sie taten, und er kam in heißem Zorn hervor und warf sich in den Fluß; und eine große Wolke von Dunst und Gestank stieg auf, in der Mablung und seine Gefährten blind umherirrten. Dann kam Glaurung nach Osten über den Narog.

Als die Wachen auf dem Amon Ethir den Drachen hervorbrechen sahen, wollten sie Morwen und Nienor wegführen und schnellstens mit ihnen nach Osten fliehen; doch der Wind trug die giftigen Nebel zu ihnen herüber, und vor dem Drachendunst gingen die Pferde durch, in alle Richtungen auseinanderstiebend; manche Reiter wurden an Bäumen zu Tode geschmettert, andre wurden weit davongetragen. So gingen die beiden Frauen verloren, und von Morwen gelangte später keine verläßliche Meldung mehr nach Doriath. Nienor aber, die von ihrem Pferd abgeworfen wurde, doch unverletzt blieb, ging zurück zum Amon Ethir, um dort auf Mablung zu warten, und so kam sie ins Sonnenlicht über den Dünsten; und als sie nach Westen sah, starrte sie geradewegs in Glaurungs Augen, dessen Kopf auf dem Gipfel des Hügels lag.

Eine Zeitlang widerstand ihm ihr Wille, doch er bot seine Macht auf, und nachdem er erfahren hatte, wer sie war, zwang er sie, ihm in die Augen zu sehen, und er legte einen Bann von Dunkel und Vergessen auf sie, so daß sie sich an nichts erinnern konnte, was je mit ihr geschehen war. Sie wußte nicht mehr ihren eigenen noch irgendeines Dinges Namen, und viele Tage lang konnte sie weder hören noch sehen noch sich aus eigenem Willen bewegen. Dann ließ Glaurung sie allein auf dem Amon Ethir stehen und kroch zurück nach Nargothrond.

Mablung, der kühn genug gewesen war, Felagunds Hallen zu erkunden, als Glaurung sie verlassen hatte, entfloh nun von dort, als der Drache wiederkam, und kehrte zum Amon Ethir zurück. Die Sonne ging unter, und die Nacht brach herein, als er den Hügel erstieg, und dort fand er niemanden bis auf Nienor, die allein unter den Sternen stand wie eine Figur aus Stein. Kein Wort sprach oder verstand sie, doch folgte sie ihm, als er sie bei der Hand nahm. In großem Schmerz führte er sie so davon, obgleich es ihm sinnlos schien, denn hilflos in der Wildnis schienen sie beide verdammt, umzukommen.

Doch drei von Mablungs Gefährten fanden sie, und langsam wanderten sie zusammen nach Norden und Osten, zu den Grenzen von Doriath hin, die jenseits des Sirion und der bewachten Brücke nahe der Mündung des Esgalduin lagen. Allmählich kehrten Nienors Kräfte wieder, als sie sich Doriath näherten, doch immer noch konnte sie weder sprechen noch hören und war blind, so daß man sie führen mußte. Als sie aber der Grenze ganz nahe kamen, da endlich schlossen sich ihre starr blickenden Augen, und sie fiel in Schlaf; und sie legten sie nieder und ruhten ebenfalls, ohne Wache, denn sie waren ganz und gar erschöpft. Dort wurden sie von einer Bande Orks überfallen, die sich nun oft schon bis hierher vorwagten. In jener Stunde aber fand Nienor Gehör und Gesicht wieder, und, von den Schreien der Orks geweckt, sprang sie voll Entsetzen auf und floh, ehe sie über ihr waren.

Dann jagten die Orks hinter ihr drein und die Elben hinter den Orks; und sie überholten die Orks und erschlugen sie, ehe sie ihr etwas antun konnten; Nienor aber entkam ihnen. Denn sie rannte wie in einer Raserei der Angst, schneller als ein Hirsch, und während sie rannte, riß sie sich die Kleider herunter, bis sie ganz nackt war; und nach Norden laufend, entschwand sie aus ihrer Sicht, und obgleich sie lange nach ihr suchten, fanden sie keine Spur von ihr. Zuletzt kehrte Mablung verzweifelt nach Menegroth zurück und berichtete das Vorgefallene. Da waren Thingol und Melian voller Kummer;

Mablung aber zog aus und forschte lange vergebens nach Morwen und Nienor.

Nienor aber lief weiter in die Wälder hinein, bis sie nicht mehr konnte, dann fiel sie hin und schlief und erwachte wieder; und es war ein sonniger Morgen, und sie freute sich über das Licht wie über etwas ganz Neues, und auch alle anderen Dinge, die sie sah, erschienen ihr neu und fremd, denn sie wußte keine Namen für sie. An nichts erinnerte sie sich als an ein Dunkel, das hinter ihr lag, und an einen furchtbaren Schatten; daher wanderte sie scheu umher wie ein gejagtes Wild und litt Hunger, denn sie hatte nichts zu essen und wußte sich nicht zu helfen. Doch als sie an die Teiglin-Stege kam, da ging sie hinüber, dem Schutz der großen Bäume von Brethil zustrebend, denn sie fürchtete sich, und es schien ihr, als ob das Dunkel sie wieder überholte, vor dem sie geflohen war.

Doch es war nur ein großes Unwetter, das von Süden heraufzog, und voll Entsetzen warf sie sich auf den Hügel Haudh-en-Elleth nieder und hielt sich die Ohren zu gegen den Donner; aber der Regen prasselte auf sie nieder und durchnäßte sie, und sie lag da wie ein wildes Tier im Sterben. Dort fand sie Turambar, der zu den Teiglin-Stegen kam, weil er gehört hatte, daß Orks in der Nähe streunten; und als er im Aufleuchten eines Blitzes den scheinbar toten Körper eines Mädchens auf Finduilas' Hügel liegen sah, da traf es ihn ins Herz. Die Waldleute aber hoben sie auf, und Turambar legte seinen Mantel über sie, und man brachte sie zu einer nahen Hütte, wärmte sie und gab ihr zu essen. Und sobald sie Turambar erblickt hatte, war sie getröstet, denn es schien ihr, als hätte sie nun doch wenigstens etwas gefunden, das sie im Dunkel gesucht hatte; und sie wollte sich nicht von ihm trennen. Als er sie aber nach ihrem Namen, ihrer Sippe und ihrem Mißgeschick fragte, da wurde sie verängstigt wie ein Kind, wenn es merkt, daß man etwas von ihm verlangt, aber nicht verstehen kann, was es sein mag, und sie weinte. So sagte Turambar: »Sei unbesorgt! Deine Geschichte kann warten. Doch einen Namen will ich dir geben, und ich nenne dich Níniel, Tränenmädchen.« Und bei diesem Namen schüttelte sie den Kopf, sagte aber: »Níniel.« Das war das erste Wort, das sie nach der Dunkelheit sprach, und es blieb für immer ihr Name unter den Waldleuten.

Am nächsten Tag trug man sie zum Ephel Brandir; doch als sie zur Dimrost, der Regentreppe, kamen, wo der wilde Bach Celebros zum Teiglin hinabstürzt, da befiel sie ein heftiges Erschauern, weshalb jener Ort später Nen Girith genannt wurde, das Schauderwasser. Bis sie zu dem Dorf der Waldleute auf dem Amon Obel kamen, war sie an einem Fieber erkrankt; und lange lag sie darnieder, gepflegt von den Frauen von Brethil, die sie sprechen lehrten wie ein kleines Kind. Bevor es aber Herbst wurde, hatte Brandirs Kunst sie von ihrer Krankheit geheilt, und sie konnte nun sprechen; dennoch erinnerte sie sich an nichts aus der Zeit, bevor Turambar sie auf dem Hügel Haud-en-Elleth gefunden hatte. Und Brandir liebte sie, doch ihr Herz war ganz Turambar ergeben.

In dieser Zeit wurden die Waldleute nicht von den Orks behelligt, und Turambar ging nicht in den Krieg, und in Brethil war Frieden. Sein Herz wandte sich Níniel zu, und er verlangte sie zum Weibe; doch fürs erste zögerte sie, obgleich sie ihn liebte. Denn Brandir ahnte, er wußte nicht, was, und er bemühte sich, sie zurückzuhalten, mehr um ihretwillen als zum eigenen Vorteil oder aus Nebenbuhlerschaft gegen Turambar; und er verriet ihr, daß Turambar Túrin war, Húrins Sohn, und wenn sie auch den Namen nicht erkannte, fiel doch ein Schatten auf ihr Gemüt.

Als aber drei Jahre seit der Vernichtung von Nargothrond vergangen waren, fragte Turambar Níniel abermals und gelobte, nun solle sie sein Weib werden, oder er werde seinen Krieg in der Wildnis wieder aufnehmen. Und Níniel willigte mit Freuden ein, und am Mittsommertag wurden sie vermählt, und die Waldleute feierten ein großes Fest. Doch ehe das Jahr noch zu Ende war, schickte Glaurung aus seinem Gebiet Orks gegen Brethil; und Turambar saß tatenlos daheim, denn er hatte Níniel versprochen, nur wenn ihre Häuser angegriffen würden, werde er kämpfen. Die Waldleute wurden besiegt, und Dorlas schalt ihn, daß er dem Volke nicht helfen wollte, das er als das seine erwählt hatte. Da stand Turambar auf, holte das schwarze Schwert wieder hervor und sammelte eine große Schar der Männer von Brethil um sich, und sie schlugen die Orks vernichtend. Glaurung aber erhielt Meldung, das Schwarze Schwert sei in Brethil, und er sann auf neues Unheil.

Im Frühjahr darauf ging Níniel schwanger, und sie wurde bleich und traurig; und zur gleichen Zeit drangen die ersten Gerüchte zum Ephel Brandir, Glaurung sei aus Nargothrond hervorgekommen. Da schickte Turambar Kundschafter weit hinaus, denn es geschah nun, was er befahl, und nicht viele kümmerten sich mehr um Brandir. Und als es auf Sommer zuging, kam Glaurung an den Rand von Brethil und legte sich nahe ans Westufer des Teiglin; und da herrschte große Furcht unter dem Waldvolk, denn nun wurde klar, daß der Große Wurm sie angreifen und ihr Land verwüsten wollte, anstatt, wie sie gehofft, nur auf dem Heimweg nach Angband vorüberzuziehen. Daher baten sie Turambar um Rat, und der sagte ihnen, daß es vergebens wäre, wollten sie mit all ihrer Streitmacht gegen Glaurung ziehen, denn nur mit List und gutem Glück könnten sie ihn besiegen. Er bot sich an, dem Drachen selbst an der Grenze ihres Landes zu begegnen; die übrigen hieß er im Ephel Brandir bleiben und sich zur Flucht bereithalten. Denn wenn Glaurung den Sieg davontrüge, so würde er als erstes zu den Häusern der Waldleute kommen, um sie zu zerstören, und sie hätten keine Hoffnung, ihm zu widerstehen; wenn sie sich dann aber weit verstreuten, so könnten viele entkommen, denn Glaurung würde nicht lange in Brethil bleiben, sondern bald nach Nargothrond zurückkehren.

Dann fragte Turambar, wer ihn in die Gefahr begleiten wolle; und Dorlas trat vor, doch sonst keiner. Da schalt Dorlas das Volk und verhöhnte Brandir, der nicht zu leisten vermochte, was Haleths Erben geziemte; und Brandir, vor seinem Volke beschimpft, war bittren Herzens. Doch Hunthor, ein Verwandter Brandirs, bat ihm um Erlaubnis, an seiner Stelle zu gehen. Dann sagte Turambar Níniel Lebwohl, und sie war voll Furcht und Vorahnung, und ihr Abschied war schwer von Kummer; Turambar aber brach mit seinen zwei Gefährten auf und ging nach Nen Girith.

Und Níniel, unfähig, ihre Angst zu ertragen und im Ephel auf Meldung von Turambars Schicksal zu warten, zog ihm nach, und eine große Schar ging mit ihr. Dies erfüllte Brandir noch mehr mit Entsetzen, und er versuchte sie und die Leute, die mit ihr gehen wollten, von dieser Unbesonnenheit abzuhalten, doch sie achteten seiner nicht. Da kündigte er seinen Fürstenrang auf und sagte aller Liebe ab zu dem Volke, das ihn verhöhnt hatte, und als ihm nun nichts blieb als seine Liebe zu Níniel, gürtete er sich mit einem Schwert und ging ihr nach; da er aber lahmte, blieb er weit zurück.

Nun kam Turambar gegen Sonnenuntergang nach Nen Girith, und dort erfuhr er, daß Glaurung am Rande der steilen Ufer des Teiglin lag und sich wahrscheinlich rühren würde, wenn es Nacht wurde. Dies nannte er gute Nachricht, denn der Drache lag bei Cabed-en-Aras, wo der Fluß durch eine tiefe und enge Schlucht floß, über die ein gehetzter Hirsch hinwegsetzen konnte; und weiter gedachte Turambar nicht zu gehen, sondern versuchen wollte er, die Schlucht zu durchqueren. In der Dämmerung wollte er dort hinschleichen, bei Nacht in die Schlucht hinabsteigen, das wilde Wasser durchqueren und dann die Klippe am anderen Ufer ersteigen, um so den Drachen unversehens und von unten her anzugreifen.

Dies war sein Plan, doch Dorlas verließ der Mut, als sie im Dunkeln an die Schnellen des Teiglin kamen, und er wagte es nicht, den gefährlichen Übergang zu versuchen, sondern wich zurück und verbarg sich in den Wäldern, mit Schande beladen. Turambar und Hunthor aber kamen sicher hinüber, denn das laute Tosen des Wassers erstickte jeden andren Laut, und Glaurung schlief. Doch noch vor Mitternacht wurde er wach, und mit viel Lärm und Dampf warf er sein Vorderteil über die Schlucht und begann den Rumpf nachzuziehen. Fast betäubt von der Hitze und dem Gestank strebten Turambar und Hunthor eilends hinauf, um Glaurung anzugreifen; und Hunthor erschlug ein großer Stein, den die Bewegungen des Drachen über ihnen gelöst hatten; der Stein traf ihn am Kopf und stürzte ihn hinab in den Fluß. So endete Hunthor, nicht der Furchtsamste aus dem Volke Haleths.

Da nahm Turambar allen Willen und Mut zusammen und erstieg die Klippe allein und kam unter den Drachen. Dann zog er Gurthang, und mit aller Kraft, die der Haß seinem Arm gab, stieß er das Schwert bis zum Heft in den weichen Bauch des Wurms. Als aber Glaurung die Todeswunde spürte, da schrie er laut auf, und in seiner gräßlichen Qual riß er den Rumpf in die Höhe, warf sich über die Schlucht hinweg und lag da auf der anderen Seite, sich krümmend und um sich peitschend im Todeskampf. Und alles um sich her setzte er in Brand, und alles schlug er entzwei, bis sein letztes Feuer erstarb und er ganz still lag.

Gurthang nun war Turambar in Glaurungs Todeszucken aus der Hand gerissen worden, und es stak noch im Leibe des Drachen. Daher durchquerte Turambar noch einmal das Wasser, um sein Schwert zu holen und seinen Feind zu betrachten; und er fand ihn der Länge nach ausgestreckt und auf die eine Seite gerollt, und das Heft von Gurthang ragte aus seinem Bauche. Da packte Turambar das Heft, stemmte einen Fuß gegen den Bauch und rief zum Hohn auf den Drachen und seine Worte in Nargothrond: »Gegrüßt seist du, Wurm Morgoths! Abermals gut getroffen. Stirb nun, und das Dunkel soll dich haben! So hat sich Túrin, Húrins Sohn, gerächt!«

Dann riß er das Schwert heraus, doch ein Strahl schwarzen Blutes quoll hinterdrein und traf seine Hand, und das Gift verbrannte sie. Und darauf öffnete Glaurung die Augen und sah Turambar mit solcher Bosheit an, daß es ihn traf wie ein Schlag; und von diesem Schlag und von dem Schmerz des Giftes sank er ins Dunkel einer Ohnmacht, und er lag da wie ein Toter, sein Schwert unter sich.

Glaurungs Schreie tönten durch die Wälder und drangen zu dem

Volk, das am Nen Girith wartete; und als jene, die sie hörten und Ausschau hielten, von fern die Verwüstung und den Brand sahen, die der Drache anrichtete, da meinten sie, daß er gesiegt habe und nun seine Angreifer vernichte. Und Níniel saß erschauernd an dem Wasserfall, und als sie Glaurungs Stimme hörte, da kroch das Dunkel wieder über sie, so daß sie sich nicht aus eigenem Willen von der Stelle zu rühren vermochte.

So fand sie Brandir, denn er kam als letzter nach Nen Girith, müde und humpelnd; und als er hörte, der Drache habe den Fluß überquert und seine Feinde niedergemacht, da schmolz sein Herz vor Mitleid mit Níniel. Doch zugleich dachte er: ›Turambar ist tot, aber Níniel lebt. Nun kann es sein, daß sie mit mir geht, und ich werde sie davonführen, und so werden wir zusammen dem Drachen entkommen.‹ Nach einer Weile trat er daher zu Níniel und sagte: »Komm, es ist Zeit, daß wir gehen. Wenn du willst, so laß mich dich führen.« Und er nahm sie bei der Hand, und sie stand schweigend auf und folgte ihm; und in der Dunkelheit sah keiner, wie sie gingen.

Doch als sie den Weg zu den Stegen hinabkamen, ging der Mond auf und warf ein graues Licht über das Land, und Níniel sagte: »Ist dies der Weg?« Und Brandir antwortete, einen Weg wisse er nicht, nur gälte es, so gut sie könnten, vor Glaurung zu fliehen und in die Wildnis zu entkommen. Níniel aber sagte: »Das Schwarze Schwert war mein Geliebter und mein Gatte, und nur ihn will ich suchen. Was konntest du andres denken?« Und sie eilte ihm voraus. So ging sie auf die Teiglin-Stege zu und erblickte Haudh-en-Elleth im weißen Mondlicht, und großes Entsetzen kam über sie. Dann wandte sie sich fort mit einem Schrei, den Mantel abwerfend, und floh den Fluß entlang nach Süden, und ihr weißes Gewand leuchtete im Mondschein.

So sah sie Brandir vom Hang des Hügels hinunter, und er wandte sich seitwärts, um ihr den Weg abzuschneiden, doch war er immer noch hinter ihr zurück, als sie zu den Verwüstungen Glaurungs am

Rande der Schlucht von Cabed-en-Aras kam. Da sah sie den Drachen liegen, doch seiner achtete sie nicht, denn ein Mann lag neben ihm; und sie rannte zu Turambar hin, vergebens seinen Namen rufend. Als sie nun sah, daß seine Hand verbrannt war, da wusch sie das Gift mit ihren Tränen ab und machte einen Verband aus einem Streifen von ihrem Gewande; und sie küßte ihn und flehte ihn von neuem an, zu erwachen. In diesem Augenblick rührte sich Glaurung zum letzten Male, ehe er starb, und er sprach mit seinem letzten Atem und sagte: »Gegrüßt seist du, Nienor, Húrins Tochter. So sehen wir uns wieder vor dem Ende. Dir gönn' ich's, daß du endlich deinen Bruder gefunden. Und nun lerne ihn kennen: Ein Meuchler im Dunkeln, Verräter an Freund und Feind, und ein Fluch für seine Sippe, Túrin, Húrins Sohn! Die schlimmste von all seinen Taten spüre du im eignen Leibe!«

Dann starb Glaurung, und der Schleier seiner Tücke fiel von ihr, und sie erinnerte sich aller Tage ihres Lebens. Auf Túrin niederblickend rief sie: »Lebwohl, o zweifach Geliebter! *A Túrin Turambar turun ambartanen:* Meister des Schicksals, vom Schicksal gemeistert! O Glück, tot zu sein!« Da eilte Brandir auf sie zu, der schreckensstarr am Rande der verwüsteten Lichtung stehengeblieben war und alles mitangehört hatte; doch sie entlief ihm, von Sinnen vor Grauen und Leid, und als sie an die Schlucht von Cabed-en-Aras kam, da stürzte sie sich hinunter und verschwand im wirbelnden Wasser.

Dann kam Brandir und blickte hinunter und wandte sich ab in Entsetzen; und obgleich das Leben ihm nichts mehr galt, vermochte er doch nicht den Tod in jenem tosenden Wasser zu suchen. Und kein Mensch blickte hernach je wieder in die Schlucht von Cabed-en-Aras hinab, und kein Vogel oder Tier kam dorthin, und kein Baum wuchs dort; und sie wurde Cabed Naeramarth geheißen, der Sprung des Entsetzlichen Schicksals.

Brandir aber ging nach Nen Girith zurück, um dem Volk Nachricht zu bringen; und im Walde traf er Dorlas und schlug ihn tot: das erste Blut, das er je vergossen hatte, und das letzte. Und als er nach

Nen Girith kam, rief man ihm zu: »Hast du sie gesehen? Denn Níniel ist fort.«

Und er antwortete: »Níniel ist fort für immer. Der Drache ist tot, und Turambar ist tot, und dies sind gute Nachrichten.« Da murrten die Leute über seine Worte und sagten, er rede irre; doch Brandir sagte: »Hört mich bis zu Ende an! Níniel, die Geliebte, ist auch tot. In den Teiglin hat sie sich gestürzt, das Leben nicht mehr achtend; denn sie hat erfahren, daß sie niemand anders war als Nienor, die Tochter Húrins von Dor-lómin, ehe das Vergessen über sie kam, und daß Turambar ihr Bruder war, Túrin, Húrins Sohn.«

Doch als er eben geendet hatte und die Menschen weinten, da trat Túrin selbst unter sie. Denn als der Drache starb, war seine Ohnmacht gewichen, und ein tiefer Schlaf der Müdigkeit hatte ihn überkommen. Doch störte ihn die Kälte der Nacht, und das Heft von Gurthang drückte ihn in die Seite, und er erwachte. Dann sah er, daß jemand ihm die Hand verbunden hatte, und um so mehr wunderte es ihn, daß man ihn dennoch auf dem kalten Boden hatte liegen lassen. Und er rief, und da keine Antwort kam, ging er Hilfe zu suchen, denn er war matt und elend.

Doch als die Leute ihn sahen, wichen sie voll Furcht zurück, meinten sie doch, sein ruheloser Geist sei gekommen, und er sagte: »Nicht so, freut euch, denn der Drache ist tot, und ich lebe. Doch warum habt ihr meinen Rat verschmäht und euch in Gefahr begeben? Und wo ist Níniel? Denn sie will ich sehen. Doch gewiß habt ihr sie nicht hierher mitgebracht?«

Da sagte ihm Brandir, wie es sich verhielt und daß Níniel tot war. Dorlas' Weib aber rief: »Nein, Herr, er redet irre. Denn er kam hier an und sagte, tot seist du, und das nannte er gute Nachricht. Doch du lebst.«

Da war Turambar voller Zorn, glaubte er doch, alles, was Brandir gesagt und getan, sei in Tücke und Liebesneid gegen ihn und Níniel geschehen; und er sprach böse Worte zu Brandir und hieß ihn einen Klumpfuß. Da berichtete Brandir alles, was er gehört hatte, und nannte Níniel Nienor, Húrins Tochter, und er schrie Turambar Glaurungs letzte Worte ins Gesicht, daß er ein Fluch für seine Sippe sei und für alle, die ihn beherbergten.

Da fiel Turambar in Raserei, denn in diesen Worten vernahm er die Schritte seines Schicksals, wie sie ihn einholten; und er klagte Brandir an, Níniel in den Tod getrieben zu haben und hämisch Glaurungs Lügen zu verbreiten, wenn nicht gar solche, die er selber ersonnen. Dann verfluchte er Brandir und erschlug ihn; und er floh das Volk und ging in die Wälder. Nach einer Weile aber fiel der Wahn von ihm ab, und er kam zum Haudh-en-Elleth, und dort setzte er sich nieder, alles bedenkend, was er getan. Und Finduilas rief er an, daß sie ihm rate, denn er wußte nicht, ob er größeres Übel täte, wenn er nach Doriath ginge, um die Seinen aufzusuchen, oder wenn er sie für immer vergäße und den Tod in der Schlacht suchte.

Und wie er dort saß, kam Mablung mit einer Schar Grau-Elben über die Teiglin-Stege; und er erkannte Túrin und begrüßte ihn, froh, ihn noch am Leben zu finden, denn er hatte gehört, daß Glaurung hervorgekommen war und daß sein Weg nach Brethil führte; und ebenso hatte man ihm berichtet, daß das Schwarze Schwert von Nargothrond jetzt dort sei. Daher kam er nun, um Túrin zu warnen und um zu helfen, wenn es nötig wäre; doch Túrin sagte: »Du kommst zu spät. Der Drache ist tot.«

Da staunten sie und rühmten ihn laut; ihn aber kümmerte dies nicht, und er sagte: »Nur um dies eine bitte ich dich: Gib mir Nachricht von den Meinen, denn in Dor-lómin habe ich erfahren, sie seien ins Verborgene Königreich gegangen.«

Da war Mablung bestürzt, doch mußte er Túrin erzählen, wie sie Morwen verloren hatten, wie der Bann des dumpfen Vergessens auf Nienor gefallen und wie sie ihnen an den Grenzen von Doriath entlaufen und nordwärts geflohen war. Nun endlich wußte Túrin, daß ihn das Schicksal ereilt und daß er zu Unrecht Brandir erschlagen hatte; und so waren Glaurungs Worte an ihm in Erfüllung gegangen. »O böser Witz!« rief er aus, lachend wie ein Verdammter; Mablung aber trug er Flüche für Doriath auf. »Und verflucht sei auch, was dich hierhergeführt!« rief er. »Dies fehlte noch. Jetzt wird es Nacht.«

Und schnell wie der Wind entlief er ihnen, und sie waren verwirrt und fragten sich, welch ein Wahn ihn geschlagen habe; und sie folgten ihm. Túrin aber rannte ihnen weit voraus, und er kam an die Schlucht Cabed-en-Aras und hörte das Wasser tosen und sah, wie alle Blätter dort von den Bäumen fielen, als wäre es Winter geworden. Dort zog er sein Schwert, das ihn nun allein noch blieb von allem Besitz, und sagte: »Gegrüßt seist du, Gurthang! Keinen Herrn kennst du und keine Treue, nur gegen die Hand, die dich regt. Kein Blut verschmähst du. Ist also auch Túrin Turambar dir genehm, und wirst du mir ein rasches Ende machen?«

Und aus der Klinge sprach eine kalte Stimme, die ihm Antwort gab: »Fürwahr, freudig trinken will ich dein Blut, daß ich das Blut Belegs, meines Herrn, vergesse und Brandirs, des zu Unrecht Erschlagenen. Ich will dich rasch töten.«

Da setzte Túrin das Heft auf den Boden und stürzte sich in Gurthangs Spitze, und die schwarze Klinge nahm ihm das Leben. Mablung und die Elben aber kamen und sahen Glaurung, wie er tot dalag, und den Leichnam Túrins, und sie klagten; und als die Menschen von Brethil hinzukamen und die Gründe für Túrins Wahnsinn und Tod erfuhren, waren sie entgeistert. Und Mablung sagte bitter: »Auch ich war verstrickt in das Schicksal von Húrins Kindern, und so habe ich mit meiner Nachricht einen, den ich liebte, getötet.«

Dann hoben sie Túrin auf und sahen, daß Gurthang zerbrochen war. Elben und Menschen trugen viel Holz zusammen, und sie machten ein großes Feuer, und der Drache wurde zu Asche verbrannt. Túrin aber begruben sie auf einer Anhöhe, wo er gestorben war, und die Hälften von Gurthang legten sie ihm an die Seite. Und als alles getan war, sangen die Elben ein Klagelied für Húrins Kin-

der, und ein großer grauer Stein wurde auf den Hügel gewälzt, und
darauf meißelten sie in der Runenschrift von Doriath:

TURIN TURAMBAR DAGNIR GLAURUNGA

und darunter schrieben sie auch

NIENOR NÍNIEL

Sie aber lag nicht dort, noch wurde je bekannt, wohin die kalten
Wasser des Teiglin sie getragen hatten.

XXII
Vom Untergang Doriaths

So endet die Geschichte von Túrin Turambar. Morgoth aber rastete und ruhte nicht vom Bösen, und seine Rechnung mit dem Hause Hador war noch nicht beglichen. Ungestillt war sein Haß, obgleich er Húrin unter seiner Aufsicht hielt und Morwen in der Wildnis umherirrte.

Unglücklich war Húrins Los, denn was Morgoth von den Siegen seiner Tücke erfuhr, das erfuhr auch Húrin, doch wurden noch Lügen in die Wahrheit gemischt, und manches Gute wurde verschwiegen oder entstellt. Am meisten war Morgoth bestrebt, auf jegliche Weise in bösem Licht erscheinen zu lassen, was Thingol und Melian getan, denn diese haßte und fürchtete er. Als ihm daher die Zeit reif schien, nahm er Húrin die Fesseln ab und hieß ihn gehen, wohin er wolle, Mitleid mit dem ganz und gar besiegten Feinde heuchelnd. Sein wahrer Zweck aber war, daß Húrin so seinem Haß auf Elben und Menschen noch besser dienen sollte, ehe er starb.

Zwar setzte Húrin in Morgoths Worte wenig Vertrauen, wußte er doch, daß der kein Mitleid kannte, die Freiheit aber nahm er an und ging fort voller Schmerz, verbittert durch die Worte des Dunklen Herrn. Ein Jahr war vergangen seit dem Tode Túrins, seines Sohns. Achtundzwanzig Jahre lang hatte er in Angband gefangen gesessen, und er war nun von düsterem Aussehen. Haar und Bart waren weiß und lang, doch ging er ungebeugt; er trug einen großen schwarzen Stab und hatte ein Schwert umgegürtet. So zog er nach Hithlum, und die Nachricht kam zu den Häuptern der Ostlinge, daß eine große Schar von Hauptleuten und schwarzen Soldaten aus Angband über den Sand von Anfauglith geritten komme, und mit ihnen ein alter Mann, wie einer, der in hohen Ehren gehalten werde. Daher legten sie nicht Hand an Húrin, sondern ließen ihn, wie er wollte, im Lande umerziehen; und darin handelten sie klug, denn die noch Verbliebenen aus seinem eigenen Volke mieden ihn, weil er aus Angband kam wie einer, der bei Morgoth in Bund und Ehren stand.

So machte die Freiheit Húrins Herz nur noch bittrer, und er ging fort aus dem Lande Hithlum und stieg in die Berge hinauf. Von dort erblickte er in der Ferne zwischen den Wolken die Gipfel der Crissaegrim, und er gedachte Turgons; und es verlangte ihn, das verborgene Reich von Gondolin wiederzusehen. Daher stieg er die Ered Wethrin wieder hinab, nicht wissend, daß die Kreaturen Morgoths jeden seiner Schritte verfolgten; und nachdem er die Brithiach überquert, ging er nach Dimbar hinein und kam in das dunkle Gebiet zu Füßen der Echoriath. Das ganze Land war kalt und trostlos, und mit geringer Hoffnung blickte er umher, am Fuß einer großen Geröllhalde unter einer steilen Felswand stehend, und er wußte nicht, daß dies alles war, was man von dem alten Fluchtweg noch sehen konnte: Der Trockene Fluß war versperrt und der Torbogen verschüttet. Da blickte Húrin zum grauen Himmel auf und dachte, vielleicht könne er noch einmal die Adler sehen wie einst in seiner Jugend; doch nur Schatten sah er, die von Osten herübergeweht wurden, und Wolken, um die unbesteigbaren Gipfel wirbelnd, und nur den Wind hörte er über die Felsen pfeifen.

Doch die Wachen der großen Adler waren nun verdoppelt, und sie sahen Húrin wohl, weit drunten, verloren im verblassenden Licht; und geradewegs brachte Thorondor selbst die Meldung, da sie von Gewicht schien, zu Turgon. Turgon aber sagte: »Schläft denn Morgoth? Ihr habt euch geirrt.«

»Nicht so«, sagte Thorondor. »Können Manwes Adler so irren, Herr, längst wäre dein Versteck dann vergebens.«

»Dann bedeuten deine Worte Unheil«, sagte Turgon, »denn nur eines kann ihr Sinn sein: Selbst Húrin Thalion hat sich Morgoths Willen ergeben. Mein Herz ist verschlossen.«

Doch als Thorondor fort war, saß Turgon lange in Gedanken, und bestürzt erinnerte er sich der Taten Húrins von Dor-lómin; und er schloß sein Herz auf und schickte nach den Adlern, daß sie Húrin suchten und ihn nach Gondolin brächten, wenn sie es vermöchten. Doch es war zu spät, und sie sahen ihn nie wieder, ob in Licht oder Schatten.

Denn Húrin stand verzweifelt vor den stummen Klippen der Echoriath, und die späte Sonne, die durch die Wolken drang, färbte sein weißes Haar rot. Dann schrie er laut in die Wildnis hinein, gleichgültig gegen alle Lauscher, die ihn hören mochten, und verfluchte das erbarmungslose Land; und zuletzt, auf einem hohen Felsen stehend, blickte er nach Gondolin hin und rief mit lauter Simme: »Turgon, Turgon, denk' an das Fenn von Serech! O Turgon, willst du mich nicht hören in deinen versteckten Hallen?« Doch kein Laut war zu hören, außer dem des Windes im trocknen Gras. »So hat es auch im Serech gepfiffen gegen Abend«, sagte er; und während er sprach, ging die Sonne hinter den Schattenbergen unter, und Dunkelheit fiel um ihn, und der Wind hörte auf, und still wurde es in der Einöde.

Doch waren Ohren in der Nähe, die Húrins Worte vernahmen, und bald war der Bericht von all dem zum Dunklen Thron im Norden gelangt; und Morgoth lächelte, denn nun wußte er genau, in welcher Gegend Turgon sich befand, wenn auch der Adler wegen noch keiner seiner Späher das Land hinter den Umzingelnden Bergen zu Gesicht bekam. Dies war das erste Unheil, das Húrins Freilassung bewirkte.

Als es dunkel wurde, wankte Húrin von dem Felsen herab und fiel in einen schweren Schlaf des Kummers. Im Schlafe aber hörte er Morwens Stimme, wie sie klagte und oft seinen Namen rief; und ihm war es, als käme ihre Stimme aus Brethil. Als er bei Tagesanbruch erwachte, stand er daher auf und ging zur Brithiach zurück; und an den Rändern von Brethil entlangwandernd, kam er eines Abends an die Teiglin-Stege. Die Nachtwachen dort sahen ihn, doch waren sie voller Furcht, meinten sie doch den Geist eines alten Kriegers zu sehen, der, seinem Grabe entstiegen, umging, in Dunkel gehüllt; und so wurde Húrin nicht angehalten und kam schließlich zu dem Platz, wo Glaurung verbrannt war, und sah den großen Stein am Rande der Schlucht von Cabed Naeramarth.

Doch Húrin blickte den Stein nicht an, denn was dort geschrieben stand, wußte er; und er bemerkte, daß er nicht allein war. Im Schatten des Steines saß eine Frau, über ihre Knie gebeugt, und als Húrin stumm vor ihr stehenblieb, da warf sie ihren zerlumpten Umhang zurück und hob das Gesicht. Grau war sie und alt, doch plötzlich blickten ihre Augen in die seinen, und er erkannte sie, denn obgleich sie wild und voll Angst waren, schien immer noch das Licht aus ihnen, um dessentwillen man sie einst Eledhwen genannt hatte, die schönste und stolzeste unter den sterblichen Frauen der alten Tage.

»Endlich kommst du«, sagte sie. »Ich habe zu lange gewartet.«

»Der Weg war dunkel. Ich bin gekommen, sobald ich konnte«, antwortete er.

»Aber du kommst zu spät«, sagte Morwen. »Sie sind weg.«

»Ich weiß«, sagte er. »Aber du nicht.«

Doch Morwen sagte: »Beinahe. Ich bin erschöpft. Ich gehe mit der Sonne. Viel Zeit ist nicht mehr: Wenn du es weißt, erzähl' mir – wie hat sie ihn gefunden?«

Aber Húrin antwortete nicht, und sie saßen neben dem Stein und sprachen nicht mehr; und als die Sonne unterging, da stöhnte Morwen und drückte seine Hand und war still; und Húrin wußte, daß sie gestorben war. Er sah im Dämmerlicht auf sie nieder, und es schien ihm, als wären die Linien des Schmerzes und der grausamen Entbehrungen weggewischt. »Sie war unbesiegt«, sagte er und schloß ihr die Augen und blieb dann regungslos neben ihr sitzen, während die Nacht kam. Die Wasser in der Cabed Naeramarth tosten wie immer, doch er hörte keinen Laut, sah nichts und fühlte nichts, denn sein Herz war wie Stein. Doch es kam ein kalter Wind und blies ihm scharfen Regen ins Gesicht; und er kam zu sich, und Zorn stieg in ihm auf wie Rauch, die Vernunft erstickend, so daß er nichts weiter begehrte als Rache für alles Unrecht, das er und die Seinen erlitten, und in seinem Schmerz gab er allen Schuld, die je mit ihnen zu schaffen gehabt. Dann stand er auf und grub ein Grab für Morwen, über der Cabed Naeramarth auf der Westseite des Steines; und darauf ritzte er diese Worte ein: *Hier liegt auch Morwen Eledhwen.*

Es heißt, ein Seher und Harfenspieler aus Brethil namens Glirhuin habe ein Lied gemacht, worin es heißt, der Stein der Unglücklichen könne selbst von Morgoth nie entweiht noch jemals umgeworfen werden, und sollte auch das Meer alles Land ertränken; und so geschah es hernach, und immer noch steht Tol Morwen allein in den Wassern, weit vor den neuen Küsten, die im Zorn der Valar erschaffen wurden. Doch Húrin liegt nicht dort, denn ihn trieb das Schicksal weiter, und der Schatten folgte ihm noch immer.

Nun überschritt Húrin den Teiglin und ging nach Süden die alte Straße entlang, die nach Nargothrond führte; und im Osten sah er von fern die einsame Höhe des Amon Rûdh, und was dort geschehen war, wußte er. Endlich kam er an die Ufer des Narog und wagte den Übergang über den reißenden Fluß auf den herabgestürzten Steinen der Brücke, wie es vor ihm Mablung aus Doriath gewagt; und er stand vor Felagunds zerbrochenen Toren, auf seinen Stab gestützt.

Hier muß erzählt werden, daß, nachdem Glaurung fort war, Mîm der Kleinzwerg sich in Nargothrond eingefunden hatte und in die zertrümmerten Hallen gekrochen war; und er nahm sie in Besitz und saß dort und betastete das Gold und die Gemmen und ließ sie sich immer von neuem durch die Finger gleiten, denn niemand kam, ihn zu berauben, aus Furcht vor dem Geist und dem bloßen Andenken Glaurungs. Doch nun war einer gekommen und stand auf der Schwelle, und Mîm trat heraus und verlangte zu wissen, was er begehre. Doch Húrin sagt: »Wer bist du, daß du mich hindern willst, Felagunds Haus zu betreten?«

Da antwortete der Zwerg: »Ich bin Mîm, und ehe die Stolzen noch über das Meer kamen, hatten Zwerge schon die Hallen von Nulukkizdîn gegraben. Ich bin nur zurückgekehrt, um zu nehmen, was mein ist, denn ich bin der Letzte meines Volkes.«

»Dann wirst du an deinem Erbe keine Freude mehr haben«, sagte Húrin; »denn ich bin Húrin, Galdors Sohn, zurück aus Angband, und mein Sohn war Túrin Turambar, den du nicht vergessen hast; und er war es, der Glaurung den Drachen getötet hat, der diese Hallen verwüstete, wo du jetzt sitzt; und nicht unbekannt ist mir, von wem der Drachenhelm von Dor-lómin verraten wurde.«

Da flehte Mîm in großer Angst Húrin an, sich zu nehmen, was er wolle, und sein Leben zu schonen; doch Húrin hörte nicht auf seine Bitten und erschlug ihn dort vor den Toren von Nargothrond. Dann trat er ein und blieb eine Weile an jenem Schreckensort, wo in Dunkelheit und Verfall die Schätze aus Valinor über den Boden gestreut lagen. Doch heißt es, als Húrin aus den Trümmern von Nargothrond hervorkam und wieder unter freiem Himel stand, da habe er von dem ganzen großen Schatz nur ein Stück mitgenommen.

Nun wanderte Húrin nach Osten und kam an die Dämmerseen oberhalb der Sirion-Fälle; und dort hielten ihn die Elben an, welche die Westgrenzen von Doriath bewachten, und brachten ihn vor Thingol in den Tausend Grotten. Da war Thingol verwundert und bekümmert, als er den grimmigen Alten sah, den er als Húrin Thalion erkannte, Morgoths Gefangenen; doch begrüßte er ihn freundlich und erwies ihm Ehre. Húrin gab dem König keine Antwort, sondern zog das eine Stück aus seinem Mantel hervor, das er aus Nargothrond mitgenommen; und dies war kein geringerer Schatz als das Nauglamír, das Halsband der Zwerge, gefertigt vor langen Jahren für Finrod Felagund, die berühmteste Arbeit der Schmiede von Nogrod und Belegost aus den Ältesten Tagen, die Finrod, solange er lebte, höher geschätzt hatte als alle Reichtümer von Nargothrond. Und Húrin warf es Thingol vor die Füße und sprach wilde und bittere Worte.

»Empfange du deine Gebühr«, rief er, »für freundliche Aufnahme meiner Kinder und meines Weibes. Denn dies ist das Nauglamír, vielen Elben und Menschen dem Namen nach bekannt, und ich überbringe es die aus der Dunkelheit von Nargothrond, wo dein

Blutsverwandter Finrod es hinterließ, als er mit Beren, Barahirs Sohn, aufbrach, um den Auftrag Thingols von Doriath zu erfüllen!«

Da blickte Thingol auf das edle Stück und erkannte es als das Nauglamír, und wohl verstand er, was Húrin sagte, doch voll Mitleid beherrschte er seinen Zorn und ertrug den Hohn. Und zuletzt sprach Melian und sagte: »Húrin Thalion, dich hat Morgoth behext; denn wer mit Morgoths Augen sieht, ob freiwillig oder gezwungen, sieht alle Dinge krumm. Lange wurde Túrin, dein Sohn, in den Hallen von Menegroth gepflegt und geliebt und geehrt wie ein Sohn des Königs; und nicht des Königs Wille noch der meine war es, daß er nie mehr nach Doriath zurückkam. Und später wurden dein Weib und deine Tochter hier in gutem Willen beherbergt; und mit allen Mitteln, die uns zu Gebote standen, haben wir versucht, Morwen vom Weg nach Nargothrond abzuhalten. Mit Morgoths Stimme schiltst du jetzt deine Freunde.«

Und Húrin, als er Melians Worte hörte, stand ohne Regung, und lange sah er der Königin in die Augen; und dort in Menegroth, das Melians Gürtel noch immer vor dem Dunkel des Feindes bewahrte, erkannte er, was alles in Wahrheit geschehen war, und kostete endlich das ganze Leid, das Morgoth Bauglir ihm zugemessen. Und er sprach nicht mehr vom Vergangenen, sondern hob, sich bückend, das Nauglamír vor Thingols Stuhle auf, gab es ihm und sagte: »Empfange nun, Herr, das Halsband der Zwerge als Gabe von einem, der nichts hat, und als Andenken an Húrin von Dor-lómin. Denn mein Schicksal ist nun erfüllt und Morgoths Zweck erreicht, doch ich bin sein Knecht nicht länger.«

Dann wandte er sich ab und ging fort aus den Tausend Grotten, und alle, die ihn sahen, wichen zurück vor seinem Angesicht; und keiner versuchte ihn aufzuhalten, noch wußte einer, wohin er ging. Doch heißt es, Húrin habe danach nicht mehr leben wollen, ohne jeden Zweck und Wunsch, und sich zuletzt ins Westmeer gestürzt; und so endete der gewaltigste Krieger der sterblichen Menschen.

Doch als Húrin aus Menegroth fort war, saß Thingol lange in Schweigen und besah sich den großen Schatz, der auf seinen Knien lag; und es kam ihm in den Sinn, daß man das Halsband umarbeiten und den Silmaril dareinsetzen sollte. Denn wie die Jahre hingingen, kreisten Thingols Gedanken unaufhörlich um Feanors Stein und wurden daran gebunden; und er mochte ihn auch den Türen seiner innersten Schatzkammer nicht anvertrauen und zog es vor, ihn stets bei sich zu tragen, ob er schlief oder wachte.

In jenen Tagen kamen die Zwerge noch immer auf Reisen von ihren Städten in den Ered Lindon nach Beleriand, und nachdem sie den Gelion bei Sarn Athrad, der Steinfurt, überquert hatten, zogen sie auf der alten Straße nach Doriath; denn sie waren Meister der Metalle und Steine, und in den Hallen von Menegroth war ihre Kunst sehr gefragt. Doch kamen sie nun nicht mehr wie einst in kleinen Trupps, sondern in großen und wohlbewaffneten Scharen, zum Schutz in den gefahrvollen Landen zwischen Aros und Gelion; und in Menegroth wohnten sie in eigens für sie eingerichteten Kammern und Werkstätten. Zu jener Zeit waren eben große Schmiede aus Nogrod nach Doriath gekommen; daher rief der König sie zu sich und erklärte ihnen seinen Wunsch: Wenn ihre Kunst dies vermöge, so sollten sie das Nauglamír umarbeiten und den Silmaril hineinsetzen. Dann betrachteten die Zwerge die Arbeit ihrer Väter, und mit Staunen sahen sie den leuchtenden Stein Feanors; und ein heißes Begehren erfüllte sie, beides zu besitzen und es in ihre ferne Heimat in den Bergen davonzutragen. Doch verbargen sie, was sie dachten, und willigten in die Aufgabe ein.

Lange dauerte dies Werk, und Thingol stieg allein hinunter in ihre tiefen Schmieden und saß stets unter ihnen, während sie arbeiteten. Endlich war sein Wunsch erfüllt, und die größten Arbeiten der Elben und der Zwerge waren zusammengefügt und vereint; und sehr schön war das Werk, denn nun spiegelten und streuten die unzähligen Edelsteine des Nauglamír in herrlichen Farben das Licht des Silmaril in ihrer Mitte. Nun wollte Thingol, der allein unter den

Zwergen war, es nehmen und sich um den Hals legen; in dem Augenblick aber verweigerten es ihm die Zwerge und verlangten, daß er es ihnen abtrete, indem sie sagten: »Welches Anrecht hat der Elbenkönig auf das Nauglamír, das unsere Väter für Finrod Felagund fertigten, der nun tot ist? Erhalten hat er es von Húrin, dem Menschen von Dor-lómin, der es aus dem Dunkel von Nargothrond gestohlen.« Thingol aber sah ihnen ins Herz und erkannte wohl, daß sie den Silmaril begehrten und nur einen Vorwand suchten, um dies zu bemänteln; und in seinem Zorn und Stolz kümmerte ihn nicht die Gefahr, und er sprach zu ihnen voll Verachtung und sagte: »Wie könnt ihr ungeschlachtes Volk es wagen, etwas zu fordern von mir, Elu Thingol, dem Herrn von Beleriand, dessen Leben an den Wassern von Cuiviénen begann, ungezählte Jahre bevor die Väter des kurzen Volkes erwachten?« Und voll Hoheit in ihrer Mitte stehend, gebot er ihnen mit schimpflichen Worten, ohne Lohn aus Doriath zu verschwinden.

Da wurde die Begierde der Zwerge zur Wut entflammt; und sie drangen auf Thingol ein, legten Hand an ihn und töteten ihn auf der Stelle. So starb in den tiefen Kammern von Menegroth Elwe Singollo, König von Doriath, der als einziger von allen Kindern Ilúvatars mit einer der Ainur vereint war; und er, der als einziger der Verlassenen Elben das Licht der Bäume von Valinor gesehen hatte, starb, den letzten Blick auf den Silmaril gerichtet.

Dann nahmen die Zwerge das Nauglamír, verschwanden aus Menegroth und flohen durch Region nach Osten. Doch die Meldung gelangte schnell durch den Wald, und nur wenige von ihrer Schar kamen über den Aros, denn sie wurden zu Tode gehetzt, als sie der Straße nach Osten zustrebten; und das Nauglamír wurde ihnen wieder abgenommen und in bittrem Schmerz Melian, der Königin, zurückgebracht. Doch zwei von Thingols Mördern entgingen der Verfolgung an den Ostgrenzen und kehrten zuletzt in ihre ferne Stadt in den Blauen Bergen heim; und dort in Nogrod berichteten sie ein wenig von allem, was vorgefallen, und sagten, die Zwerge seien in Doriath auf Geheiß des Elbenkönigs getötet worden, der sie um ihren Lohn habe betrügen wollen.

Groß war da der Zorn der Zwerge von Nogrod, und laut klagten sie um die toten Brüder und großen Schmiede, und sie rauften sich die Bärte und weinten; und lange saßen sie und sannen auf Rache. Es heißt, sie hätten um Hilfe aus Belegost gebeten, doch wurde sie ihnen verweigert, und die Zwerge von Belegost wollten sie von ihrem Vorhaben abbringen, doch vergeblich war ihr Zureden, und binnen kurzem kam ein großes Heer aus Nogrod, setzte über den Gelion und zog westwärts durch Beleriand.

Eine schwere Wandlung war über Doriath gefallen. Melian saß lange schweigend neben Thingol, dem König, und ihre Gedanken gingen zurück in die sternbeschienenen Jahre und zu ihrer ersten Begegnung unter den Nachtigallen von Nan Elmoth in vergangenen Altern; und sie wußte, ihr Abschied von Thingol war Vorbote eines größeren Abschieds, und das Schicksal von Doriath war nahe. Denn Melian war vom göttlichen Geschlecht der Valar, und sie war eine Maia von hoher Kraft und Weisheit; aus Liebe zu Elwe Singollo aber hatte sie die Gestalt der Älteren Kinder Ilúvatars angenommen, und in dieser Vermählung banden sie die Fesseln des Fleisches von Arda. In dieser Getalt gebar sie ihm Lúthien Tinúviel, und in dieser Gestalt erlangte sie Macht über die Stoffe von Arda, und durch Melians Gürtel blieb Doriath lange Alter hindurch vor dem Unheil ringsum bewahrt. Doch nun war Thingol tot, und sein Geist war in Mandos' Hallen gegangen; und eine Wandlung kam mit seinem Tode auch über Melian. So geschah es, daß ihre Macht zu jener Zeit aus den Wäldern von Neldoreth und Region genommen wurde, und der verzauberte Fluß Esgalduin sprach mit anderer Stimme, und Doriath lag seinen Feinden offen.

Drauf sprach Melian mit keinem mehr, nur Mablung bat sie, den Silmaril zu verwahren und eilends Nachricht an Beren und Lúthien zu senden; und sie verschwand aus Mittelerde und ging in das Land der Valar jenseits des Westmeeres, um in den Gärten von Lórien, von wo sie gekommen war, über ihr Leid nachzusinnen; und in dieser Geschichte ist von ihr nicht mehr die Rede.

So kam es, daß das Heer der Naugrim über den Aros hinweg ungehindert in die Wälder von Doriath eindrang; und niemand widerstand ihnen, denn sie waren zahlreich und voller Zorn, während die Hauptleute der Grau-Elben unschlüssig und verzweifelt und ohne Plan umherirrten. Die Zwerge aber kannten ihr Ziel, überschritten die große Brücke und stürmten Menegroth, und was dort geschah, ist eines der unseligsten Ereignisse der Ältesten Tage. Denn in den Tausend Grotten wurde gekämpft, und viele Elben und Zwerge fielen; und dies wurde nicht vergessen. Doch die Zwerge trugen den Sieg davon, und Thingols Hallen wurden verwüstet und geplündert. Dort fiel Mablung von der Schweren Hand, vor der Tür der Schatzkammer, worin das Nauglamír lag; und der Silmaril wurde weggenommen.

Zu jener Zeit lebten Beren und Lúthien noch auf Tol Galen, der Grünen Insel im Flusse Adurant, dem südlichsten der Wasserläufe, die von den Ered Lindon herab dem Gelion zufließen; und ihr Sohn Dior Eluchíl hatte Nimloth zur Gattin, eine Verwandte Celeborns, des Edlen von Doriath, der mit Frau Galadriel vermählt war. Die Söhne von Dior und Nimloth waren Eluréd und Elurín, und auch eine Tochter wurde ihnen geboren, Elwing mit Namen, was Sternengischt bedeutet, denn sie war in einer Nacht geboren, in der die Sterne in der Gischt des Wasserfalls von Lanthir Lamath glitzerten, neben dem Haus ihres Vaters.

Rasch verbreitete sich nun die Nachricht unter den Elben von Ossiriand, daß eine große Schar Zwerge in voller Kriegsrüstung die Berge heruntergekommen und bei der Furt der Steine über den Gelion gegangen sei. Die Meldung erreichte bald auch Beren und Lúthien, und zur selben Zeit kam ein Bote aus Doriath, der ihnen berichtete, was dort geschehen war. Da machte Beren sich auf und verließ Tol Galen, und nachdem er Dior, seinen Sohn herbeigerufen, gingen sie nach Norden zum Flusse Ascar; und mit ihnen gingen viele Grün-Elben aus Ossiriand.

So geschah es, daß die Zwerge von Nogrod, als sie, mit verminderter Heeresstärke aus Menegroth zurückkehrend, wieder nach Sarn Athrad kamen, von unsichtbaren Feinden angegriffen wurden; denn als sie die Ufer des Gelion emporstiegen, mit dem Raub von Doriath beladen, da erschollen aus allen Wäldern plötzlich die Elbenhörner, und von allen Seiten trafen sie die Pfeile. Viele der Zwerge wurden dort schon beim ersten Angriff getötet; doch manche entkamen dem Überfall und flohen, sich dicht beieinander haltend, nach Osten den Bergen zu. Und als sie die langen Hänge des Dolmed erklommen, da traten ihnen die Hirten der Bäume entgegen und trieben sie in die schattigen Wälder der Ered Lindon. Und von dort, so heißt es, sei kein einziger wieder hervorgekommen, um die hohen Pässe zu ersteigen, die in ihre Heimat führten.

In jener Schlacht bei Sarn Athrad kämpfte Beren seinen letzten Kampf und erschlug mit eigener Hand den Fürsten von Nogrod und nahm ihm das Halsband der Zwerge ab; im Sterben aber sprach der Zwerg einen Fluch über den ganzen Schatz. Mit Erstaunen sah Beren denselben Stein Feanors, den er aus Morgoths Eisenkrone geschnitten, denn er leuchtete nun zwischen Gold und Gemmen, wohin ihn die Kunst der Zwerge versetzt hatte; und er wusch im Wasser des Flusses das Blut davon ab. Und als alles vorüber war, wurde der Schatz von Doriath im Ascar versenkt, und von der Stunde an hieß der Fluß Rathlóriel, das Goldbett; das Nauglamír aber nahm Beren und kehrte heim nach Tol Galen. Wenig linderte es Lúthiens Schmerz, als sie erfuhr, daß der Fürst von Nogrod gefallen war und viele Zwerge mit ihm; doch wird gesagt und gesungen, Lúthien, wenn sie jenes Halsband und den unsterblichen Stein trug, sei das Schönste und Herrlichste gewesen, das man außerhalb des Reiches von Valinor je habe sehen können; und für eine kurze Zeit war das Land der Toten, welche leben, wie ein Abglanz des Landes der Valar, und kein Ort war je mehr so schön, so fruchtbar und so voller Licht.

Nun nahm Dior, Thingols Erbe, von Beren und Lúthien Abschied und zog mit Nimloth, seiner Gattin, von Lanthir Lamath nach Menegroth und wohnte dort; und mit ihnen gingen ihre kleinen Söhne Eluréd und Elurín und ihre Tochter Elwing. Da empfingen die Sindar sie mit Freuden und richteten sich auf aus dem Dunkel ihrer Trauer um die Gefallenen, um den König und um den Abschied Melians; und Dior Eluchíl nahm sich vor, den Glanz des Königreichs von Doriath zu erneuern.

Es war ein Herbstabend, und als es spät wurde, kam einer und pochte an die Tore von Menegroth, Einlaß beim König verlangend. Es war ein Fürst der Grün-Elben, der aus Ossiriand herbeigeeilt war, und die Torwächter brachten ihn zu Dior, der allein in seiner Kammer saß; und dort übergab er dem König schweigend ein Kästchen und nahm Abschied. In dem Kästchen aber lag das Halsband der Zwerge mit dem Silmaril darin; und als Dior es sah, erkannte er es für ein Zeichen, daß Beren Ercharmion und Lúthien Tinúviel gestorben und nun erst hingegangen waren, wo das Schicksal die Menschen hinführt jenseits der Welt.

Lange blickte Dior auf den Silmaril, den sein Vater und seine Mutter unverhofft aus Morgoths Höhlen gerettet hatten; und groß war sein Schmerz, daß der Tod sie so früh ereilt. Die Weisen aber haben gesagt, der Silmaril habe ihr Ende beschleunigt; denn die Flamme von Lúthiens Schönheit, wenn sie ihn trug, war zu hell für die sterblichen Lande.

Dann stand Dior auf, und um den Hals legte er sich das Nauglamír, und nun erschien er als der schönste von allen Kindern der Welt, war er doch aus dreifachem Geschlechte: von den Edain, von den Eldar und von den Maiar des Segensreiches.

Nun aber lief unter den verstreuten Elben von Beleriand das Gerücht um, daß Thingols Erbe Dior des Nauglamír trage, und man sagte: »Einer der Silmaril Feanors brennt wieder in den Wäldern von Doriath«, und der Eid der Söhne Feanors wurde aus seinem Schlaf erweckt. Denn solange Lúthien das Halsband der Zwerge trug, wagte kein Elb, sie anzugreifen; als nun aber die sieben von der Erneuerung Doriaths und von Diors Pracht hörten, da ließen sie von ihren Wanderungen ab, kamen zusammen und sandten ihm Botschaft, ihr Eigentum fordernd.

Doch Dior gab Feanors Söhnen keine Antwort; und Celegorm wiegelte seine Brüder auf, zum Angriff auf Doriath zu rüsten. Sie erschienen unversehens mitten im Winter und kämpften mit Dior in den Tausend Grotten, und so kam es zum zweiten Morden von Elben an Elben. Dort fiel Celegorm von Diors Hand, und Curufin fiel und der dunkle Caranthir; aber auch Dior wurde erschlagen und Nimloth, sein Weib, und Celegorms grausame Diener ergriffen seine kleinen Söhne und überließen sie im Walde dem Hungertod. Dies reute Maedhros, und lange suchte er nach ihnen in den Wäldern von Doriath; doch all sein Suchen fruchtete nichts, und von dem Geschick Eluréds und Eluríns berichtet keine Erzählung.

So ging Doriath unter und erhob sich nicht mehr. Doch Feanors Söhne erlangten nicht, was sie suchten; denn ein Rest des Volkes floh vor ihnen, darunter Elwing, Diors Tochter, und den Silmaril mit sich führend, entkamen sie und gelangten beizeiten dorthin, wo der Sirion ins Meer fließt.

XXIII

Von Tuor und dem Fall von Gondolin

Es wurde erzählt, wie Huor, Húrins Bruder, in der Schlacht der Ungezählten Tränen fiel; und im Winter desselben Jahres gebar Rían, sein Weib, in der Wildnis von Mithrim einen Sohn, und er wurde Tuor genannt und von Annael aufgezogen, einem der Grau-Elben, die noch in jenen Hügeln lebten. Als Tuor nun sechzehn Jahre alt war, gedachten die Elben, die Höhlen von Androth, in denen sie wohnten, zu verlassen und sich heimlich zu den Sirion-Häfen im fernen Süden durchzuschlagen; doch wurden sie von Orks und Ostlingen angegriffen, ehe sie noch die Flucht bewerkstelligen konnten, und Tuor wurde gefangengenommen und zum Sklaven Lorgans gemacht, des Häuptlings der Ostlinge von Hithlum. Drei Jahre lang ertrug er die Knechtschaft, doch dann entfloh er. Er kehrte in die Höhlen von Androth zurück, wo er ganz allein lebte; und solchen Schaden stiftete er unter den Ostlingen, daß Lorgan einen Preis auf seinen Kopf setzte.

Doch als Tuor vier Jahre lang so als ein einsamer Bandit gelebt hatte, gab Ulmo es ihm in den Sinn, aus dem Lande seiner Väter fortzuziehen, denn Ulmo hatte Tuor zum Werkzeug seiner Pläne erwählt. Und so verließ er wieder die Höhlen von Androth und ging nach Westen durch Dor-lómin, und dort fand er Annon-in-Gelydh, die Pforte der Noldor, die Turgons Volk vor langen Jahren gebaut hatte, als es in Nevrast lebte. Dies war der Eingang zu einem dunklen Tunnel, der unter dem Gebirge hindurchführte und in der Cirith Ninniach wieder ins Freie trat, der Regenbogenspalte, durch die ein Wildbach dem Westmeer zufloß. So blieb Tuors Flucht aus Hithlum von Mensch und Ork unbemerkt, und keine Meldung drang Morgoth zu Ohren.

Und Tuor kam nach Nevrast, und als er Belegaer, das Große Meer, erblickte, da liebte er es, und die Laute der Wellen und die Sehnsucht nach dem Meer gingen nicht mehr aus seinem Ohr und

Herzen, und eine Unruhe war in ihm, die ihn zuletzt in die Weiten von Ulmos Reich führte. Nun lebte er allein in Nevrast, und der Sommer des Jahres ging hin, und das Verhängnis von Nargothrond nahte; als es aber Herbst wurde, sah er sieben große Schwäne gen Süden fliegen, und er erkannte darin ein Zeichen, daß er zu lange verweilt hatte, und er folgte ihrem Fluge die Küste entlang. So kam er schließlich zu den verlassenen Hallen von Vinyamar unter dem Tarasberg, und er trat ein und fand Schild und Panzer, Schwert und Helm, wie sie Turgon auf Ulmos Geheiß vor langer Zeit dort gelassen hatte; und er gürtete sich mit diesen Waffen und ging ans Ufer hinunter. Da aber kam ein großer Sturm aus Westen, und aus dem Sturm erhob sich Ulmo in seiner Majestät und sprach zu Tuor, der am Ufer stand. Und Ulmo hieß ihn, von diesem Ort aufzubrechen und das versteckte Königreich Gondolin zu suchen; und er gab Tuor einen großen Mantel, um sich vor den Augen seiner Feinde in Schatten zu bergen.

Am Morgen aber, als der Sturm vorüber war, traf Tuor einen Elben, der von den Mauern von Vinyamar stand; und dies war Voronwe, Aranwes Sohn, aus Gondolin, der mit dem letzten Schiff gefahren war, das Turgon nach Westen entsandte. Doch als das Schiff, aus dem hohen Meere zurückkehrend, zuletzt in dem großen Sturm scheiterte, in Sichtweite der Küste von Mittelerde, da trug Ulmo ihn als einzigen von allen Seeleuten empor und warf ihn nahe bei Vinyamar an Land. Und als Voronwe nun erfuhr, welchen Auftrag Tuor von dem Herrn der Wasser empfangen hatte, da war er voll Staunens und weigerte sich nicht, ihn zu dem versteckten Tor von Gondolin zu geleiten. So machten sie sich zusammen auf den Weg, und als der Grausame Winter jenes Jahres von Norden her über sie hereinbrach, da gingen sie vorsichtig unter den Ausläufern des Schattengebirges nach Osten.

Schließlich führte sie ihr Weg zu den Weihern von Ivrin, und voller Trauer sahen sie die Entweihung, die Glaurung der Drache begangen hatte, als er hier vorüberkam; doch während sie dies noch betrachteten, sahen sie einen, der eilig nach Norden ging, und er war ein großer Mensch, in Schwarz gehüllt und ein schwarzes Schwert an der Seite. Aber sie wußten nicht, wer er war, noch was im Süden geschehen war; und er ging an ihnen vorüber, ohne daß sie sich zu erkennen gaben.

Zuletzt, dank der Macht, die Ulmo ihnen verliehen, kamen sie an das versteckte Tor von Gondolin, und nachdem sie den Tunnel durchschritten hatten, erreichten sie das innere Tor und wurden von der Wache gefangengenommen. Dann führte man sie die gewaltige Schlucht von Orfalch Echor hinauf, die von sieben Toren versperrt war, und brachte sie zu Ecthelion von der Quelle, dem Wärter des großen Tores am Ende der aufsteigenden Straße; und dort warf Tuor seinen Mantel ab, und an den Waffen aus Vinyamar, die er trug, erkannte man, daß er wahrhaftig von Ulmo gesandt war. Dann blickte Tuor hinab auf das schöne Tal von Tumladen, eingefaßt zwischen den Umzingelnden Bergen wie ein grünes Juwel; und in der Ferne, auf der felsigen Höhe des Amon Gwareth sah er das große Gondolin, die Stadt mit den sieben Namen, die ruhmreichste und meistbesungene von allen Städten der Elben in den Hinnenlanden. Auf Ecthelions Geheiß wurden auf den Türmen des großen Tores Trompeten geblasen, und sie hallten von den Bergen wider; und von fern, doch deutlich vernahm man zur Antwort den Klang der Trompeten auf den weißen, von der Dämmerung geröteten Mauern der Stadt.

So geschah es, daß Huors Sohn durch Tumladen ritt und ans Stadttor von Gondolin kam; und nachdem er die breite Treppe zur Stadt hinaufgeschritten war, brachte man ihn zuletzt zum Turm des Königs, und er sah die Bilder der Bäume von Valinor. Dann stand Tuor vor Turgon, Fingolfins Sohn und Hoher König der Noldor, und zur Rechten des Königs stand Maeglin, sein Schwestersohn, zur Linken aber Idril Celebrindal, seine Tochter. Und alle, welche Tuors Stimme vernahmen, waren verwundert und mochten nicht glauben, daß dies wahrhaftig ein Mensch von sterblicher Art sei, denn seine Worte waren die Worte des Herrn der Wasser, die ihm in jener

Stunde in den Sinn kamen. Und er überbrachte Turgon die Warnung, daß Mandos' Fluch nun der Erfüllung entgegeneile, in der alle Werke der Noldor untergehen sollten; und er hieß ihn fortziehen und die schöne und mächtige Stadt verlassen, die er erbaut hatte, und den Sirion hinab zum Meere zu gehen.

Lange bedachte nun Turgon Ulmos Rat, und ihm kamen die Worte wieder in den Sinn, die einst in Vinyamar zu ihm gesprochen wurden: »Liebe nicht zu sehr deiner Hände Werk und deines Herzens Pläne, und sei dessen eingedenk, daß die wahre Hoffnung der Noldor im Westen liegt und vom Meere kommt.« Doch Turgon war stolz geworden, und Gondolin war schön wie ein Abglanz der Elbenstadt Tirion, und selbst gegen den Rat eines Vala vertraute er noch immer auf sein Geheimnis und seine undurchdringliche Befestigung; und nach der Nirnaeth Arnoediad begehrte das Volk der Stadt nicht mehr, jemals wieder an den Sorgen der Elben und Menschen draußen beteiligt zu sein, noch durch Gefahr und Schrecken in den Westen zurückzukehren. Abgeschlossen hinter seinen weglosen und verzauberten Bergen, ließ Gondolin niemanden ein, und wäre er selbst auf der Flucht vor Morgoth gewesen; und die Nachrichten aus den Ländern draußen kamen nur selten und von weit her, und man beachtete sie wenig. Die Späher von Angband suchten Gondolin vergebens; und wo es lag, darüber gab es nur Gerüchte, und niemand konnte das Geheimnis entdecken. Maeglin sprach im Rate des Königs stets gegen Tuor, und seine Worte schienen um so schwerer zu wiegen, als sie ganz nach Rugons Herzen waren. Und zuletzt lehnte Turgon Ulmos Ansinnen ab und folgte seinem Rate nicht. Doch in der Warnung des Vala hörte er von neuem die Worte, die vor langer Zeit an der Küste von Aman gesprochen wurden, ehe die Noldor von dort schieden; und Furcht vor Verrat erwachte in Turgons Herzen. Daher ließ er zu jener Zeit sogar den Eingang zu dem versteckten Tor in den Umzingelnden Bergen zuschütten; und hernach, solange die Stadt stand, ging niemand mehr aus Gondolin fort, ob zu friedlichem oder kriegerischem Geschäft. Nachricht kam durch Thorondor, den Herrn der Adler, vom Fall Nargothronds und später vom Tode Thingols und Diors, seines Erben, und von der Vernichtung Doriaths; doch Turgon verschloß sein Ohr vor den Leiden der Welt draußen und gelobte, nie mehr an der Seite eines Sohns von Feanor in den Krieg zu ziehen, und seinem Volk verbot er für immer, den Sperrgürtel der Berge zu überschreiten.

Und Tuor blieb in Gondolin, denn Glück und Schönheit der Stadt und die Kenntnisse ihrer Bewohner nahmen ihn gefangen; und er wurde mächtig an Körper und Geist und vertiefte sich in die Wissenschaft der verbannten Elben. Dann wandte sich Idrils Herz ihm zu, und sein Herz wandte sich ihr zu; und Maeglins versteckter Haß wurde immer größer, denn über alles begehrte er, sie zu besitzen, die einzige Erbin des Königs von Gondolin. Doch so hoch stand Tuor in des Königs Gunst, als er sieben Jahre dort gelebt hatte, daß ihm Turgon auch die Hand seiner Tochter nicht verweigerte; denn wenn er schon Ulmos Rat nicht befolgte, so erkannte er doch, daß das Schicksal der Noldor mit dem jenes einen verknüpft war, den Ulmo gesandt hatte; und er vergaß nicht, was Huor zu ihm gesagt hatte, bevor sich das Heer von Gondolin aus der Schlacht der Ungezählten Tränen zurückzog.

Da gab es ein großes und frohes Fest, denn Tuor hatte die Herzen aller gewonnen, nur nicht Maeglins und seiner geheimen Anhänger; und so kam es zur zweiten Vereinigung zwischen Elben und Menschen.

Im Frühjahr darauf wurde in Gondolin Earendil der Halb-Elb geboren, Sohn von Tuor und Idril Celebrindal; und dies war fünfhundertunddrei Jahre nach der Ankunft der Noldor in Mittelerde. Unübertrefflich schön war Earendil, denn ein Licht war in seinem Antlitz wie das Licht des Himmels; in ihm waren die Schönheit und Weisheit der Eldar mit der Kraft und Kühnheit der alten Menschen vereinigt; und immer sprach das Meer zu seinem Ohr und Herzen, wie zu Tuor, seinem Vater.

Damals waren die Tage von Gondolin noch voll Freude und Frieden, und niemand wußte, daß das Gebiet, wo das Verborgene Königreich lag, Morgoth schon durch Húrins Schreie verraten worden war, als dieser in der Wildnis vor den Umzingelnden Bergen stand und, da er keinen Eingang finden konnte, in seiner Verzweiflung nach Turgon rief. Seither kreisten Morgoths Gedanken unablässig um das gebirgige Land zwischen dem Anach und dem Oberlauf des Sirion; dank der Wachsamkeit der Adler jedoch konnte noch kein Späher und keine Kreatur aus Angband dorthin gelangen, und Morgoth war in der Erfüllung seiner Pläne aufgehalten. Idril Celebrindal aber war gelehrt und weitblickend, und ihr ahnte Schlimmes, und Vorwissen kroch wie eine Wolke über ihren Geist. Daher ließ sie in jener Zeit einen geheimen Weg vorbereiten, einen Tunnel, der unter der Stadt bis zu einem Ausgang weit jenseits der Mauern führte, nördlich des Amon Gwareth; und sie fing es so an, daß die Arbeiten nur wenig bekannt wurden und kein Wort davon je an Maeglins Ohr drang.

Zu einer Zeit nun, als Earendil noch ein Kind war, verschwand Maeglin. Denn, wie erzählt worden, er liebte den Bergbau und das Schürfen nach den Metallen mehr als jede andere Kunst, und er war der Meister und Führer der Elben, die fern der Stadt in den Bergen nach Metallen gruben, aus denen sie schmiedeten, wessen sie zu Krieg und Frieden bedurften. Doch oft ging Maeglin mit wenigen seiner Leute über den Sperrgürtel der Berge hinaus, und der König wußte nicht, daß sein Gebot derart mißachtet wurde; und so wollte es das Schicksal, daß Maeglin von Orks gefangen und nach Angband gebracht wurde. Maeglin war nicht schwach oder feig, doch die Qualen, die man ihm androhte, beugten seinen Geist, und er erkaufte Leben und Freiheit, indem er Morgoth die genaue Lage von Gondolin verriet und die Wege, auf denen es zu erreichen und anzugreifen war. Groß war da Morgoths Freude, und Maeglin versprach er, daß er über Gondolin als sein Vasall herrschen und Idril Celebrindal zum Besitz erhalten solle, sobald die Stadt erst genommen wäre; und gewiß erleichterten Maeglins Begehren nach Idril und sein Haß auf Tuor den Verrat, den schimpflichsten von allen, über die in den Geschichten aus den Ältesten Tagen berichtet wird. Morgoth schickte ihn jedoch nach Gondolin zurück, damit niemand den Verrat argwöhne und Maeglin den Angriff, wenn die Stunde käme, von innen unterstützen könne; und er ging weiter durch die Hallen des Königs, Lächeln im Antlitz und Unheil im Herzen, während sich das Dunkel immer dichter um Idril legte.

Endlich, in dem Jahr, als Earendil sieben Jahre alt wurde, war Morgoth bereit, und er ließ seine Balrogs und seine Orks und seine Wölfe auf Gondolin los; und mit ihnen kamen Drachen aus Glaurungs Brut, und sie waren nun zahlreich und furchtbar. Morgoths Heer kam von Norden, wo die Berge am höchsten und die Wachen am spärlichsten waren, und es kam in der Nacht vor einem Fest, als in Gondolin jedermann auf den Mauern war, um die Sonne zu erwarten und Gesänge anzustimmen, wenn sie aufginge; der nächste Tag nämlich war der große Festtag, den man als die Pforten des Sommers bezeichnete. Das rote Licht aber stieg über den Bergen im Osten auf, und niemand sah nach Norden; und so wurde dem Vordringen der Feinde kein Halt geboten, bis sie schon unter den Mauern standen und die Stadt hoffnungslos eingeschlossen war. Von den Taten verzweifelten Muts, welche die Häupter der edlen Häuser und ihre Krieger dort leisteten, nicht zuletzt Tuor, wird ausführlich im *Fall von Gondolin* erzählt: wie Ecthelion von der Quelle auf dem Platz vor dem Königshause mit Gothmog, dem Fürsten der Balrogs, kämpfte und beide einander erschlugen, und wie Turgons Turm von den Männern seines Hauses verteidigt wurde, bis man den Turm umwarf. Gewaltig war sein Einsturz wie der Sturz Turgons zwischen den Trümmern.

Tuor versuchte Idril aus den Trümmern der Stadt zu retten, doch Maeglin hatte Hand an sie und Earendil gelegt; und Tuor rang mit Maeglin auf der Stadtmauer und warf ihn hinunter, und dreimal schlug sein Leib im Fallen auf die Felswände des Amon Gwareth auf, ehe er drunten in die Flammen stürzte. Dann führten Tuor und Idril diejenigen, die sie in der Verwirrung der niederbrennenden Stadt noch zu sammeln vermochten, den geheimen Weg hinab, den Idril vorbereitet hatte; und von diesem Tunnel wußten die Hauptleute aus Angband nichts, und sie glaubten auch nicht, daß Flüchtlinge einen Weg nach Norden nehmen würden, wo die Berge am höchsten waren und Angband am nächsten. Der Qualm des Brandes und der Dampf der klaren Quellen von Gondolin, die in den Flammen der Drachen versiegten, senkte sich in traurigen Nebeln über das Tal von Tumladen; und so wurde die Flucht Tuors und seiner Gefährten begünstigt, denn sie hatten noch einen weiten und offenen Weg vom Ausgang des Tunnels bis zum Fuße der Berge zurückzulegen. Dennoch, sie kamen dorthin, und über alles Hoffen gelang ihnen der Aufstieg, in Schmerz und Elend, denn die Höhen waren kalt und schrecklich, und unter den Flüchtlingen waren viele Verwundete, Frauen und Kinder.

Dort war ein entsetzlicher Paß, Cirith Thoronath genannt, die Adlerspalte, ein schmaler Pfad, der sich im Schatten der höchsten Gipfel dahinwand, zur Rechten eine Felswand und zur Linken den entsetzlichen Abgrund der Leere. Auf diesem schmalen Weg gingen sie, als sie von Orks überfallen wurden, denn Morgoth hatte überall in den Umzingelnden Bergen Wachen aufgestellt, und ein Balrog war unter ihnen. Furchtbar war da ihre Not, und kaum hätte sie der blonde Glorfindel durch seinen Mut gerettet, der Herr des Hauses der Goldenen Blume von Gondolin, wäre ihnen nicht Thorondor beizeiten zu Hilfe gekommen.

Der Lieder sind viele, in denen Glorfindels Kampf mit dem Balrog auf einer Felsspitze an jenem hohen Orte besungen wurde; und beide stürzten sie im Abgrund zu Tode. Die Adler aber kamen auf die Orks herniedergestoßen, so daß die Nachricht von der Flucht aus Gondolin erst sehr viel später an Morgoths Ohr drang. Und Thorondor holte Glorfindels Leichnam aus dem Abgrund herauf, und sie begruben ihn unter einem Steinhügel am Rand des Passes; und grünes Gras wuchs dort, und gelbe Blumen blühten darauf inmitten der Steinwüste, bis daß die Welt geändert wurde.

So zogen die Überlebenden von Gondolin über die Berge, geführt von Tuor, Huors Sohn, und sie kamen ins Tal des Sirion hinab, und auf beschwerlichen und gefahrvollen Wegen nach Süden fliehend gelangten sie schließlich nach Nan-tathren, ins Land der Weidenbäume, denn noch floß Ulmos Macht in dem großen Strom und beschirmte sie. Dort rasteten sie eine Zeitlang und wurden geheilt von Wunden und Müdigkeit; ihr Leid aber war nicht zu heilen. Und sie feierten ein Fest zum Gedenken an Gondolin und die Elben, die dort umgekommen waren, die Frauen und die Mädchen und die Krieger des Königs; und der Lieder waren viele, die sie für den geliebten Glorfindel sangen, unter den Weiden von Nan-tathren gegen Ende des Jahres. Dort machte Tuor ein Lied für Earendil, seinen Sohn, das von Ulmo sprach, dem Herrn der Wasser, wie er einst in Nevrast ans Ufer gekommen; und die Meeressehnsucht erwachte in seinem und in seines Sohnes Herzen. Daher gingen Idril und Tuor aus Nan-tathren fort, den Strom hinab nach Süden bis ans Meer; und dort lebten sie bei den Sirion-Häfen, und ihr Volk vereinigte sich mit der Schar von Elwing, Diors Tochter, die nur wenig früher hierher geflohen war. Und als die Meldung vom Fall Gondolins und von Turgons Tod nach Balar gelangte, wurde Ereinion Gil-galad, Fingons Sohn, zum Hohen König der Noldor in Mittelerde gekrönt.

Morgoth aber glaubte seinen Triumph vollendet, denn wenig fürchtete er Feanors Söhne und ihren Eid, der ihm nie wehgetan hatte und immer zu seinem größten Vorteil ausgeschlagen war; und er lachte in schwarzer Laune, dem einen Silmaril, den er eingebüßt hatte, nicht nachtrauernd, denn durch diesen, so glaubte er, sollten auch die letzten Spuren vom Volk der Eldar aus Mittelerde verschwinden, und alle Unruhe hätte ein Ende. Wenn er von denen bei den Sirion-Häfen wußte, so ließ er doch davon nichts merken, sondern wartete ab, daß Eid und Lüge ihr Werk täten. Aber am Sirion und am Meer wuchs aus den Nachkommen von Doriath und Gondolin ein Elbenvolk zusammen, und von Balar kamen Círdans Seeleute zu ihnen. Sie wurden heimisch auf den Wellen und erlernten den Schiffbau, sich immer nahe an den Küsten von Arvernien haltend, wo Ulmos Hand sie beschirmte.

Und es heißt, zu jener Zeit sei Ulmo aus den tiefen Wassern nach Valinor gekommen und habe dort zu den Valar von der Not der Elben gesprochen; und er rief sie auf, ihnen zu vergeben, sie vor der Übermacht Morgoths zu retten und die Silmaril zurückzuerobern, in denen allein noch das Licht der Glückseligen Tage blühte, der Tage, da die Zwei Bäume in Valinor strahlen. Manwe aber rührte sich nicht; und welche Geschichte wüßte um die Ratschlüsse seines Herzens? Die Weisen haben gesagt, noch sei die Stunde nicht gekommen gewesen; und nur einer, der in eigener Person für die Sache sowohl der Elben wie der Menschen spräche, Vergebung für ihre Missetaten und Mitleid für ihre Leiden erbittend, hätte den Sinn der Mächte zu rühren vermocht; und Feanors Eid konnte vielleicht auch Manwe nicht lösen, solange er nicht erloschen war und Feanors Söhne die Silmaril nicht freigegeben hatten, auf die sie ohne Rücksicht Anspruch erhoben. Denn das Licht, das in den Silmaril leuchtete, hatten die Valar selbst erschaffen.

In jenen Tagen fühlte Tuor, wie ihn das Alter beschlich, und immer stärker wurde in seinem Herzen die Sehnsucht nach den Weiten des Meeres. Und so baute er ein großes Schiff und nannte es Earráme, was Meeresschwinge bedeutet; und mit Idril Celebrindal fuhr er in den Sonnenuntergang nach Westen hinaus und verschwand aus den Liedern und Erzählungen. In späteren Zeiten wurde gesungen, Tuor allein unter den sterblichen Menschen sei zum älteren Geschlecht gezählt und mit den Noldor vereinigt worden, die er liebte; und sein Schicksal ist vom Schicksal der Menschen geschieden.

XXIV
Von Earendils Fahrt und dem Krieg des Zorns

Earendil der Strahlende wurde nun Fürst des Volkes an den Sirionmündungen, und er nahm die schöne Elwing zur Frau, und sie
gebar ihm Elrond und Elros, welche die Halb-Elben genannt werden. Doch fand Earendil keine Ruhe, und seine Fahrten an den Küsten der Hinnenlande linderten nicht seine Unrast. Zwei Pläne reif-
ten in seinem Herzen, verschmolzen beide in der Sehnsucht nach
dem weiten Meer: Tuor und Idril zu suchen, die nicht zurückkehrten,
und vielleicht die fernste Küste zu finden und vor seinem Tode noch
den Valar die Botschaft der Elben und Menschen zu überbringen, die
ihr Herz zum Mitleid für das Leid von Mittelerde bewegen mochte.

Nun wurde Earendil ein guter Freund Círdans des Schiffbauers,
der mit denjenigen seines Volkes, welche der Vernichtung der Häfen
von Brithombar und Eglarest entgangen waren, auf der Insel Balar
lebte. Mit Círdans Hilfe baute Earendil Vingilot, die Schaumblüte,
das schönste aller Schiffe in den alten Liedern; golden waren seine
Ruder und weiß das Holz seiner Planken, das in den Birkenwäldern
von Nimbrethil geschlagen war, und seine Segel waren silbern wie
der Mond. Im *Lied von Earendil* wird so manches von seinem Aben-
teuern auf hoher See und in nie betretenen Landen besungen; Elwing aber fuhr nicht mit ihm und blieb in Sorge an den Mündungen
des Sirion.

Earendil fand weder Tuor noch Idril, noch kam er auf jener Fahrt
zu den Küsten von Valinor, denn Schatten und Zauberwerk wiesen
ihn ab, und die Winde trieben ihn zurück, bis er in Sehnsucht nach
Elwing umkehrte und heimwärts steuerte, auf die Küste von Beleriand zu. Und sein Herz gebot ihm Eile, denn eine plötzliche Furcht
hatte ihn aus seinen Träumen heraus befallen, und die Winde, gegen
die er eben noch mächtig angekämpft hatte, konnten ihn nun nicht
schnell genug zurücktreiben.

Als die ersten Nachrichten zu Maedhros gelangt waren, daß Elwing noch lebte und im Besitz des Silmaril an den Mündungen des Sirion wohnte, da unternahm er nichts, denn ihn reute, was in Doriath geschehen war. Doch bald war die Erinnerung an den unerfüllten Eid wieder da und quälte ihn und seine Brüder; und sie kamen von ihren Jagden und Wanderungen zusammen und sandten Botschaften zu den Sirion-Häfen, Freundschaft versichernd und zugleich streng auf ihrer Forderung beharrend. Elwing und das Volk vom Sirion aber wollten den Stein nicht hergeben, den Beren gewonnen und Lúthien getragen hatte und für den Dior der Schöne gefallen war; um so weniger, als Earendil, ihr Fürst, auf See war; denn es schien ihnen, als rührten von dem Silmaril die Heilung und der Segen über ihren Häusern und Schiffen her. Und so kam es zu dem letzten und grausamsten Morden zwischen Elben und Elben; und es war dies die dritte der großen Untaten, welche der verfluchte Eid wirkte.

Denn Feanors Söhne griffen die Flüchtlinge aus Gondolin und die Überlebenden von Doriath überraschend an und vernichteten sie. In dieser Schlacht standen manche ihrer Leute beiseite, und einige wenige meuterten und fielen auf der Gegenseite, als sie Elwing gegen ihre eigenen Fürsten zu Hilfe kamen (denn so groß waren in jenen Tagen das Leid und die Verwirrung in den Herzen der Eldar); doch Maedhros und Maglor trugen den Sieg davon, wenn auch von Feanors Söhnen nur sie allein am Leben blieben, denn Amrod und Amras wurden erschlagen. Zu spät eilten die Schiffe Círdans und Gil-galads, des Hohen Königs, den Elben vom Sirion zu Hilfe; und Elwing war fort und ebenso ihre Söhne. Nun schlossen die wenigen, die bei dem Angriff nicht umgekommen waren, sich Gil-galad an und fuhren mit ihm nach Balar; und sie erzählten, daß Elros und Elrond gefangen seien, während sich Elwing, den Silmaril auf der Brust, ins Meer gestürzt habe.

So erlangten Maedhros und Maglor den Silmaril nicht, doch ging er auch nicht verloren. Denn Ulmo rettete Elwing aus den Wellen und gab ihr die Gestalt eines großen weißen Vogels; und auf ihrer

Brust schien wie ein Stern der Silmaril, als sie übers Wasser flog, um Earendil, ihren Geliebten, zu suchen. Eines Nachts, als Earendil am Steuer seines Schiffes stand, sah er sie kommen, wie eine weiße Wolke, über die Maßen schnell vor dem Mond heraufziehend, wie ein Stern in seltsamer Bahn über den See, eine helle Flamme auf Sturmesflügeln. Und es heißt im Liede, aus der Luft sei sie auf die Planken von Vingilot herabgestürzt, ohnmächtig und dem Tode nahe, in solcher Eile war sie geflogen, und Earendil barg sie an seiner Brust; am Morgen aber erkannte er staunend sein Weib neben sich, in vertrauter Gestalt, mit den Haaren über seinem Gesicht, und sie schlief.

Groß war Earendils und Elwings Schmerz um die Vernichtung der Häfen am Sirion und den Verlust ihrer Söhne, denn sie fürchteten, die seien getötet worden; doch so war es nicht. Denn Maglor erbarmte sich Elros' und Elronds und hielt sie in Ehren; und Neigung wuchs hernach zwischen ihnen, so wenig man es glauben mag; Maglors Herz aber war wund und müd von der Bürde des entsetzlichen Eides.

Earendil aber sah nun keine Hoffnung mehr in den Landen von Mittelerde, und verzweifelt kehrte er von neuem um und kam nicht heim, sondern versuchte abermals, Valinor zu finden, Elwing an seiner Seite. Er stand nun meist am Bug von Vingilot, und der Silmaril war an seine Stirn gebunden, und sein Licht wurde immer heller, je weiter sie nach Westen kamen. Und die Weisen haben gesagt, der Kraft des heiligen Steines sei es zu danken gewesen, daß sie mit der Zeit in Gewässer kamen, die keine Schiffe außer denen der Teleri je befahren hatten; und sie kamen zu den Verwunschenen Inseln und entgingen dem Zauber, und sie kamen ins Schattenmeer und durchquerten die Schatten, und sie sahen Tol Eressea, die Einsame Insel, und verweilten nicht; und zuletzt warfen sie Anker in der Bucht von Eldamar, und die Teleri sahen das Schiff aus dem Osten kommen und starrten verwundert von fern in das Licht des Silmaril, und es war sehr hell. Dann betrat Earendil als erster lebender Mensch die

Küste der Unsterblichen; und dort sprach er zu Elwing und jenen, die bei ihm waren. Dies waren drei Seeleute, die alle Meere mit ihm befahren hatten: Falathar, Erellont und Aerandir hießen sie mit Namen. Und Earendil sagte zu ihnen: »Keiner außer mir setze hier den Fuß an Land, damit nicht auch auf euch der Zorn der Valar falle. Diese Gefahr will ich auf mich allein nehmen, den Zwei Geschlechtern zuliebe.«

Elwing aber antwortete: »Dann würden unsere Wege für immer geschieden; doch will ich alle deine Gefahren auch auf mich nehmen.« Und sie sprang in die weiße Gischt und rannte auf ihn zu; Earendil aber war in Sorge, denn er fürchtete, daß jeden aus Mittelerde der Zorn der Valar treffe, der es wagte, den Gürtel um Aman zu durchschreiten. Und dort sagten sie ihren Reisegefährten Lebwohl und wurden für immer von ihnen getrennt.

Dann sagte Earendil zu Elwing: »Warte hier auf mich, denn nur einer darf die Botschaft bringen, die zu bringen mein Schicksal ist.« Und er ging allein ins Land hinauf und kam in den Calacirya, und dort schien es ihm leer und still zu sein; wie nämlich vorzeiten Morgoth und Ungolianth, so kam jetzt Earendil zur Zeit eines Festes, und fast alles Elbenvolk war nach Valimar gegangen oder hatte sich in Manwes Hallen auf dem Taniquetil versammelt, und nur wenige hielten auf den Mauern von Tirion Wache.

Doch einige sahen ihn von fern, und sahen das große Licht, das er trug, und eilends gingen sie nach Valimar. Earendil aber stieg den grünen Hügel von Túna hinauf und fand ihn kahl, und er trat in die Straßen von Tirion, und sie waren leer; und schwer war ihm ums Herz, denn er fürchtete, auch über das Segensreich sei Unheil gekommen. Er ging in den verlassenen Straßen von Tirion umher, und der Staub auf seinen Kleidern und Schuhen war Staub von Diamanten, und er schien und funkelte, als er die langen weißen Treppen erklomm. Und er rief laut in vielen Sprachen der Elben wie der Menschen, doch niemand war da, der ihm Antwort gab. Daher wandte er sich zuletzt zum Meere zurück, doch als er eben den Weg zum Ufer einschlagen wollte, da stand einer auf dem Hügel und rief ihn mit lauter Stimme an:

»Gegrüßt seist du, Earendil, der Seefahrer ruhmreichster, Erwarteter, der unversehens da ist, Ersehnter jenseits allen Hoffens! Gegrüßt seist du, Earendil, der du das Licht trägst, das älter ist als Sonne und Mond! Licht der Erdenkinder, Stern in der Dunkelheit, Juwel in der Abendsonne, Strahlenkranz am Morgen!«

Der ihn so begrüßte, war Eonwe, Manwes Herold, und er kam aus Valimar und rief Earendil auf, vor den Mächten von Arda zu erscheinen. Und Earendil betrat Valinor und die Hallen von Valimar, und nie wieder setzte er den Fuß auf die Lande der Menschen. Dann hielten die Valar zusammen Rat und riefen auch Ulmo aus den Tiefen des Meeres herbei; und Earendil stand vor ihnen und entledigte sich des Auftrags der Zwei Geschlechter. Um Vergebung bat er für die Noldor und um Mitleid mit ihrem großen Elend, um Erbarmen für Menschen und Elben und Hilfe in ihrer Not. Und seine Bitte wurde erhört.

Unter den Elben wird erzählt, nachdem Earendil gegangen war, um Elwing, sein Weib, zu suchen, habe Mandos über sein Schicksal gesprochen, und er sagte: »Soll der sterbliche Mensch lebend die Lande der Unsterblichen betreten und weiterleben?« Doch Ulmo sagte: »Dazu ward er in die Welt geboren. Und sage mir: Ist er Earendil, Tuors Sohn, vom Stamme Hadors, oder der Sohn von Idril, Turgons Tochter aus dem Elbenhause Finwes?« Und Mandos antwortete: »Auch die Noldor, die willentlich in die Verbannung gegangen, dürfen nicht hierher zurückkehren.«

Doch als alles gesagt war, fällte Manwe seinen Spruch, und er sagte: »In dieser Sache ist mir Urteilsmacht verliehen. Was Earendil den Zwei Geschlechtern zuliebe gewagt, soll er nicht büßen, noch soll es Elwing, sein Weib, die sich aus Liebe zu ihm in Gefahr begeben; doch sollen sie nie wieder unter die Elben oder Menschen in den Außenlanden gehen. Und dies ist mein Spruch, sie betreffend: Earendil und Elwing und ihren Söhnen sei es gestattet, frei zu wählen, mit welchem der Geschlechter ihr Schicksal vereint sein und unter welchem Geschlecht über sie geurteilt werden soll.«

Als Earendil lange fortblieb, wurde es Elwing bang und einsam; und am Ufer des Meeres entlanggehend, kam sie nach Alqualonde, wo die Flotten der Teleri lagen. Dort nahmen die Teleri sie freundlich auf, und als sie ihre Erzählungen von Doriath und Gondolin und den Leiden Beleriands hörten, waren sie voll Mitleids und Staunens; und dort am Schwanenhafen fand sie Earendil, als er zurückkehrte. Doch nicht lange, so wurden sie nach Valimar gerufen, und dort erfuhren sie den Spruch des Ältesten Königs.

Da sagte Earendil zu Elwing: »Wähle du, denn ich bin die Welt nun leid.« Und Elwing wählte, daß unter den Erstgeborenen Kindern Ilúvatars über sie geurteilt werde, im Gedenken an Lúthien; und Elwing zuliebe traf Earendil die gleiche Wahl, obwohl er von Herzen eher am Menschengeschlecht und am Volk seines Vaters hing. Auf Geheiß der Valar ging dann Eonwe ans Ufer von Aman, wo Earendils Gefährten noch der Nachricht harrten; und er nahm ein Boot, und die drei Seeleute stiegen hinein, und die Valar trieben sie mit einem starken Winde nach Osten. Vingilot aber nahmen die Valar und weihten es; und durch ganz Valinor wurde es bis zum äußersten Rande der Welt getragen, und dort fuhr es durch die Tore der Nacht und wurde in die Ozeane des Himmels erhoben.

Schlank und herrlich war nun das Schiff, erfüllt von einem hell und rein flammenden Lichte; und Earendil der Seefahrer saß am Steuer, funkelnd vom Staub der Elbengemmen und den Silmaril an die Stirn gebunden. Weit fuhr er hinaus, bis in die sternlose Leere; meist aber sah man ihn des Morgens oder Abends im Sonnenaufgang oder Sonnenuntergang schimmern, wenn er von Fahrten jenseits der Welt nach Valinor heimkam.

Elwing begleitete ihn auf diesen Fahrten nicht, denn sie konnte die Kälte und die weglose Leere nicht ertragen; vielmehr liebte sie die Erde und die sanften Winde über den Seen und Hügeln. Daher wurde ein weißer Turm für sie erbaut, nach Norden zu am Ufer des

Scheidemeeres, und dort rasteten zuweilen alle Seevögel der Erde. Und es heißt, Elwing habe die Sprachen der Vögel erlernt, hatte sie doch selbst einmal deren Gestalt getragen; und die Vögel lehrten sie die Kunst zu fliegen, und ihre Schwingen waren weiß und silbergrau. Und zuweilen, wenn Earendil heimkehrend sich Arda nahte, flog sie ihm entgegen, wie einst, als sie aus dem Meere gerettet wurde. Dann konnten die Weitsichtigen unter den Elben, die auf der Einsamen Insel wohnten, sie sehen, als weißen Vogel, rötlich in der Abendsonne schimmernd, wie sie freudig am Himmel kreiste, um Vingilot im Hafen zu begrüßen.

Als nun Vingilot zum ersten Mal die Meere des Himmels befuhr, da stieg es unverhofft auf, hell und funkelnd, und die Völker von Mittelerde sahen es von fern und staunten, und sie nahmen es als ein Zeichen der Hoffnung und nannten es Gil-Estel, den Stern der Hohen Hoffnung. Und als man den neuen Stern am Abend sah, da sprach Maedhros zu seinem Bruder Maglor und sagte: »Gewiß ist das ein Silmaril, der nun im Westen leuchtet?«

Und Maglor erwiderte: »Wenn es wahrhaftig der Silmaril ist, den wir ins Meer stürzen sahen und der nun durch die Kraft der Valar wieder aufgeht, dann laß uns froh sein; denn viele sehen nun seinen Glanz, und doch ist er sicher vor allem Unheil.« Da blickten die Elben auf, und ihre Verzweiflung hatte ein Ende; Morgoth aber war in Sorgen.

Doch heißt es, den Angriff, der aus Westen über ihn hereinbrach, habe Morgoth nicht erwartet; denn so groß war sein Stolz geworden, daß er glaubte, keiner werde ihn je wieder offen mit Krieg überziehen. Auch dachte er, die Noldor habe er auf ewig mit den Herren des Westens entzweit, und die Valar, zufrieden in ihrem glückseligen Land, würden sich um sein Königreich in der Welt draußen nicht kümmern. Denn immer bleiben dem Mitleidlosen die Werke des Mitleids fremd und unabsehbar. Das Heer der Valar aber rüstete sich zur Schlacht; und unter ihren weißen Bannern zogen die Vanyar einher, Ingwes Volk, und auch diejenigen der Noldor, die Valinor nie verlassen hatten, geführt von Finarfin, Finwes Sohn. Von den Teleri waren nicht viele bereit, in den Krieg zu ziehen, denn sie erinnerten sich des Mordens am Schwanenhafen und des Raubs ihrer Schiffe; doch hörten sie Elwing an, welche die Tochter Dior Eluchíls war und ihrem eigenen Geschlecht entstammte, und sie sandten so viele Seeleute, wie nötig waren, um die Schiffe zu steuern, die das Heer von Valinor übers Meer nach Osten trugen. Diese aber blieben an Bord ihrer Schiffe, und keiner von ihnen setzte den Fuß auf die Hinnenlande.

Wenig wird in allen Erzählungen davon gesagt, wie das Heer der Valar in den Norden von Mittelerde zog; denn keiner von den Elben war dabei, die in den Hinnenlanden gelebt und gelitten hatten und von denen die Geschichten jener Zeiten aufgeschrieben wurden, soweit sie noch bekannt sind; sie erfuhren von all dem erst viel später von ihren Brüdern in Aman. Endlich aber zog die Streitmacht von Valinor aus Westen heran, und der Kampfruf von Eonwes Trompeten erfüllte den Himmel, und Beleriand glühte im Glanz ihrer Rüstungen, denn die Valar erschienen in Gestalten von Jugend, Schönheit und Schrecken, und die Berge bebten unter ihren Schritten.

Das Treffen der Heere des Westens und des Nordens wird die Große Schlacht oder der Krieg des Zorns genannt. Morgoths ganze Streitmacht wurde ins Feld geführt, und sie war über alle Zählung groß geworden, so daß in Anfauglith nicht genug Platz für sie war; und der ganze Norden stand in Kriegesflammen.

Doch es half ihm nichts. Seine Balrogs wurden vernichtet, bis auf einige wenige, die entflohen und sich in unerreichbaren Höhlen an den Wurzeln der Erde verbargen; und die ungezählten Legionen der Orks vergingen wie Stroh im großen Brande oder wurden davongewirbelt wie trocknes Laub vor einem feurigen Wind. Nicht viele blieben übrig, und lange Jahre hindurch hatte die Welt vor ihnen Ruhe. Und die wenigen, die aus den drei Häusern der Elbenfreunde noch lebten, die Väter der Menschen, kämpften auf seiten der Valar; und in jenen Tagen wurden Baragund und Barahir gerächt, Galdor und Gundor, Huor und Húrin und viele andere ihrer Edlen. Ein großer Teil der Menschensöhne aber, ob vom Stamme Uldors oder aus andren, neu aus dem Osten gekommenen Völkern, stand in den Reihen des Feindes; und die Elben vergessen dies nicht.

Als Morgoth nun sah, wie seine Heere überwältigt und versprengt wurden, da zitterte er und wagte sich nicht selber hervor. Doch ließ er den letzten verzweifelten Ansturm, den er vorbereitet hatte, auf seine Feinde los, und aus den Grüften von Angband stiegen die geflügelten Drachen auf, die man noch nie zuvor gesehen hatte; und so überraschend und vernichtend war der Angriff dieser entsetzlichen Flotte, daß das Heer der Valar zurückgeschlagen wurde, denn die Drachen kamen mit Donner und Blitz und einem Sturm von Feuer.

Doch Earendil zog herauf, leuchtend mit weißer Flamme, und um Vingilot hatten sich all die großen Vögel des Himmels geschart, Thorondor an der Spitze, und es gab eine Schlacht in den Lüften, den ganzen Tag lang und eine dunkle Nacht voller Ungewißheit. Vor Sonnenaufgang erschlug Earendil Ancalagon den Schwarzen, den Gewaltigsten des Drachenheeres, und stieß ihn vom Himmel herab; und die Türme von Thangorodrim zerbrachen, als er auf sie herniederstürzte. Dann ging die Sonne auf, und das Heer der Valar errang den Sieg, und fast alle Drachen wurden vernichtet. Und alle Höhlen Morgoths wurden zertrümmert und abgedeckt, und das Heer der Valar stieg in die Tiefen der Erde hinab. Dort endlich mußte Morgoth sich stellen, doch ohne Mut. Er floh in den tiefsten seiner Stollen und bat um Gnade und Frieden; aber die Füße wurden ihm unterm Leib abgehauen, und mit dem Gesicht wurde er zu Boden geschleudert. Dann wurde er mit der Kette Angainor gebunden, die er schon einmal getragen, und aus der Eisenkrone wurde ihm ein Halseisen geschmiedet, und der Kopf wurde ihm auf die Knie gebogen. Und die zwei Silmaril, die

Morgoth noch besaß, wurden aus seiner Krone genommen, und sie leuchteten unbefleckt unter dem Himmel; und Eonwe nahm sie und ließ sie bewachen.

So hatte die Macht Angbands im Norden ein Ende, und das Unheilsreich war zunichte geworden; und aus den tiefen Kerkern kamen viele Sklaven heraus, die ohne alle Hoffnung gewesen waren, das Tageslicht wiederzusehen. Und sie sahen eine Welt, die verändert war. Denn so heiß tobte die Schlacht dieser Feinde, daß die nördlichen Gegenden der westlichen Welt zerrissen wurden und das Meer durch viele Spalten hereinbrach; und es herrschten Verwirrung und großer Lärm, und Flüsse versiegten oder suchten sich einen neuen Lauf, und Täler wurden gehoben und Berge niedergetreten, und der Sirion war nicht mehr.

Dann rief Eonwe als Herold des Ältesten Königs die Elben von Beleriand auf, aus Mittelerde fortzugehen. Maedhros und Maglor aber wollten nicht hören und schickten sich an, wenn auch müde nun und widerstrebend, in Verzweiflung ihren Eid zu erfüllen; denn um die Silmaril, wenn man sie ihnen verweigerte, hätten sie selbst gegen das siegreiche Heer von Valinor gekämpft, obgleich sie allein standen gegen alle Welt. Und so sandten sie Botschaft zu Eonwe, ihn auffordernd, nun jene Steine herauszugeben, die einst ihr Vater Feanor gemacht und die Morgoth ihm gestohlen hatte.

Doch Eonwe antwortete, das Recht auf das Werk ihres Vaters, welches die Söhne Feanors vormals besessen, sei zunichte geworden durch die vielen gnadenlosen Taten, die sie, von ihrem Eid verblendet, begangen hätten, vor allem durch die Ermordung Diors und den Angriff auf die Häfen am Sirion. Das Licht der Silmaril solle nun in den Westen heimkehren, von wo es zu Anfang gekommen; und nach Valinor müßten Maedhros und Maglor kommen und sich dem Urteil der Valar unterwerfen, auf deren Geheiß allein Eonwe die Steine aus seiner Obhut hergeben werde. Da wollte Maglor sich fügen, denn sein Herz war voller Leid, und er sprach: »Der Eid sagt nicht, daß wir nicht unsere Zeit abwarten dürften, und es mag sein, daß in Valinor alles vergeben und vergessen wird und wir in Frieden zu unserem Rechte kommen.«

Maedhros aber antwortete, wenn sie nach Aman zurückkehrten, dort aber die Gunst der Valar ihnen verweigert würde, so gelte ihr Eid immer noch, nur läge seine Erfüllung dann jenseits allen Hoffens; und er sagte: »Wer kann wissen, welch furchtbares Schicksal wir erleiden, wenn wir uns den Mächten in ihrem eigenen Lande widersetzen oder jemals versuchen, den Krieg in ihr heiliges Reich zu tragen?«

Maglor aber zögerte noch immer und sagte: »Wenn Manwe und Varda selbst einem Eid die Erfüllung verweigern, bei dem wir sie zu Zeugen gerufen, ist der Eid dann nicht entkräftet?«

Und Maedhros antwortete: »Doch wie sollen unsere Stimmen zu Ilúvatar dringen, jenseits der Kreise der Welt? Und bei Ilúvatar haben wir in unsrem Wahne geschworen und das Ewige Dunkel auf uns herabgerufen, wenn wir nicht Wort hielten. Wer soll uns lossprechen?«

»Wenn denn keiner uns lossprechen kann«, sagte Maglor, »dann freilich wird das Ewige Dunkel unser Los sein, ob wir den Eid halten oder ihn brechen; doch weniger Unheil tun wir, wenn wir ihn brechen.«

Zuletzt aber gab er Maedhros' Willen nach, und sie hielten Rat, wie sie sich der Silmaril bemächtigen könnten. Und sie verkleideten sich und kamen bei Nacht in Eonwes Lager und schlichen sich zu dem Orte, wo die Silmaril bewacht wurden; dort erschlugen sie die Wachen und nahmen die Steine. Da stand das ganze Lager gegen sie auf, und sie schickten sich an zu sterben, kämpfend bis zum Letzten. Eonwe aber wollte nicht zulassen, daß Feanors Söhne erschlagen würden; und so gingen sie unbehindert fort und suchten das Weite. Jeder nahm einen Silmaril, denn sie sagten: »Da wir einen verloren haben und nur noch zwei bleiben und von uns Brüdern wir zwei allein noch leben, so ist klar, das Schicksal will, daß wir unsres Vaters Erbe teilen.«

Doch der Stein versengte Maedhros' Hand in unerträglichem Schmerz; und er erkannte, daß es so war, wie Eonwe gesagt hatte: daß sein Recht darauf nichtig geworden war und der Eid nicht mehr galt. Und in Schmerz und Verzweiflung stürzte er sich in einen klaffenden Schlund voller Feuer, und so endete Maedhros; und der Silmaril, den er trug, wurde in den Busen der Erde genommen.

Und auch von Maglor wird erzählt, daß er den Schmerz, mit dem der Silmaril ihn peinigte, nicht ertragen konnte; und zuletzt warf er den Stein ins Meer, und hernach wanderte er immer an den Küsten entlang, am Wasser singend vor Schmerz und Trauer. Denn Maglor war ein Großer unter den Sängern von einst, der gleich nach Daeron von Doriath genannt wird; doch kam er nie wieder unter das Volk der Elben. Und so geschah es, daß die Silmaril auf ihrem langen Weg heimgefunden hatten: einer in die Lüfte des Himmels, einer in die Feuer im Herzen der Welt und einer in die tiefen Wasser.

Viele Schiffe wurden in jenen Tagen an den Ufern des Westmeeres gebaut; und manch eine Flotte der Eldar setzte Segel gen Westen und kehrte nie mehr zurück in die Lande von Krieg und Kummer. Und die Vanyar unter ihren weißen Bannern kehrten heim und wurden im Triumph nach Valinor geführt; doch gemindert war ihre Siegesfreude, denn sie kamen ohne die Silmaril aus Morgoths Krone, und sie wußten, daß diese Steine nicht mehr gefunden und zusammengefügt werden können, bis daß die Welt zerbricht und neu erschaffen wird.

Und als sie in den Westen kamen, da ließen die Elben von Beleriand sich auf Tol Eressea, der Einsamen Insel, nieder, von wo man nach Westen wie nach Osten blickt; und von dort konnten sie auch nach Valinor kommen. Manwes Liebe wurde ihnen von neuem gewährt und die Vergebung der Valar; und die Teleri vergaßen ihren alten Groll, und der Fluch kam zur Ruhe.

Doch nicht alle Eldalië waren gewillt, die Hinnenlande zu verlassen, wo sie lange gelebt und gelitten hatten; und manche verweilten noch über viele Alter hin in Mittelerde. Unter diesen waren Círdan der Schiffbauer und Celeborn aus Doriath mit seinem Weibe Galadriel, die allein noch blieb von all jenen, welche die Noldor nach Beleriand in die Verbannung geführt hatten. In Mittelerde lebte auch Gil-galad, der Hohe König, und bei ihm war Elrond, der Halb-Elb, der sich dafür entschied, wie ihm gestattet worden, unter die Eldar gezählt zu werden; Elros, sein Bruder, aber wählte das Leben unter den Menschen. Und allein durch dieses Brüderpaar ist das Blut der Erstgeborenen unter die Menschen gekommen und eine Verwandtschaft mit den göttlichen Geistern, die älter sind als Arda; denn sie waren die Söhne Elwings, der Tochter Diors, welcher der Sohn Lúthiens war, des Kindes von Thingol und Melian; und Earendil, ihr Vater, war der Sohn von Idril Celebrindal, der Tochter Turgons von Gondolin.

Morgoth aber stießen die Valar durch das Tor der Nacht aus den Mauern der Welt hinaus in die Zeitlose Leere; und auf jenen Mauern steht eine ewige Wache, und an den Grenzen des Himmels wacht Earendil. Die Lügen aber, die Melkor, der Mächtige und Verfluchte, Morgoth Bauglir, die Macht von Haß und Furcht, in die Herzen von Elben und Menschen gesät, sind eine Saat, die nicht stirbt und nicht vernichtet werden kann; und von Zeit zu Zeit treibt sie neue Sprossen und wird ihre dunkle Frucht tragen bis zum letzten Tage.

Hier endet das *SILMARILLION*. Wenn es vom Hohen und Schönen in Dunkel und Trümmer geführt hat, so war dies von alters das Geschick der Beschädigten Arda; und wenn ein Wandel kommen soll und der Schade gebessert werden, so mögen Manwe und Varda dies wissen; doch haben sie es nicht verraten, und in Mandos' Sprüchen wird es nicht gesagt.

AKALLABÊTH

Der Untergang von Númenor

Es heißt bei den Eldar, die Menschen seien zur Zeit des Schattens von Morgoth auf die Welt gekommen; und rasch fielen sie unter seine Herrschaft, denn er schickte seine Botschafter zu ihnen, und sie hörten auf seine bösen und schlauen Reden und beteten das Dunkel an und fürchteten es doch. Manche aber kehrten sich auch ab vom Bösen, verließen das Land ihrer Väter und wanderten immer weiter nach Westen; denn sie hatten ein Gerücht vernommen, daß im Westen ein Licht sei, welches der Schatten nicht trüben könne. Morgoths Diener verfolgten sie mit Haß, und ihre Wege waren lang und schwer; doch kamen sie schließlich in die Länder, die aufs Meer hin blicken, und sie betraten Beleriand zur Zeit des Juwelenkrieges. Die Edain wurden sie in der Sindarinsprache genannt; sie wurden Freunde und Bundesgenossen der Eldar und leisteten kühne Taten im Krieg gegen Morgoth.

Von ihnen stammte seitens seiner Väter Earendil der Strahlende ab; und im *Lied von Earendil* wird erzählt, wie er zuletzt, als der Sieg Morgoths fast endgültig war, sein Schiff Vingilot baute, welches die Menschen Rothinzil nannten, und auf die nie befahrenen Meere hinausfuhr, Valinor suchend, denn er wollte bei den Mächten für die Zwei Geschlechter sprechen, damit die Valar sich ihrer erbarmen und in der äußersten Not Hilfe senden möchten. Daher wird er von Elben und Menschen Earendil der Gesegnete genannt, denn nach langen Mühen und vielen Gefahren gelangte er ans Ziel seiner Fahrt, und aus Valinor kam das Heer der Herren des Westens. Earendil aber kehrte nie wieder in die Lande zurück, die er geliebt hatte.

In der großen Schlacht, als Morgoth endlich überwältigt und Thangorodrim zerstört wurde, fochten von den Völkern der Menschen einzig die Edain für die Valar; viel andere aber fochten für Morgoth. Und nach dem Sieg der Valar flohen die üblen Menschen, soweit sie nicht vernichtet waren, zurück nach Osten, wo noch viele ihres Stammes in den unbebauten Ländern wanderten, wild und gesetzlos, den Valar wie Morgoth gleichermaßen die Gefolgschaft verweigernd. Zu ihnen kamen die üblen Menschen und breiteten einen Schatten der Furcht über sie und wurden ihre Könige. Die Valar überließen nun für eine Weile die Menschen, die ihnen nicht Folge geleistet und die in den Freunden Morgoths ihre Herren sahen, ihrem Schicksal; und die Menschen lebten im Dunkel, verfolgt von vielen Unheilsdingen, die Morgoth in den Tagen seiner Herrschaft gezüchtet hatte: Dämonen und Drachen und Ungeheuern und den unreinen Orks, welche ein Spottbild der Kinder Ilúvatars sind. Und unglücklich war ihr Los.

Manwe aber vertrieb Morgoth und verbannte ihn aus der Welt, in die Leere, die draußen ist; und Morgoth selbst kann nicht mehr zurückkehren und in der Welt zugegen und sichtbar sein, solange die Herren des Westens herrschen. Aber die Saaten, die er gesät, wuchsen und keimten noch immer und trugen böse Frucht, wenn nur einer sie hegte. Denn Morgoths Wille blieb und lenkte seine Diener, und stets bewog er sie, die Absichten der Valar zu durchkreuzen und jene zu vernichten, die ihnen dienten. Die Herren des Westens wußten dies wohl. Als daher Morgoth ausgestoßen war, hielten sie Rat über die Zeitalter, die kommen sollten. Die Eldar riefen sie auf, in den Westen zurückzukehren, und jene, die gehorchten, wohnen auf der Insel Eressea; und dort ist ein Hafen, Avallóne genannt, denn von allen Städten ist diese Valinor am nächsten, und der Turm von Avallóne ist das erste, was der Seemann erblickt, wenn er sich übers weite Meer endlich den Landen der Unsterblichen naht. Auch den Vätern der Menschen aus den drei getreuen Häusern wurde reicher Lohn zuteil. Eonwe kam zu ihnen und lehrte sie, und sie empfingen Weisheit und Macht und ein längeres Leben, als es je andre von sterblicher Art genossen. Ein Land wurde geschaffen, wo die Edain wohnen sollten und das weder zu Mittelerde noch zu Valinor gehörte, denn von beiden war es durch ein weites Meer geschieden; doch näher lag es bei Valinor. Es wurde von Osse aus den Tiefen des Großen Wassers emporgehoben, von Aule verankert und von Yavanna geschmückt; und die Eldar brachten aus Tol Eressea Blumen und Brunnen herbei. Dies Land nannten die Valar Andor, das Land der Gabe; und hell leuchtete Earendils Stern im Westen, zum Zeichen, daß alles bereit sei, und als Wegweiser über die See; und die Menschen bestaunten die silberne Flamme auf der Fährte der Sonne.

Da segelten die Edain auf die tiefen Wasser hinaus, dem Sterne nach; und die Valar geboten der See Frieden, viele Tage lang, und schickten Sonnenschein und guten Fahrtwind, daß die Wasser den Edain vor den Augen glitzerten wie flüssiges Glas, und die Gischt flog wie Schnee um den Bug ihrer Schiffe. So hell aber war Rothinzil, daß die Menschen es selbst morgens im Westen leuchten sahen, und in der wolkenlosen Nacht schien es ganz allein, denn kein andrer Stern konnte neben ihm bestehen. Nach ihm bestimmten die Edain ihren Kurs über das weite Meer, und endlich sahen sie im Westen das Land, das ihnen bereitet war, Andor, das Land der Gabe, wie es in goldnem Dunste schimmerte. Sie legten an und fanden ein mildes, fruchtbares Land und waren froh. Und sie nannten das Land Elenna, was »dem Stern nach« bedeutet, aber auch Anadûnê, das heißt »Westernis«, Númenóre in der Sprache der Hoch-Elben.

Dies war der Ursprung jenes Volkes, das im Grau-Elbischen die Dúnedain heißt: das Volk der Númenórer, der Könige unter den Menschen. Dem Schicksal des Todes aber, das Ilúvatar über das ganze Menschengeschlecht verhängt hatte, entgingen sie nicht, obgleich sie lange lebten und keine Krankheit kannten, ehe der Schatten auf sie fiel. So erlangten sie Weisheit und Ruhm und waren in allen Dingen den Erstgeborenen ähnlicher als die andren Menschenvölkern; sie waren von hohem Wuchs, größer als die größten unter den Söhnen von Mittelerde, und ihre Augen schimmerten hell wie die Sterne. Doch ihre Anzahl vermehrte sich im Lande nur langsam, denn zwar wurden ihnen Töchter und Söhne geboren, die noch schöner waren als ihre Eltern, aber es blieben wenige.

Die alte Hauptstadt, zugleich der Hafen von Númenor, lag an der Westküste, und sie hieß Andúnië, weil sie dem Sonnenuntergang zugekehrt war. Inmitten des Landes aber ragte ein hoher und steiler Berg auf, welcher der Meneltarma hieß, der Himmelspfeiler, und auf dem Gipfel war eine Stätte, die Eru Ilúvatar geweiht war, offen und ohne Dach; andre Tempel oder Heiligtümer gab es im Land der Númenórer nicht. Am Fuß des Berges wurden die Grabmäler der Könige erbaut, und nahebei auf einem Hügel lag Armenelos, die schönste aller Städte, und dort standen der Turm und die Zitadelle, die Elros errichtet hatte, Earendils Sohn; und ihn ernannten die Valar zum ersten König der Dúnedain.

Nun stammten Elros und Elrond, sein Bruder, zwar von den Drei Häusern der Edain ab, zum Teil aber auch von den Eldar und von den Maiar; den Idril von Gondolin und Lúthien, Melians Tochter, waren ihre Ahninnen. Die Valar dürfen zwar die Gabe des Todes, die den Menschen von Ilúvatar zuteil geworden, nicht widerrufen, was aber die Halb-Elben anging, so überließ Ilúvatar ihnen das Urteil; und ihr Urteil war, daß es den Söhnen Earendils freigestellt sein sollte, ihr eignes Schicksal zu wählen. Und Elrond wählte, daß er bei den Erstgeborenen bleiben wolle, und ihm wurde das Leben der Erstgeborenen gewährt.

Elros aber, der die Wahl traf, ein König der Menschen zu sein, wurde gleichfalls ein langes Leben gewährt, um ein vielfaches länger als das der Menschen von Mittelerde, und auch alle seine Nachkommen, die Könige und die Fürsten aus dem königlichen Hause, hatten ein langes Leben, selbst nach dem Maß der Númenórer. Elros aber lebte fünfhundert Jahre, und vierhundertundzehn Jahre lang regierte er Númenor.

In all den Jahren, während Mittelerde verfiel, da Licht und Wissen erloschen, lebten die Dúnedain unter dem Schutz der Valar und in Freundschaft mit den Eldar, und sie wuchsen an Leib und Geist. Denn obgleich das Volk noch die eigene Sprache gebrauchte, kannten und sprachen die Könige und die Edlen zugleich auch das Elbische, das sie in den Tagen der Bundesgenossenschaft erlernt hatten; und sie verkehrten noch mit den Eldar, ob mit denen aus Eressea, aus dem Westen oder aus Mittelerde. Und die Gelehrten unter ihnen lernten auch das Hoch-Eldarin, die Sprache des Segensreiches, worin viele Geschichten und Lieder vom Anbeginn der Welt erhalten waren; und sie schufen Buchstaben, Schriftrollen und Bücher, und in der Glanzzeit ihres Reiches schrieben sie viele Dinge von Wunder und Weisheit auf, die heute sämtlich vergessen sind. So kam es, daß alle Fürsten der Númenórer neben ihrem gewöhnlichen Namen einen zweiten Namen im Eldarin trugen; und ebenso die Städte und Lustschlösser, die sie in Númenor und an den Küsten der Hinnenlande erbauten.

Denn die Númenórer wurden mächtig in allen Künsten, und wäre es ihre Absicht gewesen, so hätten sie leicht die üblen Könige von Mittelerde in der Kriegführung und im Waffenschmieden zu übertreffen vermocht; doch waren sie friedliebende Menschen geworden. Vor allen anderen Künsten pflegten sie den Schiffbau und die Seefahrt, und sie wurden zu Seefahrern, die in der seither verkleinerten Welt nie wieder ihresgleichen haben werden; und Fahrten über die weiten Meere waren die Heldentaten und Abenteuer ihrer unerschrockenen Männer in den Tagen ihrer Jugend.

Doch verboten ihnen die Herren von Valinor, so weit nach Westen zu segeln, daß die Küsten von Númenor nicht mehr sichtbar waren; und lange Zeit waren die Dúnedain es zufrieden, obgleich sie den Sinn dieses Banns nicht recht verstanden. Manwes Absicht aber war, daß die Númenórer nicht versucht sein sollten, das Segensreich zu betreten oder die Grenzen zu überschreiten, die ihrem Glück gesetzt waren, wenn es sie nach der Unsterblichkeit der Valar und der Eldar verlangte und nach den Landen, wo alles von Dauer ist.

Denn in jenen Tagen lag Valinor noch in der sichtbaren Welt, und Ilúvatar erlaubte den Valar, dort einen Sitz auf Erden zu unterhalten, ein Andenken dessen, was hätte sein können, wäre nicht Morgoths Schatten auf die Welt gefallen. Den Númenórern war dies wohlbekannt, und bisweilen, wenn die Luft ganz klar war und die Sonne im Osten stand, hielten sie Ausschau und erblickten ganz weit im Westen eine weiß leuchtende Stadt auf einem fernen Gestade, mit einem großen Hafen und einem Turm. Damals waren die Númenórer weitsichtig; dennoch konnten nur die mit den schärfsten Augen dies sehen, vom Meneltarma herab oder von einem hochmastigen Schiff, das so weit, wie es erlaubt war, vor ihrer Westküste lag. Denn sie wagten es nicht, den Bann der Herren des Westens zu brechen. Die Weisen unter ihnen aber wußten, daß dies ferne Land noch nicht das Segensreich von Valinor war, sondern Avallóne, der Hafen der Eldar auf Eressëa, dem am weitesten östlich gelegenen der Unsterblichen Lande. Und von dort kamen bisweilen die Erstgeborenen nach Númenor gefahren, in ruderlosen Booten, wie weiße Vögel aus der untergehenden Sonne. Und vielerlei Geschenke brachten sie mit: Singvögel, und duftende Blumen und Kräuter von großer Heilkraft. Und sie brachten auch einen Setzling von Celeborn, dem Weißen Baum, der inmitten von Eressëa wuchs, und der wiederum war ein Setzling von Galathilion, dem Baum von Túna, dem Abbild Telperions, das Yavanna den Eldar im Segensreich geschenkt hatte. Und der Baum wuchs und blühte in den Königsgärten von Armenelos; Nimloth wurde er genannt, und seine Blüten öffneten sich des Abends und erfüllten die Schatten der Nacht mit ihrem Duft.

So gingen unter dem Bann der Valar die Fahrten der Dúnedain in jener Zeit immer nach Osten und nie nach Westen, von der Dunkelheit des Nordens bis zur Hitze des Südens und über den Süden hinaus in die Niedere Dunkelheit; sogar bis in die inneren Meere kamen sie und umrundeten Mittelerde; und von ihren hohen Steven erblickten sie die Tore des Morgens im Osten. Und bisweilen kamen die Dúnedain an die Ufer der Großen Lande, und sie erbarmten sich der verlassenen Welt von Mittelerde. In den Dunklen Jahren der Menschen setzten die Herren von Númenor wieder Fuß auf die westlichen Ufer, und noch wagte keiner ihnen zu widersprechen. Denn die meisten Menschen jenes Zeitalters unter dem Schatten waren nun schwach und furchtsam geworden. Vieles lehrten sie die Númenórer, als sie zu ihnen kamen. Den Weizen und den Wein brachten sie mit, und sie unterwiesen die Menschen, wie die Saat auszusäen und das Korn zu mahlen, wie das Holz zu schnitzen und der Stein zu meißeln sei, und wie sich das Leben ordnen lasse; so gut es ging in den Landen frühen Tods und dürftigen Glücks.

Da waren die Menschen von Mittelerde gestärkt, und hier und da an den westlichen Küsten wichen die hauslosen Wälder zurück, und Menschen schüttelten das Joch von Morgoths Sprößlingen ab und verlernten die Angst vor dem Dunkel. Und sie hielten das Andenken der hochgewachsenen Seekönige in Ehren und nannten sie Götter, nachdem sie wieder abgefahren, und hofften auf ihre Rückkehr; denn damals blieben die Númenórer niemals lange in Mittelerde, noch gründeten sie eigene Wohnsitze dort. Gen Osten mußten sie segeln, doch gen Westen kehrten stets ihre Herzen zurück.

Immer größer wurde nun diese Sehnsucht mit den Jahren, und die Númenórer begannen nach der Stadt der Unsterblichen zu hungern, die sie von fern sahen, und der Wunsch, ewig zu leben, dem Tode zu entgehen, dem Ende aller Freuden, wurde stark in ihnen; und mit ihrer Macht der Herrlichkeit wuchs auch ihre Unrast. Denn obgleich die Valar die Dúnedain mit langem Leben belohnt hatten, die Müdigkeit der Welt, die zuletzt doch kommt, konnten sie ihnen nicht abnehmen, und so starben sie, sogar die Könige aus dem Samen Earendils, und kurz war ihr Leben in den Augen der Eldar. So kam es, daß ein Schatten auf sie fiel – und vielleicht war der Wille Morgoths hier am Werk, der in der Welt noch umging. Und die Númenórer begannen zu murren, zuerst im Herzen und dann auch in offener Rede, gegen das Verhängnis der Menschen und am meisten gegen den Bann, der ihnen verbot, in den Westen zu fahren.

Und sie sprachen unter sich: »Warum sitzen die Herren des Westens dort in nie endendem Frieden, doch wir müssen sterben und gehen, ohne zu wissen wohin, und unser Haus zurücklassen und alles, das wir geschaffen? Und die Eldar sterben nicht, selbst jene nicht, die sich aufgelehnt gegen die Herren. Und da wir doch alle Meere gemeistert, und kein Wasser so wild oder weit ist, daß unsre

Schiffe nicht hinüberfänden, warum dürfen wir nicht nach Avallóne fahren, um unsre Freunde zu grüßen?«

Und manche gab es, die sagten: »Warum sollten wir nicht auch nach Aman fahren und dort vom Glück der Mächte kosten, und sei es auch nur für einen einzigen Tag? Sind wir denn nicht mächtig unter den Völkern von Arda?«

Die Eldar berichteten diese Worte den Valar, und Manwe war in Sorge, denn eine Wolke sah er heraufziehen über den Mittag von Númenor. Und er sandte Boten zu Dúnedain, die zu dem König und allen, die hören wollten, eindringliche Worte sprachen, das Schicksal und den Lauf der Welt betreffend.

»Das Schicksal der Welt«, sagten sie, »es kann der Eine nur ändern, der sie erschaffen. Und kämet ihr auf eurer Fahrt durch allen Trug und alle Gefahr wirklich nach Aman ins Segensreich, wenig würde es euch nützen. Denn nicht Manwes Land macht seine Bewohner unsterblich, sondern die Unsterblichen, die dort wohnen, haben das Land geheiligt; ihr aber müßtet nur verdorren und würdet die Welt um so früher leid, wie Motten, wenn das Licht zu heiß ist.«

Der König aber erwiderte: »Und lebt den Earendil nicht, mein Vorvater? Und ist er nicht im Lande Aman?«

Worauf die Boten antworteten: »Du weißt, sein eigenes Schicksal hat er, und den Erstgeborenen wurde er gleichgestellt, die nicht sterben; doch auch dies wurde über ihn gesprochen, daß er nie mehr in die Lande der Sterblichen zurückkehren darf. Du und dein Volk aber, ihr gehört nicht zu den Erstgeborenen, sondern sterbliche Menschen seid ihr, so wie euch Ilúvatar geschaffen. Es scheint, die Vorteile beider Geschlechter wollt ihr genießen, nach Valinor zu fahren und wieder heimzukehren, wenn es euch beliebt. Dies kann nicht sein. Auch können die Valar Ilúvatars Gaben nicht wegnehmen. Die Eldar, so sagt ihr, bleiben straflos, und selbst die, welche sich aufgelehnt, sterben nicht. Doch weder Lohn noch Strafe ist dies für die Eldar, sondern Erfüllung ihres Seins. Sie können diese Welt nicht fliehen und sind gehalten, sie nie zu verlassen, solange sie dauert, denn die Welt ist ihr Leben. Und ihr, so sagt ihr, werdet bestraft für den Aufruhr der Menschen, an dem ihr nicht teilgehabt, und müßtet deshalb sterben. Nicht zur Strafe aber war dies euch zu Anfang bestimmt. Ihr entflieht und verlaßt die Welt und seid nicht an sie gebunden in Hoffnung oder Schmerz. Wer von uns soll daher den andren beneiden?«

Und die Númenórer erwiderten: »Wie könnten wir nicht die Valar beneiden oder selbst den Geringsten unter den Unsterblichen? Denn von uns wird blindes Vertrauen verlangt, Hoffnung ohne Gewißheit, und wir wissen nicht, was uns erwartet, schon in kurzer Zeit. Und doch lieben auch wir die Erde und mögen sie nicht verlassen.«

Da sagten die Boten: »Zwar sind Ilúvatars Absichten, euch betreffend, den Valar unbekannt, und nicht alles hat er verraten, was noch sein wird. Dies aber halten wir für wahr: Eure Heimat ist nicht hier, weder im Lande Aman noch irgendwo in den Kreisen der Welt. Und das Schicksal der Menschen, scheiden zu müssen, war zu Anfang eine Gabe Ilúvatars. Leid wurde es ihnen nur, weil sie unter Morgoths Schatten fielen, und da schien es ihnen, als wären sie von einer großen Dunkelheit umgeben, vor der sie sich fürchteten; und manche wurden eigensinnig und stolz und wollten das Leben nicht lassen, bis sie hingerafft wurden. Wir, die wir eine Last von Jahren zu tragen haben, die immer noch schwerer wird, können dies nicht gut verstehen. Wenn aber, wie ihr sagt, dieses Leid euch nun wieder quält, so fürchten wir, daß der Schatten sich abermals erhebt und wächst in euren Herzen. Deshalb, auch wenn ihr die Dúnedain seid, die edelsten unter den Menschen, die einst vor dem Schatten geflohen sind und tapfer gegen ihn gekämpft haben, sagen wir: Hütet euch! Erus Wille kennt keinen Widerspruch, und die Valar gebieten euch ernstlich, das Vertrauen nicht zu verweigern, das ihr ihnen schuldet, damit dies nicht bald wieder zu einer Kette werde, die euch drückt. Hoffet vielmehr, daß am Ende auch die geringsten unter euren Wünschen Frucht tragen werden. Die Liebe zu Arda hat Ilúvatar euch ins Herz gepflanzt, und nichts pflanzt er ohne Absicht. Dennoch, vieler Ungeborener Leben mag noch hingehen, ehe diese Absicht bekannt wird; und euch wird sie enthüllt werden, nicht den Valar.«

Dies geschah in den Tagen Tar-Ciryatans des Schiffbauers und seines Sohnes Tar-Atanamir; beide waren stolze Menschen, begierig nach Reichtum, lieber nehmend als gebend, und den Menschen von Mittelerde legten sie nun Tribut auf. Zu Tar-Atanamir waren die Boten gekommen, dem dreizehnten König. Mehr als zweitausend Jahre hatte das Reich der Númenórer zu seiner Zeit bestanden, und der Zenit seines Glücks war erreicht, doch noch nicht seiner Macht. Wenig behagte Atanamir der Rat der Boten, und er schenkte ihm keine Achtung, darin gefolgt von der Mehrzahl der Númenórer, denn sie wünschten noch zu ihrer Zeit dem Tod zu entgehen und nicht hoffen und warten zu müssen. Und Atanamir wurde sehr alt und klammerte sich noch ans Leben, als es längst keine Freude mehr war; und er war der erste der Númenórer, der dies tat. Er wollte nicht scheiden, bis das Alter ihn verblödete und entmannte, und er verweigerte seinem Sohn die Nachfolge, als der in den besten Jahren stand. Denn unter den Fürsten von Númenor war es Brauch gewesen, spät zu heiraten und die Herrschaft den Söhnen abzutreten, sobald diese an Körper und Geist voll erwachsen waren.

Dann wurde Tar-Ancalimon König, Atanamirs Sohn, und er war gleichen Sinnes; zu seiner Zeit spaltete sich das Volk von Númenor. Die größere Partei auf der einen Seite nannte man die Gefolgsleute des Königs, und diese wurden hochmütig und fremd den Eldar und Valar. Die kleinere Partei auf der Gegenseite nannte man die Elendili, die Elbenfreunde, denn sie blieben zwar gleichfalls dem König und dem Hause Elros' ergeben, wollten aber mit den Eldar Freundschaft halten und hörten auf den Rat der Herren des Westens. Doch blieben auch sie, die sich selbst die Getreuen nannten, von der Heimsuchung ihres Volkes nicht verschont, und auch sie betrübte der Gedanke an den Tod.

So wurde das Glück von Westernis geschmälert, seine Macht aber und sein Glanz wuchsen weiterhin. Denn die Könige und ihr

Volk hatten all ihr Wissen noch nicht verloren, und wenn sie die Valar nun auch nicht mehr liebten, sie fürchteten sie noch immer. Den Bann zu brechen und offen über die ihnen gewiesenen Grenzen hinauszufahren wagten sie nicht. Immer noch steuerten sie ihre hochmastigen Schiffe gen Osten. Dunkler und dunkler aber bedrückte sie die Furcht vor dem Tode, und mit allen Mitteln zögerten sie ihn hinaus; und sie begannen große Häuser für ihre Toten zu bauen, während ihre Weisen sich ohne Unterlaß bemühten, das Geheimnis zu entdecken, wie sie das Leben zurückrufen oder doch wenigstens die Tage der Menschen verlängern könnten. Doch nur in der Kunst, der Menschen totes Fleisch unverwest zu erhalten, brachten sie es zur Vollendung, und sie erfüllten das ganze Land mit stillen Gräbern, worin der Gedanke an den Tod ins Dunkel eingeschreint war. Die Lebenden aber gaben sich um so eifriger den Festen und Gelagen hin und strebten nach immer mehr Gütern und Schätzen. Nach der Zeit Tar-Ancalimons wurde es versäumt, die ersten Früchte Eru zu opfern, und nur mehr selten besuchten Menschen die Heilige Stätte auf dem Gipfel des Meneltarma inmitten des Landes.

So geschah es auch, daß die Númenórer zu jener Zeit die ersten Städte an den westlichen Küsten der alten Lande gründeten; denn ihr eigenes Land erschien ihnen wie eingeschrumpft, und sie hatten dort nicht mehr Rast noch Ruhe; und da ihnen der Westen verschlossen blieb, verlangte es sie nun nach Macht und Reichtum in Mittelerde. Große Häfen bauten sie und starke Türme, und viele ließen sich dort nieder; doch traten sie nun eher als Herren und Meister und Tributjäger auf denn als Helfer und Lehrer. Und die großen Schiffe der Númenórer wurden von den Winden ostwärts getrieben und kehrten stets beladen zurück, und ihre Könige mehrten Macht und Ruhm; und sie tranken und feierten und kleideten sich in Silber und Gold.

An all dem nahmen die Elbenfreunde wenig Anteil. Sie allein fuhren nun stets nach Norden und kamen ins Land Gil-galads, um die Freundschaft mit den Elben zu pflegen und ihnen gegen Sauron

Hilfe zu leisten; und ihr Hafen war Pelargir, oberhalb der Mündungen des Anduin, des Großen Stromes. Die Gefolgsleute des Königs aber fuhren in den fernen Süden; und die Fürstentümer und Hochburgen, die sie dort schufen, haben viele Gerüchte in den Sagen der Menschen hinterlassen.

Wie anderswo erzählt wird, stand Sauron in diesem Alter wieder auf in Mittelerde und machte sich von neuem ans Werk, wie es ihn Morgoth gelehrt, als er in seinem Dienste mächtig wurde. Schon in den Tagen Tar-Minastirs, des elften Königs von Númenor, hatte er das Land Mordor befestigt und den Turm von Barad-dûr erbaut, und hernach strebte er unablässig nach der Herrschaft über Mittelerde, denn ein König aller Könige wollte er werden und ein Gott für die Menschen. Und Sauron haßte die Númenórer, für die Taten ihrer Väter und für ihr altes Bündnis mit den Elben und für ihre Ergebenheit gegen die Valar; auch vergaß er nicht die Hilfe, die Tar-Minastir einst Gil-galad erwiesen, zu der Zeit, als der Eine Ring geschmiedet wurde und der Krieg war zwischen Sauron und den Elben in Eriador. Nun erfuhr er, daß die Könige der Númenórer größer und mächtiger geworden seien, und um so mehr haßte er sie; doch fürchtete er, sie könnten in sein Land eindringen und ihm die Herrschaft im Osten entreißen. Lange Zeit wagte er es nicht, den Herren der See die Stirn zu bieten, und von den Küsten hielt er sich fern.

Doch Sauron wußte immer neue Ränke, und es heißt, unter jenen, die er mit den Neun Ringen betörte, seien drei große Fürsten von númenórischer Abkunft gewesen. Und als die Úlairi auftraten, welche die Ringgeister, seine Diener, waren, und seine Schreckensherrschaft über die Menschen stärkten, da begann er die festen Plätze der Númenórer an den Küsten anzugreifen.

In jener Zeit wurde der Schatten tiefer auf Númenor; und das Leben der Könige aus dem Hause Elros' schwand dahin, weil sie sich aufgelehnt hatten, doch um so mehr nur verhärtete sich ihr Herz gegen die Valar. Und der neunzehnte König nahm das Szepter seiner Väter und bestieg den Thron unter dem Namen Adûnakhor, Herr des

Westens; er entriet der Elbensprachen und verbot ihren Gebrauch in seiner Gegenwart. In die Rolle der Könige aber wurde sein Name als Herunúmen eingetragen, in der Hochsprache der Elben, nach alter Sitte, mit der ganz zu brechen die Könige sich scheuten, um kein Unheil zu beschwören. Dieser Titel nun erschien den Getreuen gar zu anmaßend, war es doch der Titel der Valar; und schwer geprüft wurden ihre Herzen im Widerstreit zwischen der Ergebenheit gegen das Haus Elros' und der Ehrfurcht vor den ernannten Mächten. Doch Ärgeres stand noch bevor. Denn Ar-Gimilzôr, der zweiundzwanzigste König, war der schärfste Feind der Getreuen. Zu jener Zeit wurde der Weiße Baum nicht mehr gehegt und begann abzusterben; und der König verbot streng den Gebrauch der Elbensprachen und bestrafte jeden, der die Schiffe von Eressea empfing, die heimlich noch an die Westküste des Landes kamen.

Nun lebten die meisten der Elendili in den westlichen Gebieten von Númenor; doch Ar-Gimilzôr befahl allen, in denen er Anhänger dieser Partei erkannte, aus dem Westen in den Osten zu ziehen; und dort standen sie unter Aufsicht. Und die größte Ortschaft der Getreuen lag so in späterer Zeit bei dem Hafen Rómenna; von dort schifften sich viele nach Mittelerde ein, nach den nördlichen Küsten, wo sie noch mit den Eldar in Gil-galads Königreich sprechen konnten. Den Königen war dies wohl bekannt, doch hinderten sie es nicht, solange die Elendili aus ihrem Lande schieden und nicht mehr wiederkamen, denn die Könige wollten aller Freundschaft zwischen ihrem Volk und den Eldar von Eressea, welche sie die Spione der Valar nannten, ein Ende machen; so hofften sie, ihr Tun und Denken vor den Herren des Westens verborgen zu halten. Doch Manwe wußte von allem, was sie taten, und die Valar zürnten den Königen von Númenor und gewährten ihnen nicht mehr Schutz noch Rat; und von Eressea kamen keine Schiffe mehr aus dem Sonnenuntergang, und der Hafen von Andúnië lag verlassen.

Höchste Ehren nach dem Haus der Könige genossen die Herren von Andúnië, denn sie waren von Elros' Geblüt und stammten von

Silmarien ab, der Tochter Tar-Elendils, des vierten Königs von Númenor. Sie waren den Königen ergeben und ehrten sie, und der Herr von Andúnië saß immer unter den vertrautesten Räten des Szepters. Von Anfang an aber brachten sie auch den Eldar Liebe und den Valar Ehrfurcht entgegen, und als der Schatten dichter wurde, halfen sie den Getreuen, so gut sie konnten. Lange aber erklärten sie sich nicht offen und versuchten lieber, die Herzen der Edlen im Rat mit Klugheit zu bessern.

Nun lebte eine Dame namens Inzilbêth, deren Schönheit gerühmt wird, und ihre Mutter war Lindórië, die Schwester Earendurs, des Fürsten von Andúnië zur Zeit Ar-Sakalthôrs, welcher der Vater von Ar-Gimilzôr war. Gimilzôr nahm sie zur Frau, gegen ihre Neigung, denn im Herzen hielt sie zu den Getreuen, wie ihre Mutter, die sie unterwiesen hatte; aber die Könige und ihre Söhne waren stolz geworden, und gegen ihre Wünsche gab es keine Widerrede. Keine Liebe war zwischen Ar-Gimilzôr und seiner Königin, und auch nicht zwischen ihren Söhnen. Inziladûn, der ältere, war im Geiste wie in der Erscheinung seiner Mutter ähnlich; Gimilkhâd, der jüngere, aber kam nach seinem Vater, nur wurde er noch eitler und selbstherrlicher als dieser. Lieber ihm als den Ältesten hätte Ar-Gimilzôr das Szepter übertragen, doch die Gesetze erlaubten es nicht.

Als aber Inziladûn das Szepter erlangte, nahm er wieder einen Titel in der Eldarinsprache an, nach altem Brauch; er nannte sich Tar-Palantir, denn weitsichtig war sein Auge wie sein Geist, und selbst wer ihn haßte, fürchtete seine Worte als die Worte eines Sehers. Er gab den Getreuen für eine Zeitlang Frieden, und wenn die Jahreszeit es gebot, ging er wieder zu dem Heiligtum Erus auf dem Meneltarma, das Ar-Gimilzôr mißachtet hatte. Den Weißen Baum hielt er wieder in Ehren; und er prophezeite, wenn der Baum verderbe, dann werde auch das Geschlecht der Könige enden. Doch zu spät kam seine Reue, um den Zorn der Valar über die Anmaßung seiner Väter zu besänftigen, zumal der größere Teil seines Volkes nichts bereute. Und Gilmilkhâd war stark und unversöhnt, und er wurde zum Anführer derer, welche man die Gefolgsleute des Königs genannt hatte, und er widersetzte sich dem Willen seines Bruders, offen, wo er es wagen konnte, und mehr noch im Geheimen. So wurden die Tage Tar-Palantirs von Sorge verdunkelt, und er verbrachte viel Zeit an der Westküste, wo er oft den alten Turm des Königs Minastir bestieg, auf dem Hügel von Oromet bei Andúnië, und von dort spähte er sehnsüchtig nach Westen, hoffend, daß er vielleicht auf dem Meer ein Segel erblicke. Doch kein Schiff kam je mehr aus dem Westen nach Númenor, und Avallóne lag in Wolken verhüllt.

Gimilkhâd starb zwei Jahre vor dem zweihundertsten Jahr seines Lebens (was als ein früher Tod galt für einen von Elros' Geblüt, selbst noch im Niedergang), dem König aber brachte dies keinen Frieden. Denn Pharazôn, Gimilkhâds Sohn, war noch unruhiger als sein Vater, noch gieriger nach Macht und Gütern. Er hatte viel in fernen Ländern gekämpft, als Hauptmann in den Kriegen, mit denen die Númenórer damals die Küstenlande von Mittelerde überzogen, um ihre Herrschaft über die Menschen zu erweitern; und so stand er in hohem Ansehen als Heerführer zu Wasser und zu Lande. Als er daher vom Tode seines Vaters erfuhr und nach Númenor zurückkehrte, flogen die Herzen des Volkes ihm zu, denn er brachte große Reichtümer mit, die er fürs erste großzügig verteilte.

Und es geschah, daß Tar-Palantir der Sorgen müde wurde und starb. Er hatte keinen Sohn, nur eine Tochter, die er in der Elbensprache Míriel genannt hatte, und ihr nun fiel nach Recht und Gesetz der Númenórer das Szepter zu. Pharazôn aber nahm sie gegen ihren Willen zur Frau, und zu diesem Unrecht kam ein zweites, denn die Gesetze von Númenor verboten denen die Ehe, die näher denn als Vettern zweiten Grades blutsverwandt waren, und dies galt auch für das Königshaus. Nach der Hochzeit nahm er das Szepter in die eigenen Hände und legte sich den Titel Ar-Pharazôn bei (Tar-Calion in der Eldarinsprache); und der Königin gab er den Namen Ar-Zimraphel.

Von allen, die je seit der Gründung von Númenor das Szepter der

Seekönige geführt hatten, war Ar-Pharazôn der Goldene am mächtigsten und stolzesten; und dreiundzwanzig Könige, die nun in ihren tiefen Gräbern unter dem Gipfel des Meneltarma und auf goldenen Betten schliefen, hatten vor ihm die Númenórer regiert.

Und wie er nun auf seinem gemeißelten Thron in der Stadt Armenelos saß, in dunklem Brüten, sann er auf Krieg. Denn in Mittelerde hatte er erfahren, wie stark Saurons Reich war und wie sehr Sauron Westernis haßte. Und dann kamen die Hauptleute und Kapitäne aus dem Osten zu ihm und berichteten, wie Sauron alle Kräfte aufgeboten hatte, seit Ar-Pharazôn Mittelerde verlassen, und wieder gegen die Küstenstädte vorrückte. Sauron hatte nun den Titel eines Königs der Menschen angenommen und erklärte offen seine Absicht, die Númenórer ins Meer zu treiben und auch Númenor zu vernichten, sobald er es vermochte.

Groß war Ar-Pharazôns Zorn über diese Nachrichten, und während er lange und heimlich nachsann, erfüllte sich sein Herz mit dem Wunsch nach unumschränkter Macht und Alleinherrschaft seines Willens. Und er entschied, unberaten von den Valar und von allen außer ihm selbst, daß er für sich den Titel des Königs der Menschen fordern, Sauron aber zwingen werde, ihm zu dienen und Gefolgschaft zu leisten; denn in seinem Stolz glaubte er, nie werde je ein König erstehen, mächtig genug, um mit Earendils Erben zu streiten. Daher begann er zu jener Zeit, große Vorräte an Waffen zu schmieden; und viele Kriegsschiffe baute er und rüstete sie; und als alles bereit war, fuhr er selbst mit seinem ganzen Heer nach Osten.

Und die Menschen sahen seine Segel vom Sonnenuntergang her kommen, wie in Purpur getaucht, rot und golden schimmernd, und Furcht befiel die Küstenbewohner, und sie flohen weit von dannen. Die Flotte aber gelangte schließlich zu jenem Ort, der Umbar genannt wurde, wo sich der gewaltige Hafen der Númenórer befand, der nicht von Menschenhand gebaut war. Leer und still lagen die Lande ringsum, als der König der See Mittelerde betrat. Sieben Tage lang zog er mit Standarten und Trompeten durchs Land, und dann kam er zu einem Hügel und stieg hinauf, und dort schlug er sein Königszelt und seinen Thron auf und setzte sich nieder, mitten im Lande, und rings um ihn reihten sich die Zelte seines Heeres, blau, golden und weiß, wie ein Feld großer Blumen. Dann schickte er Herolde aus und befahl Sauron, herbeizukommen und ihm Gefolgschaft zu schwören.

Und Sauron kam. Aus seinem mächtigen Turm von Barad-dûr kam er, und keine Schlacht bot er an. Denn er erkannte, daß die Macht und Herrlichkeit der Seekönige jedes Gerücht übertraf, so daß auch auf die stärksten unter seinen Dienern kein Verlaß war; und er sah die Zeit noch nicht gekommen, wo er nach seinem Willen mit den Dúnedain verfahren mochte. Und findig, wie er war, wußte er sein Ziel mit List zu erreichen, wo Gewalt nicht half. Also demütigte er sich vor Ar-Pharazôn und sprach mit glatter Zunge; und die Menschen staunten, denn was immer er sagte, schien weise und gerecht.

Ar-Pharazôn aber war nicht leicht zu täuschen, und ihm kam es in den Sinn, daß er Saurons und seiner Treueschwüre sicherer wäre, wenn er ihn nach Númenor brächte, als Geisel für ihn selbst und all seine Diener in Mittelerde. Dem stimmte Sauron zu, wie einer, dem man Zwang antut, insgeheim aber frohlockte er, denn es stimmte zu seinen Plänen. Und Sauron fuhr übers Meer und sah das Land Númenor und die Stadt Armenelos in den Tagen ihres Glanzes, und er war bestürzt; um so mehr aber ging ihm das Herz über vor Neid und Haß.

So gewitzt aber waren sein Geist und seine Reden und so stark sein verhohlener Wille, daß er binnen drei Jahren zum engsten Vertrauten unter des Königs geheimen Räten wurde; denn honigsüße Schmeicheleien gingen ihm stets von der Zunge, und Kenntnis hatte er von vielen den Menschen noch verborgenen Dingen. Und als er einmal in der Gunst ihres Herrn stand, da begannen auch die anderen Räte des Königs vor ihm zu kriechen, nur einer nicht, Amandil, der Fürst von Andúnië. Langsam kam nun ein Wandel über das Land, und die Herzen der Elbenfreunde wurden streng geprüft, und viele sagten ihnen ab aus Furcht; und obwohl die restlichen sich immer noch die Getreuen nannten, hießen ihre Feinde sie nun Rebellen. Denn jetzt, da er das Ohr der Menschen hatte, widerlegte Sauron mit hundert Gründen alles, was die Valar gelehrt hatten; er machte die Menschen glauben, daß es auf der Welt, im Osten und sogar im Westen, noch viele Meere und Länder für sie zu erobern gäbe, mit unermeßlichen Reichtümern. Und überdies, sollten sie schließlich doch ans Ende dieser Länder und Meere kommen, so war draußen noch das Alte Dunkel. »Und aus ihm wurde die Welt erschaffen. Denn dem Dunkel allein gebührt Verehrung, und der Fürst desselben kann noch andere Welten erschaffen, jenen zum Geschenk, die ihm dienen, so daß ihnen Macht ohne Erde zuwachsen soll.«

Und Ar-Pharazôn sagte: »Wer ist der Fürst des Dunkels?«

Dann, hinter verschlossenen Türen, sprach Sauron zu dem König, und er log, als er sagte: »Er ist es, dessen Name heute nicht mehr ausgesprochen wird; denn über ihn haben die Valar euch belogen, den Namen eines Eru vorschützend, eines Phantoms, das sie in ihrem Wahnsinn erfunden, um die Menschen in Knechtschaft an sich zu ketten. Denn sie sind das Orakel dieses Eru, der nur sagt, was sie wollen. Doch er, welcher ihr Meister ist, wird dennoch siegen und euch von diesem Phantom befreien. Und sein Name ist Melkor, Herr und Befreier des Alls, und er wird euch helfen, stärker zu werden als sie.«

Darauf huldigte der König Ar-Pharazôn dem Dunkel und Melkor, dem Herrn desselben, zuerst insgeheim, bald aber offen und vor seinem Volke; und die Mehrzahl tat es ihm nach. Doch lebte noch ein kleiner Rest der Getreuen, wie schon erzählt, in Rómenna und in der Nachbarschaft, und hier und da gab es noch einige wenige im ganzen Land. Die Angesehenen unter ihnen, von denen die andern in schlechten Tagen Führung und Zuversicht erwarteten, waren Amandil, der Rat des Königs, und sein Sohn Elendil, dessen Söhne Isildur und Anárion zu jener Zeit nach der Rechnung von Númenor noch junge Männer waren. Amandil und Elendil waren große Schiffs-kapitäne; sie entstammten Elros' Tar-Minyaturs Geschlecht, ob-gleich nicht der regierenden Linie, welcher die Krone und der Thron in der Stadt Armenelos gehörten. In den Tagen ihrer gemeinsamen Jugend war Amandil Pharazôn teuer gewesen, und obgleich er zu den Elbenfreunden gehörte, blieb er im Rate, bis Sauron kam. Dann wurde er entlassen, denn ihn haßte Sauron mehr als alle anderen in Númenor. Doch er war von so edler Geburt und war ein so mächtiger Schiffsführer gewesen, daß er bei vielen im Volke immer noch hoch in Ehren stand, und weder der König noch Sauron wagten es, Hand an ihn zu legen.

Amandil zog sich daher nach Rómenna zurück und gebot allen, denen er noch traute, heimlich dorthin zu kommen; denn er fürch-tete, das Unheil werde nun rasch zunehmen, und alle sah er in Ge-fahr. Und bald darauf kam es so. Denn der Meneltarma wurde in je-nen Tagen ganz verlassen. Zwar wagte selbst Sauron nicht, die heilige Stätte zu entweihen, doch ließ der König bei Todesstrafe nie-manden mehr hinauf, auch nicht jene Getreuen, die Ilúvatar im Her-zen behielten. Und Sauron drängte den König, den Weißen Baum abzuhauen, Nimloth den Schönen, der in seinen Gärten wuchs, denn er war ein Andenken an die Eldar und das Licht von Valinor.

Anfangs mochte der König dem nicht nachgeben, glaubte er doch, daß die Geschicke seines Hauses mit dem Baum verknüpft seien, wie es Tar-Palantir geweissagt. Er, welcher die Eldar und die Valar nun haßte, klammerte sich in seinem Wahn noch vergebens an den Schatten der alten Bündnispflichten von Númenor. Als aber Amandil von Saurons bösem Vorhaben Meldung erhielt, war er von Herzen bekümmert, denn er wußte, am Ende würde Sauron gewiß seinen Willen haben. Er sprach nun zu Elendil und seinen Söhnen über die Geschichte der Bäume von Valinor; und Isildur sagte nicht ein Wort, doch nachts ging er und leistete eine Tat, für die er später gerühmt wurde. Denn allein und in Verkleidung drang er in die Kö-nigsgärten von Armenelos ein, die zu betreten den Getreuen nun verwehrt war. Und er trat zu dem Baum, was auf Saurons Befehl für jedermann verboten war, und Tag und Nacht wurde der Baum von Saurons Dienern bewacht. Zu jener Zeit war Nimloth dunkel und trug keine Blüten, denn es war spät im Herbst, und sein Winter war nah. Und Isildur schlich zwischen den Wachen hindurch und brach eine Frucht, die an dem Baume hing, und wandte sich zum Gehen. Aber die Wächter hatten ihn bemerkt und stürzten sich auf ihn, und er schlug sich nach draußen durch, schwer verwundet. Er entkam, und weil er verkleidet war, blieb unentdeckt, wer er war, der an den Baum Hand gelegt hatte. Isildur aber gelangte zuletzt nach Rómenna zurück, und kaum hatte er die Frucht Amandil übergeben, als ihn die Kräfte verließen. Dann wurde die Frucht heimlich eingepflanzt, und Amandil segnete sie; und ein Schößling wuchs aus ihr empor und trieb Knospen im Frühling. Als sich aber das erste Blatt öffnete, da erhob sich Isildur, der lange auf den Tod darniedergelegen hatte, und seine Wunden behelligten ihn nicht mehr.

Nicht zu früh hatte er dies getan, denn nach diesem Vorfall gab der König Sauron nach und ließ den Weißen Baum fällen; und nun wandte er sich ganz von dem Bündnis seiner Väter ab. Sauron aber ließ auf dem Hügel mitten in der Stadt der Númenórer, Armenelos der Goldenen, einen gewaltigen Tempel erbauen; und der war kreisförmig am Grunde, und dort waren die Mauern fünfzig Fuß dick, und die Grundfläche maß fünfhundert Fuß durch die Mitte, und die Wände stiegen fünfhundert Fuß hoch über den Boden auf und wurden von einer mächtigen Kuppel gekrönt. Ganz von Silber war die Kuppel, und erhob sich schimmernd in der Sonne, und weithin sah man sie leuchten; bald aber wurde ihr Glanz stumpf, und das Silber schwärzte sich. Denn inmitten des Tempels war ein Feueraltar, und im Gipfelpunkt der Kuppel war ein Abzug, woraus eine mächtige Rauchwolke aufstieg. Und das erste Feuer auf dem Altar entfachte Sauron mit dem Holz des abgehauenen Nimloth, und es knisterte und verbrannte; den Menschen aber wurde beklommen von dem

Dunste, der davon aufstieg, so daß sieben Tage lang das Land unter einer Wolke lag, bis sie langsam nach Westen abzog.

Von nun an stiegen Feuer und Rauch auf ohne Unterlaß; denn Saurons Macht wuchs mit jedem Tag, und mit Blutvergießen, Martern und großer Verruchtheit brachten die Menschen im Tempel dem Melkor Opfer dar, daß er sie vom Tod erlöse. Und unter den Getreuen wählten sie die meisten Opfer, doch ohne ihnen offen zur Last zu legen, daß sie Melkor, den Befreier, nicht ehrten; vielmehr schob man andre Klagen gegen sie vor, daß sie den König haßten und gegen ihn rebellierten oder daß sie sich gegen ihr Volk verschworen hätten und Lügen und Gift ausstreuten. Wenig Wahres war an diesen Klagen; doch es waren bittre Tage, und Haß erzeugt Haß.

All dies aber trieb den Tod nicht aus dem Land, vielmehr kam er nun früher und öfter und in hundert Schreckensgestalten. Denn während einstmals die Menschen langsam alt wurden und sich am Ende, der Welt müde, zum Schlafe legten, so fielen jetzt Wahnsinn und Krankheit über sie her; und sie fürchteten sich, zu sterben und ins Dunkel zu treten, ins Reich jenes Herrn, den sie sich erwählt hatten; und im Todeskampf verfluchten sie sich selbst. Und Männer griffen zu den Waffen in jenen Tagen und erschlugen einander aus nichtigem Grund; denn sie waren jähzornig geworden, und Sauron oder jene, die er an sich gebunden, gingen im Land um und hetzten Mann gegen Mann auf, so daß das Volk gegen den König und gegen die Edlen murrte und gegen jeden, der etwas besaß, das es nicht besaß; und die Mächtigen übten grausame Rache.

Dennoch schien es den Númenórern lange Zeit, daß sie wohl gediehen, und wenn sie schon nicht glücklicher wurden, so wurden sie doch noch stärker, und ihre Reichen wurden immer reicher. Denn mit Saurons Rat und Hilfe mehrten sie ihren Besitz, und sie bauten Maschinen und immer größere Schiffe. Und nach Mittelerde fuhren sie nun nur noch gewappnet und gepanzert, und sie kamen nicht mehr mit Geschenken, sondern mit blutigem Krieg. Sie machten Jagd auf die Menschen von Mittelerde, nahmen ihnen ihre Habe und versklavten sie; und viele schlachteten sie grausam auf ihren Altären. Denn auch in ihren Festungen bauten sie zu jener Zeit Tempel und große Grabmäler; und die Menschen fürchteten sich vor ihnen, und das Andenken der freundlichen Könige der alten Zeit verschwand aus der Welt und wurde von manch einer Greuelgeschichte verdunkelt.

So wurde Ar-Pharazôn, der König des Sternenlandes, zum mächtigsten Tyrannen, den die Welt seit der Herrschaft Morgoths gekannt hatte, doch in Wahrheit stand Sauron hinter dem Thron und beherrschte alles. Aber die Jahre gingen hin, und der König fühlte den Schatten des Todes nahen, als seine Tage länger wurden; und er war voller Angst und Wut. Nun kam die Stunde, die Sauron vorbereitet und lange erwartet hatte. Und Sauron sprach zu dem König und sagte, so groß sei nun seine Stärke, daß er daran denken könne, seinen Willen in allem zu haben, ohne Rücksicht auf jeden Befehl oder Bann.

Und er sagte: »Des Landes, wo kein Tod ist, haben die Valar sich bemächtigt; und was dies Land angeht, belügen sie dich und verstekken es vor dir, so gut sie nur können, denn geizig sind sie und voller Furcht, die Könige der Menschen möchten ihnen das todlose Land entreißen und die Welt an ihrer Statt regieren. Und wenn auch, ohne Zweifel, die Gabe unendlichen Lebens nicht für jeden ist, sondern nur für die Würdigen, Männer von Macht und Stolz und hoher Geburt, so geschieht es doch wider alles Recht, daß diese Gabe dem vorenthalten wird, dem sie gebührt, dem König aller Könige, Ar-Pharazôn, dem Mächtigsten unter allen Erdensöhnen, mit dem einzig Manwe zu vergleichen wäre, wenn überhaupt einer. Große Könige aber lassen sich nichts verweigern und nehmen sich, was ihnen zukommt.«

Ar-Pharazôn hörte auf Sauron, denn er war von Sinnen, und der Schatten des Todes lag auf ihm, und seine Zeit lief ab; und im Herzen begann er zu erwägen, wie er gegen die Valar Krieg führen könnte. Lange rüstete er für diesen Plan; er sprach nicht offen davon, doch nicht vor allen ließ er sich verbergen. Und Amandil, dem des Königs Absichten deutlich wurden, war bestürzt und voll tiefer Furcht, denn er wußte, daß Menschen nicht die Valar im Kriege besiegen konnten und daß die Welt in Trümmer gehen mußte, wenn dem kein Halt geboten wurde. Daher rief er seinen Sohn Elendil zu sich und sagte zu ihm:

»Dunkel sind die Tage, und keine Hoffnung ist für die Menschen, denn der Getreuen sind wenige. Daher habe ich beschlossen, jenen Ausweg zu suchen, den einst unser Vorvater Earendil fand, und in den Westen zu fahren, ob auch der Bann es verbiete, und zu den Valar zu sprechen, ja zu Manwe selbst, wenn es sein kann, und seine Hilfe zu erflehen, ehe alles dahin ist.«

»Willst du also den König verraten?« sagte Elendil. »Denn du weißt wohl, welche Klage sie gegen uns führen, daß wir Verräter und Spione seien, und bis auf diesen Tag ist das falsch gewesen.«

»Wenn ich glaubte, daß Manwe eines solchen Boten bedarf«, sagte Amandil, »so würde ich den König verraten. Denn nur eine Treuepflicht gibt es, von der kein Mensch aus keinem Grunde im Herzen freigesprochen werden kann. Was ich aber erbitten will, ist Erbarmen mit den Menschen und ihre Befreiung von Sauron, dem Betrüger, denn einige wenige sind treu geblieben. Und was den Bann angeht, so will ich selbst die Strafe erleiden, damit nicht mein ganzes Volk schuldig werde.«

»Doch was glaubst du, mein Vater, was die aus deinem Hause erwartet, die du zurückläßt, wenn deine Tat bekannt wird?«

»Sie muß nicht bekannt werden«, sagte Amandil. »Ich will die Fahrt insgeheim vorbereiten und zuerst nach Osten segeln, wohin jeden Tag aus unsren Häfen Schiffe abfahren; dann aber, wie der Wind und das Glück es wollen, wende ich mich nach Norden oder Süden und von da zurück nach Westen, und dann komme, was da will. Was aber dich, mein Sohn, und die Deinen angeht, so rate ich, daß du Schiffe rüstest; schafft alles an Bord, wovon eure Herzen sich nicht trennen mögen. Und sind die Schiffe bereit, so laß sie im Hafen von

Rómenna ankern, und unter den Menschen verbreite, du wolltest mir in den Osten folgen, wenn deine Zeit heran sei. Unsrem Verwandten auf dem Thron ist Amandil nicht mehr so teuer, daß er sich grämen wird, wenn wir abreisen wollen, sei es für ein Jahr oder für immer. Doch laß nicht bekannt werden, daß du viele Männer mitzunehmen gedenkst, denn das wird ihn ärgern, weil er für den Krieg, den er jetzt plant, aller Kräfte bedürfen wird, die er aufbieten kann. Wähle diejenigen Getreuen aus, von denen du weißt, daß sie noch immer treu sind. Diese sollen sich dir insgeheim anschließen, wenn sie bereit sind, mit dir zu gehen und dein Vorhaben zu teilen.«

»Und welch ein Vorhaben soll dies sein?« sagte Elendil.

»Sich in den Krieg nicht einzumischen und zu warten«, antwortete Amandil. »Bevor ich nicht zurückgekehrt bin, kann ich mehr nicht sagen. Doch ist wahrscheinlich, daß du aus dem Land des Sterns wirst fliehen müssen, ohne daß ein Stern dich leitet; denn dies Land ist verflucht. Dann wirst du alles verlieren, was du geliebt, und den Vorgeschmack des Todes im Leben noch kennenlernen, Zuflucht in einem anderen Land suchend. Ob aber im Osten oder im Westen, das wissen nur die Valar.«

Dann sagte Amandil all den Seinen Lebwohl, wie einer, der zu sterben erwartet. »Denn«, sagte er, »es mag wohl so kommen, daß ihr mich nie mehr seht und daß ich euch kein Zeichen zu geben vermag wie einst Earendil. Doch haltet euch bereit, denn das Ende der Welt, die wir kennen, ist nahe.«

Es heißt, des Abends sei Amandil auf einem kleinen Schiff in See gestochen und zuerst ostwärts gefahren; dann aber bog er ab und kehrte nach Westen um. Und er nahm drei Diener mit, die ihm lieb waren, und nie wieder vernahm man in dieser Welt ein Wort oder Zeichen von ihnen, noch gibt es irgendeine Erzählung oder Ahnung von ihrem Schicksal. Kein zweites Mal konnte eine solche Gesandtschaft die Menschen retten, und für den Verrat von Númenor gab es keinen billigen Gnadenerlaß.

Elendil aber tat in allem, wie ihn sein Vater geheißen; und seine

Schiffe lagen vor der Ostküste, und die Getreuen brachten Frauen und Kinder an Bord, ihr Erbe, Schätze und Vorräte. Viele Dinge von Macht und Schönheit waren darunter, wie sie die Númenórer in den Zeiten ihrer Weisheit ersonnen hatten, Gefäße und Juwelen und alte Schriftrollen mit purpurnen und schwarzen Buchstaben. Und die Sieben Steine besaßen sie, ein Geschenk der Eldar; auf Isildurs Schiff jedoch wurde der junge Baum gehegt, der Schößling Nimloths des Weißen. So hielt Elendil sich bereit und nahm nicht teil an den Untaten jener Tage; und immer schaute er aus nach einem Zeichen, doch es kam keines. Er ging insgeheim ans westliche Gestade und sah hinaus aufs Meer, denn voll Sorge und Sehnsucht war er, und innig liebte er seinen Vater. Doch nichts war zu sehen als die Flotten Ar-Pharazôns, die sich sammelten in den westlichen Häfen.

Nun war einst auf der Insel Númenor das Wetter stets den Wünschen und Neigungen der Menschen entgegengekommen: Es regnete zur rechten Jahreszeit und im rechten Maße, die Sonne schien bald wärmer, bald kühler, und Winde kamen von der See. Und wenn der Wind von Westen kam, so schien es vielen, als wäre er von einem Duft erfüllt, zart, doch süß und herzbewegend, wie von Blumen, die ewig auf den unsterblichen Wiesen blühen und an den Küsten der Menschen keinen Namen haben. All dies aber war nun anders geworden; denn der Himmel selbst war verdunkelt, und es gab Regen und Hagelstürme in jenen Tagen und heftige Winde; und hin und wieder ging ein großes Schiff der Númenórer unter und kehrte nicht in seinen Hafen zurück, ein Unglück, das sie bis dahin seit dem Anfang des Sterns nicht mehr befallen hatte. Und aus Westen kam abends bisweilen eine große Wolke, von der Gestalt eines Adlers, die Schwingen nach Norden und Süden gebreitet; und langsam zog sie herauf und verdunkelte die untergehende Sonne, und tiefe Nacht fiel über Númenor. Und manche der Adler trugen den Blitz zwischen den Flügeln, und Donner hallten wider zwischen dem Meer und der Wolke.

Furcht ergriff die Menschen. »Sehet die Adler der Herren des Westens!« riefen sie. »Manwes Adler kommen über Númenor!« Und sie fielen mit den Gesichtern zu Boden.

Manche bereuten dann für eine Weile, andere aber verhärteten ihr Herz und schüttelten die Fäuste gen Himmel und sagten: »Die Herren des Westens haben sich gegen uns verschworen. Der erste Streich kommt von ihnen. Unser wird der nächste sein!« Diese Worte sprach der König selbst, doch eingegeben hatte sie ihm Sauron.

Der Blitze wurden nun mehr, und sie erschlugen Menschen auf den Hügeln, auf den Feldern und in den Straßen der Stadt; und ein feuriger Strahl schlug in die Kuppel des Tempels und riß sie auf, und sie war in Flammen gehüllt. Doch der Tempel selbst wankte nicht, und dort stand Sauron auf der Zinne und trotzte dem Blitz und blieb unversehrt; und in jener Stunde hießen die Menschen ihn einen Gott und taten, was immer er wollte. Als daher das letzte Vorzeichen kam, beachteten sie es wenig. Denn das Land erbebte unter ihren Füßen, und ein Grollen wie von unterirdischem Donner mischte sich in das Brüllen der See, und Rauch stieg auf vom Gipfel des Meneltarma. Doch um so eiliger nur trieb Ar-Pharazôn seine Rüstung voran.

Zu dieser Zeit war das Meer im Westen des Landes schwarz von den Flotten der Númenórer, und sie waren wie ein Archipel von tausend Inseln, ihre Masten wie Wald auf den Bergen und ihre Segel wie eine tiefhängende Wolke; und ihre Banner waren golden und schwarz. Und alles wartete auf den Befehl Ar-Pharazôns; und Sauron zog sich in den innersten Kreis des Tempels zurück, und man schleppte ihm Menschen herbei, daß er sie zum Opfer verbrenne.

Dann kamen die Adler der Herren des Westens aus dem sinkenden Tag, und sie waren wie zur Schlacht gereiht und flogen in einer Linie, deren Enden man nicht sehen konnte; und als sie kamen, spreizten sich ihre Flügel immer weiter und griffen in den Himmel. Hinter ihnen aber brannte rot der Westen, und von unten glühten sie, als loderte eine Flamme heißen Zorns in ihnen, so daß ganz Númenor wie von einem Brande erhellt schien; und wenn die Menschen einander in die Gesichter sahen, so schienen sie rot zu sein vor Wut.

Da verhärtete Ar-Pharazôn sein Herz und ging an Bord seines gewaltigen Schiffs Alcarondas, der Meeresburg. Vielruderig war es und vielmastig, golden und pechschwarz; und auf ihm stand Ar-Pharazôns Thron. Dann legte er Rüstung und Krone an, ließ die Standarten heben und gab das Zeichen, die Anker zu lichten; und in jener Stunde übertönten die Trompeten von Númenórer den Donner.

So fuhren die Flotten der Númenórer aus gegen die Drohung von Westen; und sie hatten wenig Wind, doch viele Ruder und viele starke Sklaven, welche die Peitsche antrieb. Die Sonne ging unter, und eine große Stille brach an. Dunkelheit fiel auf das Land, und die See war ruhig, während die Welt harrte, was geschehen würde. Langsam entschwanden die Flotten den Blicken der Gaffer in den Häfen, und ihre Lichter verblaßten, und die Nacht umfing sie; und am Morgen waren sie fort. Denn ein Wind erhob sich im Osten und trieb sie davon; und sie brachen den Bann der Valar und fuhren auf die verbotenen Meere hinaus, die Unsterblichen bekriegend, um ihnen das ewige Leben in den Kreisen der Welt zu entreißen.

Die Flotten Ar-Pharazôns aber kamen über die Tiefen der See und fuhren an Avallóne und der ganzen Insel Eressea vorbei; und die Eldar trauerten, denn das Licht der untergehenden Sonne wurde von der Wolke der Númenórer verdunkelt. Und zuletzt kam Ar-Pharazôn bis nach Aman, zum Segensreich, und bis an die Küsten von Valinor; und immer noch war alles still, und das Schicksal hing an einem Faden. Denn Ar-Pharazôn schwankte am Ende, und fast wäre er umgekehrt. Schlimmes ahnend, blickte er auf die tonlosen Gestade und sah den Taniquetil glänzen, weißer als Schnee, kälter als der Tod, stumm, unwandelbar, schrecklich wie der Schatten, den Ilúvatars Licht wirft. Doch der Stolz war nun sein Gebieter, und schließlich ging er von Bord und betrat das Ufer, wo er das Land als sein eigen erklärte, wenn niemand darum kämpfen wolle. Und ein Heer der Númenórer schlug ein prächtiges Lager auf zu Füßen der Túna, von wo alle Eldar geflohen waren.

Dann rief Manwe auf dem Berge Ilúvatar an, und für diese Zeit legten die Valar die Herrschaft über Arda nieder. Ilúvatar aber zeigte seine Macht, und er änderte den Bau der Welt; und ein großer Spalt tat sich auf im Meer zwischen Númenor und den Unsterblichen Landen, und die Wasser strömten hinein, und der Lärm und Rauch der Katarakte stiegen zum Himmel auf, und die Welt bebte. Und all die Flotten der Númenórer wurden in den Abgrund gezogen und gingen unter und wurden für immer verschlungen. Ar-Pharazôn aber, der König und seine sterblichen Krieger, welche den Fuß auf das Land Aman gesetzt, wurden unter herabstürzenden Bergen begraben: Dort, so wird gesagt, liegen sie in die Höhlen der Vergessenen eingekerkert bis zur letzten Schlacht und dem Tag des Schicksals.

Das Land Aman aber und Eressea, die Insel der Eldar, wurden für immer entrückt und außer Reichweite der Menschen gebracht. Und Andor, das Land der Gabe, das Númenor der Könige, Elenna unter Earendils Stern, wurde ganz und gar vernichtet. Denn es lag nahe östlich des großen Schlundes, und seine Grundfesten wurden umgeworfen, und es stürzte hinab ins Dunkel und ist nicht mehr. Und jetzt ist ein Ort auf Erden, wo die Erinnerung an die Zeit ohne das Böse gewahrt bliebe. Denn Ilúvatar stieß die Großen Meere in den Westen von Mittelerde zurück und die Leeren Lande im Osten, und neue Länder und Meere wurden geschaffen; und die Welt wurde kleiner, denn Valinor und Eressea wurden ins Reich der verborgenen Dinge entrückt.

Zu unerwarteter Stunde kam das Verhängnis, am neununddreißigsten Tag nach der Abfahrt der Flotten. Feuer brach plötzlich aus dem Meneltarma, und ein Orkan kam auf, die Erde tobte, und der Himmel drehte sich, und die Berge kamen herab, und Númenor versank im Meer mit all seinen Kindern und Müttern und Mädchen und stolzen Damen; und all seine Gärten und Hallen und Türme, seine Gräber und Reichtümer, und seine Juwelen und Teppiche, und alles Gemalte und Gemeißelte, und sein Gelächter und seine Vergnügungen und seine Musik, seine Wissenschaft und Kunst: sie verschwanden für immer. Und als letzte zog die steigende Flut, die grün und kalt und schaumgefiedert über das Land sprang, Tar-Míriel an ihr Herz, die Königin, heller als Silber oder Elfenbein oder Perlen. Zu spät wollte sie den steilen Weg zum Heiligtum auf dem Meneltarma erklimmen; die Wasser holten sie ein, und ihr Schrei verlor sich im Heulen des Windes.

Ob nun aber Amandil wirklich nach Valinor gelangt war und Manwe sein Gebet angehört hatte oder nicht, die Gnade der Valar verschonte Elendil und seine Söhne und ihr Volk vor dem Verderben dieses Tages. Denn Elendil war in Rómenna geblieben, ohne dem Aufruf des Königs, als er in den Krieg zog, Folge zu leisten; und, den Söldnern Saurons ausweichend, die kamen, um ihn zu greifen und zu den Feuern des Tempels zu schleppen, ging er an Bord seines Schiffes und hielt sich von der Küste fern, seine Zeit abwartend. Dort schützte ihn das Land vor dem mächtigen Sog des Meeres, der alles zum Abgrund hinriß, und später gab es ihm Deckung gegen das erste Wüten des Sturmes. Als aber die verzehrende Flut über das Land rollte und Númenor wankte und fiel, da wäre auch er weggespült worden, und als das geringere Leid hätte er es erachtet, zu sterben, denn kein Todesschmerz konnte bitterer sein als der Verlust und die Qual jenes Tages; aber der große Wind ergriff ihn, wilder als jeder Wind, den Menschen je gekannt, von Westen her brüllend, und blies seine Schiffe weit davon; ihre Segel zerreißend und ihre Masten brechend, jagte er die Unglücklichen wie Spreu über das Wasser.

Neun Schiffe waren es: vier für Elendil, für Isildur drei und für Anárion zwei; und sie flohen vor dem schwarzen Sturm aus dem Zwielicht des Verhängnisses in das Dunkel der Welt. Und unter ihnen türmten sich im Zorn die Tiefen, und Wellen gleich Bergen mit großen Hauben von stäubendem Schnee trugen sie empor zwischen die zerfetzten Wolken und schleuderten sie, nach vielen Tagen, an die Gestade von Mittelerde. Und alle Küsten und küstennahen Gebiete der westlichen Welt erlitten zu jener Zeit viel Wandel und Vernichtung; denn das Meer drang in die Länder ein, Küsten zerbrachen, alte Inseln versanken, und neue Inseln stiegen auf; und Berge fielen zusammen, und Flüsse nahmen einen fremden Lauf.

Elendil und seine Söhne gründeten später Königreiche in Mittelerde, und wenn auch ihre Wissenschaft und Kunst nur ein Nachhall dessen waren, was einst gewesen, ehe Sauron nach Númenor kam, so erschienen sie doch den wilden Menschen der Welt als gewaltig. Und viele ist in andren Geschichten von den Taten der Erben Elendils in dem Zeitalter, das folgte, gemeldet, und von ihrem Kampf mit Sauron, der noch nicht zu Ende war.

Denn Sauron selbst war voll tiefer Furcht bei dem Zorn der Valar und dem Unglück, das Eru über Land und Meer verhängt hatte. Bei weitem größer war es als alles, was er erstrebte, denn nur auf den Tod der Númenórer und den Sturz ihres stolzen Königs hatte er gehofft. Und Sauron hatte gelacht, als er auf seinem schwarzen Thron im Temel saß und die Trompeten Ar-Pharazôns zur Schlacht blasen hörte; und abermals hatte er gelacht, als er den Sturm donnern hörte; und als er ein drittes Mal lachte, im Gedanken, was er nun in der Welt leisten könne, da er die Edain für immer los war, da wurde er aus seiner Freude gerissen, und sein Thron und sein ganzer Tempel stürzten in den Abgrund. Doch Sauron war nicht von sterblichem Fleische, und wenn er auch nun jener Gestalt, in der er so viel Unheil gewirkt, beraubt wurde und nie wieder den Menschen freundlich vor Augen zu treten vermochte, so stieg doch sein Geist wieder aus der Tiefe empor und fuhr wie ein Schatten und schwarzer Wind übers Meer, zurück nach Mittelerde und seiner Heimstatt in Mordor. Er nahm seinen Großen Ring in Barad-dûr wieder auf und hauste dort, stumm und dunkel, bis er sich eine neue Gestalt gegeben hatte, das unverhüllte Bild von Haß und Tücke; und dem Auge Saurons des Grausamen hielten wenige stand.

Doch von diesen Dingen ist nicht die Rede in der Geschichte vom Untergang Númenors, wovon nun alles berichtet ist. Und selbst der

Name dieses Landes ging unter, und die Menschen sprachen später nicht mehr von Elenna, noch von Andor, der Gabe, die wieder genommen wurde, noch von Númenórern an den Grenzen der Welt; die Flüchtlinge an den Meeresküsten aber, wenn sie sich sehnenden Herzens nach Westen wandten, sprachen von Mar-nu-Falmar, der von den Wogen Überwältigten, von Akallabêth, der Versunkenen, Atalante in der Hochsprache der Elben.

Unter den Flüchtlingen glaubten viele, der Gipfel des Meneltarma, des Himmelspfeilers, sei nicht für immer versunken, sondern erhebe sich wieder über die Wellen, eine einsame Insel, verloren in den weiten Wassern; dies nämlich war eine heilige Stätte gewesen, und selbst in Saurons Tagen hatte sie niemand entweiht. Und aus Earendils Geschlecht kam so mancher, der später nach dieser Insel suchte, denn unter den Weisen hieß es, vom Meneltarma hätten die weitsichtigen Menschen von einst einen Schimmer des Unsterblichen Landes zu sehen vermocht. Auch nach dem Untergang blieben die Herzen der Dúnedain immer nach Westen gekehrt; und wenn sie gleich wußten, daß die Welt anders geworden war, so sagten sie doch: »Avallóne ist von der Erde verschwunden, und das Land Aman ist entrückt, und in diesem Dunkel der Welt sind sie jetzt nicht mehr zu finden. Doch einst waren sie da, und deshalb sind sie noch immer da, im wahren Dasein und in der echten Gestalt der Welt, so wie sie im Anfang erschaffen wurde.«

Denn die Dúnedain glaubten, daß selbst sterbliche Menschen, wenn es ihr Segen so wolle, andre Zeiten erblicken könnten als die Lebzeiten ihres Leibes; und immer war es ihre Sehnsucht, aus den Schatten ihres Exils zu fliehen und auf irgendeinem Wege an das Licht zu kommen, das nicht stirbt; und das Leid, an den Tod zu denken, war ihnen über die Tiefen der See gefolgt. So kam es, daß große Seefahrer unter ihnen noch immer die leeren Meere absuchten, in der Hoffnung, die Insel des Meneltarma zu finden und dort ein Gesicht der Dinge von einst zu sehen. Aber sie fanden sie nicht. Und jene, die weit fuhren, kamen bloß zu den neuen Ländern und fanden, sie waren wie die alten und kannten den Tod. Und jene, die am weitesten fuhren, beschrieben bloß einen Kreis um die Erde und kehrten am Ende müde wieder dahin zurück, wo sie abgefahren; und sie sagten: »Alle Wege sind krumm heutzutage.«

In späteren Tagen erfuhren so die Könige der Menschen, ob von Schiffsreisenden, ob durch Wissenschaft und Sternkunde, daß die Welt tatsächlich rund geschaffen sei, und doch war es den Eldar noch erlaubt, aus ihr zu scheiden und in den Alten Westen und nach Avallóne zu fahren, wenn sie es wollten. Daher sagten die Weisen unter den Menschen, noch immer müsse es einen Geraden Weg geben für jene, denen erlaubt sei, ihn zu finden. Und sie lehrten, daß der alte Weg, der Pfad der Erinnerung an den Westen, während die neue Welt unter ihm versinke, immer weiter geradeaus führe, wie eine mächtige unsichtbare Brücke durch die Luft des Atems und des Fluges (die nun ebenso krumm sei wie die übrige Welt), und Ilmen durchquere, was der ungeschützte Leib nicht ertrage, bis sie nach Tol Eressea, der Einsamen Insel, und vielleicht noch weiter, nach Valinor komme, wo noch immer die Valar wohnen und dem Lauf der Geschichte zusehen. Und Erzählungen und Gerüchte gingen um an den Meeresküsten, von Seeleuten und auf dem Wasser Verirrten, die ihr Schicksal oder eine Gunst oder Gnade der Valar auf den Geraden Weg geführt hatten, wo sie das Angesicht der Welt unter sich versinken sahen; und so waren sie zu den lampenhellen Kaien von Avallóne gekommen oder gar zu den vorgelagerten Ufern von Aman und hatten den Weißen Berg erblickt, schrecklich und schön, ehe sie starben.

VON DEN RINGEN DER MACHT UND
DEM DRITTEN ZEITALTER

Von den Ringen der Macht und dem Dritten Zeitalter, worin diese Erzählungen zum Ende kommen

Einst lebte Sauron der Maia, den die Sindar in Beleriand Gorthaur nannten. Zu Anbeginn Aradas lockte ihn Melkor in seinen Bund, und er wurde der größte und vertrauteste Diener des Feindes, und der gefährlichste, denn in hundert Gestalten erschien er, und lange vermochte er sich ein so edles und schönes Ansehen zu geben, wenn er wollte, daß er alle bis auf die Bedachtsamsten täuschte.

Als Thangorodrim geschleift und Morgoth überwältigt wurde, nahm Sauron wieder seine edle Gestalt an; er unterwarf sich Eonwe, Manwes Herold, und schwor all seinen Untaten ab. und manche glauben, daß dies zuerst nicht geheuchelt war, sondern daß Sauron wahrhaft bereute, wenn auch nur aus Furcht, denn ihn schreckte Morgoths Sturz und der gewaltige Zorn des Herren im Westen. Doch stand es nicht in Eonwes Macht, einem seines eigenen Ranges zu verzeihen, und er befahl Sauron, nach Aman zurückzukehren und dort das Urteil Manwes zu empfangen. Da schämte sich Sauron, und er wollte nicht in Demut zurückkehren und von den Valar ein Urteil hinnehmen, das ihn, wie zu vermuten, verpflichtet hätte, guten Willen in langem Dienst zu erweisen; denn groß war unter Morgoth seine Macht gewesen. Als daher Eonwe schied, verbarg sich Sauron in Mittelerde; und er verfiel wieder dem Bösen, denn stark waren die Bande, die Morgoth ihm angelegt hatte.

In der Großen Schlacht und nach dem Einsturz Thangorodrims lag die Erde in gewaltigen Krämpfen, und Beleriand zerbrach und wurde verwüstet; und im Norden und Westen versanken viele Länder in den Wassern des Großen Meeres. Im Osten, in Ossiriand, brachen die Wälle der Ered Luin, und nach Süden zu entstand ein großes Loch, und ein Golf des Meeres strömte hinein. In diesen Golf ergoß sich in einem neuen Lauf der Fluß Lhûn, und daher wurde er der Golf von Lhûn genannt. Dieses Land hatten die Noldor einst

Lindon genannt, und diesen Namen behielt es; und viele der Eldar lebten noch dort und zögerten, Beleriand zu verlassen, wo sie so lange gekämpft und gearbeitet hatten. Gil-galad, Fingons Sohn, war ihr König, und bei ihm war Elrond der Halb-Elb, Sohn Earendils des Seefahrers und Bruder Elros', des ersten Königs von Númenor.

An den Ufern des Golfes von Lhûn erbauten die Elben ihre Häfen und nannten sie Mithlond, die Grauen Anfurten; und dort lagen viele Schiffe, denn der Ankerplatz war sicher. Von den Grauen Anfurten aus setzten von Zeit zu Zeit manche der Eldar Segel, um die dunklen Zeiten der Erde zu fliehen; denn den Erstgeborenen hatten die Valar die Gunst gewährt, daß sie noch immer den Geraden Weg nehmen und, wenn sie wollten, zu ihrem Volk in Eressea und Valinor heimkehren könnten, jenseits der umzingelnden Meere.

Andere Eldar überschritten zu jener Zeit die Berge der Ered Luin und drangen in die Länder im Innern vor. Viele von diesen waren Teleri, Überlebende aus Doriath und Ossiriand; und sie gründeten Reiche unter den Wald-Elben in den Berg- und Waldländern fern der See, nach der ihr Herz gleichwohl verlangte. Nur in Eregion, das die Menschen Hulsten nannten, errichteten Elben von noldorischem Geschlecht ein dauerhaftes Reich jenseits der Ered Luin. Eregion lag nahe bei der großen Zwergenstadt Khazad-dûm, die von den Elben Hadhodrond und später Moria genannt wurde. Von Ost-in-Edhil, der Stadt der Elben, führte eine Straße zum Westtor von Khazad-dûm, denn zwischen Elben und Zwergen entstand, zum beiderseitigen Vorteil, eine Freundschaft, wie es sie nirgendwo anders zwischen diesen Völkern gegeben hat. In Eregion übertrafen die Meister der Gwaith-i-Mírdain, der Gilde der Juwelenschmiede, an Wissen alle, die je diese Kunst ausgeübt, Feanor allein ausgenommen; und der geschickteste unter ihnen war Celebrimbor, Curufins Sohn, der sich mit seinem Vater überworfen hatte und in Nargothrond blieb, als Celegorm und Curufin vertrieben wurden, wie in der *Quenta Silmarillion* erzählt wird.

Im übrigen herrschte in Mittelerde viele Jahre lang Frieden; doch waren die Länder meist wild und wüst, nur dort nicht, wohin die Bewohner von Beleriand kamen. Zwar wanderten noch viele Elben frei durch die weiten Länder fern der See, wie sie ungezählte Jahre gelebt hatten, doch dies waren Avari, für welche die Ereignisse von Beleriand nur ein Gerücht und Valinor nur ein fremder Name war. Und im Süden und noch weiter im Osten vermehrten sich die Menschen; und die meisten von ihnen wandten sich Bösem zu, denn Sauron war am Werk.

Sauron sah die verwüstete Welt und sagte sich, daß die Valar, nachdem sie Morgoth niedergeworfen, Mittelerde von neuem vergessen hatten, und rasch wuchs wieder sein Stolz. Mit Haß blickte er auf die Eldar, und er fürchtete die Menschen von Númenor, die von Zeit zu Zeit auf ihren Schiffen an die Küsten von Mittelerde zurückkehrten; doch lang verbarg er seinen Sinn und die dunklen Pläne, die er im Herzen erwog.

Die Menschen, so fand er, waren die Gefügigsten unter allen Völkern Mittelerdes; doch lange mühte er sich, die Elben zu überreden, daß sie ihm dienten, denn er wußte, die Erstgeborenen hatten die größere Macht; und er wanderte weit unter ihnen umher, und von Erscheinung war er noch immer edel und weise. Nur nach Lindon kam er nicht, denn Gil-galad und Elrond mißtrauten seinem edlen Gebaren, und obgleich sie nicht wußten, wer er in Wirklichkeit war, gewährten sie ihm keinen Einlaß in ihr Land. Andernorts aber nahmen die Elben ihn freudig auf, und nur wenige unter ihnen hörten auf die Boten aus Lindon, die sie warnten; denn Sauron hatte den Namen Annatar angenommen, der Herr der Geschenke, und anfangs hatten sie viel Vorteil von seiner Freundschaft. Und er sagte zu ihnen: »Weh, die Schwachheit der Großen! Denn ein mächtiger König ist Gil-galad, und aller Wissenschaft kundig ist Meister Elrond, und doch wollen sie mir bei meinen Werken nicht helfen. Mag es wohl sein, daß sie kein andres Land so glückselig sehen wollen wie das ihre? Doch warum sollte Mittelerde ewig wüst und dunkel bleiben, wo doch die Elben es ebenso schön wie Eressea, ja wie Valinor zu machen vermöchten? Und da ihr nicht, wie es euch freistand, dorthin gegangen, so sehe ich, daß ihr dieses Land Mittelerde ebenso liebt wie auch ich. Ist es da nicht unsre Pflicht, zusammen dafür zu wirken, daß es reicher werde und daß all die Elbenvölker, die hier unbelehrt umherschweifen, sich zu jener Höhe von Macht und Wissen erheben, wie sie die andern besitzen, die jenseits des Meeres sind?«

Am freudigsten wurde Saurons Rat in Eregion aufgenommen, denn in diesem Lande begehrten die Noldor, die Kraft und Kunst ihrer Arbeiten immer weiter zu verfeinern. Auch war kein Friede in ihren Herzen, denn sie hatten sich geweigert, in den Westen zurückzukehren, und ihr Wunsch war, sowohl in Mittelerde zu bleiben, das sie wahrhaft liebten, und doch auch das Glück derer, die geschieden waren, zu teilen. Und so hörten sie auf Sauron und erfuhren so manches von ihm, denn groß war sein Wissen. In jenen Tagen übertrafen die Schmiede von Ost-in-Edhil alles, was sie zuvor schon geleistet; und sie bedachten sich und schufen Ringe der Macht. Doch Sauron leitete sie an, und er wußte von allem, was sie taten; denn sein Wunsch war, die Elben zu binden und unter seine Macht zu bringen.

Nun schmiedeten die Elben viele Ringe; heimlich aber schmiedete Sauron den Einen Ring, der alle andren beherrschte; ihre Macht war ganz und gar an den Einen gebunden und ihm untertan und dauerte nur so lange, wie auch er dauerte. Und von Saurons Kraft und Willen ging ein großer Teil in jenen Einen Ring ein, denn auch die Elbenringe waren sehr mächtig, und jener, der sie beherrschen sollte, mußte von überwältigender Kraft sein; und Sauron schmiedete ihn im Feurigen Berg im Lande des Schattens. Und während er den Einen Ring trug, konnte er alles sehen, was mit Hilfe der schwächeren Ringe geschah, und die Gedanken ihrer Träger konnte er lesen und lenken.

Doch so leicht waren die Elben nicht zu fangen. Sobald Sauron den Einen Ring auf den Finger steckte, bemerkten sie es; und sie erkannten ihn und sahen, daß er ihr Herr sein wollte und Herr all dessen, was sie schufen. In Zorn und Furcht nahmen sie da ihre Ringe ab. Als er aber sah, daß er durchschaut war und die Elben nicht getäuscht hatte, überzog er sie wutentbrannt mit offenem Krieg und verlangte, alle Ringe müßten ihm ausgeliefert werden, da die Elbenschmiede sie nicht hätten schaffen können ohne sein Wissen und seinen Rat. Die Elben aber flohen vor ihm; und drei ihrer Ringe retteten sie und nahmen sie mit sich fort und versteckten sie.

Dies nun waren die Drei, die zuletzt geschmiedet worden waren, und sie waren die mächtigsten. Narya, Nenya und Vilya wurden sie genannt, die Ringe des Feuers, des Wassers und der Luft, und sie waren mit Rubin, Adamant und Saphir besetzt. Diese wünschte Sauron unter allen Elbenringen am sehnlichsten zu besitzen, denn wer sie bei sich trug, konnte die Wunden der Zeit abwehren und die Müdigkeit der Welt vertragen. Doch Sauron konnte sie nicht finden, denn sie wurden den Weisen anvertraut, die sie verbargen und nie mehr offen trugen, solange Sauron den Herrscherring besaß. So blieben die Drei unbesudelt, denn Celebrimbor hatte sie allein geschmiedet, und Saurons Hand hatte sie niemals berührt; doch sie waren auch sie dem Einen untertan.

Von jener Zeit an nahm der Krieg zwischen Sauron und den Elben kein Ende mehr. Eregion wurde verwüstet und Celebrimbor erschlagen, und die Tore von Moria wurden geschlossen. In dieser Zeit wurde Imladris, das die Menschen Bruchtal nannten, von Elrond dem Halb-Elben als Festung und Zuflucht gegründet; und lange hielt es stand. Doch brachte Sauron die übrigen Ringe der Macht sämtlich in seinen Besitz; und er teilte sie unter die andren Völker von Mittelerde aus, in der Hoffnung, so alle unter sein Gebot zu zwingen, die es über das Maß ihrer Art hinaus nach geheimer Macht verlangte. Sieben Ringe gab er den Zwergen, den Menschen aber neun, denn sie erwiesen sich ihm in diesen wie in andren Belangen als die Willfährigsten. Und all die Ringe, die er beherrschte, verdarb er um so leichter, als er ja geholfen hatte, sie zu schmieden, und sie verflucht waren; und sie betrogen am Ende jeden, der sie gebrauchte. Die Zwerge allerdings zeigten sich widerspenstig und waren schwer zu zähmen; denn schlecht fügen sie sich unter die Herrschaft andrer, und die Gedanken in ihren Herzen sind schwer zu ergründen; auch lassen sie sich nicht in Schatten verwandeln. Nur zur Mehrung ihres Reichtums gebrauchten sie die Ringe, doch der Zorn und die überwältigende Gier nach dem Golde waren in ihren Herzen entfacht, woraus später genug Unheil erwuchs, Sauron zum Vorteil. Es heißt, auf dem Grunde eines jeden der Sieben Schätze der alten Zwergenkönige habe ein goldner Ring gelegen; all diese Schätze aber wurden schon vor langer Zeit geplündert, und die Drachen verschlangen sie, und von den Sieben Ringen wurden manche vom Feuer verzehrt, und manche gewann Sauron zurück.

Leichter waren die Menschen zu betören. Jene, welche die Neun Ringe gebrauchten, wurden Mächtige ihrer Zeit, die Könige, Magier und Krieger von einst. Ruhm und große Schätze gewannen sie, doch daran wurden sie zunichte. Endlos schien ihr Leben zu sein, doch unerträglich wurde es für sie. Ungesehen von allen Augen dieser Welt unter der Sonne konnten sie umgehen, und in andre Welten hatten sie Einblick, die den sterblichen Menschen unsichtbar sind; doch allzu oft sahen sie nur die Phantome und Trugbilder Saurons. Und einer nach dem andern, früher oder später, je nach ihrer Stärke von Geburt und ihrem guten oder bösen Willen zu Anfang, wurden sie Knechte des Rings, den sie trugen, und fielen unter die Herrschaft des Einen, und der war Saurons. Und sie wurden auf ewig unsichtbar, außer für ihn, der den Herrscherring trug, und traten ins Reich der Schatten hinüber. Die Nazgûl waren sie, die Ringgeister, die furchtbarsten Diener des Feindes; Dunkelheit war um sie her, und sie schrien mit den Stimmen des Todes.

Saurons Gier und Stolz wuchsen nun, bis er keine Grenzen mehr kannte, und er beschloß, sich zum Herrn aller Dinge in Mittelerde zu machen, die Elben zu vernichten und, wenn er es vermochte, den Sturz von Númenor anzustiften. Er litt keine Freiheit noch Nebenbuhlerschaft und nannte sich den Herrn der Erde. Immer noch konnte er eine Maske tragen, um die Augen der Menschen zu täuschen und weise und edel zu erscheinen, wenn er dies wollte. Doch lieber herrschte er mit Schrecken und Gewalt, wo sie ihm zu Gebote standen; und jene, welche seinen Schatten sich über die Welt breiten sahen, hießen ihn den Dunklen Herrn und den Feind; und um sich scharte er wieder all die Undinge, die aus Morgoths Tagen noch auf der Erde oder unter ihr waren, und die Orks, die ihm gehorchten, vermehrten sich wie die Fliegen. So begannen die Schwarzen Jahre, welche die Elben die Jahre der Flucht nennen. In jener Zeit flohen viele der Elben von Mittelerde nach Lindon und von dort über die Meere, um nie wiederzukehren; und viele wurden von Sauron und seinen Dienern vernichtet. In Lindon aber herrschte noch immer Gil-galad, und Sauron wagte noch nicht, die Berge der Ered Luin zu überschreiten oder die Anfurten anzugreifen. Überall sonst herrschte Sauron, und wer frei bleiben wollte, suchte Zuflucht in den dichten Wäldern und in den Bergen und lebte in steter Furcht. Im Osten und Süden standen fast alle Menschen unter seiner Herrschaft, und sie wurden stark in jener Zeit und bauten viele Städte und Mauern aus Stein; und zahlreich waren sie, mit Eisen bewehrt und kriegswütig. Sauron war ihr König und ihr Gott, den sie über alles fürchteten, denn er umgab seinen Sitz mit Feuer.

Endlich aber kam Saurons Vordringen gegen die westlichen Lande zum Halt. Denn, wie in der *Akallabêth* berichtet wird, die Streitmacht der Númenórer zog gegen ihn aus. So groß waren Macht und Ruhm der Númenórer in der Glanzzeit ihres Reiches, daß Saurons Diener ihnen nicht standhalten konnten, und um mit List zu erreichen, wozu Gewalt nicht genügte, verließ er für eine Weile Mittelerde und ging als Geisel des Königs Tar-Calion nach Númenor. Und dort blieb er, bis er am Ende durch seinen Trug die meisten der Númenórer im Herzen verdorben und zum Krieg gegen die Valar angestiftet hatte; und so trieb er sie in den Untergang, wie er es lange erstrebt hatte. Doch schrecklicher, als Sauron vorausgesehen, war ihr Sturz, denn er hatte vergessen, was alles die mächtigen Herren im Westen in ihrem Zorne vermochten. Die Welt ging in Trümmer, das Land wurde verschlungen, und die Meere brachen darüber herein, und Sauron selbst fuhr mit hinab in den Abgrund. Doch sein Geist stieg wieder empor und floh auf einem dunklen Wind zurück nach Mittelerde, Heimstatt suchend. Dort sah er, daß Gil-galads Macht in den Jahren seiner Abwesenheit gewachsen war. Sie reichte nun über weite Gebiete im Norden und Westen, über das Nebelgebirge und den Großen Strom hinaus bis an die Grenzen des Großen Grünwalds; selbst seine Hochburgen, wo er einst unbestritten geherrscht hatte, waren nicht mehr sicher. Da zog sich Sauron in seine Festung im Schwarzen Land zurück und sann auf Krieg.

Zu dieser Zeit flohen diejenigen Númenórer, die der Vernichtung entgangen waren, nach Osten, wie in der *Akallabêth* berichtet. Elendil der Lange und seine Söhne Isildur und Anárion waren ihre Häupter. Blutverwandte des Königs waren sie, Nachkommen Elros', doch hatten sie nicht auf Sauron gehört und sich geweigert, mit in den Krieg gegen die Herren des Westens zu ziehen. Sie bemannten ihre Schiffe mit allen, die treu geblieben waren, und kehrten dem Lande Númenor den Rücken, ehe das Verderben hereinbrach. Kühne Männer waren sie, und ihre Schiffe waren groß und fest, doch die Stürme holten sie ein und schleuderten sie auf Bergen von Wasser bis in die Wolken, und wie Sturmvögel fielen sie auf Mittelerde hinab.

Elendil warfen die Wellen in Lindon an Land, und Gil-galad nahm ihn freundlich auf. Dann wanderte er den Fluß Lhûn aufwärts, und jenseits der Ered Luin gründete er sein Reich, und sein Volk lebte an vielen Orten in Eriador, an den Ufern des Lhûn und des Baranduin; seine Hauptstadt aber war Annúminas am Ufer des Nenuial-Sees. Auch in Fornost im Nördlichen Hügelland, in Cardolan und in den Bergen von Rhudaur wohnten die Númenórer; und Türme errichteten sie auf den Emyn Beraid und dem Amon Sûl; und viele Hügelgräber und verfallene Bauten finden sich an jenen Orten erhalten, die Türme der Emyn Beraid aber blicken immer noch zum Meer hin.

Isildur und Anárion wurden nach Süden getrieben, und schließlich führten sie ihre Schiffe den Großen Strom, den Anduin, hinauf, der aus Rhovanion kommt und in der Bucht von Belfalas ins Westmeer mündet; und sie gründeten ein Reich in jenen Landen, die später Gondor hießen, während das Nördliche Königreich Arnor hieß. Lange zuvor schon, in der Zeit ihrer Macht hatten die Seefahrer von Númenor an den Mündungen des Anduin einen Hafen und befestigte Plätze errichtet, gegen Sauron im Schwarzen Land, das nahebei im Osten lag. In späterer Zeit liefen nur mehr die Getreuen von Númenor diesen Hafen an, und daher waren aus dem Volk jener Küstengegenden viele mit den Elbenfreunden und dem Volke Elendils verwandt oder verschwägert, und sie hießen seine Söhne willkommen. Die Hauptstadt dieses südlichen Reiches war Osgiliath, durch das der Große Strom mitten hindurchfloß; und die Númenórer bauten dort eine große Brücke, mit Türmen und Häusern aus Stein darauf, herrlich zu schauen; und große Schiffe kamen von der See heraufgefahren und legten an den Kaien in der Stadt an. Nach beiden Seiten hin erbauten sie noch weitere feste Plätze: nach Osten zu Minas Ithil, den Turm des aufgehenden Mondes, auf einem Vorsprung des Schattengebirges als Drohung gegen Mordor, und nach Westen zu Minas Anor, den Turm der untergehenden Sonne, am Fuß des Berges Mindolluin, zum Schutz gegen die wilden Menschen in den Tälern. In Minas Ithil war Isildurs und in Minas Anor war Anárions Haus, doch regierten sie das Reich gemeinsam, und ihre Throne standen Seite an Seite in der Großen Halle von Osgiliath. Dies waren die Städte der Númenórer in Gondor, doch auch an anderen Orten im Lande errichteten sie in den Tagen ihrer Macht starke und herrliche Bauten und Standbilder, bei den Argonath, bei Aglarond und am Erech; und im Ring von Angrenost, das die Menschen Isengart nannten, bauten sie aus unzerbrechlichem Stein den Turm von Orthanc.

Viele Schätze und Erbstücke von Macht und Wert hatten die Flüchtlinge aus Númenor mitgebracht, und deren berühmteste waren die Sieben Steine und der Weiße Baum. Der Weiße Baum war aus dem Samen Nimloths des Schönen entsprossen, der in den Königsgärten von Armenelos in Númenor stand, bis ihn Sauron verbrannte; Nimloth wieder stammte von dem Baum von Tirion ab, und der war ein Abbild des Ältesten Baumes, Telperions des Weißen, den Yavanna im Lande der Valar hatte wachsen lassen. Zum Andenken an die Eldar und das Licht von Valinor wurde der Baum in Minas Ithil vor Isildurs Haus eingepflanzt, denn Isildur war es, der eine Frucht Nimloths vor der Vernichtung gerettet hatte; die Sieben Steine aber wurden aufgeteilt.

Drei nahm Elendil, und je zwei nahmen seine Söhne. Elendils Steine wurden in den Türmen auf den Emyn Beraid, auf dem Amon Sûl und in der Stadt Annúminas verwahrt, die seiner Söhne aber in Minas Ithil und Minas Anor, in Orthanc und in Osgiliath. Die Steine hatten die Kraft, daß jeder, der in sie hineinblickte, Dinge darin zu erkennen vermochte, die weit in der Ferne lagen, ob an fernem Ort oder in ferner Zeit. Gewöhnlich zeigten sie nur, was sich in der Nähe eines der Geschwistersteine befand, denn jeder der Steine hielt mit jedem anderen Verbindung; wer aber von großer Willens- und Geisteskraft war, konnte lernen, ihren Blick zu lenken, wohin immer er wollte. So waren die Númenórer vieler Dinge gewahr, die ihre Feinde zu verbergen gedachten, und weniges nur entging ihrer Wachsamkeit in den Tagen ihrer Macht.

Es heißt, die Türme auf den Emyn Beraid seien nicht von den Flüchtlingen aus Númenor selbst, sondern von Gil-galad für seinen Freund Elendil erbaut worden; und der Sehende Stein der Emyn Beraid wurde im Elostirion verwahrt, dem höchsten der Türme. Dorthin pflegte Elendil sich zurückzuziehen, und von dort starrte er hinaus auf das Scheidemeer, wenn das Heimweh über ihn kam; und manche glauben, zuweilen habe er so bis zum fernen Turm von Avallóne gesehen, wo der Meisterstein stand und noch immer steht. Die Steine hatten die Eldar Amandil geschenkt, Elendils Vater, um die Getreuen von Númenor in den dunklen Tagen zu trösten, als die

Elben nicht länger in das Land kommen konnten, das unter Saurons Schatten lag. Die Palantíri wurden sie genannt, die von weither Sehenden; doch alle, die nach Mittelerde gebracht worden waren, gingen schon vor langer Zeit verloren.

So gründeten die Flüchtlinge aus Númenor ihre Reiche in Arnor und Gondor; doch ehe noch viele Jahre vergangen waren, merkten sie, daß auch ihr Feind Sauron zurückgekehrt war. Er kam, wie erzählt wurde, heimlich in sein altes Königreich Mordor jenseits des Ephel Dúath, des Schattengebirges, und dieses Land grenzte im Osten an Gondor. Dort, über der Hochebene von Gorgoroth stand seine gewaltige Festung Barad-dûr, der Dunkle Turm, und im Lande gab es einen feuerspeienden Berg, den die Elben Orodruin nannten. Dies war der Grund, warum Sauron vor langer Zeit seinen Sitz dort genommen, denn des Feuers, das aus dem Herzen der Erde quoll, bediente er sich zum Schmieden und zu seinen Zauberwerken; dort auch, in Mordor, hatte er den Herrscherring geschmiedet. Da brütete er nun im Dunkeln, bis er sich eine neue Gestalt gewirkt hatte; und nun war er entsetzlich anzusehen, denn seiner freundlichen Erscheinung war er für immer ledig, seit er beim Untergang von Númenor mit in den Abgrund gestürzt war. Er nahm den Großen Ring wieder an sich und umkleidete sich mit Macht; und dem Grausamen Auge Saurons hielten auch von den Großen unter Elben und Menschen nicht viele stand.

Zum Krieg nun gegen die Eldar und die Menschen von Westernis rüstete Sauron, und die Feuer des Berges erwachten zum Leben. Als die Númenórer von weitem den Rauch vom Orodruin aufsteigen sahen und erkannten, daß Sauron zurückgekehrt war, gaben sie dem Berg einen neuen Namen, Amon Amarth, der Schicksalsberg. Und Sauron scharte ein großes Heer seiner Vasallen aus dem Osten und Süden um sich; und nicht wenige von ihnen stammten aus dem edlen Volk von Númenor. Denn in den Tagen, als Sauron in jenem Land wirkte, waren die Herzen fast aller seiner Bewohner dem Dunkel zugefallen. Viele, die damals nach Osten gefahren waren und an den Küsten Festungen und Städte gebaut hatten, waren so seinem Willen schon geneigt und dienten ihm mit Freuden auch in Mittelerde. Aus Furcht vor der Macht Gil-galads aber ließen sich diese Abtrünnigen, boshafte und mächtige Herren, meist im fernen Süden nieder; und zwei von ihnen, Herumor und Fuinor, gewannen Macht unter den Haradrim, einem großen und grausamen Volk, das die weiten Länder im Süden von Mordort, jenseits der Mündungen des Anduin bewohnte.

Als Sauron nun seine Zeit gekommen sah, fiel er mit großer Macht in das neue Reich von Gondor ein, eroberte Minas Ithil und vernichtete den Weißen Baum Isildurs, der dort wuchs. Isildur jedoch entkam und rettete einen Sämling des Baumes; mit seinem Weib und seinen Söhnen fuhr er zu Schiff flußabwärts, und von der Mündung des Anduin stachen sie in See, um Elendil zu erreichen. Unterdessen verteidigte Anárion Osgiliath gegen den Feind und trieb ihn einstweilen in die Berge zurück; doch Sauron sammelte neue Kräfte, und Anárion wußte, daß sein Reich nicht lange standhalten würde, wenn keine Hilfe käme.

Nun berieten sich Elendil und Gil-galad, denn sie erkannten, daß Sauron zu stark werden und alle seine Feinde, einen nach dem andern, besiegen würde, wenn sie sich nicht gegen ihn einten. Also schlossen sie ein Bündnis, welches der Letzte Bund genannt wurde, und sie zogen gen Osten nach Mittelerde hinein, ein großes Heer von Elben und Menschen um sich scharend; und in Imladris machten sie eine Zeitlang halt. Es heißt, schöner und prächtiger gerüstet sei das dort versammelte Heer gewesen als jedes andre, das seither in Mittelerde zu sehen war, und kein größeres wurde je aufgeboten, seit das Heer der Valar gegen Thangorodrim zog.

Von Imladris aus überquerten sie auf vielen Pässen das Nebelgebirge und zogen den Anduin hinab. So stießen sie endlich bei Dagorlad, der Walstatt vor dem Tor des Schwarzen Landes, auf Saurons Heer. Alles, was Leben hat, nahm an jenem Tage Partei, und von jeder Art, selbst von den Tieren und Vögeln, fanden sich manche auf beiden Seiten, die Elben allein ausgenommen. Nur sie waren einig und folgten Gil-galad. Von den Zwergen fochten auf beiden Seiten nur wenige, doch das Volk Durins von Moria focht gegen Sauron.

Gil-galads und Elendils Heer trug den Sieg davon, denn machtvoll waren die Elben noch zu jener Zeit, und groß und stark und schrecklich im Zorn waren die Númenórer. Gegen Aeglos, Gil-galads Speer, hielt keiner stand; und Elendils Schwert versetzte Orks und Menschen in Furcht, denn es leuchtete mit dem Licht von Sonne und Mond, und es wurde Narsil genannt.

Nun rangen Gil-galad und Elendil in Mordor ein und umzingelten Saurons Festung; und sie belagerten sie sieben Jahre lang und erlitten schlimme Verluste durch das Feuer und die Pfeile und Bolzen des Feindes; und Sauron ließ viele Ausfälle machen. Dort in der Ebene von Gorgoroth fielen Anárion, Elendils Sohn, und viele andere mit ihm. Doch zuletzt war die Belagerung so drückend, daß Sauron selber hervorkam. Und er rang mit Gil-galad und Elendil, und beide wurden sie erschlagen, und Elendils Schwert zerbrach unter ihm, als er fiel. Doch auch Sauron wurde niedergeworfen, und mit dem Heftstück von Narsil schnitt Isildur den Herrscherring von Saurons Hand und nahm ihn zu eigen. Da war Sauron zu jener Zeit besiegt, und er verließ seinen Leib, und sein Geist suchte das Weite und verbarg sich an dunklen Stätten; und viele Jahre lang nahm er keine sichtbare Gestalt mehr an.

So begann das Dritte Zeitalter der Welt, nach den Ältesten Tagen und den Schwarzen Jahren; und noch gab es Hoffnung in jener Zeit und Erinnerung an frohe Tage, und lange blühte der Weiße Baum der Eldar in den Gärten der Menschenkönige, denn den Sämling, den er gerettet, pflanzte Isildur in der Zitadelle von Anor zum Gedenken seines Bruders, ehe er aus Gondor schied. Saurons Diener waren in wilder Flucht verstreut, aber ganz vertilgt waren sie nicht; und zwar kehrten sich viele Menschen nun vom Bösen ab und unterwarfen sich Elendils Erben, viel zahlreicher aber waren die, welche im Herzen Saurons gedachten und die Königreiche des Westens haßten. Der Dunkle Turm wurde dem Boden gleichgemacht, doch seine Grundmauern blieben stehen, und er wurde nicht vergessen. Die Númenórer legten eine Wache in das Land Mordor, doch niemand mochte lange dort bleiben, denn Grauen weckte die Erinnerung an Sauron, und der Feurige Berg war nahe bei Barad-dûr, und die Ebene von Gorgoroth war voller Asche. Viele von den Elben, von den Númenórern und den Menschen, die mit ihnen im Bunde waren, hatten in der Schlacht und während der Belagerung das Leben gelassen; und Elendil der Lange und der Hohe König Gil-galad waren nicht mehr. Niemals wieder sah man ein solches Heer versammelt, noch gab es je wieder einen solchen Bund zwischen Elben und Menschen, denn nach Elendils Tagen wurden die beiden Geschlechter einander fremd.

Der Herrscherring verschwand aus dem Wissen jener Zeit, selbst für die Weisen; doch wurde er nicht zerstört. Denn Isildur mochte ihn Elrond und Círdan nicht geben, die bei ihm standen, als er ihn nahm. Sie rieten ihm, ihn sogleich ins Feuer des nahen Orodruin zu werfen, worinnen er geschmiedet war, so daß er zunichte würde und Saurons Macht für immer geschwächt wäre und er nur mehr ein Schatten seiner Bosheit in der Wildnis bliebe. Isildur aber wies den Rat ab und sagte: »Den will ich als Wergeld haben für meines Vaters und meines Bruders Tod. Und habe nicht ich dem Feinde den Todesstreich versetzt?« Und der Ring in seiner Hand schien ihm über alle Maßen schön anzusehen, und er wollte es nicht leiden, daß man ihn zerstörte. Also behielt er ihn und kehrte zuerst nach Minas Anor zurück, wo er den Weißen Baum zum Gedenken seines Bruders Anárion pflanzte. Doch bald brach er wieder auf, und nachdem er Meneldil, seines Bruders Sohn, Rat erteilt und ihm die Herrschaft über den Süden aufgetragen hatte, nahm er den Ring mit sich fort als Erbstück seines Hauses und zog von Gondor nach Norden den Weg, den Elendil gekommen war; denn er gedachte seines Vaters Herrschaft in Eriador anzutreten, fern von dem Schatten des Schwarzen Landes.

Doch Isildur wurde von einer Schar Orks überfallen, die im Nebelgebirge auf der Lauer lagen; unversehens stürmten sie sein Lager zwischen dem Grünwald und dem Großen Strom, in der Nähe von Loeg Ningloron, den Schwertelfeldern, denn er war sorglos gewesen und hatte keine Wachen aufgestellt, in der Meinung, alle Feinde seien besiegt. Fast alle Leute wurden dort erschlagen; darunter auch seine drei älteren Söhne, Elendur, Aratan und Cyrion; sein Weib aber und seinen jüngsten Sohn Valandil hatte er in Imladris gelassen, als er in den Krieg zog. Isildur selbst entkam mit Hilfe des Rings, denn wenn er ihn trug, war er für alle Augen unsichtbar; die Orks aber jagten ihn, die Nasen auf seiner Fährte, bis er an den Fluß kam und sich hineinstürzte. Da betrog ihn der Ring und nahm Rache für seinen Schöpfer, denn er schlüpfte Isildur vom Finger, als er schwamm, und ging im Wasser unter. Nun sahen ihn die Orks, wie er mit dem Strom kämpfte, und töteten ihn mit vielen Pfeilen, und das war Isildurs Ende. Nur drei seiner Leute kamen nach langem Irren durch die Berge wieder zurück, und einer von ihnen war Ohtar, sein Knappe, dem er die Bruchstücke von Elendils Schwert anvertraut hatte.

So kam Narsil in die Hände von Valandil, Isildurs Erben, doch die Klinge war geborsten und ihr Licht erloschen, und sie wurde nicht neu geschmiedet. Und Meister Elrond sagte voraus, dies solle erst dann geschehen, wenn der Herrscherring wiedergefunden werde und Sauron zurückkehre; Elben und Menschen aber hofften, daß dies niemals eintreten werde.

Valandil ließ sich in Annúminas nieder, doch sein Volk war klein geworden, und von den Númenórern und den Menschen von Eriador blieben zu wenige, um das Land zu bevölkern oder die von Elendil erbauten Anlagen zu erhalten; viele waren bei Dagorlad, in Mordor und auf den Schwertelfeldern gefallen. Und nach der Herrschaft Earendurs, des siebten Königs nach Valandil, war es soweit, daß die

Menschen von Westernis, die Dúnedain des Nordens, sich über viele Kleinkönigreiche und Fürstentümer hin verstreuten und uneins wurden; und die Feinde vernichteten sie, einen nach dem andern. Sie schwanden dahin mit den Jahren, bis von ihrem Ruhm nur noch grüne Hügel im Grase blieben. Und am Ende war nichts mehr übrig von ihnen als ein paar Sonderlinge, die heimlich durch die Wildnis schweiften; und andre Menschen wußten nicht, wo sie zu Hause waren, noch welchem Zweck ihr Umherwandern diente. Nur in Imladris, in Elronds Haus, war ihre Abkunft nicht vergessen. Isildurs Erben aber hielten die Hälften von Elendils Schwert viele Menschenleben lang in Ehren, und ihre Linie, von Vater zu Sohn, blieb unerloschen.

Das Reich von Gondor im Süden bestand fort, und eine Zeitlang wuchs sein Glanz, bis es an Númenors Macht und Reichtum vor seinem Untergang erinnerte. Hohe Türme bauten die Menschen von Gondor und starke Festungen und Häfen für viele Schiffe; und der Flügelkrone der Menschenkönige begegneten die Völker vieler Länder und Zungen in Ehrfurcht. So manches Jahr lang wuchs der Weiße Baum vor dem Hause des Königs in Minas Anor, aus dem Samen jenes Baumes, den Isildur über das weite Meer von Númenor mitgebracht hatte; und der Same vor diesem war aus Avallóne gekommen, und der davor aus Valinor, am Tage vor Beginn aller Tage, als die Welt jung war.

Zuletzt aber, durch die flüchtigen Jahre von Mittelerde ermüdet, verfiel Gondor, und die Linie von Meneldil, Anárions Sohn, erlosch. Denn das Blut der Númenórer vermischte sich vielfach mit dem anderer Menschen, und ihre Macht und Weisheit schwanden, sie wurden kurzlebiger, und die Wache gegen Mordor wurde nachlässig. Und zur Zeit Telemnars, des Dreiundzwanzigsten in der Linie Meneldils, kam eine Seuche auf dunklen Winden von Osten, und sie raffte den König und seine Kinder hinweg, und viele Menschen in Gondor kamen um. Da wurden die Wachtürme an den Grenzen nach Mordor verlassen, und Minas Ithil wurde entvölkert; und das Böse schlich wieder heimlich ins Schwarze Land, und wie unter einem kalten Wind regten sich die Aschen von Gorgoroth, denn finstere Wesen versammelten sich dort. Es wird gesagt, dies seien die Ulairi gewesen, die Sauron die Nazgûl nannte, die Neun Ringgeister, die sich lange versteckt gehalten hatten und nun zurückkehrten, um ihrem Meister den Weg zu ebnen, denn er hatte wieder zu wachsen begonnen.

Zur Zeit Earnils führten sie den ersten Streich. Sie kamen bei Nacht über die Pässe des Schattengebirges aus Mordor und nahmen Minas Ithil zu ihrem Sitz; und sie machten daraus eine Stätte des Entsetzens, die keiner mehr anzusehen wagte. Darauf wurde es Minas Morgul genannt, die Feste der Magie; und Minas Morgul lag immer im Krieg mit Minas Anor im Westen. Dann wurde Osgiliath, von dem schwindenden Volke seit langem verlassen, eine Stadt der Trümmer und Schatten. Minas Anor aber hielt aus, und es wurde in Minas Tirith umbenannt, die Feste der Wachsamkeit, denn dort ließen die Könige in der Zitadelle einen weißen Turm aufrichten, sehr hoch und schön, und von dort blickte man auf viele Länder. Noch war die Stadt mächtig und stolz, und eine Zeitlang noch blühte der Weiße Baum vor dem Hause der Könige, und noch verteidigten dort die letzten Überreste der Númenórer den Flußübergang gegen die Schrecknisse Mordors und gegen alle Feinde des Westens, gegen Orks und Ungeheuer und üble Menschen; und die Länder dahinter, westlich des Anduin, blieben vor Krieg und Zerstörung bewahrt.

Auch nach der Zeit von Earnur, Earnils Sohn und letzter König von Gondor, hielt Minas Tirith noch stand. Earnur war es, der allein vor die Tore von Minas Morgul ritt, um sich dem Morgulfürsten zu stellen; und er begegnete ihm im Zweikampf, doch wurde er von den Nazgûl betrogen und lebend in die Stadt der Qualen geschleppt; und kein Lebender hat ihn je wiedergesehen. Earnur hinterließ keinen Erben, und als nun die Linie der Könige erloschen war, regierten die Truchsessen aus dem Hause Mardils des Getreuen die Stadt und das schrumpfende Reich; und die Rohirrim, die Reiter aus dem Norden, kamen und ließen sich in der grünen Ebene von Rohan nieder, die zuvor Calenardhon hieß und ein Teil des Königreiches von Gondor gewesen war; und die Rohirrim halfen den Herren der Stadt in ihren Kriegen. Und im Norden, jenseits der Wasserfälle von Rauros und der Tore von Argonath, gab es noch andere Verteidiger, ältere Mächte, von denen die Menschen wenig wußten und gegen welche die Geschöpfe des Unheils nicht vorzugehen wagten, solange die Zeit nicht reif war und ihr dunkler Herr, Sauron, von neuem hervorkam. Und bis jene Zeit heran war, wagten die Nazgûl nach den Tagen Earnils nie wieder, den Fluß zu überschreiten oder für Menschen sichtbar aus ihrer Stadt hervorzukommen.

In all den Jahren des Dritten Zeitalters, seit dem Tode Gil-galads, saß Meister Elrond in Imladris, und er versammelte dort viele Elben und andere von Macht und Weisheit aus allen Völkern von Mittelerde; und über viele Menschenleben hin wahrte er das Andenken all dessen, was edel gewesen war; und Elronds Haus war eine Zuflucht für die Müden und Unterdrückten und eine Schatzkammer von Rat und Wissenschaft. In seinem Haus wurden Isildurs Erben beherbergt, von der Kindheit bis ins hohe Alter, denn blutsverwandt waren sie mit Elrond, und in seiner Weisheit wußte er, daß einem aus ihrer Linie hoher Anteil beschieden war an den letzten Ereignissen dieses Zeitalters. Und bis daß jene Zeit käme, wurden die Hälften von Elendils Schwert in Elronds Gewahrsam gegeben, als die Tage des Dúnedain sich verdunkelten und sie ein Wandervolk wurden.

In Eriador war Imladris der Hauptsitz der Hoch-Elben; doch auch bei den Grauen Anfurten von Lindon wohnten Überreste des Volkes von Gil-galad, dem Elbenkönig. Bisweilen wanderten sie in die Länder von Eriador hinein, meist aber hielten sie sich nach an den Meeresküsten, wo sie die Elbenschiffe bauten und fahrbereit hielten, auf denen jene unter den Erstgeborenen, welche die Welt leid geworden waren, sich nach dem äußersten Westen aufmachten. Círdan der Schiffbauer war der Herr der Anfurten, ein Weiser unter den Weisen.

Über die Drei Ringe, welche die Elben unbesudelt gerettet hatten, fiel unter den Weisen nie ein offenes Wort, und selbst unter den Eldar wußten nur wenige, wem sie anvertraut waren. Doch nach dem Sturz Saurons war ihre Macht stets tätig, und wo sie sich befanden, da war das Glück zu Hause, und alle Dinge blieben ungetrübt von den Nöten der Zeit. Deshalb erkannten die Elben, ehe das Dritte Zeitalter endete, daß der Ring des Saphirs im freundlichen Bruchtal bei Elrond war, auf dessen Haus die Sterne des Himmels am hellsten schienen; der Ring des Adamant aber befand sich im Lande Lórien, wo Frau Galadriel lebte. Eine Königin der Wald-Elben war sie, die Gemahlin Celeborns, von Doriath, doch sie selbst stammte von den Noldor und erinnerte sich des Tages vor Anbruch aller Tage in Valinor; und sie war die mächtigste und schönste aller Elben, die noch in Mittelerde lebten. Der Rote Ring aber blieb bis zum Ende verborgen, und außer Elrond und Galadriel und Círdan wußte keiner, wem er anvertraut war.

So blieben, solange das Zeitalter währte, Glück und Glanz der Elben an zwei Orten ungetrübt: in Imladris und in Lothlórien, dem verborgenen Lande zwischen dem Celebrant und dem Anduin, wo die Bäume goldne Blüten trugen und wohin kein Ork oder schwarzes Wesen sich jemals wagte. Doch viele Stimmen wurden laut unter den Elben, die vorhersagten, daß den verlorenen Herrscherring entweder Sauron selbst finden werde, oder aber, was das Günstigere wäre, seine Feinde fänden den Ring und vernichteten ihn; in beiden Fällen aber würde die Macht der Drei erlöschen, und alles, was durch sie erhalten worden sei, müßte schwinden, und so würden die Elben ins Zwielicht treten, und das Reich der Menschen begänne.

Und so ist es gekommen: Der Eine und die Sieben und die Neun sind vernichtet, und die Drei sind fort, und mit ihnen ist das Dritte Zeitalter zu Ende, und die Geschichten von den Eldar in Mittelerde kommen zum Schluß. Dies waren die Jahre des Schwindens, und über die letzte Blütezeit der Elben östlich des Meeres brach Winter herein. Noch wanderten die Noldor durch die Hinnenlande, die mächtigsten und schönsten von allen Kindern der Welt, und ihre Sprache wurde noch von sterblichen Ohren vernommen. Viele Dinge von Macht und Schönheit waren noch auf Erden zu jener Zeit, und ebenso viele Dinge von Unheil und Entsetzen: Orks gab es und Trolle, Drachen und Ungetier, und in den Wäldern sonderbare alte und listige Wesen, deren Namen vergessen sind; Zwerge arbeiteten noch in den Bergen und schufen mit Geduld und Geschick Dinge aus Metall und Stein, denen heute nichts gleichkommt. Doch das Reich der Menschen bahnte sich an, und alles wurde anders, bis zuletzt der Dunkle Herr im Düsterwald wieder aufstand.

Nun hieß dieser Wald von alters her der Große Grünwald, und zwischen seinen hohen Dächern und weiten Säulenhallen hausten vielerlei Tiere und Vögel mit hellen Stimmen; und dort war das Reich des Königs Thranduil unter Eiche und Buche. Nach vielen Jahren aber, als fast ein Drittel jenes Weltalters vergangen war, kroch ein Schatten langsam von Süden her durch den Wald, und Grauen schritt dort durch dämmrige Lichtungen; Raubgetier kam und jagte, und grausame und boshafte Wesen spannten ihre Netze aus.

Nun wurde der Wald anders benannt: Er hieß fortan Düsterwald, denn tiefer Nachtschatten lag auf ihm, und nur wenige wagten sich mehr hindurch, und dies nur im Norden, wo Thranduils Volk das Unheil noch in Schranken hielt. Woher das Unheil kam, wußten wenige zu sagen, und lange dauerte es, bis selbst die Weisen es herausfanden. Es war Saurons Schatten, Zeichen seiner Rückkehr. Denn er kam aus den östlichen Einöden und ließ sich im Süden des Waldes nieder, und langsam wuchs er dort und nahm wieder Gestalt an. In einem dunklen Hügel schlug er sein Lager auf und übte seine schwarzen Künste; und alles Volk fürchtete den Hexenmeister von Dol Guldur, und doch kannte zuerst niemand die Größe der Gefahr.

Schon als die ersten Schatten auf dem Düsterwald bemerkt wurden, erschienen im Westen von Mittelerde die Istari, welche die Menschen Zauberer nannten. Niemand wußte zu der Zeit, woher sie kamen, außer Círdan von den Anfurten, und der sagte es keinem, bis auf Elrond und Galadriel, daß sie übers Meer gekommen waren. Später aber hieß es unter Elben, Boten seien sie gewesen, ausgesandt von den Herren im Westen, um gegen Saurons Macht zu streiten, sollte er wieder aufstehen, und Elben und Menschen und alles, was Leben und guten Willen hatte, zu kühnen Taten zu bewegen. In Menschengestalt erschienen sie, alt doch kraftvoll, und sie änderten sich kaum mit den Jahren und alterten nur langsam, obgleich große Mühen auf ihnen lagen; vieles wußten sie, und vieles vermochten sie mit Geist und Hand. Lange gingen sie unter Elben und Menschen umher, und sie hielten auch mit Tier und Vogel Zwiesprache; und die Völker von Mittelerde gaben ihnen viele Namen, denn ihre wahren Namen verrieten sie nicht. Die Mächtigsten unter ihnen waren jene beiden, welche die Elben Mithrandir und Curunír, die Menschen im Norden aber Gandalf und Saruman nannten. Von ihnen war Curunír der Älteste; er kam als erster, und nach ihm kamen Mithrandir und Radagast und andere Istari, die in den Osten von Mittelerde gingen und in diesen Geschichten keine Erwähnung finden. Radagast war der Freund aller Tiere und Vögel; Curunír aber ging am meisten unter die Menschen. Von feiner Beredsamkeit war er und wußte in allen Dingen der Schmiedekunst Bescheid. Mithrandir war am vertrautesten mit Elrond und den Elben. Er wanderte weit im Norden und Westen, und in keinem Land blieb er je lange; Curunír aber wanderte in den Osten, und als er zurückkam, ließ er sich in Orthanc, im Ring von Isengart nieder, den die Númenórer in den Tagen ihrer Macht erbaut hatten.

Stets der Wachsamste war Mithrandir, und er war es auch, dem der Schatten auf dem Düsterwald am meisten zu denken gab; denn wenn viele auch glaubten, daß er das Werk der Ringgeister sei, er fürchtete, es sei schon der erste Schatten des zurückgekehrten Sauron; und er ging zum Dol Guldur, und der Hexer floh ihn, und für lange Zeit herrschte ein argwöhnischer Friede. Zuletzt aber kam der Schatten zurück, und seine Macht wuchs; und zu der Zeit wurde erstmals der Rat der Weisen gehalten, den man den Weißen Rat nannte, und im Rate saßen Elrond und Galadriel und Círdan und andere Fürsten der Eldar, und mit ihnen Mithrandir und Curunír. Und Curunír (auch Saruman der Weiße genannt) wurde zum Obersten gewählt, denn er hatte am längsten Saurons alte Künste erforscht. Galadriel aber hatte gewünscht, daß Mithrandir dem Rate vorstehen möge, und deshalb grollte Saruman, denn sein Stolz und sein Machtgelüst waren gewachsen; Mithrandir aber lehnte das Amt ab, denn er wollte keine Pflicht und Bindung außer gegen jene, die ihn gesandt hatten, noch wollte er an einem festen Platze wohnen oder irgendwem Rechenschaft schuldig sein. Doch Saruman begann nun die Wissenschaft von den Ringen der Macht zu erkunden, von ihrer Fertigung und ihrer Geschichte.

Immer weiter wuchs nun der Schatten, und in Elronds und in Mithrandirs Herz wurde es dunkler. So ging Mithrandir eines Tages noch einmal unter großer Gefahr zum Dol Guldur und den Höhlen des Hexenmeisters; und er fand, was er fürchtete, und entkam. Und als er zu Elrond zurückkehrte, da sagte er:

»Wahr ist es, leider, was wir vermutet. Dies ist nicht einer der Ulairi, wie viele lange geglaubt. Sauron selber ist's, der wieder Gestalt angenommen hat und nun geschwind wächst; und er sammelt wieder alle Ringe in seiner Hand, und immerzu forscht er nach dem Einen und sucht Nachricht über Isildurs Erben, ob sie noch leben auf Erden.«

Und Elrond antwortete: »In jener Stunde, da Isildur den Ring nahm und ihn nicht hergeben wollte, da wurde dies verhängt, daß Sauron zurückkehren werde.«

»Doch der Eine ging verloren«, sagte Mithrandir, »und solange er noch verborgen liegt, können wir des Feindes Herr werden, wenn wir unsere Kräfte sammeln und nicht zu lange zaudern.«

Nun wurde der Weiße Rat einberufen, und Mithrandir drängte zu schnellen Taten, Curunír aber sprach gegen ihn und riet ihnen, noch zu warten und zu wachen.

»Denn ich glaube nicht«, sagte er, »daß der Eine jemals wieder in Mittelerde gefunden wird. In den Anduin ist er gefallen, und längst, so meine ich, wurde er ins Meer gespült. Dort mag er liegen bis ans Ende, wenn diese ganze Welt zerbricht und das Unterste zuoberst gekehrt wird.«

Und so wurde zu der Zeit nichts unternommen, obgleich Elrond, dem Schlimmes ahnte, zu Mithrandir sagte: »Dennoch, ich sage voraus, der Eine wird noch gefunden werden, und dann gibt es wieder Krieg, und in diesem Krieg wird dies Alter enden. Und es wird eine zweite Dunkelheit sein, in der es endet, wenn nicht ein merkwürdiger Zufall uns hilft, den ich jetzt nicht sehen kann.«

»Viele merkwürdige Zufälle birgt die Welt«, sagte Mithrandir, »und wo die Weisen verzagen, da kommt Hilfe oft von den Händen der Schwachen.«

So waren die Weisen ratlos, doch keiner hatte noch bemerkt, daß Curunír sich dunklen Plänen zugewandt hatte und im Herzen schon ein Verräter war: Denn er wünschte, daß er und kein andrer den Großen Ring finden sollte, so daß er selbst ihn gebrauchen und alle Welt nach seinem Willen richten könnte. Allzu lange hatte er Saurons Künste erforscht, in der Hoffnung, ihn zu besiegen, und nun beneidete er ihn als Nebenbuhler, statt seine Werke zu hassen. Und er dachte, daß der Ring, der Sauron gehörte, seinen Herrn suchen würde, wenn der aufs neue hervorträte; würde aber Sauron wieder vertrieben, so bliebe der Ring verborgen. Daher war er geneigt, mit der Gefahr zu spielen und Sauron einstweilen in Frieden zu lassen; und durch seine List hoffte er sowohl seinen Freunden als auch dem Feinde zuvorzukommen, sollte der Ring auftauchen.

Er stellte Wachen auf den Schwertelfeldern auf; doch bald bemerkte er, daß die Diener von Dol Guldur den ganzen Flußlauf in dieser Gegend absuchten. Da erkannte er, daß auch Sauron erfahren hatte, auf welche Weise Isildur umgekommen war, und Furcht befiel ihn, und er zog sich zurück nach Isengart und befestigte es; und immer tiefer ergründete er die Wissenschaft von den Ringen der Macht und die Kunst, mit der sie geschmiedet waren. Nichts von all dem aber sagte er dem Rate, denn immer noch hoffte er, als erster von dem Ringe Meldung zu erlangen. Scharen von Spähern sandte er aus, und viele davon waren Vögel, denn Radagast leistete ihm Hilfe, ohne etwas von seinem Verrat zu ahnen, im Glauben, dies sei nur ein Teil der Wachen gegen den Feind.

Doch immer tiefer wurde der Schatten im Düsterwald, und nach Dol Guldur machten Unheilsdinge aus allen dunklen Löchern der Welt sich auf; und sie waren wieder geeint unter einem Willen, und ihr Haß richtete sich gegen die Elben und die Reste der Númenórer. Schließlich wurde daher der Rat erneut einberufen, und lange wurde über die Ringkunde gestritten; Mithrandir aber sprach zum Rate und sagte:

»Auch wenn der Ring nicht gefunden wird, die Macht, die in ihm steckt, bleibt doch lebendig, solange er auf Erden bleibt und nicht zerstört wird; und Sauron wird wachsen und hoffen. Die Macht der Elben und der Elbenfreunde ist heute geringer als einst. Bald wird er zu stark für euch sein, auch ohne Ring; denn er regiert die Neun, und von den Sieben hat er drei zurückgewonnen. Wir müssen angreifen.«

Dem stimmte Curunír nun zu, denn er wünschte, daß Sauron aus Dol Guldur verjagt werde, das nahe am Flusse lag, damit er dort nicht länger in Ruhe suchen könne. Zum letzten Male unterstützte er daher den Rat; und sie boten ihre Kräfte auf und griffen Dol Guldur an und vertrieben Sauron aus seinem Lager, und für eine kurze Zeit war der Düsterwald wieder geheuer.

Doch ihr Angriff kam zu spät. Denn der Dunkle Herr hatte ihn vorhergesehen und längst alle Schritte erwogen; und die Ulairi, seine Neun Diener, waren ihm vorausgeeilt, um alles für seine Ankunft zu richten. Seine Flucht war daher nur eine Finte, und bald kam er wieder, und ehe die Weisen ihn hindern konnten, betrat er sein Reich in Mordor und ließ von neuem die dunklen Türme von Barad-dûr aufbauen. Und im gleichen Jahre trat der Weiße Rat zum letzten Male zusammen, und Curunír zog sich nach Isengart zurück und beriet sich mit keinem mehr als mit sich selbst.

Orks sammelten sich, und weit bis in den Osten und Süden waren die wilden Völker am Rüsten. Dann, inmitten der wachsenden Schrecken und Kriegsgerüchte, erwies sich Elronds Prophezeiung als richtig, und der Eine Ring wurde tatsächlich gefunden, durch einen Zufall, der noch merkwürdiger war, als selbst Mithrandir vorhergesehen; und der Ring wurde vor Curunír und Sauron verborgen. Denn schon lange bevor man ihn suchte, war er gefunden worden, von einem der kleinen Fischersleute, die am Anduin lebten, ehe die Könige in Gondor ausgestorben waren; und der Finder hatte ihn in dunklen Höhlen unter den Wurzeln der Berge vor jeder Suche in Sicherheit gebracht. Dort blieb der Ring, bis er im Jahre des Angriffs auf Dol Guldur von einem Wanderer gefunden wurde, der, von den Orks verfolgt, in die Tiefen der Erde floh; und der Ring kam in ein fernes Land, zu den Periannath, den Kleinen Leuten oder Halblingen, die im Westen von Eriador lebten. Bis zu diesem Tage waren sie von Elben und Menschen wenig beachtet worden, und weder Sauron noch einer der Weisen, bis auf Mithrandir, hatten in all ihren Plänen an sie gedacht.

Durch Glück und Wachsamkeit nun erfuhr Mithrandir von dem Ring als erster, ehe noch Sauron Nachricht hatte; doch war er besorgt und voller Zweifel. Denn zu unheilsmächtig war dieser Ring, als daß einer der Weisen ihn hätte tragen dürfen, es sei denn, er wollte wie Curunír selbst ein Tyrann und schwarzer Herrscher werden; und weder konnte der Ring für immer von Sauron verborgen noch durch die Kunst der Elben vernichtet werden. Mit Hilfe der Dúnedain des Nordens stellte Mithrandir daher eine Wache um das Land der Periannath und wartete ab. Doch Sauron hatte seine Ohren überall, und bald vernahm er Gerüchte von dem Einen Ring, den er vor allen anderen Schätzen begehrte, und er sandte die Nazgûl, ihn zu holen. Nun entbrannte der Krieg, und im Kampf mit Sauron endete das Dritte Zeitalter, wie es begonnen.

Jene aber, welche die Wunder und Waffentaten jener Zeit mitangesehen, haben anderswo die Geschichte des Ringkrieges erzählt, wie er zugleich im unverhofften Sieg und im langbefürchteten Leid geendet. Hier sei nur gesagt, daß in jenen Tagen Isildurs Erbe im Norden aufstand, und er nahm die Hälften von Elendils Schwert, und in Imladris wurde es neu geschmiedet. Und er zog in den Krieg, ein großer Heerführer der Menschen. Es war Aragorn, Arathorns Sohn, der neununddreißigste Erbe, der in ungebrochener Linie von Isildur abstammte, und doch Elendil ähnlicher als irgendeiner vor ihm. Krieg gab es in Rohan, und der Verräter Curunír wurde niedergeworfen und Isengart geschleift; und vor den Toren der Hauptstadt von Gondor wurde eine große Schlacht geschlagen, und der Morgulfürst, Saurons Feldherr, trat dort ab ins Dunkel; und Isildurs Erbe führte das Heer des Westens an die Schwarzen Tore von Mordor.

An jener letzten Schlacht nahmen Mithrandir teil und Elronds Söhne, der König von Rohan und die Fürsten von Gondor, Isildurs Erbe und die Dúnedain des Nordens. Tod und Niederlage sahen sie dort kommen, und all ihr Mut war vergebens, denn zu stark war Sauron. Zu der Stunde aber erwies sich, was Mithrandir gesprochen, und wo die Weisen verzagten, kam Hilfe von den Händen der Schwachen. Denn, wie seither in vielen Liedern besungen, die Periannath waren's, die Kleinen Leute aus den Wiesen und Hängen, die Rettung brachten.

Denn Frodo der Halbling, so heißt es, trug die Bürde, auf Bitten Mithrandirs, und allein mit einem Diener ging er durch Dunkel und Gefahr und kam endlich, Sauron zum Trotz, bis zum Schicksalsberg; und in das Feuer, darinnen er geschmiedet war, warf er den Großen Ring der Macht, und so wurde der Ring endlich zunichte, und sein Unheil wurde verzehrt.

Da war Sauron verloren, und er wurde vernichtend geschlagen und verschwand, ein Schatten des Bösen; und die Türme von Barad-dûr fielen in Trümmer, und viele Länder erbebten vom Lärm ihres Falls. So kam wieder Friede, und ein neuer Frühling brach an auf Erden. Isildurs Erbe wurde zum König von Gondor und Arnor gekrönt, und die Macht der Dúnedain wuchs, und ihr Ruhm war erneuert. In den Gärten von Minas Anor blühte wieder der Weiße Baum, denn Mithrandir hatte einen Sämling unter dem Schnee des Mindolluin gefunden, des Berges, der hoch und weiß über die Hauptstadt von Gondor ragte; und solange er wuchs, fielen die Ältesten Tage im Herzen des Königs nicht ganz in Vergessenheit.

Bei all dem nun hatten Minthrandirs Rat und Wachsamkeit den Ausschlag gegeben, und in den letzten, entscheidenden Tagen erwies er sich als ein Herr von hohem Rang, und er ritt in die Schlacht in einem weißen Mantel; doch erst als die Zeit seines Abschieds kam, wurde bekannt, daß er lange den Roten Ring des Feuers in seiner Obhut gehabt. Zuerst war dieser Ring Círdan anvertraut, dem Herrn der Anfurten, der aber hatte ihn Mithrandir gegeben, denn er wußte, von wo er kam und wohin er am Ende zurückkehren würde.

»Nimm nun diesen Ring«, hatte Círdan gesagt, »denn schwer werden deine Mühen und Sorgen sein, er aber wird dir in allem helfen und dich vorm Verzagen behüten. Denn dies ist der Ring des Feuers, und vielleicht wirst du mit ihm die Herzen wieder zur alten Kühnheit entflammen, in einer Welt, die kalt wird. Was aber mich angeht, so ist mein Herz bei der See, und ich will am grauen Gestade bleiben und die Anfurten bewachen, bis das letzte Schiff fährt. Dann werde ich hier auf dich warten.«

Weiß war jenes Schiff, und lange hatte sein Bau gedauert, und lange wartete es auf das Ende, von dem Círdan gesprochen. Als aber alle diese Taten getan waren und Isildurs Erbe die Herrschaft der Menschen angetreten hatte und das Reich des Westens an ihn gefallen war, da wurde klar, daß die Macht der Drei Ringe ebenfalls erloschen war, und für die Erstgeborenen wurde die Welt alt und grau. Zu jener Zeit schifften sich die letzten der Noldor in den Anfurten ein und verließen Mittelerde für immer. Und als letzte von allen stachen die Hüter der Drei Ringe in See, und Meister Elrond bestieg das Schiff, das Círdan bereithielt. Im Zwielicht des Herbstes segelte es aus Mithlond hinaus, bis die Meere der Krummen Welt unter ihm schwanden und die Winde des runden Himmels es nicht mehr behelligten; und auf den hohen Lüften über den Nebeln der Welt fuhr es in den Alten Westen, und für die Eldar hatten die Geschichten und Lieder ein Ende.

Die folgenden Anmerkungen sollen nur in knappen Grundzügen die Aussprache der Namen in den Elbensprachen klären; sie sind keinesfalls erschöpfend. Ausführlichere Hinweise hierzu finden sich in *The Lord of the Rings*, Appendix E (nur in der englischen Ausgabe).

KONSONANTEN

C   hat immer den Lautwert von *k*, niemals von *s* oder *z*; *Celeborn* daher wie ›*Keleborn*‹ gesprochen.

CH   immer wie das deutsche *ch* in ›*Loch*‹ oder ›*Buch*‹ zu sprechen, nie wie das weiche *ch* in ›*Licht*‹. Beispiele: *Carcharoth, Ercharmion*.

DH   bezeichnet immer einen Reibelaut wie das stimmhafte (weiche) *th* im Englischen, z. B. in ›*then*‹, nicht in ›*thin*‹. Beispiele: *Maedhros, Aredhel, Haudh-en-Arwen*.

G   immer wie das deutsche *g* in ›*geben*‹, nicht wie der Reibelaut in engl. ›*gin*‹ oder ital. ›*giro*‹. ›*Region*‹ z. B. ist ›deutsch‹ auszusprechen (doch mit Betonung der ersten Silbe), nicht wie das englische Wort ›region‹.

PH   bezeichnet immer einen *f*-Laut; Beispiele: *Ephel; Ar-Pharazôn*.

TH   immer wie das stimmlose englisch *th* in ›*thin*‹.

VOKALE

Sie entsprechen im allgemeinen ihrem Lautwert im Deutschen und bedürfen daher hier keiner Erklärung. Besonderheiten sind nur das ie, das nie als langes i wie im deutschen ›Sieb‹ zu sprechen ist, sondern immer als Doppellaut, also ›*Ni-enna*‹; ebenso sind auch *ea* und *eo* Doppellaute (da für den englischen Leser die Zusammenziehung naheliegt, wurden sie in den englischen Ausgaben mit dem Trennzeichen geschrieben, als *ëa* oder *ëo* – im Wortanfang *Eä* und *Eö* –, worauf hier verzichtet wurde, um Verwechslungen mit den deutschen Umlauten ä und ö zu verhindern. Im *Herrn der Ringe* finden sich jedoch Schreibungen wie *Eärendil* oder *Fëanor*).

Der Zirkumflex über einsilbigen Sindarin-Wörtern kennzeichnet immer einen besonders langen Vokal (z. B. in *Hîn Húrin*), während es in den adúnaischen (númenórischen) und khuzdulischen (zwergischen) Namen nur einen einfach langen Vokal bezeichnet.

BETONUNG

Die betonten Silben sind nicht besonders gekennzeichnet, da die Betonung in den Elbensprachen je nach der Form des Wortes anders sein kann. Bei zweisilbigen Wörtern liegt der Ton in praktisch allen Fällen auf der ersten Silbe. In längeren Wörtern liegt er auf der vorletzten Silbe, wenn diese einen langen Vokal, einen Diphthong oder einen von zwei (oder mehr) Konsonanten gefolgten Vokal enthält. Wo die vorletzte Silbe nur einen kurzen Vokal hat, auf den nur ein Konsonant oder gar keiner folgt (was oft der Fall ist), liegt der Ton auf der ihr vorangehenden, der drittletzten Silbe. Wörter dieser letzteren Art werden in den Eldarin-Sprachen bevorzugt, besonders im Quenya.

In den folgenden Beispielen ist der betonte Vokal durch einen Großbuchstaben gekennzeichnet: *isIldur, Orome, erEssea, fEanor, ancAlima, elentÁri, dEnethor, periAnnath, ecthElion, pelArgir, silIvren.*

Da die Anzahl der Namen in diesem Buch sehr groß ist, enthält dieser Index außer den Seitenzahlen auch eine kurze Auskunft über jede Person und jeden Ort. Diese Angaben sind keine Zusammenfassungen alles dessen, was im Text gesagt wird, und bleiben zu allen Hauptgestalten äußerst kurz; dennoch wird ein solcher Index unvermeidlich sehr umfangreich, und ich habe mich deshalb auf verschiedene Weise um Kürzungen bemüht.

Die wichtigste dieser Kürzungen betrifft den Umstand, daß sehr oft auch die Übersetzung eines Elbennamens selbständig als Name gebraucht wird; so wird zum Beispiel König Thingols Wohnsitz bald *Menegroth,* bald ›die Tausend Grotten‹ genannt (und manchmal auch beides zusammen). In den meisten dieser Fälle habe ich den Elbennamen und seine Übersetzung in *einem* Stichwort zusammengefaßt, mit dem Ergebnis, daß die Seitenangaben sich nicht nur auf den Namen beziehen, der als Stichwort erscheint (z. B. finden sich unter *Echoriath* auch die Hinweise auf ›Umzingelnde Berge‹). An der Stelle der deutschen Namensform erscheint nur ein einfacher Verweis auf das Hauptstichwort, und auch dies nur, wenn beide Formen unabhängig voneinander auftreten. Wörter in einfachen Anführungszeichen sind Übersetzungen; davon erscheinen viele schon im Text (z. B. *Tol Eressea,* ›die Einsame Insel‹), doch habe ich noch sehr viele mehr hinzugefügt. Auskünfte über manche nicht übersetzte Namen finden sich im Anhang über Namensbedeutungen.

Unter den zahlreichen Titeln und förmlichen Bezeichnungen, die nur übersetzt, ohne die elbische Originalform, angegeben werden, habe ich manche ausgelassen, die große Mehrzahl aber ist verzeichnet. Die Stellenhinweise sind der Absicht nach vollständig (und umfassen manchmal auch Seiten, wo von dem betreffenden Gegenstand die Rede ist, ohne daß er direkt beim Namen genannt wird), ausgenommen einige ganz wenige Namen, die allzu häufig vorkommen, wie etwa *Beleriand* oder *Valar.* Hier wird nur auf einige wichtige Abschnitte verwiesen und im übrigen der Ausdruck *passim* gebraucht. Unter den Seitenangaben zu manchen der Noldorfürsten wurden die vielen Nennungen des Namens, die sich nur auf die Söhne oder das Haus des Genannten beziehen, ausgelassen.

Bei Hinweisen auf den *Herrn der Ringe* werden der Titel des Bandes, Buch und Kapitel angegeben.

Adanedhel ›Elbenmensch‹, Name, der Túrin in Nargothrond verliehen wurde. 284

Adler 57, 83, 147, 167, 212, 214, 244, 245, 310, 328, 330, 373, 374

Adûnakhor ›Herr des Westens‹, Name, den sich der neunzehnte König von Númenor beilegte, erstmals in der adûnaischen (númenórischen) Sprache; im Quenya war sein Name Herunúmen. 360

Adurant Der sechste und südlichste Nebenfluß des Gelion in Ossiriand. Der Name bedeutet ›Doppelfluß‹, wegen seines sich um die Insel Tol Galen teilenden Laufes. 164, 253, 319

Aeglos ›Schneespitze‹, Gil-galads Speer. 395

Aegnor Vierter Sohn Finarfins, der zusammen mit seinem Bruder Angrod die Nordhänge von Dorthonion besetzt hielt; in der Dagor Bragollach gefallen. Der Name bedeutet ›Wildfeuer‹. 78, 109, 159, 203

Aelin-uial ›Dämmerseen‹, an der Mündung des Aros in den Sirion. 152, 162, 226, 294, 314

Aerandir ›Seewanderer‹, einer der drei Seeleute, die Earendil auf seinen Reisen begleiteten. 336

Aerin Eine Verwandte Húrins in Dor-lómin, wurde von Brodda, dem Ostling, zur Frau genommen; unterstützte Morwen nach der Nirnaeth Arnoediad. 267, 291

Agarwaen ›Der Blutbefleckte‹, Name, den Túrin sich beilegte, als er nach Nargothrond kam. 283

Aglarond ›Die Glitzernde Grotte‹, von Helms Klamm in den Ered Nimrais (vgl. *Die Zwei Türme*, III,8). 391

Aglon ›Der Engpaß‹, zwischen Dorthonion und den Höhen westlich von Himring. 165, 181, 204

Ainulindale ›Die Musik der Ainur‹, auch ›*das (Große) Lied*‹, ›*die (Große) Musik*‹ genannt. 11–22, 25, 31, 50, 51, 57, 63, 89, 97, 139, 277 Zugleich auch der Name der Schöpfungsgeschichte, die Rúmil von Tirion in den Ältesten Tagen aufgeschrieben haben soll. 97

Ainur ›Die Heiligen‹ (Singular *Ainu*); die ersten von Ilúvatar erschaffenen Wesen, älter als Ea, die ›Orden‹ der Valar und Maiar. 11–22, 50, 54, 57, 72, 139, 277, 317

Akallabêth ›Die Versunkene‹, adûnaisches (númenórisches) Wort, gleichbedeutend mit *Atalante* im Quenya. 379 Zugleich Titel des Berichts vom Untergang Númenors. 389, 390

Alcarinque ›Der Ruhmreiche‹, Name eines Sterns. 60

Alcarondas Das große Schiff Ar-Pharazôns, auf dem er nach Aman fuhr. 375

Aldaron ›Herr der Bäume‹, ein Quenya-Name des Vala Orome; vgl. *Tauron*. 32

Aldudénië ›Klagelied um die Zwei Bäume‹, von einem Vanyar-Elben namens Elemmíre gedichtet. 99

Almaren Erster Wohnsitz der Valar in Arda, vor dem zweiten Angriff Melkors: eine Insel in einem großen See inmitten von Mittelerde. 42, 44, 134

Alqualonde ›Schwanenhafen‹, Stadt und Hafen der Teleri an der Küste von Aman. 77, 79, 80, 94, 112–116, 138, 148, 172, 173, 210, 338, 339

Älteste Tage Das Erste Zeitalter. 35, 45, 137, 153, 282, 284, 314, 319, 329, 395, 409

Ältester König Manwe. 338, 342

Aman ›Gesegnet, frei von Unheil‹, Name des Landes im Westen, wo die Valar wohnten, nachdem sie die Insel Almaren verlassen hatten. Oft auch als das *Segensreich* bezeichnet. *Passim,* besonders 44, 80, 356

Amandil ›Freund von Aman‹; der letzte Herr von Andúnië in Númenor, Abkömmling von Elros und Vater Elendils; machte sich auf
den Weg nach Valinor und kehrte nicht zurück. 366–368, 371–373

Amarië Vanyarin-Elbin, Geliebte Finrod Felagunds, die in Valinor
blieb. 174

Amlach Sohn des Imlach und Enkel Marachs; ein Wortführer der
Unzufriedenen unter der Menschen von Estolad; trat, nachdem er
bereut hatte, in Maedhros' Dienst. 193, 194

Amon Amarth ›Schicksalsberg‹, Name, der dem Orodruin verliehen
wurde, als sein Feuer nach Saurons Rückkehr aus Númenor wieder entfacht wurde. 393, 408

Amon Ereb ›Der Einsame Berg‹ (auch einfach *Ereb*), zwischen
Ramdal und dem Gelion in Ost-Beleriand. 126, 163, 205

Amon Ethir ›Der Hügel der Späher‹, von Finrod Felagund östlich
der Tore von Nargothrond aufgeworfen. 294, 295

Amon Gwareth Der Hügel, auf dem Gondolin erbaut war, inmitten
der Ebene von Tumladen. 169, 185, 325, 328, 329

Amon Obel Ein Hügel im Wald von Brethil, auf dem Ephel Brandir
erbaut war. 275, 293, 298

Amon Rûdh ›Der Kahle Berg‹, eine vereinzelte Höhe in der Ebene
südlich von Brethil; Wohnstätte Mîms und Versteck von Túrins
Räuberbande. 271, 273–279, 313

Amon Sûl ›Windberg‹, im Königreich Arnor (›Wetterspitze‹ im
Herrn der Ringe). 390

Amon Uilos Sindarin-Name des Oiolosse. 44

Amras Zwillingsbruder von Amrod, jüngster Sohn Feanors; wie
Amrod beim Angriff auf Earendils Volk an den Sirionmündungen
erschlagen. 77, 108, 165, 190, 205, 334

Amrod vgl. *Amras*

Anach Aus Taur-nu-Fuin (Dorthonion) an der Westseite der Ered
Gorgoroth herabführender Paß. 270, 277, 279, 328

Anadûnê ›Westernis‹, Name Númenors im Adûnaischen (Númenórischen) (vgl. *Númenor*). 351

Anar Quenya-Name der Sonne. 131–133

Anárion Der jüngere Sohn Elendils, der mit seinem Vater und seinem Bruder Isildur dem Untergang von Númenor entkam und die númenórischen Exilreiche in Mittelerde begründete; Herr von Minas Anor; bei der Belagerung von Barad-dûr gefallen. 366, 390–395

Anarríma Name eines Sternbilds. 61

Ancalagon Größter der Flügeldrachen Morgoths, von Earendil vernichtet. 341

Andor ›Das Land der Gabe‹: Númenor. 351, 376, 379

Andram ›Der Lange Wall‹, Name des Scheidegebirges, das sich durch Beleriand zieht. 126, 163

Androth Höhlen in den Bergen von Mithrim, wo Tuor von den Grauelben aufgezogen wurde. 323

Anduin ›der Lange Fluß‹, östlich des Nebelgebirges; auch als ›*Der Große Strom*‹ oder ›*der Strom*‹ bezeichnet. 69, 123, 360, 390, 391, 394, 397, 399, 401, 405–407

Andúnië Stadt und Hafen an der Westküste von Númenor. 351, 361, 363, 365 Bezüglich der Herren von Andúnië vgl. 361

Anfauglir Ein Name des Wolfes Carcharoth, im Text mit ›Maul des Durstes‹ übersetzt. 242

Anfauglith Name der Ebene von Ard-galen nach ihrer Verwüstung durch Morgoth in der Schlacht des Jähen Feuers, im Text mit ›der Erstickende Staub‹ übersetzt. Vgl. auch *Dor-nu-Fauglith*. 202, 215, 239, 255, 258, 287, 340

Angainor Von Aule geschmiedete Kette, mit der Melkor zweimal gebunden wurde. 65, 341

Angband ›Eisenkerker, Eisenhölle‹, Morgoths große Höhlenfestung im Nordwesten von Mittelerde. *Passim,* besonders 60, 105, 125, 157, 241–244. *Die Belagerung von Angband* 148, 157, 158, 165, 166, 201–203, 214, 225

Anghabar ›Eisengrube‹, ein Bergwerk in den Umzingelnden Bergen um Gondolin. 185

Anglachel Das Schwert aus Meteoreisen, das Thingol von Eol bekam und das er Beleg gab; nachdem es für Túrin neu geschliffen worden war, hieß es *Gurthang*. 272, 273, 278–284

Angrenost ›Eiserne Festung‹, númenórische Festung an der Westgrenze von Gondor; später der Sitz des Zauberers Curunír (Saruman); vgl. *Isengart*. 391

Angrim Vater Gorlims des Unglücklichen. 217

Angrist ›Eisenspalter‹, von Telchar aus Nogrod geschmiedetes Messer, das Beren Curufin abnahm und mit dem er den Silmaril aus Morgoths Krone schnitt. 238, 243

Angrod Dritter Sohn Finarfins, der zusammen mit seinem Bruder Aegnor die Nordhänge von Dorthonion besetzt hielt; in der Dagor Bragollach gefallen. 78, 109, 148, 149, 159, 172, 203, 286

Anguirel Eols Schwert, aus dem gleichen Metall wie Anglachel. 272

Annael Grau-Elb aus Mithrim, Pflegevater Tuors. 323

Annatar ›Herr der Geschenke‹, Name, den Sauron sich im Zweiten Zeitalter selbst beilegte, als er in gefälliger Gestalt unter den in Mittelerde verbliebenen Eldar erschien. 385

Annon-in-Gelydh ›Pforte der Noldor‹, Eingang zu einem unterirdischen Wasserlauf in den westlichen Bergen von Dor-lómin, nach Cirith Ninniach führend. 323

Annúminas ›Turm des Westens‹ (d. h. von Westernis, Númenor); Stadt der Könige von Arnor am Nenuial-See. 390, 392, 397

Anor Vgl. *Minas Anor*

Apanónar ›Die Nachgeborenen‹, eine elbische Bezeichnung für die Menschen. 137

Aradan Sindarin-Name für Malach, Marachs Sohn. 191, 198

Aragorn Der neununddreißigste Erbe Isildurs in direkter Abstammung; nach dem Ringkrieg König der wieder vereinigten Reiche von Arnor und Gondor, vermählt mit Arwen, Elronds Tochter. 408. Bezeichnet als *Isildurs Erbe*. 408–409

Araman Ödland an der Küste von Aman, zwischen den Pelóri und dem Meer, sich nach Norden zur Helcaraxe hin erstreckend. 94, 103, 112, 114–118, 133, 135, 141, 148

Aranel Ein Name von Dior Thingols-Erbe. 253

Aranrúth ›Königsgrimm‹, Thingols Schwert. Aranrúth überdauerte den Untergang von Doriath und befand sich im Besitz der Könige von Númenor. 272

Aranwe Elb aus Gondolin, Vater Voronwes. 324

Aratan Zweiter Sohn Isildurs, fiel mit ihm zusammen auf den Schwertelfeldern. 397

Aratar ›Die Erhabenen‹, die acht mächtigsten der Valar. 32

Arathorn Aragorns Vater. 408

Arda ›Das Reich‹, der Name der Erde als Königreich Manwes. *Passim,* besonders 16–22

Ard-galen Das große flache Grasland nördlich von Dorthonion, hieß nach seiner Verwüstung *Anfauglith* und *Dor-nu-Fauglith.* Der Name bedeutet ›die Grüne Gegend‹; vgl. *Calenardhon* (Rohan). 142, 154, 155, 157–160, 165, 202

Aredhel ›Feine Elbin‹, die Schwester Turgons von Gondolin, wurde von Eol in Nan Elmoth betört und gebar ihm Maeglin; auch *Ar-Feiniel* genannt, die Weiße Dame der Noldor oder die Weiße Dame von Gondolin. 78, 175–185, 272

Ar-Feiniel siehe Aredhel.

Ar-Gimilzôr Zweiundzwanzigster König von Númenor, verfolgte die Elendili 361–362

Argonath ›Königssteine‹, die Säulen der Könige, große Standbilder Isildurs und Anárions am Anduin, an der Nordgrenze von Gondor (vgl. *Die Gefährten,* II,9). 391, 400

Arien Eine Maia, von den Valar auserwählt, das Sonnenschiff zu lenken. 131–134

Armenelos Stadt der Könige von Númenor. 352, 354, 364–368, 392

Arminas siehe *Gelmir (2).*

Arnor ›Land des Königs‹, das Nordreich der Númenórer in Mittel-

erde, von Elendil gegründet, nachdem er dem Untergang von Númenor entkommen war. 391–393, 409

Aros Fluß im Süden von Doriath. 126, 150, 162, 165, 176, 177, 196,
316–319

Arossiach Die Aros-Furten, am nordöstlichen Zipfel von Doriath.
162, 177, 180, 181

Ar-Pharazôn ›Der Goldene‹, vierundzwanzigster und letzter König
von Númenor; im Quenya lautete sein Name *Tar-Calion;* hielt
Sauron gefangen und wurde von ihm verführt; befehligte die
große Flotte, die gegen Aman ausfuhr. 363–376

Ar-Sakalthôr Vater Ar-Gimilzôrs. 362

Arthad Einer der zwölf Gefährten Barahirs in Dorthonion. 208

Arvernien Küstengebiet von Mittelerde westlich der Sirion-Mündungen. (Vgl. Bilbos Lied in Bruchtal, *Die Gefährten,* II,1). 332

Ar-Zimraphel siehe *Míriel (2).*

Ascar Nördlichster Nebenfluß des Gelion in Ossiriand (später *Rathlóriel* genannt). Der Name bedeutet ›wild, stürmisch‹. 120, 164,
187, 195, 320

Astaldo ›Der Tapfere‹, Beiname des Vala Tulkas. 31

Atalante ›Die Versunkene‹, Quenya-Wort, gleichbedeutend mit
Akallabêth. 379

Atanamir siehe *Tar-Atanamir.*

Atanatári ›Väter der Menschen‹, Vgl. *Atani.* 137, 256

Atani ›Das Zweite Volk‹, die Menschen (Singular *Atan*). Zum
Ursprung des Namens vgl. 191. Da den Noldor und Sindar in
Beleriand lange Zeit von den Menschen nur die drei Häuser der
Elbenfreunde bekannt waren, verband sich dieser Name (in der
Sindarin-Form *Adan,* Plural *Edain*) insbesondere mit diesen, so
daß er nur selten auf andere Menschen angewandt wurde, die erst
später nach Beleriand kamen oder von denen man gehört hatte, daß
sie jenseits der Berge lebten. In den Worten Ilúvatars jedoch (50)
ist die Bedeutung ›Menschen (allgemein)‹. 50, 137, 191. *Edain*
191, 192, 197–200, 210, 211, 263, 266, 321, 349–352, 378

Aule Ein Vala, einer der Aratar, Schmied und Meister der Hand-
werke, Gemahl Yavannas; vgl. vor allem 29, 47; wie er die
Zwerge schuf 53−56; 18, 20, 27, 32, 35, 37, 41, 42, 49, 53−58,
64, 67, 76, 80, 83, 90, 101, 110, 120, 130, 350

Außenlande Mittelerde (auch *die Hinnenlande* genannt). 47, 49, 60,
103, 118, 132, 337

Außenmeer siehe *Ekkaia.*

Avallóne Hafen und Stadt der Eldar auf Tol Eressea, nach dem
Akallabêth so genannt, weil es ›von allen Städten Valinor am
nächsten‹ war. 350, 354, 356, 363, 375, 379, 380, 392, 398

Avari ›Die Widerstrebenden, die Ablehnenden‹; Name, der allen Elben beigelegt wurde, die es ablehnten, sich der Wanderung von
Cuiviénen nach Westen anzuschließen. Vgl. *Eldar* und *Dunkel-
elben.* 67, 68, 123, 130, 385

Avathar ›Die Schatten‹, das verödete Land an der Küste von Aman,
südlich der Bucht von Eldamar, zwischen den Pelóri und dem
Meer, wo Melkor Ungolianth traf. 95, 96, 103, 133

Azaghâl Fürst der Zwerge von Belegost; verwundete Glaurung in
der Nirnaeth Arnoediad und wurde von ihm getötet. 260

Balan Der Name Beors des Alten, bevor er in Finrods Dienst trat. 190

Balar Die große Bucht südlich von Beleriand, in die der Sirion mündete. 65, 69, 73, 160; zugleich die Insel in dieser Bucht, die der
abgebrochene Ostzipfel von Tol Eressea gewesen sein soll; Círdan und Gil-galad lebten dort nach der Nirnaeth Arnoediad. 73,
121, 160, 214, 264, 332, 333, 334

Balrog ›Starker Dämon‹, Sindarin-Form (Quenya *Valarauko*) des
Namens der Feuergeister in Morgoths Diensten. 37, 59, 105, 142,
144, 161, 202, 204, 225, 259, 329, 330, 340

Barad-dûr, ›Der Dunkle Turm‹ Saurons in Mordor. 360, 365, 378,
393, 396, 406, 408

Barad Eithel ›Turm an der Quelle‹, die Festung der Noldor bei Eithel Sirion. 257

Barad Nimras ›Turm des Weißen Horns‹, von Felagund auf dem Kap westlich von Eglarest erbaut. 160, 264

Baragund Vater Morwens, der Gattin Húrins; Neffe von Barahir und einer seiner zwölf Gefährten in Dorthonion. 198, 208, 216, 267, 341

Barahir Vater Berens, rettete Finrod Felagund in der Dagor Bragollach und empfing von ihm seinen Ring; in Dorthonion gefallen. Zur weiteren Geschichte von Barahirs Ring, der ein Erbstück von Isildurs Haus wurde vgl. *Der Herr der Ringe*, Anhang A,I,3. 139, 198, 203, 207, 208, 216–219, 223–227, 250, 253, 267, 315, 341

Baran Ältester Sohn Beors des Alten. 190

Baranduin ›Der Braune Fluß‹ in Eriador, südlich der Blauen Berge ins Meer fließend; der Brandywein des Auenlandes im *Herrn der Ringe*. 390

Bar-en Danwedh ›Haus der Auslöse‹, Name, den der Zwerg Mîm seiner Behausung auf dem Amon Rûdh gab, als er sie Túrin überließ. 274–278

Bauglir Ein Name Morgoths: ›der Bedrücker‹. 138, 268, 285, 315, 345

Baumhirten Ents. 57, 58, 320

Beleg Ein großer Borgenschütze, Oberhaupt der Grenzwachen von Doriath, genannt Cúthalion, ›Langbogen‹; Freund und Gefährte Túrins, von dem er erschlagen wurde. 211, 248, 250, 254, 268, 269, 306

Belegaer ›Das Große Meer‹ des Westens, zwischen Mittelerde und Aman. Unter dem Namen *Belegaer* 44, 116, 323; sehr oft aber auch *das (Große) Meer, das Westmeer* oder *das Große Wasser* genannt.

Belegost ›Große Festung‹; eine der beiden Zwergenstädte in den Blauen Bergen; Übersetzung von Zwergisch *Gabilgathol* ins Sindarin. 119, 120, 123, 150, 177, 255, 260, 275, 314, 318

Belegund Vater von Huors Gattin Rían; Neffe von Barahir und einer seiner zwölf Gefährten in Dorthonion. 198, 208, 216, 267

Beleriand Der Name soll ursprünglich ›das Land von Balar‹ bedeutet haben und zuerst für das Land um die Sirionmündungen gegenüber der Insel Balar gebraucht worden sein. Später bezeichnete der Name die ganze alte Nordwestküste von Mittelerde südlich des Fjords von Drengist, alle Länder im Innern südlich von Hithlum und nach Osten bis zu den Füßen der Blauen Berge; durch den Sirionstrom in Ost- und West-Beleriand geteilt. Beleriand wurde von den Erschütterungen zu Ende des Ersten Zeitalters zerstört und vom Meer überflutet, so daß nur noch Ossiriand (Lindon) erhalten blieb. *Passim,* besonders 157–166, 342, 383, 384

Belfalas Gebiet an der Südküste von Gondor, um die große *Bucht von Belfalas.* 391

Belthil ›Götterglanz‹, das von Turgon in Gondolin geschaffene Abbild Telperions. 169

Belthronding Der Bogen Beleg Cúthalions, der ihm ins Grab gelegt wurde. 282

Beor Genannt der Alte; Führer der ersten Menschen, die nach Beleriand kamen; Vasall Finrod Felagunds; Ahnherr des Hauses Beor (auch als *das Älteste Haus der Menschen* und *das Erste Haus der Edain* bezeichnet); vgl. *Balan.* 187, 190, 199, 201; *Haus* oder *Volk Beors* 191–194, 198, 203, 211, 216

Bereg Enkel Barans und Urenkel Beors des Alten (dies wird im Text nicht gesagt); ein Anführer der Unzufriedenen unter den Menschen von Estolad, ging über die Berge zurück nach Eriador. 193, 194

Beren Barahirs Sohn; schnitt einen Silmaril aus Morgoths Krone, als Brautgeld für Lúthien, Thingols Tochter, und wurde von Carcaroth, dem Wolf von Angband, getötet; als einziger aller sterblichen Menschen von den Toten zurückgekehrt, lebte er später mit Lúthien auf Tol Galen in Ossiriand und kämpfte bei Sarn Athrad gegen die Zwerge. Urgroßvater Elronds und Elros' und Vorfahr der númenórischen Könige. Auch *Camlost, Erchamion* und *der*

Einhänder genannt. 139, 164, 198, 208, 216–254, 315, 318–321, 334

Berge: von Aman, der Abwehr, siehe Pelóri; *des Ostens,* siehe *Orocarni; Eisenberge,* siehe *Ered Engrin; Nebelberge,* siehe *Hithaeglir; von Mithrim,* siehe *Mithrim; Schattengebirge,* siehe *Ered Wethrin* und *Ephel Dúath; des Grauens,* siehe *Ered Gorgoroth.*

Bewachte Ebene siehe *Talath Dirnen.*

Bewachtes Reich siehe *Valinor.* 96, 114

Blaue Berge siehe *Ered Luin* und *Ered Lindon.*

Bór Ein Häuptling der Ostlinge; stand mit seinen drei Söhnen im Dienste Maedhros' und Maglors. 211, 255 Bórs Söhne. 211, 260

Borlach Einer der drei Söhne Bórs; wie seine Brüder in der Nirnaeth Arnoediad gefallen. 211

Borlad Einer der drei Söhne Bórs; vgl. *Borlach.*

Boromir Urenkel Beors des Alten, Großvater Barahirs und Urgroßvater Berens; erster Fürst von Ladros. 198

Boron Vater Boromirs. 198

Borthand Einer der drei Söhne Bórs; vgl. *Borlach.*

Bragollach siehe *Dagor Bragollach.*

Brandir Genannt der Lahme; nach dem Tode seines Vaters Handir Oberhaupt des Volkes von Haleth; liebte Nienor und wurde von Túrin erschlagen. 245–252, 293, 298–307

Bregolas Vater Baragunds und Belegunds; in der Dagor Bragollach gefallen. 198, 203, 208

Bregor Vater Barahirs und Bregolas'. 198

Brethil Der Wald zwischen den Flüssen Teiglin und Sirion, Wohnsitz der Haladin (des Volkes von Haleth). 160, 197, 208, 212, 237, 255, 256, 259, 263, 271, 275, 277, 287, 292, 293, 297–306, 311, 313

Brilthor ›Glitzerndes Sturzwasser‹, vierter Nebenfluß des Gelion in Ossiriand 164

Brithiach Die Furt über den Sirion nördlich des Waldes von Brethil. 175, 176, 182, 196, 212, 279, 310, 311

Brithombar Nördlicher Hafen der Falas an der Küste von Beleriand. 74, 144, 160, 264, 333

Brithon Der Fluß, der bei Brithombar ins Große Meer floß. 264

Brodda Ein Ostling in Hithlum nach der Nirnaeth Arnoediad; nahm Aerin zum Weib, Húrins Verwandte; von Túrin erschlagen. 267, 291

Bruchtal Übersetzung von *Imladris*.

Cabed-en-Aras Tiefe Schlucht, durch die der Teiglin floß, wo Túrin Glaurung erschlug und Nienor in den Tod sprang; vgl. *Cabed Naeramarth*. 300–306

Cabed Naeramarth ›Sprung des Entsetzlichen Schicksals‹, Name der *Cabed-en-Aras*, nachdem Nienor in sie hinabgesprungen war. 303–306, 312

Calacirya ›Lichtspalt‹, der Durchlaß, der durch das Pelóri-Gebirge gelegt worden war und in dem sich der grüne Hügel von Túna erhob. 76, 79, 94, 106, 134, 135, 336

Calaquendi ›Elben des Lichts‹, diejenigen Elben, die in Aman lebten oder gelebt hatten *(die Hochelben)*. Vgl. *Moriquendi* und *Dunkelelben*. 67, 72, 139, 143

Calenardhon ›Die Grüne Provinz‹, Name von Rohan, als es der Nordteil von Gondor war; vgl. *Ard-galen*. 400

Camlost ›Der mit der leeren Hand‹; Name, den sich Beren beilegte, als er ohne den Silmaril zu König Thingol zurückkam. 248, 250

Caragdûr Felswand an der Nordseite des Amon Gwareth (des Bergs von Gondolin), wo Eol zu Tode gestürzt wurde. 185

Caranthir Vierter Sohn Feanors, genannt der Dunkle, ›von den Brüdern der bitterste und am schnellsten erzürnte‹; herrschte in Thargelion; beim Angriff auf Doriath gefallen. 77, 108, 149, 150, 165, 172, 177, 191, 195, 196, 205, 211, 322

Carcharoth Der große Wolf von Angband, der Beren die Hand mit dem Silmaril abbiß; von Huan in Doriath getötet. Der Name wird im Text mit ›der Rote Rachen‹ übersetzt. Auch *Anfauglir* genannt. 241–244, 247–250

Cardolan Gebiet im südlichen Eriador, Teil des Königreichs Arnor. 390

Carnil Name eines (roten) Sterns. 60

Celeborn (1) ›Silberbaum‹, Name des Baumes von Tol Eressea, eines Schößlings von Galathilion. 76, 354

Celeborn (2) Elb aus Doriath, Verwandter Thingols; heiratete Galadriel und blieb nach dem Ende des Ersten Zeitalters mit ihr in Mittelerde. 153, 319, 345, 401

Celebrant ›Silberfluß‹, Fluß, vom Spiegelsee durch Lothlórien in den Anduin fließend. 401

Celebrimbor ›Silberhand‹, Sohn Curufins, der in Nargothrond blieb, als sein Vater ausgestoßen wurde. Im Zweiten Zeitalter größter der Schmiede von Eregion; schuf die Drei Ringe der Elben; von Sauron getötet. 237, 384, 387

Celebrindal ›Silberfuß‹; vgl. *Idril*.

Celebros ›Silberschaum‹ oder ›Silberregen‹; ein Bach in Brethil, der nahe bei den Stegen in den Teiglin herabstürzte. 298

Celegorm Dritter Sohn Feanors, genannt der Helle; bis zur Dagor Bragollach mit seinem Bruder Curufin Herr über das Gebiet von Himlad; wohnte in Nargothrond und hielt Lúthien gefangen; Herr Huans des Wolfshunds; von Dior in Menegroth erschlagen. 76–80, 108, 142, 165, 176, 177, 180, 181, 204, 227, 228, 231, 232, 236–238, 247, 254, 322, 384

Celon Flußlauf vom Berg von Himring nach Südwesten, ein Zufluß des Aros. Der Name bedeutet ›Bach, der von den Höhen herabkommt‹. 126, 165, 177, 180, 190, 196, 209

Círdan ›der Schiffbauer‹, Telerin-Elb, Herr der Falas (der Westküste von Beleriand); nach der Nirnaeth Arnoediad und der Zerstörung der Häfen mit Gil-galad auf die Insel Balar entflohen; während des Zweiten und Dritten Zeitalters Hüter der Grauen Anfurten im Golf von Lhûn; vertraute Mithrandir nach dessen Ankunft Narya, den Ring des Feuers, an. 74, 119, 121, 126, 127, 142, 151, 160, 171, 216, 264, 286, 332, 333, 334, 345, 396, 400–404, 409, 410

Cirith Ninniach ›Regenbogenspalte‹, durch die Tuor ans Westmeer gelangte; vgl. *Annon-in-Gelydh.* 323

Cirith Thoronath ›Adlerspalte‹, ein hoher Paß durch die Berge nördlich von Gondolin, wo Glorfindel mit einem Balrog kämpfte und in den Abgrund stürzte. 330

Cirth Runen, erfunden von Daeron aus Doriath. 124

Ciryon Dritter Sohn Isildurs, mit ihm zusammen auf den Schwertelfeldern gefallen. 397

Corollaire ›Die Grüne Anhöhe‹, auf der die Zwei Bäume von Valinor standen, auch *Ezellohar* genannt. 45

Crissaegrim Die Berggipfel südlich von Gondolin, wo die Horste Thorondors waren. 161, 207, 212, 245, 270, 310

Cuiviénen ›Wasser des Erwachens‹, der See in Mittelerde, wo die ersten Elben erwachten und wo Orome sie fand. 61–68, 107, 317

Culúrien Ein Name Laurelins. 46

Curufin Fünter Sohn Feanors, genannt der Geschickte; Vater Celebrimbors. Zum Ursprung des Namens vgl. *Feanor,* zur Geschichte Curufins vgl. *Celegorm.* 77, 108, 165, 181, 204, 227, 228, 231, 232, 236–238, 247, 254, 322, 384

Curufinwe siehe *Feanor.* 81, 90

Curunír ›Der Mann der schlauen Pläne‹, elbischer Name Sarumans, eines der Istari (Zauberer). 403–408

Cúthalion ›Langbogen‹ (wörtlich: ›Starker Bogen‹), vgl. *Beleg.*

Daeron Spielmann und größter Gelehrter König Thingols; Erfinder der Cirth (Runen); liebte Lúthien und verriet sie zweimal. 124, 151, 222, 231, 246, 344

Dagnir Einer der zwölf Gefährten Barahirs in Dorthonion. 208

Dagnir Glaurunga ›Glaurungs Verderber‹, Túrin. 307

Dagor Aglareb ›Die Ruhmreiche Schlacht‹, die dritte der großen Schlachten in den Kriegen von Beleriand. 154, 155, 157, 167

Dagor Bragollach ›Die Schlacht des Jähen Feuers‹ (auch einfach die *Bragollach*), die vierte der großen Schlachten in den Kriegen von Beleriand. 202–205, 209, 212, 215, 254, 257, 264, 286

Dagorlad ›Schlachtfeld, Walstatt‹ nördlich von Mordor, Schauplatz der großen Schlacht zwischen Sauron und dem Letzten Bund der Elben und Menschen am Ende des Zweiten Zweitalters. 394, 397

Dagor-nuin-Giliath ›Die Schlacht-unter-Sternen‹, die zweite Schlacht in den Kriegen von Beleriand, in Mithrim, nach Feanors Ankunft in Mittelerde. 141

Dairuin Einer der zwölf Gefährten Barahirs in Dorthonion. 208

Dämmerseen siehe *Aelin-uial.*

Deldúwath Einer der späteren Namen für Dorthonion (Taur-nu-Fuin), bedeutet ›Schrecken des Nachtschattens‹. 208

Denethor Lenwes Sohn; Führer der Nandorin-Elben, die zuletzt über die Blauen Berge kamen und in Ossiriand wohnten; fiel auf dem Amon Ereb in der Ersten Schlacht von Beleriand. 69, 124–126, 163

Dimbar Das Land zwischen den Flüssen Sirion und Mindeb. 161, 176, 212, 237, 271, 273, 276–279, 310

Dimrost Die Fälle des Celebros im Wald von Brethil; im Text übersetzt mit ›Regentreppe‹. Später *Nen Girith* genannt. 298

Dior Genannt *Aranel,* auch *Eluchíl* ›Thingols-Erbe‹; Sohn Berens und Lúthiens, Vater von Elwing, Elronds Mutter; kam nach dem Tode Thingols aus Ossiriand nach Doriath und empfing nach dem Tode Berens und Lúthiens den Silmaril; in Menegroth von Feanors Söhnen erschlagen. 253, 319–322, 327, 331, 334, 340, 342, 345

Dol Guldur ›Hügel der Magie‹, Versteck des Nekromanten (Sauron) im südlichen Düsterwald im Dritten Zeitalter. 402–407

Dolmed ›Nasser Kopf‹, ein großer Berg in den Ered Luin, nahe bei den Zwergenstädten Nogrod und Belegost. 119, 120, 126, 260, 320

Dor Caranthir ›Caranthirs Land‹; vgl. *Thargelion.* 165, 195, 205

Dor-Cúarthol ›Land von Helm und Bogen‹, Name des von Beleg und Túrin aus ihrem Versteck auf dem Amon Rûdh verteidigten Landes. 277

Dor Daedeloth ›Land des Schattens des Schreckens‹, das Land Morgoths im Norden. 142, 145, 148

Dor Dínen ›Das Stille Land‹, wo nichts lebte, zwischen den Oberläufen des Esgalduin und des Aros. 162

Dor Firn-i-Guinar ›Land der Toten, die leben‹, Name der Gegend in Ossiriand, wo Beren und Lúthien nach ihrer Rückkehr lebten. 253, 320

Doriath ›Land des Zauns‹ *(Dor Iâth),* mit Bezug auf den Gürtel Melians, zuvor Eglador genannt; das Königreich Thingols und Melians in den Wäldern von Neldoreth und Region, von Menegroth am Esgalduin aus regiert. Auch das *Verborgene Königreich* genannt. *Passim,* besonders 127, 162

Dorlas Einer der Haladin von Brethil; ging mit Túrin und Hunthor zu dem Angriff auf Glaurung, zog sich aber aus Furcht zurück; von Handir dem Lahmen erschlagen. 292, 299, 300, 303; Dorlas' Weib 304

Dor-lómin Gegend im Süden von Hithlum, das Gebiet Fingons, wurde dem Hause Hadors zu Lehen gegeben; Heimat Húrins und Morwens. 117, 158, 160, 198, 208, 214–216, 256, 262, 267, 269, 276, 283, 286, 290–293, 304, 305, 310, 314–317, 323; *Die Dame von Dor-lómin:* Morwen. 267

Dor nu-Fauglith ›Land unter der erstickenden Asche‹, vgl. *Anfauglith.* 205, 245

Dorthonion ›Land der Kiefern‹, das große bewaldete Hochland an den Nordgrenzen von Beleriand, später Taur-nu-Fuin genannt. Vgl. Baumbarts Lied in *Die zwei Türme,* III,4: ›Zu den Kiefern im Hochland von Dorthonion stieg ich im Winter hinauf...‹ 65, 125, 142, 149, 154, 155, 159–164, 192, 198, 202–204, 215–219, 255

Drachen 259, 260, 329, 341, 350, 388, 402

Drachenhelm von Dor-lómin Erbstück des Hauses Hador, wurde von Túrin getragen; auch *Hadors Helm* genannt. 268, 276, 277, 286, 314

Draugluin Der große Werwolf, den Huan bei Tol-in-Gaurhoth tötete und in dessen Gestalt Beren Angband betrat. 234, 241, 242

Drengist Der lange Fjord, der die Ered Lómin an der Westgrenze von Hithlum durchschnitt. 69, 103, 117, 127, 141, 155, 158, 216

Duilwen Fünfter Nebenfluß des Gelion in Ossiriand. 164

Dúnedain ›Die Edain aus dem Westen‹; vgl. *Númenórer.*

Dungortheb Siehe *Nan Dungortheb.*

Dunkelelben In der Sprache von Aman waren alle Elben, die das Große Meer nicht überquert hatten, Dunkelelben *(Moriquendi),* und manchmal wird der Ausdruck so gebraucht, 138, 139, 149; als Caranthir Thingol einen Dunkelelben nannte, war dies als Schimpfwort gemeint, um so mehr, als ja Thingol in Aman gewesen war und ›nicht zu den Moriquendi gezählt‹ wurde (72). Während der Verbannung der Noldor aber bezeichnete der Ausdruck oft alle Elben von Mittelerde, die keine Noldor oder Sindar waren, und ist dann etwa gleichbedeutend mit Avari (138, 163, 188). Etwas anderes wieder ist es, wenn Eol, ein Sindarin-Elb, als Dunkelelb tituliert wird (178, 181, 272); Turgon aber (184) meinte damit ohne Zweifel, daß Eol zu den *Moriquendi* gehörte.

Dunkelmenschen Siehe *Ostlinge.* 210

Dunkle Herr, Der Der Ausdruck bezeichnet Morgoth (309) und Sauron (389).

Durin Fürst der Zwerge von Khazad-dûm (Moria). 55, 395

Düsterwald Siehe *Grünwald, der Große.*

Ea Die Welt, das stoffliche Universum; *Ea,* elbisch ›es ist‹ oder ›es sei‹, war das Wort Ilúvatars, mit dem die Welt ins Sein trat. 19, 25, 27, 33, 42, 46, 53, 60, 62, 72, 94, 97, 101, 110, 115, 129

Earendil Genannt ›Halbelb‹, ›der Gesegnete‹, ›der Strahlende‹ und ›der Seefahrer‹; Sohn von Tuor und Idril, Turgons Tochter; entging der Vernichtung Gondolins und heiratete an den Sirion-Mündungen Elwing, Diors Tochter; fuhr mit ihr nach Aman und bat um Hilfe gegen Morgoth; fuhr mit seinem Schiff Vingilot in die Himmel auf, den Silmaril an der Stirn, den Beren und Lúthien aus Angband geholt hatten. Der Name bedeutet ›Freund des Meeres‹. 198, 327–339, 345, 349–352, 356, 364, 371, 372, 376, 379; *Lied von Earendil* 333, 349

Earendur (1) Ein Herr von Andúnië in Númenor. 362

Earendur (2) Zehnter König von Arnor. 397

Earnil Zweiunddreißigster König von Gondor. 399

Earnur Earnils Sohn, letzter König von Gondor, mit dem die Linie Anárions erlosch. 399

Erráme ›Meeresschwinge‹, Name von Tuors Schiff. 332

Earwen Tochter Olwes von Alqualonde (Thingols Bruder), vermählt mit Finarfin von den Noldor. Über Earwen waren Finrod, Orodreth, Angrod, Aegnor und Galadriel mit den Teleri blutsverwandt; deshalb wurden sie nach Doriath eingelassen. 77, 148, 172

Echoberge (Echogebirge) Siehe *Ered Lómin*.

Echoriath ›Die Umzingelnden Berge‹ um die Ebene von Gondolin. 153, 185, 310, 311, 325, 326

Ecthelion Elbenfürst von Gondolin, der bei der Vernichtung der Stadt Gothmog, den Fürsten der Balrogs, erschlug und von diesem erschlagen wurde. 143, 262, 325, 329

Edain Siehe *Atani*.

Edrahil Anführer der Elben von Nargothrond, die Finrod und Beren auf ihrer Fahrt begleiteten und in den Kerkern von Tol-in-Gaurhoth umkamen. 228

Eglador Älterer Name für Doriath, bevor es mit Melians Gürtel umgeben wurde; wahrscheinlich verwandt mit dem Namen *Eglath*. 127

Eglarest Der südliche Hafen der Falas an der Küste von Beleriand. 74, 126, 144, 160, 163, 264, 333

Eglath ›Das Verlassene Volk‹; Name, den sich die Teleri beilegten, die in Beleriand blieben, um Elwe (Thingol) zu suchen, als die Hauptschar der Teleri nach Aman aufbrach. 75, 317

Eilinel Gemahlin Gorlims des Unglücklichen. 217, 218

Einsame Insel Siehe *Tol Eressea.*

Eisenberge Siehe *Ered Engrin.*

Eithel Ivrin ›Ivrin-Brunnen‹, auch ›die Weiher von Ivrin‹, die Quelle des Flusses Narog unterhalb der Ered Wethrin. 151, 282, 283

Eithel Sirion ›Sirion-Brunnen‹, an den Osthängen der Ered Wethrin, wo Fingolfins und Fingons große Festung stand (vgl. *Barad Eithel*). 142, 143, 160, 204, 215, 256–259

Ekkaia Elbischer Name für das Außenmeer, von dem Arda umgeben ist; auch als der *Äußere Ozean* und das *Umzingelnde Meer* bezeichnet. 44, 48, 64, 80, 116, 132, 139, 250

Elben Siehe besonders 50, 51, 60–64, 66, 67, 68, 115, 139, 140, 355, 356; vgl. auch *Kinder Ilúvatars, Eldar, Dunkelelben;* zu *Lichtelben* vgl. *Calaquendi.*

Elbenfreunde Die Menschen aus den Drei Häusern von Beor, Haleth und Hador: die Edain. 189, 195, 255, 340. In der *Akallabêth* und *Von den Ringen der Macht* auch Bezeichnung für diejenigen Númenórer, die nicht mit den Eldar gebrochen hatten, vgl. *Elendili.* Auf S. 406 sind ohne Zweifel die Menschen von Gondor und die Dúnedain des Nordens gemeint.

Elbenheim Siehe *Eldamar.*

Elbereth Der gebräuchliche Name Vardas im Sindarin, ›Sternenkönigin‹; vgl. *Elentári.* 28, 48

Eldalië ›Das Elbenvolk‹, gleichbedeutend mit *Eldar* verwendet. 22, 67, 68, 73, 85, 168, 222, 251–252, 256, 273, 344

Eldamar ›Elbenheim‹, das Gebiet in Aman, wo die Elben wohnten; auch die große Bucht gleichen Namens. 75, 79, 89–91, 94, 95, 112, 179, 236, 335

Eldar Nach elbischer Überlieferung wurde der Name *Eldar,* ›Volk der Sterne‹, allen Eldar von dem Vala Orome verliehen (62). Im späteren Gebrauch bezeichnete er jedoch nur noch die Elben der Drei Geschlechter (Vanyar, Noldor und Teleri), die sich aus Cuiviénen zu dem großen Zug nach Westen aufmachten (ob sie dann in Mittelerde blieben oder nicht), unter Ausschließung der Avari. Die Elben von Aman und alle Elben, die je dort gelebt hatten, wurden Hochelben *(Tareldar)* und Lichtelben *(Calaquendi)* genannt; vgl. *Dunkelelben, Úmanyar. Passim.* Vgl. *Elben.*

Eldarin ›Zu den Eldar gehörig‹, in bezug auf die Sprache(n) der Eldar. Wo der Ausdruck vorkommt, bezieht er sich faktisch auf Quenya, das auch *Hoch-Eldarin* und *Hochelbisch* genannt wird; vgl. *Quenya.*

Eledhwen Siehe *Morwen.*

Elemmíre (1) Name eines Sterns. 60

Elemmíre (2) Vanyarin-Elb, Dichter des *Aldudénië,* des Klagelieds um die Zwei Bäume. 99

Elende Ein Name für Eldamar. 79, 111, 148

Elendil Genannt der Lange; Sohn Amandils, des letzten Herrn von Andúnië in Númenor, stammte von Earendil und Elwing ab, doch nicht in der direkten Linie der Könige; entkam mit seinen Söhnen Isildur und Anárion dem Untergang von Númenor und gründete die númenórischen Reiche der Mittelerde; zusammen mit Gil-galad bei der Überwältigung Saurons am Ende des Zweiten Zeitalters gefallen. Der Name kann entweder als ›Elbenfreund‹ (vgl. *Elendili)* oder als ›Sternenfreund‹ gedeutet werden. 366, 367, 371–373, 378, 390, 397, 398, 408 *Elendils Erben.* 396

Elendili Name für diejenigen Númenórer, die in der Zeit Tar-Ancalimons und der späteren Könige nicht mit den Eldar brachen; auch *die Getreuen* genannt. 358–363, 365, 366, 370–373

Elendur Ältester Sohn Isildurs, mit ihm auf den Schwertelfeldern gefallen. 397

Elenna Ein (Quenya-)Name für Númenor, ›dem Stern nach‹, weil die Edain auf ihrer Fahrt nach Númenor zu Beginn des Zweiten Zeitalters von Earendil geleitet wurden. 351, 376, 379

Elentári ›Sternenkönigin‹, ein Name Vardas als Schöpferin der Sterne; so wird sie in Galadriels Klagelied in Lórien genannt (*Die Gefährten*, II,8). Vgl. *Elbereth, Tintalle*. 60

Elenwe Turgons Gemahlin, kam bei dem Übergang über die Helcaraxe um. 118, 179

Elerrína ›Der Sterngekrönte‹, ein Name des Taniquetil. 44

Elostirion Höchster der Türme auf den Emyn Beraid; der *Palantir* wurde darin aufbewahrt. 392

Elrond Sohn Earendils und Elwings, der sich am Ende des Ersten Zeitalters dafür entschied, den Erstgeborenen anzugehören, und bis zum Ende des Dritten Zeitalters in Mittelerde blieb; Herr von Imladris (Bruchtal) und Hüter von Vilya, dem Ring der Luft, den er von Gil-galad erhalten hatte; auch *Meister Elrond* und *Elrond der Halbelb* genannt. Der Name bedeutet ›Sternendach‹. 140, 333–335, 345, 352, 384, 385, 387, 396–409. *Elronds Söhne*. 408

Elros Sohn Earendils und Elwings, der sich am Ende des Ersten Zeitalters dafür entschied, zu den Menschen gezählt zu werden, und der erste König von Númenor wurde (*Tar-Minyatur* genannt); erreichte ein sehr hohes Alter. Der Name bedeutet ›Sternenschaum‹. 333–335, 345, 352, 358–363, 367, 384, 390

Elu Sindarin-Form von Elwe. 72, 119, 143, 317

Eluchíl ›Erbe von Elu (Thingol)‹, ein Name für Dior, Berens und Lúthiens Sohn. Vgl. *Dior*.

Eluréd Ältester Sohn Diors; kam beim Angriff der Söhne Feanors auf Doriath um. Der Name bedeutet dasselbe wie *Eluchíl*. 319, 322

Elurín Jüngerer Sohn Diors, kam zusammen mit seinem Bruder Eluréd um. Der Name bedeutet ›Erinnerung an Elu (Thingol)‹. 319, 322

Elwe Beiname Singollo, ›Graumantel‹; führte mit seinem Bruder Olwe die Schar der Teleri auf dem Zuge von Cuiviénen nach Westen, bis er im Nan Elmoth verschwand; später König der Sindar, herrschte mit Melian in Doriath; empfing von Beren den Silmaril;

von den Zwergen in Menegroth getötet. Hieß auf Sindarin *(Elu)* *Thingol.* Vgl. *Dunkelelben, Thingol.* 66–75, 119, 317

Elwing Tochter Diors, die mit dem Silmaril aus Doriath entkam, an den Sirion-Mündungen Earendil heiratete und mit ihm nach Valinor fuhr; Mutter Elronds und Elros'. Der Name bedeutet ›Sternengischt‹; vgl. *Lanthir Lamath.* 140, 198, 319, 322, 333–340, 345

Emeldir Genannt ›die Mannesmutige‹; Barahirs Gemahlin und Berens Mutter; führte nach der Dagor Bragollach die Frauen und Kinder des Hauses Beor aus Dorthonion fort. (Sie stammte selbst von Beor ab, und ihr Vater hieß Beren; dies wird im Text nicht gesagt.) 208, 216

Emyn Beraid ›Die Turmberge‹ im Westen von Eriador; vgl. *Elostirion.* 390, 392

Endor ›Mittelland‹, Mittelerde. 116

Engwar ›Die Kränklichen‹, einer der Elbennamen für die Menschen. 137

Enteigneten, Die Das Haus Feanor. 115, 148

Eol Genannt der Dunkelelb, der große Schmied, der in Nan Elmoth lebte und Turgons Schwester Aredhel zum Weib nahm; Freund der Zwerge; schmiedete das Schwert Anglachel (Gurthang); Vater Maeglins; in Gondolin hingerichtet. 120, 177–185, 272

Eonwe Einer der Mächtigsten unter den Maiar, genannt der Herold Manwes; führte das Heer der Valar am Ende des Ersten Zeitalters beim Angriff auf Morgoth. 35, 337, 343, 350, 383

Ephel Brandir ›Brandirs Zaun‹, Wohnsitz der Menschen von Brethil auf dem Amon Obel; auch *der Ephel* genannt. 293, 298, 300

Ephel Dúath ›Schattenzaun‹, die Gebirgskette zwischen Gondor und Mordor; auch *Schattengebirge* genannt. 391, 393, 399

Ercharmion ›Der Einhänder‹, Name Berens nach seiner Flucht aus Angband. 246, 248, 267, 321

Erech Ein Berg im Westen von Gondor, wo sich Isildurs Stein befand (vgl. *Die Rückkehr des Königs,* V,2). 391

435

Ered Engrin ›Die Eisenberge‹ im hohen Norden. 146, 154, 157, 202

Ered Gorgoroth ›Die Berge des Grauens‹, nördlich von Nan Dungortheb; auch *die Gorgoroth* genannt. 105, 125, 161, 196, 237, 271

Ered Lindon ›Die Berge von Lindon‹, ein anderer Name für die *Ered Luin,* die Blauen Berge. 165, 166, 179, 187, 263, 316

Ered Lómin ›Die Echoberge‹, Gebirgskette an der Westgrenze von Hithlum. 141, 158

Ered Luin ›Die Blauen Berge‹, auch *Ered Lindon* genannt. Nach der Zerstörung am Ende des Ersten Zeitalters bildeten die Ered Luin das nordwestliche Küstengebirge von Mittelerde. 69, 119, 123, 150–154, 164, 177, 317, 383, 384, 389, 390

Ered Nimrais Das Weiße Gebirge (*nimrais,* ›weiße Hörner‹), die große Bergkette von Osten nach Westen im Süden des Nebelgebirges. 123

Ered Wethrin ›Die Berge des Schattens‹, ›das Schattengebirge‹, die große gebogene Bergkette, die Dor-nu-Fauglith (Ard-galen) von Westen her begrenzt und Hithlum von West-Beleriand trennt. 141, 143, 145, 151, 155, 158, 159, 168, 192, 202, 204, 215, 229, 235, 256, 259, 262, 275, 280, 282, 286, 292, 324

Eregion ›Land der Hulstbäume‹ (von den Menschen *Hulsten* genannt); noldorisches Reich im Zweiten Zeitalter, westlich des Nebelgebirges, wo die Elbenringe geschmiedet wurden. 384–387

Ereinion ›Sprößling der Könige‹, Sohn Fingons, immer mit seinem Beinamen *Gil-galad* genannt. 207, 264, 331

Erellont Einer der drei Seeleute, die Earendil auf seinen Fahrten begleiteten. 336

Eressea Siehe *Tol Eressea.*

Eriador Das Land zwischen Nebelgebirge und Blauen Bergen, wo das Königreich Arnor lag (und auch das Auenland der Hobbits). 69, 70, 120, 123, 194, 360, 390, 397, 400, 407

Erstgeborenen, Die Die Älteren Kinder Ilúvatars, die Elben. 17, 19,

22, 46, 49, 54, 57, 60, 61, 338, 345, 351, 352, 354, 356, 384, 385, 400, 409

Eru ›Der Eine‹, ›Er, welcher einzig da ist‹: Ilúvatar. 13, 25–29, 54–58, 97, 110, 111, 115, 118, 129, 352, 357, 359, 362, 366, 378

Esgalduin Fluß in Doriath, Grenze zwischen den Wäldern von Neldoreth und Region, fließt in den Sirion. Der Name bedeutet ›Fluß unter dem Schleier‹. 121, 162, 176, 221, 247, 248, 249, 296, 318; *Esgalduin-Brücke,* vgl. *Iant Iaur.*

Este Eine der Valier, Gemahlin von Irmo (Lórien); ihr Name bedeutet ›Rast‹. 27, 31, 36, 82, 131, 132

Estolad Das Land südlich von Nan Elmoth, wo sich die Menschen im Gefolge Beors und Marachs niederließen, nachdem sie über die Blauen Berge nach Beleriand gekommen waren; im Text mit ›das Lager‹ übersetzt. 190–196

Ezellohar Der Grüne Hügel der Zwei Bäume von Valinor; auch *Corollaire* genannt. 45, 57, 99, 101, 102

Faelivrin Name, den Gwindor Finduilas gegeben hatte. 283

Falas Die Westküste von Beleriand südlich von Nevrast. 74, 122, 126, 142, 160, 216, 256, 264, 285

Falathar Einer der drei Seeleute, die Earendil auf seinen Fahrten begleiteten. 336

Falathrim Die Telerin-Elben von den Falas, deren Herr Círdan war. 74

Falmari Die See-Elben; Name der Teleri, die aus Mittelerde in den Westen zogen. 67

Feanor Ältester Sohn Finwes (einziges Kind von Finwe und Míriel), Halbbruder Fingolfins und Finarfins; der größte der Noldor und der Anführer ihrer Rebellion; Erfinder der feanorischen Schrift; Schöpfer der Silmaril; in Mithrim in der Dagor-nuin-Giliath gefallen. Sein Name war *Curufinwe* (*curu,* ›Geschicklichkeit‹), und diesen Namen gab er selbst seinem fünften Sohn, Curufin; doch wurde er immer mit dem ihm von seiner Mutter gegebenen Namen *Feanáro,* ›Feuergeist‹, genannt, der im Sindarin die Form *Feanor* erhielt; Kapitel V–IX und XIII *passim,* vgl. besonders 77, 81–85, 129; andernorts kommt sein Name hauptsächlich in *Feanors Söhne* vor.

Feanturi ›Herren der Geister‹, die Valar Námo (Mandos) und Irmo (Lórien). 30

Felagund Name König Finrods nach dem Bau von Nargothrond, zwergischen Ursprungs (*felak-gundu,* ›Höhlenschleifer‹), im Text jedoch mit ›Herr der Grotten‹ übersetzt (78). Vgl. *Finrod.*

Feuriger Berg Siehe *Orodruin.*

Finarfin Dritter Sohn Finwes, der jüngere von Feanors Halbbrüdern; blieb nach der Verbannung der Noldor in Aman und herrschte über das restliche Volk in Tirion. Nur er und seine Nachkommen hatten unter den Noldorfürsten goldblondes Haar, von seiner Mutter Indis, die eine Vanyarin-Elbin war (vgl. *Vanyar*). 77, 78, 83, 90, 91, 109–111, 115, 134, 236, 340; an vielen anderen Stellen wird der Name Finarfins in bezug auf seine Söhne oder sein Volk genannt.

Finduilas Tochter Orodreths, geliebt von Gwindor; kam bei der Eroberung von Nargothrond in Gefangenschaft und wurde an den Teiglin-Stegen von den Orks getötet. 283–293, 305

Fingolfin Zweiter Sohn Finwes, der ältere von Feanors Halbbrüdern; Hoher König der Noldor in Beleriand, saß in Hithlum; von Morgoth im Zweikampf erschlagen. 77, 78, 83, 89, 90, 92, 98, 108–118, 132, 141, 144, 145, 148, 151, 154, 155, 158, 161, 173, 201, 204, 205–209; an vielen anderen Stellen wird der Name Fingolfins in bezug auf seine Söhne oder sein Volk genannt.

Fingon Ältester Sohn Fingolfins, genannt der Kühne; rettete Maedhros von Thangorodrim; Hoher König der Noldor nach dem Tode seines Vaters; in der Nirnaeth Arnoediad von Gothmog erschlagen. 78, 109–111, 113, 117, 146, 147, 155, 156, 158, 161, 175, 186, 204, 207, 215, 216, 254–261, 263, 264, 331, 384

Finrod Ältester Sohn Finarfins, genannt ›der Treue‹ und ›der Freund der Menschen‹. Gründer und König von Nargothrond, wo er den Namen *Felagund* erhielt; begegnete in Ossiriand den ersten Menschen diesseits der Blauen Berge; von Barahir in der Dagor Bragollach gerettet; löste seinen Eid gegen Barahir ein, indem er Beren auf seinem Weg begleitete; in Verteidigung Berens in den Kerkern von Tol-in-Gaurhoth gefallen. Die folgenden Stellen umfassen auch diejenigen, wo er nur *Felagund* genannt wird. 78, 109, 111, 118, 145, 148, 151, 152, 153, 160–163, 166, 169, 172, 173, 187–192, 197–199, 203, 214, 219, 224, 227–236, 247, 275, 285, 288, 290, 294, 295, 313, 314, 315, 317

Finwe Führer der Noldor auf der Wanderung von Cuiviénen nach Westen; König der Noldor in Aman; Vater Feanors, Fingolfins und Finarfins; von Morgoth in Formenos erschlagen. 66, 67, 71, 74, 83, 89, 90, 94, 98, 102, 107, 170. An anderen Stellen wird er mit Bezug auf seine Söhne oder sein Haus genannt.

Fírimar ›Sterbliche‹, einer der Elbennamen für die Menschen. 137

Formenos ›Nördliche Festung‹, Burg Feanors und seiner Söhne im Norden von Valinor, erbaut nach der Verbannung Feanors aus Tirion. 92, 93, 98, 102, 103, 168

Fornost ›Nördliche Festung‹, númenórische Stadt im nördlichen Hügelland von Eriador. 390

Frodo Der Ringträger. 408

Fuinur Ein abtrünniger Númenórer, der zu Ende des Zweiten Zeitalters unter den Haradrim mächtig wurde. 394

Furt der Steine Siehe *Sarn Athrad*

Gabilgathol Siehe *Belegost*. 119

Galadriel Tochter Finarfins und Schwester Finrod Felagunds; eine der Anführerinnen in der Rebellion der Noldor gegen die Valar; vermählte sich mit Celeborn von Doriath und blieb mit ihm nach dem Ende des Ersten Zeitalters in Mittelerde; Hüterin von Nenya, dem Ring des Wassers, in Lothlórien. 78, 109, 118, 153, 169–173, 192, 227, 319, 345, 401–404

Galathilion Der Weiße Baum von Tirion, ein von Yavanna für die Vanyar und Noldor erschaffenes Abbild Telperions. 76, 354, 392

Galdor Genannt der Lange; Sohn von Hador Lórindol und nach ihm Herr von Dor-lómin; Vater Húrins und Huors; gefallen bei Eithel Sirion. 198, 204, 208–215, 267, 283, 341

Galvorn Das von Eol erfundene Metall. 178

Gandalf Unter den Menschen der Name Mithrandirs, eines der Istari (Zauberer); vgl. *Olórin*. 403

Gefolgsleute (des Königs) Die den Eldar und den Elendili feindlichen Númenórer. 358, 363

Gelion Der große Strom von Ost-Beleriand, entsprang am Himring und am Berg Rerir und wurde gespeist von den Flüssen Ossiriands, die von den Blauen Bergen herabfließen. 70, 71, 119, 120, 126, 150, 161–165, 187, 190, 195, 205, 253, 320

Gelmir (1) Elb aus Nargothrond, Bruder Gwindors, in der Dagor Bragollach gefangengenommen und später vor Eithel Sirion getötet, als Herausforderung an die Verteidiger vor der Nirnaeth Arnoediad. 254, 257, 258

Gelmir (2) Elb aus dem Volke Angrods, der mit Arminas nach Nargothrond kam, um Orodreth vor Gefahr zu warnen. 286

Gerader Weg Der Weg, auf dem die Schiffe der Elben nach dem Untergang von Númenor und dem Wandel der Welt noch in den Alten oder Wahren Westen fahren konnten. 380, 384

Getreuen, Die Siehe *Elendili*.

Gildor Einer der zwölf Gefährten Barahirs in Dorthonion. 208

Gil-Estel ›Stern der Hoffnung‹, Sindarin-Name für Earendil mit dem Silmaril in seinem Schiff Vingilot. 339

Gil-galad ›Strahlenstern‹, der Name, unter dem Ereinion, Fingons Sohn, später bekannt war. Nach dem Tode Turgons der letzte Hohe König der Noldor in Mittelerde, blieb nach dem Ende des Ersten Zeitalters in Lindon; mit Elendil Führer des Letzten Bundes der Elben und Menschen und gemeinsam mit ihm im Kampf gegen Sauron gefallen. 207, 264, 331, 334, 345, 359, 361, 384, 385–390, 400

Gimilkhâd Jüngerer Sohn Ar-Gimilzôrs und Inzilbêths, Vater Ar-Pharazôns, des letzten Königs von Númenor. 362, 363

Gimilzôr Siehe *Ar-Gimilzôr.*

Ginglith Fluß in West-Beleriand, der oberhalb Nargothrond in den Narog floß. 226, 287

Glaurung Der erste von Morgoths Drachen, genannt *der Vater der Drachen,* beteiligt an der Dagor Bragollach, der Nirnaeth Arnoediad und der Eroberung von Nargothrond; legte seinen Bann auf Túrin und Nienor; von Túrin bei Cabed-en-Aras getötet. Auch *der Große Wurm* und *der Wurm Morgoths* genannt. 155, 156, 198, 202, 259, 260, 287–291, 294, 295, 298–307, 312–314, 324, 329

Glingal ›Hängende Flamme‹, von Turgon in Gondolin geschaffenes Bild von Laurelin. 169

Glirhuin Ein Spielmann aus Brethil. 313

Glóredhel Tochter Hador Lórindols von Dor-lómin und Schwester Galdors; vermählt mit Haldir von Brethil. 212

Glorfindel Elb aus Gondolin, der im Kampf mit einem Balrog auf der Flucht aus der eroberten Stadt vom Cirith Thoronath herab zu Tode stürzte. Der Name bedeutet ›der Goldblonde‹. 262, 331

Goldodhrim Die Noldor. *Goldodh* war die Sindarin-Form für Quenya *Noldo, -rim* eine Plural-Endung; vgl. *Annon-in-Gelydh,* die Pforte der Noldor. 180

Gondolin ›Der Verborgene Felsen‹ (vgl. *Ondolinde*); geheime Stadt König Turgons in den Umzingelnden Bergen (Echoriath). 78, 143, 167–170, 175, 176, 178–186, 207, 212–215, 245, 255–265, 278, 310, 311, 323–332, 334, 338, 352

Gondolindrim Die Bewohner von Gondolin. 185, 214, 259

Gondor ›Land von Stein‹, Name des südlichen númenórischen Reichs in Mittelerde, gegründet von Isildur und Anárion. 391–399, 407, 408, 409, *Hauptstadt von Gondor:* Minas Tirith. 409

Gonnhirrim ›Meister des Steins‹, ein Sindarin-Name für die Zwerge. 119

Gorgoroth (1) Siehe *Ered Gorgoroth*.

Gorgoroth (2) Eine Hochebene in Mordor, im Winkel zwischen Schatten- und Aschengebirge. 393, 396, 399

Gorlim Genannt der Unglückliche; einer der zwölf Gefährten Barahirs in Dorthonion; wurde durch ein Trugbild seines Weibes Eilinel betört und verriet Sauron Barahirs Versteck. 208, 217, 218, 219

Gorthaur Name Saurons im Sindarin. 37, 209

Gorthol ›Schreckenshelm‹, der Name, den Túrin als einer der Zwei Kapitäne im Lande Dor-Cúarthol annahm. 278

Gothmog Fürst der Balrogs, Feldherr von Angband, erschlug Feanor, Fingon und Ecthelion. (Den gleichen Namen trug später im Dritten Zeitalter der Statthalter von Minas Morgul, *Die Rückkehr des Königs*, V, 6). 143, 261–263, 329

Graue Anfurten Siehe *Mithlond*.

Grau-Elben Siehe *Sindar*.

Grauelben-Sprache Siehe *Sindarin*.

Graumantel Siehe *Singollo, Thingol*.

Grond Die große Keule, mit der Morgoth gegen Fingolfin kämpfte; genannt der Unterwelthammer. Nach ihm war die große Ramme benannt, die gegen das Tor von Minas Tirith eingesetzt wurde (*Die Rückkehr des Königs*, V, 4). 206, 207

Großer Gelion Einer der beiden Läufe des Stromes Gelion im Norden, entspringt am Berg Rerir. 164

Große Lande Mittelerde. 354

Großer Strom Siehe *Anduin*.

Grün-Elben Übersetzung von *Laiquendi;* die Nandorin-Elben von Ossiriand. Zu ihrer Herkunft vgl. 128, 164, zum Namen 126; 151, 166, 187, 190, 191, 205, 263, 320

Grünwald, der Große Der große Wald östlich des Nebelgebirges, später Düsterwald genannt. 390, 397, 402–406

Guilin Vater Gelmirs und Gwindors, der Elben aus Nargothrond. 254, 257, 279, 283, 287

Gundor Jüngerer Sohn Hador Lórindols, des Herrn von Dor-lómin; zusammen mit seinem Vater in der Dagor Bragollach bei Eithel Sirion gefallen. 198, 204, 341

Gurthang ›Todeseisen‹, Name für Belegs Schwert Anglachel, nachdem es in Nargothrond für Túrin neu geschliffen worden war; nach ihm wurde Túrin *Mormegil* genannt. 284, 289, 292, 301, 302, 304–306

Gwaith-i-Mírdain ›Volk der Juwelenschmiede‹, Gilde der Meister von Eregion, deren größter Celebrimbor war, Curufins Sohn. 384

Gwindor Elb aus Nargothrond, Bruder Gelmirs; entkam aus der Gefangenschaft in Angband und half Beleg, Túrin zu retten; brachte Túrin nach Nargothrond; liebte Finduilas, Orodreths Tochter; in der Schlacht von Tumhalad gefallen. 254, 258, 279–287

Hadhodrond Der Sindarin-Name für Khazad-dûm (Moria). 119, 120, 384

Hador Genannt *Lórindol,* ›Goldscheitel‹: Herr von Dor-lómin, Vasall Fingolfins; Vater Galdors, des Vaters von Húrin; in der Dagor Bragollach bei Eithel Sirion gefallen. Das Haus Hador wurde *das Dritte Haus der Edain* genannt. 197, 198, 199, 204, 208, 212, 215; *Haus Hador, Volk Hadors* 198, 211, 212, 216, 255, 261–263, 267, 268, 279, 292, 309, 337

Hadors Helm, vgl. *Drachenhelm von Dor-lómin.*

Häfen, Die Brithombar und Eglarest an der Küste von Beleriand. 142, 151, 160, 161, 207, 264

Haladin Das zweite Volk der Menschen, das nach Beleriand kam, später *Haleths Volk* genannt; lebte im Wald von Brethil, daher auch *die Menschen von Brethil.* 190, 191, 195, 196, 208, 211, 212, 216, 259, 263

Halbelben Übersetzung von Sindarin *Peredhel,* Plural *Peredhil,* mit Bezug auf Elrond und Elros 333, 345, 352, 384 und auf Earendil 327

Halblinge Übersetzung von *Periannath* (Hobbits). 408

443

Haldad Führer der Haladin bei der Abwehr der Orks in Thargelion, dort gefallen; Vater der Frau Haleth. 195–197

Haldan Sohn Haldars; Führer der Haladin nach dem Tode der Frau Haleth. 196

Haldar Sohn Haldads und Bruder der Frau Haleth; zusammen mit seinem Vater beim Angriff der Orks auf Thargelion gefallen. 195–197

Haldir Sohn Halmirs von Brethil; heiratete Glóredhel, die Tochter Hadors von Dor-lómin; in der Nirnaeth Arnoediad gefallen. 212, 256, 258, 263

Haleth Genannt *Frau Haleth,* führte die Haladin (Die nach ihr als Haleths Volk bezeichnet wurden) aus Thargelion in die Gebiete westlich des Sirion. 195–197; *Haus Haleth, Haleths Volk:* 197 – 198, 211, 212, 255, 293, 299, 301

Hallen der Erwartung Mandos' Hallen. 87

Halmir Führer der Haladin, Sohn Haldans; besiegte mit Beleg von Doriath die Orks, die nach der Dagor Bragollach den Sirion-Paß hinunter nach Süden kamen. 211, 255

Halsband der Zwerge Siehe *Nauglamír.*

Handir Haldirs und Glóredhels Sohn, Vater Brandirs des Lahmen; Führer der Haladin nach Haldirs Tod; in Brethil im Kampf gegen die Orks gefallen. 263, 287, 293

Haradrim Die Menschen von Harad (›dem Süden‹), aus den Gebieten südlich von Mordor. 394

Hareth Tochter Halmirs von Brethil; heiratete Galdor von Dor-lómin; Mutter Húrins und Huors. 212, 216

Hathaldir Genannt der Jüngling; einer von Barahirs zwölf Gefährten in Dorthonion. 208

Hathol Vater von Hador Lórindol. 198

Haud-en-Arwen ›Der Hügel der Frau‹, Grabhügel Haleths im Wald von Brethil. 197

Haud-en-Elleth Finduilas' Grabhügel in der Nähe der Teiglin-Stege. 293, 294, 298, 302, 305

Haudh-en-Ndengin ›Hügel der Erschlagenen‹ in der Wüste von Anfauglith, wo die Leiber der in der Nirnaeth Arnoediad gefallenen Elben und Menschen auf einen Haufen geworfen waren. 266, 267

Haud-en-Nirnaeth ›Hügel der Tränen‹, ein anderer Name für den *Haud-en-Ndengin*. 266

Helcar Das Binnenmeer im Nordosten von Mittelerde, wo einst der Berg mit der Leuchte Illuin stand; der See von Cuiviénen, wo die ersten Elben erwachten, soll eine Bucht in diesem Meer gewesen sein. 61, 68

Helcaraxe Die Meerenge zwischen Araman und Mittelerde, auch das *Malm-Eis* genannt. 65, 73, 103, 116, 118, 144, 155, 172, 179

Helevorn ›Schwarzer Spiegel‹, ein See im Norden von Thargelion, unter dem Berg Rerir, an dem Caranthir wohnte. 150, 165, 205

Helluin Der Stern Sirius. 61, 83

Herr der Wasser Siehe *Ulmo*.

Herren des Westens Siehe *Valar*.

Herumor Ein abtrünniger Númenórer, der am Ende des Zweiten Zeitalters unter den Haradrim mächtig wurde. 394

Herunúmen ›Herr des Westens‹, Quenya-Name Ar-Adûnakhors. 361

Hildor ›Die Nachkömmlinge‹, ›die Nachzügler‹, Elbenname für die Menschen als die Jüngeren Kinder Ilúvatars. 130, 137

Hildórien Das Land im Osten von Mittelerde, wo die ersten Menschen (Hildor) erwachten. 137, 138, 189

Himlad ›Kühle Ebene‹, das Gebiet, wo Celegorm und Curufin saßen, südlich des Aglon-Passes. 165, 177, 180

Himring Der große Berg westlich von Maglors Lücke, auf dem Maedhros' Burg stand; im Text mit ›der Ewig-Kalte‹ übersetzt. 150, 164, 165, 176, 205, 237, 247, 255

Hinnenlande Mittelerde (auch die *Außenlande* genannt). 71, 73, 325, 333, 340, 344, 353, 401

Hírilorn Die große dreistämmige Buche in Doriath, auf der Lúthien gefangengehalten wurde. Der Name bedeutet ›Frauenbaum‹. 231, 250

Hísilóme ›Nebelland‹, Quenya-Name für Hithlum. 158

Hithaeglir ›Kette der nebligen Gipfel‹: Die Nebelberge oder das Nebelgebirge (»Hithaiglin« auf der Karte zum *Herrn der Ringe* ist ein Fehler.) 70, 120, 124, 390, 394, 397

Hithlum ›Nebelland‹ (133), das Gebiet, das im Osten und Süden von den Ered Wethrin, im Westen von den Ered Lómin begrenzt wird; vgl. *Hísilóme.* 65, 105, 141, 144–146, 149, 155, 158, 159, 161, 164, 175, 191, 192, 202–211, 215, 245, 255–259, 262, 263, 267, 269, 280, 310, 323

Hochelben Siehe *Eldar.*

Hochelbisch Siehe *Quenya.*

Hoch-Faroth Siehe *Taur-en-Faroth.*

Hohlburg Übersetzung von *Nogrod,* ›gehöhlte Wohnstatt‹. 119

Huan Der große Wolfshund aus Valinor, den Orome Celegorm geschenkt hatte; Freund und Gehilfe Berens und Lúthiens; tötete Carcharoth und wurde von ihm getötet. Der Name bedeutet ›großer Hund, Jagdhund‹. 233–242, 245, 249, 250

Hunthor Einer der Haladin aus Brethil, der Túrin beim Angriff auf Glaurung in der Cabed-en-Aras begleitete und von einem herabfallenden Stein erschlagen wurde. 299, 301

Huor Sohn Galdors von Dor-lómin, Gemahl Ríans und Vater Tuors; kam mit seinem Bruder Húrin nach Gondolin; in der Nirnaeth Arnoediad gefallen. 168, 198, 211–214, 256, 261, 262, 323, 327, 331, 341

Húrin Genannt *Thalion,* ›der Standhafte‹, ›der Starke‹; Sohn Galdors von Dor-lómin, Gemahl Morwens und Vater Túrins und Nienors; Herr von Dor-lómin, Vasall Fingons. Kam mit seinem Bruder Huor nach Gondolin; in der Nirnaeth Arnoediad gefangengenommen und von Morgoth viele Jahre lang auf Thangorodrim festgehalten; erschlug nach seiner Freilassung Mîm in Nargothrond und brachte Thingol das Nauglamír. 168, 198, 211–216, 256, 257, 259–262, 266–270, 278, 283, 285, 288–294, 298, 303, 304, 306–317, 323, 328, 341

Hyarmentir Höchster Berg in den Gebieten südlich von Valinor. 96

Iant Iaur ›Die Alte Brücke‹ über den Esgalduin, an den Nordgrenzen von Doriath; auch die *Esgalduin-Brücke* genannt. 162, 176

Ibun Einer der Söhne Mîms des Kleinzwergs. 274, 277

Idril Genannt *Celebrindal,* ›Silberfuß‹, Tochter (und einziges Kind) Turgons und Elenwes; Gemahlin Tuors, Mutter Earendils, mit denen sie aus Gondolin and die Sirion-Mündungen entkam; brach von dort aus mit Tuor nach Westen auf. 169, 179, 183, 185, 186, 325, 337, 345, 352

Illuin Eine der von Aule geschaffenen Leuchten der Valar. Illuin stand im nördlichen Teil von Mittelerde, und nachdem Melkor den Berg umgeworfen hatte, entstand dort das Binnenmeer von Helcar. 41–43, 61, 73

Ilmare Eine Maia, Vardas Zofe. 35

Ilmen Die Region über der Luft, wo die Sterne sind. 132–134, 380

Ilúvatar ›Vater des Alls‹, Eru. 13–21, 25, 27, 28, 29 –33, 37, 48–57, 60 – 64, 72, 84, 87–89, 101, 108, 118, 137, 139, 251, 252, 343, 351, 352, 356, 357, 366, 375, 376

Imlach Vater Amlachs. 193

Imladris ›Bruchtal‹ (wörtlich: ›tiefes Tal der Spalte‹) Elronds Sitz in einem Tal des Nebelgebirges. 387, 394, 398–401, 408

Indis Vanyarin-Elbin, nah verwandt mit Ingwe; zweite Gemahlin Finwes, Mutter Fingolfins und Finarfins. 77, 83, 84, 90

Ingwe führte die Vanyar, die erste der drei Scharen der Eldar, auf der Wanderung von Cuiviénen nach Westen. In Aman lebte er auf dem Taniquetil und galt als Hoher König aller Elben. 66, 74, 76, 83, 135, 339

Inziladûn Ältester Sohn Ar-Grimilzôrs und Inzilbêths, später *Tar-Palantir* genannt. 362

Inzilbêth Gattin Ar-Gimilzôrs, aus dem Hause der Herren von Andúnië. 362

Irmo Ein Vala, meist Lórien genannt, nach dem Ort, wo er wohnte. Irmo bedeutet ›der Wünscher‹ oder ›Meister des Wunsches‹. 30, 31, 36, 82

Isengart Übersetzung (zur Wiedergabe der Sprache von Rohan) des elbischen Namens *Angrenost*. 391, 403–408

Isil Name des Mondes im Quenya. 131

Isildur Ältester Sohn Elendils, der mit seinem Vater und seinem Bruder Anárion dem Untergang von Númenor entkam und die númenórischen Exilreiche in Mittelerde begründete; Herr von Minas Ithil; schnitt den Herrscherring von Saurons Hand; von den Orks im Anduin getötet, als ihm der Ring vom Finger schlüpfte. 366, 368, 373, 377, 390–397, 408; *Isildurs Erben:* 398, 404; *Isildurs Erbe* (Aragorn): 408, 409

Istari Die Zauberer. Vgl. *Curunír, Saruman; Mithrandir, Gandalf, Olórin; Radagast.* 402, 403

Ivrin See und Wasserfälle unterhalb der Ered Wethrin, wo der Fluß Narog entsprang. 160, 282; *Weiher von Ivrin:* 151, 282, 283, 291, 324; *Fälle von Ivrin:* 160, 229. Vgl. *Eithel Ivrin.*

Jahr des Jammers Das Jahr der Nirnaeth Arnoediad. 168, 268

Kelvar Ein elbisches Wort, das in den Worten von Manwe und Yavanna in Kapitel 2 gebraucht wird: ›Tiere, lebendige Dinge, die sich bewegen‹. 56, 57

Kementári ›Königin des Erdreichs‹, ein Titel Yavannas. 30, 45, 47, 57

Khazâd Der Name der Zwerge in ihrer eigenen Sprache *(Khuzdul).* 119

Khazad-dûm Die große Stadt der Zwerge von Durins Stamm im Nebelgebirge *(Hadhodrond, Moria).* Vgl. *Khazâd; dûm* ist vermutlich ein Plural mit der Bedeutung ›Stollen, Hallen, Häuser‹. 55, 119, 384

Khîm Sohn Mîms des Kleinzwergs, von einem aus Túrins Bande getötet. 274

Kinder Ilúvatars Auch: *Kinder Erus,* Übersetzungen von *Híni Ilúvataro (Eruhíni);* die Erstgeborenen und die Nachkömmlinge, Elben und Menschen; auch: *die Kinder, Kinder der Erde, Kinder der Welt. Passim*, besonders 17, 49, 50

Kleiner Gelion Einer der beiden Arme des Stromes Gelion im Norden; entspringt am Berg von Himring. 164

Kleinzwerge Übersetzung von *Noegyth Nibin;* vgl. auch *Zwerge.*

Ladros Das Land im Nordosten von Dorthonion, das die Noldorkönige den Menschen aus dem Hause Beor zugesprochen hatten. 198

Laer Cú Beleg ›Das Lied von dem Großen Bogen‹, von Túrin bei Eithel Ivrin zum Gedenken an Beleg Cúthalion gedichtet. 282

Laiquendi Die Grünelben von Ossiriand. 126

Lalaith ›Lachen‹, Tochter Húrins und Morwens, als Kind gestorben. 267

Lammoth ›Das Große Echo‹, Gebiet nördlich des Fjords von Drengist, benannt nach dem Echo auf Morgoths Schreie bei seinem Kampf mit Ungolianth. 104, 141

Land der Toten, die leben Siehe *Dor Firn-i-Guinar.*

Land des Schattens Siehe *Mordor.*

Land des Sterns Siehe *Númenor.* 351, 370, 372, 376

Langbogen Übersetzung von *Cúthalion,* Name Belegs.

Lanthir Lamath ›Wasserfall der widerhallenden Stimmen‹, wo Diors Haus in Ossiriand stand und nach dem seine Tochter Elwing (›Sternengischt‹) benannt wurde. 319

Laurelin ›Goldnes Lied‹, der jüngere der Zwei Bäume von Valinor. 46, 78, 97, 130, 131, 133, 169

Legolin Dritter Nebenfluß des Gelion in Ossiriand. 164

Leithian-Lied Das lange Gedicht über das Leben Berens und Lúthiens, auf dem die Prosa-Wiedergabe im *Silmarillion* beruht. *Leithian* wird mit ›Erlösung aus den Banden‹ übersetzt. 217, 221, 226, 229–231, 250

Lembas Sindarin-Name für die Wegzehrung der Elben (aus dem älteren *lennmbass,* ›Reisebrot‹; im Quenya *coimas,* ›Lebensbrot‹). 272, 276, 279, 282

Lenwe Führer der Elben aus der Schar der Teleri, die sich weigerten, auf dem Zug von Cuiviénen nach Westen das Nebelgebirge zu überschreiten (Nandor); Vater Denethors. 69, 124

Letzter Bund Das Bündnis zwischen Elendil und Gil-galad am Ende des Zweiten Zeitalters gegen Sauron. 394

Lhûn Fluß in Eriador, fließt in den Golf von Lhûn. 383, 384, 390

Linaewen ›Vogelsee‹, das große, flache Gewässer in Nevrast. 159

Lindon Ein Name für Ossiriand im Ersten Zeitalter: 164. Nach den Umwälzungen am Ende des Ersten Zeitalters blieb der Name Lindon für die Gebiete westlich der Blauen Berge, die noch über dem Meer lagen, in Geltung. 384, 385, 389, 390, 400

Lindórië Mutter Inzilbêths. 362

Loeg Ningloron ›Teiche der goldnen Wasserblumen‹; vgl. *Schwertelfelder.*

Lómelindi Quenya-Wort, bedeutet ›Abendsänger‹, Nachtigallen. 71

Lómion ›Sohn der Dämmerung‹, der Quenya-Name, den Aredhel Maeglin gab. 178

Lórellin Der See in Lórien in Valinor, wo die Valië Este tagsüber schläft. 30, 31

Lorgan Oberhaupt der Ostlings-Menschen in Hithlum nach der Nirnaeth Arnoediad, bei dem Tuor in Sklaverei kam. 323

Lórien (1) Name der Gärten und des Wohnsitzes des Vala Irmo, der selbst meist Lórien genannt wurde. 27, 31, 36, 71, 82, 122, 131, 132, 319

Lórien (2) Das Land Celeborns und Galadriels zwischen den Flüssen Celebrant und Anduin. Vermutlich wurde der ursprüngliche Name des Landes zu der Quenya-Form Lórien abgeändert, im Gedenken an die Gärten Irmos in Valinor. In *Lothlórien* wird das Sindarin-Wort loth, ›Blume‹, vorangesetzt. 401

Lórindol ›Goldscheitel‹, vgl. *Hador.*

Losgar Der Platz, wo Feanor die Schiffe der Teleri verbrannte, an der Mündung des Fjords von Drengist. 117, 127, 141, 145, 158, 170, 172

Lothlann ›Die Weite und Leere‹, die große Ebene nördlich von Maedhros' Mark. 165, 205, 281

Lothlórien ›Lórien in Blüte‹, vgl. Lórien. (2). 401

Luinil Name eines (blauleuchtenden) Sterns. 60

Lumbar Name eines Sterns. 60

Lúthien Tochter Thingols und Melians, die sich nach Erfüllung des Auftrags, den Silmaril zu holen, und nach dem Tode Berens dafür entschied, sterblich zu werden und Berens Schicksal zu teilen. Vgl. *Tinúviel.* 119, 124, 164, 198, 217–227, 230–254, 267, 318–322, 334, 338, 345, 352

Mablung Elb aus Doriath, Feldhauptmann Thingols, Freund Túrins; genannt ›der von der Schweren Hand‹ (dies ist die Bedeutung des Namens Mablung); in Menegroth von den Zwergen erschlagen. 151, 247–250, 254, 269, 294–297, 305, 306, 313, 318, 319

Maedhros Ältester Sohn Feanors, genannt der Lange; von Thangorodrim gerettet durch Fingon; herrschte in den Gebieten um den Berg von Himring; stiftete Maedhros' Bund, der mit der Nirnaeth Arnoediad endete; nahm am Ende des Ersten Zeitalters einen der Silmaril mit sich in den Tod. 77, 108, 117, 144–151, 154, 155, 161, 163–165, 187, 194, 204, 205, 211, 237, 253–260, 263, 322, 333, 334, 339, 342, 343

Maedhros' Bund Das von Maedhros gestiftete Bündnis gegen Morgoth, das mit der Nirnaeth Arnoediad endete. 253, 254

Maedhros' Mark Das offene Land nördlich der Quellflüsse des Gelion, das Maedhros und seine Brüder gegen Angriffe auf Ost-Beleriand verteidigten; auch *die Ostmark* genannt. 151, 164

Maeglin Sohn von Eol und Aredhel, Turgons Schwester, geboren in Nan Elmoth; wurde mächtig in Gondolin und verriet es an Morgoth; beim Kampf um die Stadt von Tuor getötet. Vgl. *Lómion*. 120, 178–186, 213, 261, 272, 325, 329

Maglor Der zweite Sohn Feanors, ein großer Sänger und Spielmann; hatte das Gebiet inne, das *Maglors Lücke* genannt wurde; bemächtigte sich am Ende des Ersten Zeitalters mit Maedhros der zwei in Mittelerde verbliebenen Silmaril und warf den seinen ins Meer. 77, 108, 114, 151, 154, 156, 165, 187, 205, 246, 260, 334, 339, 342, 343, 344

Maglors Lücke Das Gebiet zwischen den Armen des Gelion, das nicht durch Berge gegen Angriffe von Norden her geschützt war. 154, 165, 205

Magor Sohn von Malach Aradan; Führer der Menschen aus dem Gefolge Marachs, die nach West-Beleriand gingen. 192, 198

Mahal Aules Name bei den Zwergen. 55

Máhanaxar Der Schicksalsring vor den Toren von Valmar, wo die Throne der Valar standen und wo sie Rat hielten. 45, 64, 65, 92, 101, 103, 106, 111, 129

Mahtan Ein großer Schmied der Noldor, Vater von Feanors Gemahlin Nerdanel. 83, 90

Maiar (Singular *Maia*), Ainur geringeren Ranges als die Valar. 35–37, 42, 71, 75, 98, 106, 124, 127, 131, 253, 321, 352, 383

Malach Sohn Marachs; von den Elben Aradan genannt. 191, 198

Malduin Ein Nebenfluß des Teiglin; der Name bedeutet vermutlich ›gelber Fluß‹. 277

Malinalda ›Goldner Baum‹, ein Name Laurelins. 46

Malm-Eis Siehe *Helcaraxe*.

Mandos In Aman der Wohnsitz des Vala, dessen eigentlicher Name Námo, der Richter, war, doch wurde dieser Name selten gebraucht, und er selbst wurde meist Mandos genannt. Nennungen des Vala: 27, 30, 60, 65, 84, 88, 92, 93, 102, 114, 129, 135, 139, 148, 172, 173, 251, 337, 345; Nennungen seines Wohnsitzes (einschließlich *Mandos' Hallen*, auch *Hallen der Erwartung*,

Häuser der Toten): 30, 51, 55, 65, 75, 82, 84, 87, 115, 139, 143, 250, 251, 318; mit Bezug auf den Schicksalsspruch über die Noldor und *Mandos' Fluch:* 168, 172, 173, 186, 189, 225, 228, 236, 326

Manwe Höchster der Valar, auch *Súlimo, der Älteste König,* oder *der Herrscher von Arda* genannt. *Passim,* besonders 20, 27, 28, 48, 85, 147

Marach Führer der dritten Schar der Menschen, die nach Beleriand kamen, Vorfahr von Hador Lórindol. 190–192, 201

Mardil Der Getreue genannt, der erste regierende Truchseß von Gondor. 399

Mar-nu-Falmar ›Das Land unter den Wellen‹, Name Númenors nach seinem Untergang. 379

Melian Eine Maia, die Valinor verließ und nach Mittelerde kam; später Gemahlin König Thingols in Doriath, um das sie einen Banngürtel legte, den *Gürtel Melians;* Mutter Lúthiens und Vorfahrin Elronds und Elros'. 36, 71, 72, 75, 119, 127, 148, 153, 161, 162, 169–172, 177, 192, 196, 197, 203, Kapitel XIX *passim,* 253, 254, Kapitel XXI, XXII *passim,* 345, 352

Melkor Der Quenya-Name des großen aufrührerischen Vala, Ursprung des Bösen, zu Anfang der mächtigste der Ainur; später genannt *Morgoth, Bauglir, der Dunkle Herr, der Feind* usw. Die Bedeutung von Melkor war ›Er, der in Macht ersteht‹; die Sindarin-Form hieß *Belegûr,* doch wurde sie nie gebraucht, es sei denn in der bewußt verzerrten Form *Belegurth,* ›Großer Tod‹. *Passim* (nach dem Raub der Silmaril meist *Morgoth* genannt), besonders 14–17, 37, 62–65, 84, 85, 104, 105, 134, 277, 344, 345

Menegroth ›Die Tausend Grotten‹, die verborgenen Hallen Thingols und Melians am Fluß Esgalduin in Doriath; vgl. besonders 121. 72, 121–127, 143, 148, 152, 162, 173, 223, 225, 231, 240, 247–250, 253, 268–273, 278, 294, 296, 315–321

Meneldil Sohn Anárions, König von Gondor. 396, 398

Menelmacar ›Schwertträger des Himmels‹, das Sternbild Orion. 61

453

Meneltarma ›Himmelspfeiler‹, der Berg inmitten von Númenor, auf dessen Gipfel sich das Heiligtum Eru Ilúvatars befand. 352, 354, 359, 362, 364, 367, 374, 376, 377, 379

Menschen Siehe besonders 49–51, 88, 89, 137–140, 198, 349, 350, 355–358, vgl. auch *Atani, Kinder Ilúvatars, Ostlinge.*

Mereth Aderthad Das ›Fest der Versöhnung‹, das Fingolfin an den Weihern von Ivrin gab. 151

Mîm Der Kleinzwerg, in dessen Hause *(Bar-en-Danwedh)* auf dem Amon Rûdh sich Túrin mit seiner Bande versteckte und der sie an die Orks verriet; von Húrin in Nargothrond erschlagen. 273–279, 313, 314

Minas Anor ›Turm der Sonne‹ (auch einfach *Anor*), später Minas Tirith genannt; die Stadt Anárions, zu Füßen des Berges Mindolluin. 391, 392, 395, 398, 399, 409

Minas Ithil ›Turm des Mondes‹, später Minas Morgul genannt; die Stadt Isildurs, auf einem Vorsprung des Ephel Dúath erbaut. 391, 392, 394, 398, 399

Minas Morgul ›Turm der Magie‹ (auch einfach *Morgul*); Name für Minas Ithil nach seiner Eroberung durch die Ringgeister. 399, 409

Minastir Siehe *Tar-Minastir.*

Minas Tirith (1) ›Wachtturm‹, von Finrod Felagund auf Tol Sirion erbaut; vgl. *Tol-in-Gaurhoth.* 160, 209, 277

Minas Tirith (2) Späterer Name von Minas Anor: 399. Auch *die Hauptstadt von Gondor* genannt. 409

Mindeb Nebenfluß des Sirion, zwischen Dimbar und dem Wald von Neldoreth. 161, 271

Mindolluin ›Ragender Blaugipfel‹, großer Berg bei Minas Anor. 391, 409

Mindon Eldaliéva ›Hoher Turm der Eldalië‹, Ingwes Turm in der Stadt Tirion; auch einfach *der Mindon*. 76, 91, 106, 111, 115

Míriel (1) Erste Gemahlin Finwes, Feanors Mutter; starb nach Feanors Geburt. Genannt Serinde, ›die Stickerin‹. 77, 81, 82, 90

Míriel (2) Tochter Tar-Palantirs, von Ar-Pharazôn zur Ehe gezwungen, als Königin *Ar-Zimraphel* genannt; auch Tar-Míriel. 363, 377

Mithlond ›Die Grauen Anfurten‹, Hafen der Elben am Golf von Lhûn; auch *die Anfurten.* 384, 389, 400, 403, 409, 410

Mithrandir ›Der Graue Pilger‹, Elbenname für Gandalf (Olórin), einen der Istari (Zauberer). 403–410

Mithrim Name des großen Sees im Osten von Hithlum, auch der Umgebung und der Berge im Westen, die Mithrim von Dor-lómin trennten. Der Name bezeichnete ursprünglich die dort lebenden Sindarin-Elben. 141–149, 158, 267, 323

Mittelerde Die Lande östlich des Großen Meeres; auch genannt *die Hinnenlande, die Außenlande, die Großen Lande* oder *Endor, Passim.*

Mordor ›Das Schwarze Land‹, auch *das Land des Schattens* genannt; Saurons Reich östlich des Gebirges Ephel Dúath. 360, 378, 386, 389 –399, 406 –408

Morgoth ›Der Schwarze Feind‹, Name Melkors, den ihm Feanor nach dem Raub der Silmaril verlieh. 37, 85, 102, und später *passim.*

Morgul Siehe *Minas Morgul.*

Moria ›Die Schwarze Kluft‹, späterer Name für Khazad-dûm (Hadhodrond). 120, 384, 387, 395

Moriquendi ›Elben der Dunkelheit‹, vgl. *Dunkelelben.* 68, 72, 119, 143

Mormegil ›Das Schwarze Schwert‹, Túrins Name als Hauptmann des Heeres von Nargothrond; vgl. *Gurthang.* 284, 285, 286, 299, 302, 305

Morwen Tochter von Baragund (Neffe von Barahir, Berens Vater); Gemahlin Húrins, Mutter Túrins und Nienors; genannt *Eledhwen* (im Text als ›Elbenschein‹ übersetzt) und *die Dame von Dor-lómin.* 199, 208, 216, 265–268, 284, 286, 290 –297, 309, 311–313, 315

Musik der Ainur Siehe *Ainulindale.*

Nachkömmlinge (Nachzügler) Die jüngeren Kinder Ilúvatars, die Menschen; Übersetzung von *Hildor*. 108, 130, 137

Nahar Das Pferd des Vala Orome; soll nach seiner Stimme so genannt worden sein. 32, 49, 62, 63, 68, 100

Námo Vala, einer der Aratar; meist *Mandos* genannt, nach seinem Wohnsitz. *Námo* bedeutet ›Verkünder, Richter‹. 30

Nandor Soll bedeuten ›die sich abwenden‹: die Nandor waren diejenigen Elben aus der Schar der Teleri, die sich während des Zuges von Cuiviénen nach Westen weigerten, das Nebelgebirge zu überschreiten, von denen jedoch sehr viel später ein Teil unter Denethors Führung über die Blauen Berge kam und in Ossiriand blieb (die Grün-Elben). 69, 123, 163, 269

Nan Dungortheb Auch *Dungortheb;* im Text mit ›Tal des Abscheulichen Todes‹ übersetzt. Das Tal zwischen den Hängen der Ered Gorgoroth und dem Gürtel Melians. 105, 161, 176, 220, 237

Nan Elmoth Der Wald östlich des Flusses Celon, wo Elwe (Thingol) von Melian verzaubert wurde und verschwand; später der Sitz Eols. 71, 72, 75, 177–182, 190, 272, 318

Nan-tathren ›Weidental‹, übersetzt als ›Land der Weidenbäume‹, wo der Narog in den Sirion floß. In Baumbarts Lied in *Die zwei Türme*, III,4, werden Quenya-Formen des Namens gebraucht: *Tasarinan, Nantasarion*. 160, 264, 331

Nargothrond ›Die große unterirdische Festung am Fluß Narog‹, von Finrod Felagund begründet und von Glaurung zerstört; auch das Reich Nargothrond östlich und westlich des Narog. 152, 153, 159, 160, 161, 169, 173, 187, 190, 196, 203, 209, 212, 215, 226, 230, 232, 233, 236, 247, 254–258, 264, Kapitel XXI *passim*, 313, 317, 324, 327, 384

Narn i Hîn Húrin ›Die Erzählung von den Kindern Húrins‹, das lange Lied, auf dem Kapitel XXI beruht; es wird dem Dichter Dírhavel zugeschrieben, einem Menschen, der zur Zeit Earendils an den Sirion-Anfurten lebte und in dem Angriff von Feanors

Söhnen umkam. *Narn* bezeichnet eine Erzählung in Versen, die jedoch gesprochen und nicht gesungen werden soll. 268

Narog Der größte Fluß in West-Beleriand; entspringt bei Ivrin unter den Ered Wethrin und mündet in Nan-tathren in den Sirion. 126, 151, 152, 153, 160, 226, 229, 274, 275, 282, 295, 313

Narsil Das Schwert Elendils, das Telchar von Nogrod geschmiedet hatte; es zerbrach, als Elendil im Kampf mit Sauron fiel, und aus den Bruchstücken wurde es für Aragorn neu geschmiedet und Andúril genannt. 395–397, 400, 408

Narsilion Das Lied von Sonne und Mond. 130

Narya Einer der drei Elbenringe, *der Ring des Feuers* oder *der Rote Ring;* Círdan trug ihn, später Mithrandir. 387, 401

Nauglamír ›Das Halsband der Zwerge‹, von den Zwergen für Finrod Felagund gefertigt, von Húrin aus Nargothrond zu Thingol gebracht, dessen Tod es herbeiführte. 153, 314, 315

Naugrim ›Die Kurzgewachsenen‹, Sindarin-Name für die Zwerge. 119–126, 150, 177, 180, 254, 260, 319

Nazgûl Siehe *Ringgeister*

Nebelgebirge Siehe *Hithaeglir.*

Neithan Name, den Túrin sich unter den Banditen beilegte, übersetzt mit ›der Gekränkte‹ ›(wörtlich: ›der Beraubte‹). 270

Neldoreth Der große Buchenwald, der den Nordteil von Doriath bildete; *Taur-na-Neldor* in Baumbarts Lied in *Die zwei Türme,* III,4. 71, 119, 121, 125, 127, 162, 221, 231, 267, 318

Nénar Name eines Sterns. 60

Nen Girith ›Schauderwasser‹, ein Name für Dimrost, die Fälle des Celebros im Wald von Brethil. 298, 300, 302, 303, 304

Nenning Fluß in West-Beleriand; fließt beim Hafen von Eglarest ins Meer. 160, 264, 285

Nenuial ›See des Zwielichts‹, in Eriador, in dem der Fluß Baranduin entsprang und an dem die Stadt Annúminas stand. (Auf der Karte zum *Herrn der Ringe* irrtümlich ›Lenulal-See‹ geschrieben). 390

Nenya Einer der drei Elbenringe, der Ring des Wassers, den Galadriel trug; auch *der Ring von Adamant* genannt. 387, 401

Nerdanel Genannt der Kluge; Tochter Mahtans des Schmiedes, Gemahlin Feanors. 83, 85, 90

Nessa Eine der Valier, Schwester Oromes und Gemahlin Tulkas'. 27, 31, 42

Nevrast Das Gebiet westlich von Dor-lómin, jenseits der Ered Lómin, wo Turgon saß, bevor er nach Gondolin zog. Der Name bedeutet ›Hinnenküste‹, und bezeichnete ursprünglich die ganze Nordwestküste von Mittelerde (das Gegenteil ist *Haerast*, ›die ferne Küste‹, die von Aman). 152, 153, 158, 159, 167, 168, 169, 175, 264, 323, 331

Nienna Eine der Valier, wurde zu den Aratar gezählt; die Herrin des Mitleids und der Trauer, Mandos' und Lóriens Schwester; vgl. besonders 27, 31, 32, 36, 45, 84, 102, 130

Nienor ›Trauer‹, die Tochter Húrins und Morwens und Schwester Túrins; von Glaurung in Nargothrond gebannt, in Unkenntnis ihrer Vergangenheit vermählte sie sich in Brethil unter dem Namen Níniel mit Túrin; stürzte sich in den Teiglin. 268, 286, 290, 291, 294–307

Nimbrethil Die Birkenwälder in Arvernien im Süden von Beleriand. Vgl. Bilbos Lied in Bruchtal: ›Schlug Holz und baute sich ein Schiff von Nimbrethil in Fahrt zu gehn‹ (*Die Gefährten*, II,1). 333

Nimloth (1) Der Weiße Baum von Númenor; aus einer von Isildur geraubten Frucht dieses Baums wuchs der Weiße Baum von Minas Ithil. *Nimloth*, ›weiße Blüte‹ ist die Sindarin-Form zu Quenya *Ninquelóte*, einem Namen Telperions. 76, 354, 361, 362, 367, 368, 373, 392, 395, 398, 409

Nimloth (2) Elbin aus Doriath, mit der sich Dior Thingols-Erbe vermählte; Mutter Elwings; in Menegroth beim Angriff von Feanors Söhnen getötet. 319–322

Nimphelos Die große Perle, die Thingol dem Zwergenfürsten von Belegost gab. 121

Níniel ›Tränenmädchen‹; Name, den Túrin seiner Schwester gab, in Unkenntnis ihrer Verwandtschaft. Vgl. *Nienor.*

Ninquelóte ›Weiße Blüte‹, ein Name Telperions; vgl. *Nimloth (1).* 45

Niphredil Eine weiße Blume, die in Doriath im Sternenschein blühte, als Lúthien geboren wurde. Sie wuchs auch auf Cerin Amroth in Lothlórien (*Die Gefährten,* II, 6, 8). 119

Nirnaeth Arnoediad ›Ungezählte Tränen‹ (auch einfach die *Nirnaeth*), Name der unheilvollen fünften Schlacht in den Kriegen von Beleriand. 186, 258, 263, 267, 279, 283, 323, 326, 327

Nivrim Derjenige Teil von Doriath, der auf dem Westufer des Sirion lag. 162

Noegyth Nibin ›Kleinzwerge‹ (vgl. auch *Zwerge*). 256, 257, 275, 276

Nogrod Eine der beiden Zwergenstädte in den Blauen Bergen; Übersetzung von zwergisch *Tumunzahar* ins Sindarin; vgl. *Hohlburg.* 119, 120, 123, 150, 177, 180, 238, 255, 275, 314, 316–320

Noldolante ›Der Sturz der Noldor‹, ein Klagelied von Maglor, Feanors Sohn. 114

Noldor Die Tiefelben, die zweite Schar der Elben auf dem Weg von Cuiviénen nach Westen, angeführt von Finwe. Der Name (Quenya *Noldo,* Sindarin *Golodh*) bedeutete ›die Weisen‹ (›weise‹ im Sinne von ›wissend, gelehrt‹, nicht von ›klug‹ oder ›urteilssicher‹). Zur Sprache der Noldor vgl. *Quenya. Passim,* besonders 47, 67, 77–81, 156, 384

Nóm, Nómin ›Weisheit‹, ›der Weise‹; Namen, welche die Menschen in Beors Gefolge in ihrer eigenen Sprache Finrod und seinem Volk gaben. 188

Nördliches Hügelland In Eriador, wo die Númenórer-Stadt Fornost stand. 390

Nulukkizdîn Zwergischer Name für Nargothrond. 313

Númenor (in der reinen Quenya-Form Númenóre: 351, 378). ›Westernis‹, ›Westland‹, die große Insel, welche die Valar den Edain nach dem Ende des Ersten Zeitalters zum Wohnsitz gaben. Auch genannt *Anadûnê, Andor, Elenna, das Land des Sterns,* nach dem Untergang *Akallabêth, Atalante* und *Mar-nu-Falmar.* 198, 351; *Akallabêth passim,* 385, 388–393, 397, 398

Númenórer Die Menschen von Númenor, auch die *Dúnedain* genannt. 35, *Akallabêth passim,* 389–401, 406–409

Nurtale Valinóreva ›Die Verhüllung von Valinor‹. 135

Ohtar ›Krieger‹, Isildurs Knappe, der die Hälften von Elendils Schwert nach Imladris brachte. 397

Oiolosse ›Der Ewig-Schneeweiße‹, unter den Eldar der gebräuchlichste Name für den Taniquetil, im Sindarin *Amon Uilos;* nach der *Valaquenta* jedoch war er ›der höchste Gipfel des Taniquetil‹. 28, 44

Oiomúre Ein Nebelgebiet in der Nähe der Helcaraxe. 103

Olórin Ein Maia, einer der Istari (Zauberer); vgl. *Mithrandir, Gandalf.* (*Die zwei Türme,* IV, 5: ›Olórin war ich in meiner Jugend im Westen, die vergessen ist‹.) 36

Olvar Ein elbisches Wort, das in den Reden von Yavanna und Manwe in Kapitel II gebraucht wird; ›wachsende Dinge mit Wurzeln in der Erde‹. 56, 57

Olwe führte gemeinsam mit seinem Bruder Elwe (Thingol) die Scharen der Teleri aus Cuiviénen nach Westen; Fürst der Teleri von Alqualonde in Aman. 67, 72, 74–77, 79, 112, 113, 114, 148, 170

Ondolinde ›Steinlied‹, der ursprüngliche Quenya-Name Gondolins. 167

Orfalch Echor Die große Schlucht in den Umzingelnden Bergen, durch die man nach Gondolin kam. 325

Orks Kreaturen Morgoths. *Passim,* zu ihrem Ursprung vgl. 63, 122

Ormal Eine der von Aule gemachten Leuchten der Valar. Ormal stand im Süden von Mittelerde. 41–43

Orocarni die Berge im Osten von Mittelerde (der Name bedeutet ›die roten Berge‹). 62

Orodreth Zweiter Sohn Finarfins, befehligte den Turm von Minas

Tirith auf Tol Sirion; nach dem Tode seines Bruders Finrod König von Nargothrond; Vater Finduilas'; in der Schlacht von Tumhalad gefallen. 78, 109, 160, 209, 228, 232, 254, 284–287, 292

Orodruin ›Berg des lodernden Feuers‹ in Mordor, auf dem Sauron den Herrscherring schmiedete; auch *Amon Amarth* genannt, ›der Schicksalsberg‹. 386, 393, 396, 408

Orome ein Vala, einer der Aratar; der große Jäger, der die Elben von Cuiviénen fortführte; Gemahl Vánas. Der Name bedeutet ›Hornblasen‹ oder ›Hörnerschall‹; vgl. *Valaróma* (im *Herrn der Ringe* in der Sindarin-Form *Araw*). Vgl. besonders 31, 32, 42, 49, 59, 62–64, 66–69, 73, 78, 80, 94, 95, 97, 100, 108, 121, 125, 131, 205, 231, 249

Oromet Ein Berg am Hadfen von Andúnië im Westen von Númenor, auf dem der Turm Tar-Minastirs stand. 363

Orthanc ›Gabelhöhe‹, der númenórische Turm im Ring von Isengart. 391, 392, 403

Osgiliath ›Festung der Sterne‹, größte Stadt des alten Reiches Gondor, zu beiden Seiten des Anduin. 391, 392, 394, 399

Osse Ein Maia, Untertan Ulmos, mit dem er in die Gewässer von Arda kam; Freund und Lehrer der Teleri. 35, 48, 73–75, 78, 114, 159, 265, 350

Ossiriand ›Land der Sieben Flüsse‹ (des Gelion und seiner von den Blauen Bergen herabfließenden Nebenflüsse); das Land der Grün-Elben. (Vgl. Baumbarts Lied in *Die zwei Türme*, III, 4: ›Ich zog durch die Ulmenwälder von Ossiriand im Sommer. Ah! Die Musik und das Licht im Sommer an den Sieben Strömen von Ossir!‹) vgl. *Lindon*. 124–127, 151, 164–166, 187, 190, 191, 203, 205, 253, 263, 319, 320, 321, 383, 384

Ost-in-Edhil ›Festung der Eldar‹, die Stadt der Elben in Eregion. 384, 386

Ostlinge Auch *Dunkelmenschen* genannt; kamen in der Zeit nach der Dagor Bragollach nach Beleriand und kämpften in der Nirnaeth Arnoediad auf beiden Seiten; erhielten von Morgoth Hithlum als Wohnsitz und unterdrückten dort die Überreste von Hadors Volk. 210, 211, 255, 260, 263, 267, 291, 292, 309, 323

Palantiri ›Die von weitem sehen‹, die sieben Sehenden Steine, die Elendil und seine Söhne aus Númenor mitbrachten; von Feanor in Aman geschaffen (vgl. *Die zwei Türme*, III, 11). 373, 392, 393

Pelargir ›Hof der Königsschiffe‹, númenórischer Hafen oberhalb des Anduin-Deltas. 360, 391

Pelóri ›Die umfriedenden oder wehrhaften Höhen‹, auch *die Berge von Aman* oder *die Berge der Abwehr* genannt, von den Valar nach der Zerstörung ihres Sitzes auf Almaren aufgetürmt; in einer steil abfallenden Kette von Norden nach Süden verlaufend, nahe an der Ostküste von Aman. 44–47, 59, 73, 76, 95, 96, 103, 132–134, 233

Periannath Die Halblinge (Hobbits). 407, 408

Pforten des Sommers Ein großes Feste in Gondolin, an dessen Vorabend die Stadt von der Streitmacht Morgoths überfallen wurde. 329

Pharazôn Siehe *Ar-Pharazôn*.

Quendi Ursprünglicher Elbenname der Elben (jeder Art, einschließlich der Avari), bedeutet ›die mit Stimmen reden‹. 50, 61–66, 71, 75, 88, 91, 130, 140, 188

Quenta Silmarillion ›Die Geschichte von den Silmaril‹. 384

Quenya Die alte, allen Elben gemeinsame Sprache in der Form, die sie in Valinor annahm; von den verbannten Noldor nach Mittelerde gebracht, jedoch auch von ihnen im täglichen Gebrauch aufgegeben, besonders nach ihrem Verbot durch König Thingol, vgl. besonders 151, 173. Unter dieser Bezeichnung in diesem Buch nicht erwähnt, jedoch als *Eldarin* 30, 352, 353; *Hoch-Eldarin* 353; *Hoch-Elbisch* 293; *Sprache von Valinor* 151; *Sprache der Elben von Valinor* 167; *Sprache der Noldor* 173, 178; *Hochsprache des Westens* (oder der Elben) 173, 361, 379.

Radagast Einer der Istari (Zauberer). 403, 406

Radhruin Einer der zwölf Gefährten Barahirs in Dorthonion. 208

Ragnor Einer der zwölf Gefährten Barahirs in Dorthonion. 208

Ramdal ›Ende der Mauer‹ (vgl. *Andram*), wo das Scheidegebirge durch Beleriand aufhörte. 163, 205

Rána ›Der Wanderer‹, ein Name des Mondes bei den Noldor. 131

Rathlóriel ›Goldbett‹, Name für den Fluß Ascar, nachdem der Schatz von Doriath darin versunken war. 164, 320

Rauros ›Tosender Schaum‹, die großen Wasserfälle des Anduin. 400

Region Der dichte Wald, welcher den Südteil von Doriath bildete. 71, 121, 127, 162, 318

Rerir Berg im Norden des Helevorn-Sees, wo der größere der beiden Quellflüsse des Gelion entspringt. 150, 164–165, 205

Rhovanion ›Wilderland‹, das weite Gebiet östlich des Nebelgebirges. 391

Rhudaur Gebiet im Nordosten von Eriador. 390

Rían Tochter von Belegund (Neffe von Barahir, Berens Vater); Gattin von Huor und Mutter von Tuor; nach Huors Tod starb sie im Leid auf dem Haudh-en-Ndengin. 198, 208, 216, 267, 323

Ringe der Macht 386, 387, 401–409; *der Eine Ring, der Große Ring* oder *Herrscherring*: 327, 378, 386–388, 393, 395–397, 401, 404, 408; *Drei Ringe der Elben*: 387, 401, 409 (vgl. auch *Narya*, der Ring des Feuers, *Nenya*, der Ring des Adamant, und *Vilya*, der Ring des Saphirs). *Sieben Ringe der Zwerge:* 387, 388, 401, 406; *Neun Ringe der Menschen:* 360, 388, 401, 406

Ringgeister Die Sklaven der Neun Ringe der Menschen, Saurons mächtigste Diener; auch die *Nazgûl* und die *Úlairi* genannt. 360, 388, 399, 403, 407, 408

Ringil Fingolfins Schwert. 206

Ringwil Bach, der bei Nargothrond in den Narog floß. 163

Rivil Bach, der nach Norden von Dorthonion herabfließt und im Fenn von Serech in den Sirion mündet. 219, 257, 262

Rochallor Fingolfins Pferd. 205

Rohan ›Das Pferdeland‹; später in Gondor gebräuchlicher Name für die große grasbewachsene Ebene, die zuvor Calenardhon hieß. 400, 408

Rómenna Hafen an der Ostküste von Númenor. 361, 366, 368, 372, 377

Rote Ring, Der Siehe *Narya.*

Rothinzil Adûnaischer (númenórischer) Name für Earendils Schiff Vingilot, mit der gleichen Bedeutung, ›Schaumblüte‹. 333, 349

Rúmil Ein gelehrter Noldo aus Tirion, der erste Erfinder der Schriftzeichen (vgl. *Der Herr der Ringe,* Anhang E); ihm wird die *Ainulindale* zugeschrieben. 81, 82

Saeros Nandorischer Elb, einer von Thingols wichtigsten Räten in Doriath; beleidigte Túrin in Menegroth und wurde von ihm in den Tod gejagt. 269

Salmar Ein Maia, zusammen mit Ulmo nach Arda gekommen; schliff Ulmos große Hörner, die *Ulumúri.* 48

Sarn Athrad ›Furt der Steine‹, wo die Zwergenstraße von Nogrod und Belegost den Gelion überquerte. 120, 187, 316, 320

Saruman ›Der Geschickte‹, Name der Menschen für *Curunír* (wovon der Name die Übersetzung ist), einer der Istari (Zauberer). 403, 404

Sauron ›Der Abscheuliche‹ (Im Sindarin *Gorthaur* genannt); der größte unter den Dienern Melkors; ursprünglich ein Maia Aules. 37, 38, 60, 65, 189, 209, 217–220, 229, 230, 233, 236, 240, 360, 364–370, 374, 378, 379, *Von den Ringen der Macht* passim

Schatttengebirge Siehe *Ered Wethrin.*

Schicksalsberg Siehe *Amon Amarth.*

Schicksalsring Siehe *Máhanaxar.*

Schlachten von Beleriand Die erste Schlacht: 126, 127. Die zweite (die Schlacht-unter-Sternen): vgl. *Dagornuin-Giliath.* Die dritte (die Ruhmreiche Schlacht): vgl. *Dagor Aglareb.* Die vierte (die Schlacht des Jähen Feuers): vgl. *Dagor Bragollach.* Die fünfte

(Schlacht der Ungezählten Tränen): vgl. *Nirnaeth Arnoediad. Die Große Schlacht.* 340–342

Schwanenhafen Siehe *Alqualonde.*

Schwarze Jahre 389, 395

Schwarzes Land Siehe *Mordor.*

Schwarzes Schwert Siehe *Mormegil.*

Schwertelfelder Zum Teil Übersetzung von *Loeg Ningloron;* die großen Flächen voller Riedgräser und Schwertlilien im Anduin und um die Flußufer, wo Isildur fiel und der Eine Ring verlorenging. 397, 405

Segensreich Siehe *Aman.*

Sehende Steine Siehe *Palantíri.*

Serech Das große Fenn nördlich des Siron-Passes, wo der Rivil von Dorthonion herabfloß. 142, 203, 219, 257, 261, 262, 311

Seregon ›Steinblut‹, eine Pflanze mit tiefroten Blüten, die auf dem Amon Rûdh wuchs. 274, 278

Serinde ›Die Stickerin‹, vgl. *Míriel* (1).

Sichel der Valar Siehe *Valacirca.*

Sieben Steine Siehe *Palantíri.*

Sieben Väter der Zwerge Siehe *Zwerge.*

Silmarien Tochter Tar-Elendils, des vierten Königs von Númenor; Mutter des ersten Herrn von Andúnië und Vorfahrin Elendils und seiner Söhne Isildur und Anárion. 362

Silmaril Die drei von Feanor vor der Vernichtung der Zwei Bäume von Valinor geschaffenen Edelsteine, welche das Licht der Bäume enthielten; vgl. besonders 87. 47, 87–89, 92, 93, 98, 101– 108, 134, 138, 144, 148, 154, 170, 224, 227, 228, 232, 243, 244, 248–250, 254, 268, 316–322, 332–339, 341–345

Silpion Ein Name Telperions. 45

Sindar Die Grau-Elben. Der Name bezeichnete alle Elben telerischer Herkunft, welche die zurückgekehrten Noldor in Beleriand vorfanden, ausgenommen die Grünelben von Ossiriand. Vielleicht haben die Noldor diesen Namen gewählt, weil sie den ersten Elben dieser Herkunft im Norden, unter dem grauen Himmel und in den Nebeln um den Mithrim-See begegneten (vgl. *Mithrim*); vielleicht auch, weil die Grau-Elben weder ›des Lichtes‹ (von Valinor) noch ›des Dunkels‹ (Avari), sondern *Elben der Dämmerung* waren. Es wurde jedoch angenommen, daß sich die Bezeichnung von Elwes Namen *Thingol* (Quenya *Sindacollo, Singollo,* ›Graumantel‹) herleitete, da er als oberster König des ganzen Landes und aller seiner Völker anerkannt wurde. Die Sindar selbst nannten sich *Edhil,* Plural *Edhel. Passim,* siehe besonders 119–127, 156

Sindarin Die Elbensprache von Beleriand, aus der gemeinsamen Elbensprache stammend, durch die langen Zeiten der Trennung aber gegenüber dem Quenya von Valinor stark verändert; wurde von den verbannten Noldor in Beleriand übernommen (vgl. 151, 173). Auch die *Grauelbensprache* oder *die Sprache der Elben von Beleriand* genannt. 47, 77, 143, 151, 158, 167, 190, 209, 221, 275, 349, 351, 383

Singollo ›Graumantel‹, vgl. *Sindar, Thingol.*

Sippenmord, Der Die Tötung der Teleri durch die Noldor in Alqualonde. 113, 114, 116, 117, 138, 148, 170, 172, 173, 186, 189, 210, 340

Sirion ›Der Große Strom‹, von Norden nach Süden fließend; trennte West- und Ost-Beleriand. Passim; vgl. besonders 65, 160–164; *Sirion-Fälle*: 226, 314; *Sirion-Sümpfe*: 226; *Pforten des Sirion*: 163; *Siron-Häfen*: 323, 331–335, 342; *Sirion-Mündungen*: 73, 74, 160, 211, 214, 264, 322, 331, 334; *Sirion-Paß*: 154, 160, 203, 209, 215, 229, 239, 259–262, 286, 292; *Tal des Sirion*: 69, 142, 153, 158–160, 167, 274, 292, 331

Söhne Feanors Siehe *Maedhros, Maglor, Celegorm, Caranthir, Curufin, Amrod, Amras.* Werden oft als Gruppe genannt, besonders nach dem Tod ihres Vaters: 80, 83, 90, 92, 108, 142–145, 148, 149, 151, 164, 165, 170–176, 179, 180, 201, 203, 205, 227, 236, 247, 254, 259, 260, 263, 322, 331, 334, 342, 343

Soronúme Name eines Sternbilds. 61

Stein der Unglücklichen Stein zum Gedenken an Túrin und Nienor am Teiglin, bei Cabed Naeramarth. 313

Súlimo Name Manwes, in der *Valaquenta* mit ›Herr des Atems von Arda‹ wiedergegeben (wörtlich ›der Atmer‹). 27, 47, 111

Talath Dirnen Die Bewachte Ebene, nördlich von Nargothrond. 196, 226, 231, 277, 284, 287

Talath Rhúnen ›Das Osttal‹, älterer Name für Thargelion. 165

Taniquetil ›Hoher weißer Gipfel‹, höchster Berg der Pelóri und von Arda, auf dessen Gipfel Ilmarin steht, der Palast Manwes und Vardas; auch *der Weiße Berg* genannt, *der Heilige Berg* und *der Berg Manwes*. Vgl. *Oiolosse*. 28, 44, 47, 60, 64, 80, 96–98, 102, 108, 112, 147, 336, 375, 380

Tar-Ancalimon Vierzehnter König von Númenor, zu dessen Zeit sich die Númenórer in Parteien verfeindeten. 358, 359

Taras Berg auf einer Landzunge vor Nevrast; zu seinen Füßen lag Vinyamar, Turgons Stadt, bevor er nach Gondolin ging. 158, 159, 324

Tar-Atanamir Dreizehnter König von Númenor, zu dem die Boten der Valar kamen. 358

Tar-Calion Quenya-Name Ar-Pharazôns. 363, 389

Tar-Ciryatan Zwölfter König von Númenor, ›der Schiffbauer‹. 358

Tar-Elendil Vierter König von Númenor, Vater von Silmarien, von der Elendil abstammte. 362

Tar-Minastir Elfter König von Númenor, der Gil-galad gegen Sauron half. 360, 363

Tar-Minyatur Name Elros' des Halb-Elben als erster König von Númenor. 367

Tar-Míriel Siehe *Míriel* (2).

Tarn Aeluin Der See in Dorthonion, wo Barahir und seine Gefährten ihr Versteck hatten und wo sie erschlagen wurden. 217, 219

Tar-Palantir Dreiundzwanzigster König von Númenor, der die Taten seiner Vorgänger bereute und seinen Namen im Quenya annahm: ›der weithin Sehende‹. Vgl. *Inziladûn.* 362, 363, 367

Taur-en-Faroth Das bewaldete Hochland westlich des Flusses Narog, oberhalb Nargothrond; auch *Hoch-Faroth* genannt. 152, 163, 226

Taur-im-Duinath ›Der Wald zwischen den Strömen‹, Name des wilden Landes südlich von Andram zwischen Sirion und Gelion. 163, 205

Taur-nu-Fuin Späterer Name für Dorthonion, ›der Wald unter dem Nachtschatten‹; vgl. *Deldúwath.* 208, 229, 235, 239, 240, 245, 247, 270, 279–282

Tauron ›Der Waldmann‹ (in der *Valaquenta* mit ›Herr der Wälder‹ übersetzt), ein Name Oromes bei den Sindar; vgl. *Aldaron.* 32

Tausend Grotten Siehe *Menegroth.*

Teiglin Ein Nebenfluß des Sirion, entsprang in den Ered Wethrin und bildete im Süden die Grenze des Waldes von Brethil. 160, 162, 197, 212, 270, 278, 287, 291, 292, 298–300, 304, 307, 313

Teiglin-Stege Südwestlich des Waldes von Brethil, wo die alte Straße vom Sirion-Paß herab nach Süden über den Teiglin führte. 197, 277, 279, 293, 294, 297, 302, 305, 311

Telchar Der berühmteste unter den Schmieden von Nogrod, schuf Angrist und (Aragorn zufolge, in *Die zwei Türme,* III, 6) Narsil. 123, 238

Telemnar Sechsundzwanzigster König von Gondor. 398

Teleri Die dritte und größte Schar der Eldar auf der Wanderung von Cuiviénen nach Westen, angeführt von Elwe (Thingol) und Olwe. Sie selbst nannten sich *Lindar,* die Sänger; der Name *Teleri,* die Letzten, die Hintersten, wurde ihnen von denen verliehen, die vor ihnen gingen. Viele der Teleri verließen Mittelerde nicht; die Sindar und die Nandor waren ursprünglich Telerin-Elben. 48, 67–79, 85, 94, 98, 99, 100, 112, 113, 117, 123, 127, 135, 178, 180, 184, 335, 338, 340, 344, 384

Telperion Der ältere der Zwei Bäume von Valinor. 46, 60, 76, 97, 130, 131, 272, 354, 392; genannt *der Weiße Baum:* 76

Telumendil Name eines Sternbildes. 61

Thalion ›Standhaft, stark‹; vgl. *Húrin.*

Thalos Der zweite Nebenfluß des Gelion in Ossiriand. 164, 187

Thangorodrim ›Berge der Tyrannei‹, von Morgoth über Angband aufgetürmt; in der Großen Schlacht am Ende des Ersten Zeitalters geschleift. 105, 125, 143, 144, 146, 154, 157, 158, 201, 202, 204, 239, 245, 256–258, 265, 280, 341, 349, 383, 394

Thargelion ›Das Land jenseits des Gelion‹, zwischen dem Berg Rerir und dem Fluß Ascar, wo Caranthir saß; auch *Dor Caranthir* und *Talath Rhûnen* genannt. 165, 177, 191, 195, 205

Thingol ›Graumantel‹ (Quenya *Sindacollo, Singollo*), Name, unter dem Elwe, mit seinem Bruder Olwe Führer der Schar der Teleri beim Auszug von Cuiviénen und später König von Doriath, in Beleriand bekannt war; auch *der Verborgene König* genannt. Vgl. *Elwe.* 63, Kapitel X *passim,* 143, 148, 149, 152, 162, 169, 173, 176, 177, 192, 197, 198, 203, 211, 220–226, 231, 232, 240, 246–251, 253, 254, 267–272, 286, 294, 296, Kapitel XXII *passim,* 327, 345

Thorondor ›König der Adler‹. Vgl. *Die Rückkehr des Königs,* VI, 4: ›die Abkömmlinge des alten Thorondor, der seine Horste auf den unzugänglichen Gipfeln des Umgebenden Gebirges gebaut hatte, als Mittelerde jung war!‹ Vgl. *Crissaegrim.* 147, 167, 207, 212, 244, 310, 327, 330, 341

Thranduil Sindarin-Elb, König der Wald-Elben im nördichen Grün-wald (Düsterwald); der Vater Legolas', der zu den Ring-Gefähr-ten gehörte. 402

Thuringwethil ›Frau vom Geheimen Schatten‹, Die Botin Saurons von Tol-in-Gaurhoth, die als eine große Fledermaus erschien und in deren Gestalt Lúthien nach Angband kam. 240, 241

Tilion Ein Maia, Steuermann des Mondes. 131, 133, 134

Tintalle ›Die Entzünderin‹, ein Name für Varda als Schöpferin der

Gestirne. So wird sie in Galadriels Klagelied in Lórien genannt (*Die Gefährten*, II, 8). Vgl. *Elbereth, Elentári*. 60

Tinúviel Der Name, den Beren Lúthien gab, ein poetischer Ausdruck für die Nachtigall, ›Tochter der Dämmerung‹; vgl. *Lúthien*.

Tirion ›Großer Wachtturm‹, die Stadt der Elben auf dem Hügel von Túna in Aman. 76, 79–81, 90–93, 97, 98, 106, 110–112, 134, 153, 167–170, 228, 326, 336, 392

Tol Eressea ›Die Einsame Insel‹ (auch einfach *Eressea*), auf der die Vanyar, die Noldor und später auch die Teleri von Ulmo über den Ozean gebracht wurden und die zuletzt in der Bucht von Eldarmar, nahe an der Küste von Aman, eingewurzelt wurde. Auf Eressea blieben die Teleri lange, ehe sie nach Alqualonde fuhren, und nach dem Ende des Ersten Zeitalters blieben dort viele der Noldor und Sindar. 63, 75–78, 135, 335, 344, 351, 354, 361, 375, 380, 384, 386

Tol Galen ›Die Grüne Insel‹ im Fluß Adurant in Ossiriand, wo Beren und Lúthien nach ihrer Rückkehr lebten. 164, 353, 319, 320

Tol-in-Gaurhoth ›Insel der Werwölfe‹, Name für Tol Sirion nach der Eroberung durch Sauron. 209, 230, 233

Tol Morwen Insel im Meer nach dem Untergang Belerians, auf welcher der Gedenkstein für Túrin, Nienor und Morwen stand. 313

Tol Sirion Insel im Fluß, auf der die Finrod den Turm von Minas Tirith zur Bewachung des Sirion-Passes erbaute; nach der Eroberung durch Sauron Tol-in-Gaurhoth genannt. 152, 160

Trockener Fluß Der Fluß, der einstmals unter den Umzingelnden Bergen hindurch aus dem alten See geflossen war, wo später Tumladen war, die Ebene von Gondolin. 183, 310

Tulkas Ein Vala, ›der Größte an Kraft und Mannestaten‹, der als letzter nach Arda kam; auch *Astaldo* genannt. 27, 31, 41–43, 60, 64, 65, 85, 92, 93, 94, 95, 100, 101, 108

Tumhalad Ein Tal im Gebiet zwischen den Flüssen Ginglith und Narog, wo das Heer von Nargothrond besiegt wurde. 287, 288

Tumladen ›Das Weite Tal‹, das verborgene Tal in den Umzingelnden Bergen, in dessen Mitte die Stadt Gondolin stand. (*Tumladen* hieß später ein Tal in Gondor: *Die Rückkehr des Königs*, V, 1). 153, 167, 212, 245, 325, 330

Tumunzahar Siehe *Nogrod*. 119

Túna Der grüne Hügel im Calacirya, auf dem Tirion, die Stadt der Elben, stand. 76, 79–81, 90, 94, 106, 111, 115, 134, 153, 167, 336, 354, 375

Tuor Sohn Huors und Rhíans, aufgewachsen bei den Grauelben von Mithrim; kam mit Ulmos Botschaft nach Gondolin; vermählte sich mit Turgons Tochter Idril und entging mit ihr und seinem Sohn Earendil der Vernichtung der Stadt; fuhr auf seinem Schiff Earráme gen Westen. 198, 267, Kapitel XXII passim, 333, 337

Turambar ›Meister des Schicksals‹, der letzte Name, den sich Túrin während seiner Zeit im Wald von Brethil beilegte. 293, 297–309, 314

Turgon Genannt der Kluge; zweiter Sohn Fingolfins; saß in Vinyamar in Nevrast, ehe er insgeheim nach Gondolin ging, wo er bis zu seinem Tod während der Eroberung der Stadt herrschte; Vater von Idril, der Mutter Earendils. 78, 108, 109, 116, 118, 152–153, 158, 159, 167, 168, 169, 176, 179, 182–186, 207, 212–215, 245, 256–262, 264, 265, 272, 310, 311, 324–331, 337, 345

Tûr Haretha Der Grabhügel der Frau Haleth im Walde von Brethil; vgl. *Haudh-en-Arwen*. 197

Túrin Sohn Húrins und Morwens; Hauptgestalt des Liedes *Narn i Hîn Húrin*, auf dem Kapitel XXI beruht. Andere Namen: *Neithan, Gorthol, Agarwaen, Mormegil, der Wilde aus den Wäldern, Turambar*. 198, 228, Kapitel XXI passim, 309, 314, 315

Uinen Eine Maia, die Herrin der Meere, Gemahlin Osses. 35, 48, 74, 114

Úlairi Siehe *Ringgeister*.

Uldor Genannt der Verfluchte; Sohn Ulfangs des Schwarzen; von

471

Maglor in der Nirnaeth Arnoediad erschlagen. 211, 256, 260, 262, 341

Ulfang Genannt der Schwarze; ein Häuptling der Ostlinge, der sich mit seinen drei Söhnen Caranthir anschloß und sich in der Nirnaeth Arnoediad als treulos erwies. 211, 255, 260

Ulfast Sohn Ulfangs des Schwarzen, von Bórs Söhnen in der Nirnaeth Arnoediad erschlagen. 211, 260

Ulmo Ein Vala, einer der Aratar, genannt *Herr der Wasser und König des Meeres.* Der Name wurde von den Eldar mit ›der Begießer‹ oder ›der Regenmacher‹ übersetzt. Vgl. besonders 43, 48, 49. 18–20, 27–30, 35, 56, 64, 66, 73–75, 78, 84, 112, 133, 137, 138, 152, 153, 159, 162, 164, 167–170, 209, 212, 265, 282, 286, 323–327, 331–334, 337

Ulumúri Ulmos große Hörner, von dem Maia Salmar geschliffen. 29, 48

Ulwarth Sohn Ulfangs des Schwarzen, von Bórs Söhnen in der Nirnaeth Arnoediad erschlagen. 211, 260

Úmanyar Name für diejenigen Elben, die von Cuiviénen nach Westen aufbrachen, doch nicht nach Aman gelangten: ›die nicht aus Aman kommen‹, hingegen: *Amanyar,* ›die aus Aman‹. 68, 72

Úmarth ›Mißgeschick‹, ein erfundener Name für seinen Vater, den Túrin in Nargothrond angab. 283, 285

Umbar Großer Naturhafen und Festung der Númenórer südlich der Bucht von Belfalas. 364

Umzingelnde Berge Siehe *Echoriath.*

Umzingelndes Meer Siehe *Ekkaia.*

Ungolianth Die große Spinne, die mit Melkor die Bäume von Valinor vernichtete. (Kankra in *Die zwei Türme,* IV, 9, ›war das letzte Kind von Ungolianth‹). 95, 96, 97, 99, 103, 105, 116, 125, 134, 161, 176, 220, 336

Unsterblichenlande Aman und Eressea; auch die *todlosen Lande* genannt. 337, 350, 354, 375, 379

Urthel Einer der zwölf Gefährten Barahirs in Dorthonion. 208

Urulóki Quenya-Wort, ›Feuerschlange‹, Drache. 155, 287

Utumno Melkors erste große Burg, im Norden von Mittelerde; von den Valar zerstört. 43, 49, 59, 63–65, 96, 106, 130, 157

Vaire ›Die Weberin‹, eine der Valier, Gemahlin Námo Mandos'. 27, 30

Valacirca ›Die Sichel der Valar‹, Name für das Sternbild des Großen Bären. 61, 234

Valandil Jüngster Sohn Isildurs, dritter König von Arnor. 397

Valaquenta ›Buch von den Valar‹, ein kurzes Werk, das als eine vom eigentlichen *Silmarillion* getrennte Schrift verstanden wird. 23–38

Valar ›Die welche Macht haben‹, ›die Mächte‹ (Singular *Vala*); Name jener großen Ainur, die zu Beginn der Zeit nach Ea kamen und die Aufgabe übernahmen, Arda zu behüten und zu regieren. Auch genannt *die Großen, die Herrscher von Arda, die Herren des Westens, die Herren von Valinor. Passim,* besonders 20, 21, 46–49, 97. Vgl. auch *Ainur, Aratar.*

Valaraukar ›Mächtige Dämonen‹ (Singular *Valarauko*), Quenya-Form, entsprechend Sindarin *Balrog.* 37

Valaróma Das Jagdhorn des Vala Orome. 32, 49, 100, 125

Valier ›Die Königinnen der Valar‹ (Singular *Valië*); ein Ausdruck, der nur in der *Valaquenta* vorkommt. 27, 30, 32

Valimar Siehe *Valmar.*

Valinor Das Land der Valar in Aman, jenseits des Pelóri-Gebirges; auch *das Bewachte Reich* genannt. *Passim,* besonders 44, 45, 134, 135

Valmar Die Stadt der Valar in Valinor; der Name kommt auch in der Form *Valimar* vor. In Galadriels Klagelied in Lórien (*Die Gefährten,* II, 8) wird Valimar als gleichbedeutend mit Valinor gebraucht. 31, 45, 64, 71, 79, 84, 92, 93–99, 135, 251, 336–338

Vána Eine der Valier, Schwester Yavannas und Gemahlin Oromes; *die Ewigjunge* genannt. 27, 32, 131

Vanyar Die erste Schar der Eldar auf der Wanderung von Cuiviénen
nach Westen, geführt von Ingwe. Der Name (Singular *Vanya*) bedeutet ›die Hellen‹, mit Bezug auf das goldblonde Haar der Vanyar; vgl. *Finarfin*. 48, 67, 69, 73, 76, 77, 79, 97, 99, 106, 129, 130,
135, 174, 183, 339, 344

Varda ›Die Erhabene‹, ›die Hohe‹, auch *die Herrin der Gestirne* genannt. Größte der Valier, Gemahlin Manwes, wohnt mit ihm auf
dem Taniquetil. Andere Namen für Varda als Schöpferin der Gestirne waren *Elbereth, Elentári, Tintalle*. Vgl. besonders 27, 28,
32, 35, 41, 44–48, 60, 61, 67, 76, 87, 98, 101, 108, 130–132, 234,
345

Vása ›Die Verzehrende‹, ein Name der Sonne bei den Noldor. 131

Verborgenes Königreich Name sowohl für Doriath: 153, 220, 222,
305 als auch für Gondolin: 175, 328

Verlassene Elben Siehe *Eglath*.

Verwunschene Inseln Die Inseln, welche die Valar östlich von Tol
Eressea ins Große Meer setzten, zur Zeit der Verhüllung von
Valinor. 135, 335

Vilya Einer der Drei Ringe der Elben, der Ring der Luft, den Gil-galad und später Elrond trug; auch *der Ring des Saphirs* genannt.
387, 401

Vingilot (In der reinen Quenya-Form *Vingilóte*) ›Schaumblüte‹; Earendils Schiff. 333–335, 338–341, 349

Vinyamar Turgons Sitz in Nevrast am Fuße des Berges Taras. Der
Name bedeutet vermutlich ›Neues Obdach‹. 153, 159, 167, 173,
324, 325, 326

Voronwe ›Der Standhafte‹, Elb aus Gondolin, der einzige überle-
bende Seefahrer von den sieben Schiffen, die nach der Nirnaeth
Arnoediad in den Westen entsandt wurden; begegnete Tuor in
Vinyamar und geleitete ihn nach Gondolin. 265, 324

Wald-Elben Offenbar von jenen Nandorin-Elben abstammend, die
nie über das Nebelgebirge hinaus nach Westen kamen, sondern

Zwergengrube Übersetzung von *Khazad-dûm (Hadhodrond)*. 119

Zwergenstraße Straße, die von den Städten Nogrod und Belegost
nach Beleriand hineinführte und den Gelion bei der Furt von Sarn
Athrad überquerte. 177, 187, 191, 195

Anhang: Elemente in den Quenya- und Sindarin-Namen

Diese Anmerkungen wurden für diejenigen Leser zusammengestellt, die an den Eldarin-Sprachen Interesse nehmen. Beispiele aus dem Herr der Ringe werden an vielen Stellen herangezogen. Die Anmerkungen sind notwendigerweise sehr gedrängt und erwecken so einen Anschein von Gewißheit und Endgültigkeit, der keineswegs gerechtfertigt ist; sie bilden eine schmale Auswahl, was sowohl durch Platzbeschränkungen als auch durch beschränkte Kenntnisse des Herausgebers bedingt ist. Die Stichworte sind nicht systematisch nach Wurzelsilben oder nach Quenya- oder Sindarin-Formen geordnet, sondern etwas willkürlich; der Zweck ist, die Bestandselemente der Namen so leicht wie möglich bestimmbar zu machen.

adan (Plural *Edain*) in *Adanedhel, Aradan, Dúnedain*. Zur Bedeutung und Geschichte vgl. *Atani* im Index.

aelin ›See, Teich‹, in *Aelin-uial*, vgl. *lin* (1).

aglar ›Ruhm, Glanz‹ in *Dagor Aglareb, Aglarond*. Die Quenya-Form *alkar* weist die umgestellten Konsonanten auf: Sindarin *aglareb* entspricht Quenya *Alkarinque*. Die Wurzel ist *kal-,* ›Schein‹.

aina ›heilig‹ in *Ainur, Ainulindale*.

alda ›Baum‹ (Quenya) in *Aldaron, Aldudénie, Malinalda*; dem entspricht Sindarin *galadh* (z. B. in *Caras Galadon* den *Galadrim* von Lothlórien).

alqua ›Schwan‹ (Sindarin *alph*) in *Alqualonde*; aus einer Wurzel *alak,* ›rennend‹ auch in *Ancalagon*.

amarth ›Schicksal‹ in *Amon Amarth, Cabed Naeramarth, Úmarth* und in der Sindarin-Form von Túrins Namen, ›Meister des Schicksals‹, *Turamarth*. Die Quenya-Form des Wortes erscheint in *Turambar*.

amon ›Berg, Hügel‹, Sindarin-Wort, das vielfach als erster Bestandteil von Namen auftritt; Plural *emyn* in *Emyn Beraid*.

anca ›Maul‹ in *Ancalagon* (zu dem zweiten Element dieses Namens siehe *alqua*).

an(d) ›lang‹ in *Andram, Anduin,* auch in *Anfalas* (›langer Strand‹) in Gondor, *Cair Andros* (›Schiff der langen Gischt‹) eine Insel im Anduin, und in *Angerthas,* ›lange Runen-Reihen‹.

andúne ›Sonnenuntergang, Westen‹ in *Andúnië;* dem entspricht im Sindarin *annûn,* z. B. *Annúminas* und *Henneth Annûn,* ›Das Fenster zum Sonnenuntergang‹, in Ithilien. Die alte Wurzel dieser Wörter: *ndu,* mit der Bedeutung ›von hoch oben herab‹, erscheint auch in Quenya *númen,* ›zum Sonnenuntergang hin, im Westen‹, und in Sindarin *dûn,* ›Westen‹, z. B. in *Dúnedain.* Das adûnaische *adûn* in *Adûnakhor, Anadûnê* war aus den Eldarin-Sprachen entlehnt.

anga ›Eisen‹, Sindarin *ang,* in *Angainor, Angband, Anghabar, Anglachel, Angrist, Angrod, Anguirel, Gurthang; angren,* ›eisern‹ in *Angrenost,* Plural *engrin* in *Ered Engrin.*

anna ›Gabe‹ in *Anantar, Melian, Yavanna;* den gleichen Stamm hat auch *Andor,* ›das geschenkte Land‹.

annon ›große Tür, Tor‹, Plural *ennyn* in *Annon-in-Gelydh;* vgl. *Morannon,* das ›Schwarze Tor‹ von Mordor, und *Sirannon,* den ›Torbach‹ von Moria.

ar- ›neben, außerhalb‹ (von daher Quenya *ar,* ›und‹, Sindarin *a*), so vermutlich in *Areaman,* ›außerhalb von Aman‹; z. B. auch *Nirnaeth) Arnoediad,* ›(Tränen) ohne Zahl‹.

ar(a)- ›hoch, edel, königlich‹, erscheint in vielen Namen, z. B. *Aradan, Aredhel, Argonath, Arnor* usw.; der erweiterte Stamm *arat-* erscheint in *Aratar* und in *aráto,* ›Held, wichtiger Mann‹; z. B. *Angrod* von *Angaráto* und *Finrod* von *Findaráto;* auch *aran,* ›König‹, in *Aranrúth. Ereinion,* der ›Sprößling der Könige‹ (Name Gil-galads), weist den Plural von *aran* auf; so auch in *Fornost Erain,* der ›Feste der Könige‹ in Arnor. Das Präfix *Ar-* der adûnaischen Königsnamen von Númenor war hiervon abgeleitet.

arien (Die Maia der Sonne), abgeleitet von einer Wurzel *as-*, die auch in Quenya *are*, ›Sonnenlicht‹ erscheint.

atar ›Vater‹ in *Atanatári* (vgl. *Atani* im Register), *Ilúvatar*.

band ›Kerker, Zwinger‹ in *Angband*; vom ursprünglichen *mbando*, dessen Quenya-Form in *Mandos* erscheint (Sindarin *Angband* = Quenya *Angamando*).

bar ›Wohnung‹ in *Bar-en-Danwedh*. Das alte Wort *mbár*, (Quenya *már*, Sindarin *bar*) bedeutete ›Heim‹, in bezug auf Personen wie auf Völker, und erscheint daher in vielen Ortsnamen wie *Brithombar, Dimbar* (dessen erstes Element bedeutet ›traurig, düster‹), *Eldamar, Val(i)mar, Vinyamar, Mar-nu-Falmar. Mardil*, der Name des ersten regierenden Truchsessen von Gondor, bedeutet ›ergeben dem Hause‹ (der Könige).

barad ›Turm‹ in *Barad-dûr, Barad Eithel, Barad Nimras*; der Plural in *Emyn Beraid*.

beleg ›mächtig‹ in *Beleg, Belegaer, Belgost, Laer Cú Beleg*.

bragol ›plötzlich‹ in *Dagor Bragollach*.

brethil bedeutet vermutlich ›Silberbirke‹, z. B. *Nimbrethil*, die Birkenwälder in Arvernien, und *Fimbrethil*, eine der Ent-Frauen.

brith ›Kiesel‹ in *Brithiach, Brithombar, Brithon*.

(Zu vielen mit C beginnenden Namen siehe die Stichworte unter K)
calen (galen) das übliche Sindarin-Wort für ›grün‹, in *Ard-galen, Tol Galen, Calendardhon*; auch in *Parth Galen* (›Grüne Wiese‹) am Anduin und *Pinnath Gelin* (Grüne Kämme) in Gondor. Vgl. *kal-*.

cam (von kambā), ›Hand‹, insbesondere aber die gekrümmte Hand, die etwas nimmt oder hält, in *Camlost, Erchamion*.

carak- Diese Wurzel erscheint in Quenya *carca*, ›Hauer, Fangzahn‹, dessen Sindarin-Form *carch* in *Carcharoth* auftritt, ebenso auch in *Carchost* (›Starker Hauer‹, einer der Wachttürme am Eingang nach Mordor). Vgl. *Caragdûr, Carach Angren* (der ›eiserne

Schlund‹, der Festungswall, der den Eingang nach Udûn in Mordor bewacht) sowie *Helcaraxe.*

caran ›rot‹, Quenya *carne,* in *Caranthir, Carnil, Orocarni;* auch in *Caradhras* (von *caran-rass*), das ›Rote Horn‹ im Nebelgebirge, und in *Carnimírie,* der ›Rotbeperlten‹, der Eberesche in Baumbarts Lied. Die Übersetzung von *Carcharoth* mit ›der Rote Rachen‹ (im Text) muß auf einer Verbindung mit diesem Wort beruhen; vgl. *carak-.*

celeb ›Silber‹ (Quenya *telep, telpe,* wie in *Telperion*), in *Celeborn, Celebrant, Celebros. Celebrimbor* bedeutet ›silberne Faust‹, abgeleitet von dem Adjektiv *celebrin,* ›silbern‹ (das aber nicht ›von Silber‹ bedeutet, sondern ›wie Silber, hinsichtlich Glanz oder Farbe‹), und von *paur* (Quenya *quáre*), ›Faust‹, oft im Sinne von Hand gebraucht; die Quenya-Form dieses Namens war *Telperinquar. Celebrindal* setzt sich aus *celebrin* und *tal, dal,* ›Fuß‹, zusammen.

coron ›Hügel, Anhöhe‹ in *Corollaire* (auch *Coron Oiolaire* genannt, worin das zweite Wort ›Immer-Sommer‹ zu bedeuten scheint, vgl. Oiolosse); vgl. *Cerin Amroth,* der große Hügel in Lothlórien.

cú ›Bogen‹ in *Cúthalion, Dor Cúarthol, Laer Cú Beleg.*

cuivie ›Erwachen‹ in *Cuiviénen* (Sindarin *Nen Echui*). Andere Ableitungen von derselben Wurzel sind *Dor Firn-i-Guinar; coire,* die ersten Regungen des Frühlings, Sindarin *echuir* (vgl. Anhang D zum *Herrn der Ringe*) sowie *coimas,* ›Lebensbrot‹, der Quenya-Name der *lembas.*

cul- ›rotgolden‹ in *Culúrien.*

curu ›Geschicklichkeit‹ in *Curufin(we), Curunír.*

dae ›Schatten‹ in *Dor Daedeloth* und vielleicht auch in *Daeron.*

dagor ›Schlacht‹; die Wurzel ist *ndak-,* z. B. *Haudh-en-Ndengin.* Eine andere Ableitung ist *Dagnir* (*Dagnir Glaurunga* ›Glaurungs Verderber‹).

del ›Grauen‹ in *Deldúwath; deloth,* ›Abscheu‹ in *Dor Daedeloth.*

dîn ›still‹, in *Dor Dínen*; vgl. *Rath Dínen,* die Stille Straße in Minas Tirith, und den *Amon Dîn,* einen der Leuchtfeuer-Berge von Gondor.

dol ›Kopf‹, in *Lórindol*; oft in bezug auf Berge, so in *Dol Guldur,
Dolmed, Mindolluin* (auch *Nardol,* ein Leuchtfeuer-Berg in Gondor, und Fanuidhol, einer der Berge von Moria).

dôr ›Land‹, abgeleitet von *ndor*; es erscheint in vielen Sindarin-Namen, z. B. *Doriath, Dorthonion, Eriador, Gondor, Mordor* usw.
Im Quenya war der Stamm mit einem ganz anderen Wort vermischt und verwechselt worden, mit *nóre,* ›Volk‹; so hieß
Valinóre ursprünglich nur ›das Volk der Valar‹, *Valandor* dagegen
›das Land der Valar‹, und ähnlich *Númen(n)óre,* ›Volk des Westens‹ und *Númendor,* ›Land des Westens‹. Quenya *Endor,* ›Mittelerde‹, bestand ans *ened,* ›Mitte‹, und *ndor*; im Sindarin wurde
daraus *Ennor* (z. B. *ennorath,* ›Mittellande‹, in dem Gesang *A Elbereth Gilthoniel*).

draug ›Wolf‹, in *Draugluin.*

dú ›Nacht, Finsternis‹, in *Deldúwath, Ephel Dúath.* Abgeleitet vom
älteren *dōmē,* von daher Quenya *lóme;* also Sindarin *dúlin,*
›Nachtigall‹, entspricht *lómelinde.*

duin ›(langer) Fluß‹, in *Anduin, Branaduin, Esgalduin, Malduin,
Taur-im-Duinath.*

dûr ›dunkel‹, in *Barad-dûr, Caragdûr, Dol Guldur*; auch in *Durthang* (eine Burg in Mordor).

ear ›Meer‹ (Quenya), in *Earendil, Earráme* und vielen anderen Namen. Das Sindarin-Wort *gaer* (in *Belegaer*) ist offenbar von demselben Stamm abgeleitet.

echor in *Echoriath,* ›die Umzingelnden Berge‹, und *Orfalch Echor*;
vgl. auch *Rammas Echor,* die große Außenmauer um die Pelennor-Felder bei Minas Tirith.

edhel ›Elb‹ (Sindarin), in *Adanedhel, Aredhel, Glóredhel, Ost-in-
Edhil*; auch in *Peredhil,* ›Halbelb‹.

eithel ›Quell‹, in *Eithel Ivrin, Eithel Sirion, Barad Eithel*; auch in *Mitheithel*, dem Fluß in Eriador (nach seiner Quelle benannt).

êl, elen ›Stern‹. Nach elbischer Überlieferung war *ele* ein schlichter Ausruf: ›sieh da!‹, als die Elben zum ersten Male die Sterne erblickten. Von diesem Ursprung leiten sich die alten Wörter *êl* und *elen* her, ›Stern‹, sowie die Adjektive *elda* und *elena*, ›von den Sternen‹. Diese Elemente treten in sehr vielen Namen auf. Zum späteren Gebrauch des Namens *Eldar* vgl. den Index. Die gleichwertige Sindarin-Form zu *Elda* war *Edhel* (Plural *Edhil*), vgl. ebd.; die genaue Entsprechung aber war Eledh, die in *Eledhwen* vorkommt.

er ›eins, einzeln‹, in *Amon Ereb* (vgl. *Erebor*, der Einsame Berg), *Erchamion, Eressea, Eru*.

Ereg ›Dorn, Stachel‹, in *Eregion, Region*.

esgal ›Schirm, Versteck‹, in *Esgalduin*.

falas ›Ufer, Brandungsstreifen‹ (Quenya *falasse*), in *Falas, Belfalas*; auch *Anfalas* in Gondor. Vgl. *Falathar, Falathrim*. Ein anderes von dieser Wurzel abgeleitetes Wort war Quenya *falma*, ›(schaumgekrönte) Welle‹, von daher *Falmari, Mar-nu-Falmar*.

faroth abgeleitet von einer Wurzel mit der Bedeutung ›Jagd, Verfolgung‹; im Leithian-Lied wird *Taur-en-Faroth* über Nargothrond ›das Gebirge der Jäger‹ genannt.

faug- ›klaffen, gähnen‹, in *Anfauglir, Anfauglith, Dor-nu-Fauglith*.

fea ›Geist‹, in *Feanor, Feanturi*.

fin- ›Haar‹, in *Finduilas, Fingon, Finrod, Glorfindel*.

formen ›nord‹ (Quenya) in *Formenos*; Sindarin *forn* (auch *for, forod*) in *Fornost*.

fuiin ›Dunkel, Finsternis‹ (Quenya *huine*), in *Fuinur, Taur-nu-Fuin*.

gaer ›Meer‹, in *Belegaer* (und in *Gaerys*, dem Sindarin-Namen für Osse). Soll sich von dem Stamm *gaya*, ›Scheu, Furcht‹, herleiten und dem weiten, schrecklichen Meer als Name verliehen worden sein, als die Eldar zum ersten Male an sein Ufer kamen.

gaur ›Werwolf‹, (aus einer Wurzel *ngwaw-,* ›heulen‹), in *Tol-in-Gaur-hoth.*

gil ›Stern‹, in *Dagor-nuin-Giliath, Osgiliath* (*giliath,* ›Sternenheer‹); *Gil-Estel, Gil-galad.*

girith ›schaudern‹, in *Nen Girith*; vgl. auch *Girithron,* Name des letzten Monats im Jahr nach dem Sindarin-Kalender (*Der Herr der Ringe,* Anhang D).

glîn ›Leuchten‹ (besonders von Augen), in *Maeglin.*

golodh die Sindarin-Form zu Quenya *Noldo*; vgl. *gûl.* Plural *Golodhrim* und *Gelydh* (in *Annon-in-Gelydh*).

gond ›Stein‹, in *Gondolin, Gondor, Gonnhirrim, Argonath, seregon.* König Turgon nannte seine verborgene Stadt zuerst in Quenya *Ondolinde* (Quenya *ondo* = Sindarin *gond,* und *linde,* ›Singen, Lied‹); in der Überlieferung aber war sie immer unter dem Sindarin-Namen *Gondolin* bekannt, der vermutlich als *gond-dolen* verstanden wurde, ›verborgener Felsen‹.

gor ›Grauen, Entsetzen‹, in *Gorthaur, Gorthol; goroth,* von gleicher Bedeutung, mit verdoppeltem *gor* in *Gorgoroth, Ered Gorgoroth.*

groth (grod) ›Grabung, unterirdischer Bau‹, in *Menegroth, Nogrod,* (vermutlich auch in Nimrodel, der ›Frau aus der weißen Grotte‹). *Nogrod* hieß ursprünglich *Novrod,* ›Hohler Bau‹ (von daher die Übersetzung *Hohlburg*), veränderte sich jedoch unter dem Einfluß von *naug,* ›Zwerg‹.

gûl ›Hexerei‹ in *Dol Guldur, Minas Morgul.* Dieses Wort leitete sich von dem gleichen alten Stamm *ngol-* her wie *Noldor*; vgl. Quenya *nóle,* ›langes Mühen, Kunde, Wissen‹. Das Sindarin-Wort aber wurde in seinem Sinn verfinstert durch den häufigen Gebrauch in der Verbindung *morgul,* ›schwarze Kunst‹.

gurth ›Tod‹, in *Gurthang* (vgl. auch *Melkor* im Index).

gwaith ›Volk‹, in *Gwaith-i-Mirdain*; vgl. auch *Enedwaith,* ›Mittelvolk‹, der Name des Landes zwischen Grauflut und Isen.

gwath, wath ›Schatten‹, *Deldúwath, Ephel Dúath*; auch in *Gwathló,* der Fluß Grauflut in Eriador. (Verwandte Formen in *Ered We-*

thrin, Thuringwethil). (Dieses Sindarin-Wort bezeichnete trübes Licht, nicht die Schatten, die Gegenstände im Licht werfen: diese wurden vielmehr *morchaint* genannt, ›dunkle Formen‹.

hadhod in *Hadhodrond* (Übersetzung von *Khazad-dûm*), diente zur Wiedergabe von *Khazâd* in Sindarin-Lauten.

haudh ›Hügel‹, in *Haudh-en-Arwen, Haudh-en-Elleth* usw.

heru ›Herr‹, in *Herumor, Herunúmen*; Sindarin *hîr* in *Gonnhirrim, Rohirrim, Barahir; hîril,* ›Dame‹, in *Hírilorn.*

him ›kühl‹, in *Himlad* (und *Himring?*).

híni ›Kinder‹, in *Eruhíni,* ›Kinder Erus‹; *Narn i Hîn Húrin.*

hîth ›Nebel‹, in *Hithaeglir, Hithlum* (auch in *Nen Hithoel,* ein See am Anduin.) *Hithlum* ist der Form nach Sindarin, verändert nach dem Quenya-Namen *Hísilóme*, den die verbannten Noldor dem Lande gaben (Quenya *hísie,* ›Nebel‹, vgl. *Hísime,* der Name des elften Monats im Jahr, *Der Herr der Ringe,* Anhang D).

hoth ›Schar, Horde‹ (fast immer abwertend), in *Tol-in-Gaurhoth*; auch in *Loss(h)oth,* die Schneemenschen von Forochel (*Der Herr der Ringe,* Anhang A, I, 3), und *Glamhoth,* ›lärmende Horde‹, ein Name für die Orks.

hyarmen ›süd‹ (Quenya), in *Hyarmentir*; Sindarin *har-, harn, harad.*

iâ ›Leere, Abgrund‹, in *Moria.*

iant ›Brücke‹, in *Iant Iaur.*

iâth ›Zaun‹ in *Doriath.*

iaur ›alt‹, in *Iant Iaur*; vgl. auch Bombadils Elbennamen, *Iarwain.*

ilm- Dieser Stamm erscheint in *Ilmen, Ilmare,* auch in *Ilmarin* (›Palast der hohen Lüfte‹, Manwes und Vardas Sitz auf dem Oiolosse).

ilúve ›Das Ganze, das All‹, in *Ilúvatar.*

kal- (gal-) Diese Wurzel mit der Bedeutung ›Schein‹ tritt auf in *Calacirya, Calaquendi, Tar-Calion; Galvorn, Gil-galad, Galadriel.* Die beiden letzten Namen hängen nicht mit Sindarin *ga-*

ladh, ›Baum‹, zusammen, obwohl im Falle Galadriel eine solche Verbindung oft hergestellt und der Name zu *Galadhriel* verändert wurde. Im Hochelbischen lautete ihr Name *Al(a)táriel,* abgeleitet aus *alata,* ›Glanz‹ (Sindarin *galad*), und *riel,* ›bekränztes Mädchen‹ (aus einer Wurzel *rig-,* ›flechten, winden‹): Die Gesamtbedeutung ›Mädchen, mit einem Strahlenkranz gekrönt‹ bezog sich auf ihr Haar. *claen (galen),* ›grün‹, ist etymologisch ›leuchtend‹ und leitet sich von dieser Wurzel her; siehe auch *aglar.*

káno ›Gebieter‹: Dieses Quenya-Wort bildet den Ursprung des zweiten Elements in *Fingon* und *Turgon.*

kel- ›fortgehen‹, in bezug auf Wasser ›davon-, dahinfließen‹, in *Celon*; aus *et-kelé* ›Austritt des Wassers, Quelle‹, wurde durch Umstellung der Konsonanten Quenya *ehtele,* Sindarin *eithel* abgeleitet.

kemen ›Erde‹, in *Kementári*; ein Quenya-Wort für die Erde als flachen Grund unter *menel,* den Himmeln.

khelek- ›Eis‹, in *Helcar, Helcaraxe* (Quenya *helka,* ›eisig, eiskalt‹). In *Helevorn* jedoch ist das erste Element Sindarin *heledh,* ›Glas‹, übernommen von Khuzdul *kheled* (z. B. *Kheled-zâram,* ›Spiegelsee‹); *Helevorn* bedeutet also ›schwarzes Glas‹ (vgl. *galvorn*).

khil- ›folge-‹, in *Hildor, Hildórien, Eluchíl.*

kir- ›schneiden, spalten‹, in *Calacirya, Cirth, Angerthas, Cirith (Ninniach, Thoronath).* Aus der Bedeutung ›schnell hindurchgehen‹ leitete sich Quenya *círya,* ›scharfbugiges Schiff‹ (siehe auch *Kutter* und engl. *cut,* ›schneiden‹), und diese Bedeutung erscheint auch in *Círdan, Tar-Ciryatan* und ohne Zweifel auch in dem Namen *Círyon* (Isildurs Sohn).

lad ›Ebene, Tal‹, in *Dagorlad, Himlad; imlad,* ein enges Tal zwischen steilen Hängen, in *Imladris* (vgl. auch *Imlad Morgul* im Ephel Dúath).

laure ›golden‹ (von Licht und Farbe, nicht von dem Metall), in *Laurelin*; Sindarin-Formen in *Glórehel, Glordfindel, Loeg Ningloron, Lórindol, Rathlóriel.*

lhach ›Stichflamme‹, in *Dagor Bragollach,* vermutlich auch in *Anglachel* (das von Eol aus Meteoreisen geschmiedete Schwert).

lin (1) ›Teich, Weiher‹ in *Linaewen* (darin enthalten *aew* [Quenya *aiwe*], ›kleiner Vogel‹), *Teiglin*; vgl. *aelin.*

lin- (2) Diese Wurzel mit der Bedeutung ›singen, musikalische Töne erzeugen‹ erscheint in *Ainulindale, Laurelin, Lindar, Lindon, Ered Lindon, lómelindi.*

lith ›Asche‹, in *Anfauglith, Dor-nu-Fauglith*; auch in *Ered Lithui,* dem Aschengebirge, das die Nordgrenze von Mordor bildet, und *Lithlad,* dem ›Aschenfeld‹ zu Füßen der Ered Lithui.

lok- ›Krümmung, Schlinge‹, in *Urulóki* (Quenya *[h]lóke,* ›Schlange‹, Sindarin *lhûg*).

lóm ›Echo‹, in *Dor-lómin, Ered Lómin*; verwandt sind *Lammoth, Lanthir Lamath.*

lóme ›Dämmer‹, in *Lómion, lómelindi*; vgl. *dú.*

londe ›landumschlossener Hafen‹, in Alqualonde; die Sindarin-Form ist *lond (lonn),* in *Mithlond.*

los ›Schnee‹, in Oiolosse (Quenya *oio,* ›immer‹) und *losse,* ›schnee-weiß‹; Sindarin *loss,* in *Amon Uilos* und *Aeglos.*

loth ›Blüte, Blume‹, in *Lothlórien, Nimloth*; Quenya *lóte,* in *Ninquelóte, Vingilóte.*

luin ›blau‹, in *Ered Luin, Helluin, Luinil, Mindolluin.*

maeg ›scharf, durchdringend‹ (Quenya *maika*), in *Maeglin.*

mal- ›golden‹, in *Malduin, Malinalda*; auch in *mallorn* und im Feld von *Cormallen,* das ›goldner Kreis‹ bedeutet und nach den *culu-malda*-Bäumen benannt war, die dort wuchsen (vgl. *cul-*).

mān- ›gut, gesegnet, unverdorben‹, in *Aman, Manwe*; Ableitungen von *Aman: Amandil, Araman, Umanyar.*

mel- ›Liebe‹, in *Melian* (von *Melyanna,* ›teure Gabe‹); dieser Stamm erscheint auch in dem Sindarin-Wort *mellon,* ›Freund‹, in der Inschrift am Westtor von Moria.

men ›Weg‹, in *Númen, Hyarmen, Rómen, Formen.*

menel ›Die Himmel‹, in *Meneldil, Menelmacar, Meneltarma.*

mereth ›Fest‹, in *Mereth Aderthad*; auch in *Merethrond*, der Festhalle von Minas Tirith.

minas ›Turm‹, in *Annúminas, Minas Anor, Minas Tirith* usw. Derselbe Stamm erscheint auch in anderen Wörtern, die vereinzelte, herausragende Dinge bezeichnen, z. B. *Mindolluin, Mindon*; wahrscheinlich verwandt ist Quenya *minya*, ›erst-‹ (vgl. *Tar-Minyatur*, Elros' Name als erster König von Númenor).

mîr ›Juwel‹ (Quenya *míre*), in *Elemmíre, Gwaith-i-Mírdain, Míriel, Nauglamír, Tar-Atanamir.*

mith ›grau‹, in *Mithlond, Mithrandir, Mithrim*; auch in *Mitheithel*, dem Fluß in Eriador (eigentlich ›Grauquell‹; in der deutschen Ausgabe des *Herrn der Ringe* als ›Weißquell‹ bezeichnet).

mor ›dunkel‹, in *Mordor, Morgoth, Moria, Moriquendi, Mormegil, Morwen* usw.

moth ›Dämmer‹, in *Nan Elmoth.*

nan(d) ›Tal‹, in *Nan Dungortheb, Nan Elmoth, Nan-tathren.*

nar ›Feuer‹, in *Narsil, Narya*; tritt auch in den ursprünglichen Formen von *Aegnor* (*Aikanáro*, ›scharfe Flamme‹, ›wildes Feuer‹) und *Feanor* auf (*Feanáro*, ›Feuergeist‹). Die Sindarin-Form war *naur*, so in *Sammath Naur*, den Feuerkammern auf dem Orodruin. Von derselben alten Wurzel *(a)nar* war der Name der Sonne abgeleitet, Quenya *Anar* (auch in *Anárion*), Sindarin *Anor* (z. B. *Minas Anor, Anórien*).

naug ›Zwerg‹, in *Naugrim*; vgl. auch *Nogrod* (unter dem Stichwort *groth*). Verwandt ist ein anderes Sindarin-Wort für ›Zwerg‹, *nogoth*, Plural *noegyth* (*Noegyth Nibin*, ›die Kleinzwerge‹) und *nogothrim.*

-(n)dil sehr häufige Endung von Personennamen: *Amandil, Earendil* (Kurzform *Earnil*), *Elendil, Mardil* usw.; es bedeutet ›Hingabe, uneigennützige Liebe‹ (vgl. *Mardil* unter *bar*).

487

-(n)dur in Namen wie *Earendur* (Kurzform *Earnur*) ist von ähnlicher Bedeutung wie *-(n)dil*.

neldor ›Buche‹, *Neldoreth*; es scheint jedoch, daß dies eigentlich der Name Hírilorns war, der großen Buche mit den drei Stämmen (*nelde*, ›drei‹, und *orn*).

nen ›Wasser‹, gebraucht für Seen, Teiche und kleinere Flüsse, in *Nen Girith, Nenning, Nenuial, Nenya; Cuiviénen, Uinen;* auch in vielen Namen im *Herrn der Ringe,* so in *Nen Hithoel, Bruinen, Emyn Arnen, Núrnen, Nîn,* ›naß‹, in *Loeg Ningloron;* auch in *Nindalf.*

nim ›weiß‹ (aus dem älteren *nimf, nimp*), in *Nimbrethil, Nimloth, Nimphelos, niphredil* (*niphred,* ›Blässe‹), *Barad Nimras, Ered Nimrais.* Die Quenya-Form war *ninque;* also *Ninquelóte = Nimloth;* vgl. auch *Taniquetil.*

orn ›Baum‹, in *Celeborn, Hírilorn;* vgl. *Fangorn,* ›Baumbart‹, und *mallorn,* Plural *mellyrn,* die Bäume von Lothlórien.

orod ›Berg‹ in *Orodruin, Thangorodrim; Orocarni, Oromet.* Plural *ered,* in *Ered Engrin, Ered Lindon* usw.

os(t) ›Festung‹, in *Angrenost, Belegost, Formenos, Fornost, Mandos, Nargothrond* (aus *Narog-ost-rond*), *Os(t)giliath, Ost-in-Edhil.*

palan (Quenya) ›weit und breit‹, in *palantíri, Tar-Palantir.*

pel- ›ringsum‹, in *Pelargir, Pelóri* und dem *Pelennor,* dem ›umhegten Land‹ von Minas Tirith; auch in *Ephel Brandir, Ephel Dúath* (*ephel* aus *et-pel,* ›Außenzaun‹).

quen- (quet-) ›sagen, sprechen‹, in *Quendi (Calaquendi, Laiquendi, Moriquendi), Quenya, Valaquenta, Quenta Silmarillion.* Die Sindarin-Formen weisen anstelle des *qu p* (oder *b*) auf; z. B. *pedo,* ›sprich‹, in der Inschrift am Westtor von Moria, entsprechend dem Quenya-Stamm *quet-,* und Gandalfs Worte vor dem Tor, *la-*

sto beth lammen, ›höre die Worte meiner Zunge‹, worin *beth,* ›Wort‹, gleichbedeutend ist mit Quenya *quetta.*

ram ›Wall, Mauer‹ (Quenya *ramba*), in *Andram, Ramdal;* auch in *Rammas Echor,* die Mauer um die Pelennor-Felder bei Minas Tirith.

ran- ›wandern, schweifen‹, in *Rána,* der Mond, und *Mithrandir, Aerandir;* auch in dem Flußnamen *Gilraen* in Gondor.

rant ›Lauf‹, in den Flußnamen *Adurant* (mit *adu,* ›doppelt‹) und *Celebrant* (›Silberlauf‹).

ras ›Horn‹, in *Barad Nimras,* auch in *Caradhras* (›Rothorn‹) und *Methedras* (›letzter Gipfel‹) im Nebelgebirge; Plural *rais,* in *Ered Nimrais.*

rauko ›Dämon‹, in *Valaraukar;* Sindarin *raug, rog,* in *Balrog.*

ril ›Schimmer‹, in *Idril, Silmaril;* auch in *Andúril* (Aragorns Schwert) und in *mithril* (Moria-Silber). Idrils Name lautete in der Quenya-Form *Itarille* (oder *Itarilde*), aus einem Stamm *ita-,* ›funkeln‹.

rim ›große Zahl, Schar‹ (Quenya *rimbe*) wurde gewöhnlich zur Bildung von Plural- und Sammelbegriffen gebraucht, so *Golodhrim, Mithrim* (vgl. Index), *Naugrim, Thangorodrim* usw.

ring ›kalt, frostig‹, in *Ringil, Ringwil, Himring;* auch *Ringló,* der Fluß in Gondor, und *Ringare,* der Quenya-Name des letzten Monats im Jahr (*Der Herr der Ringe,* Anhang D).

ris ›spalten‹, scheint sich mit dem in der Bedeutung ähnlichen Stamm *kris-* vermischt zu haben (abgeleitet aus der Wurzel *kir-,* vgl. ebd., ›spalten, schneiden‹; von daher *Angrist* (vgl. auch *Orcrist,* ›Ork-Spalter‹, das Schwert Thorin Eichenschilds), *Crissaegrim, Imladris.*

roch ›Pferd‹ (Quenya *rokko*), in *Rochallor, Rohan* (aus *Rochand,* Pferdeland), *Rohirrim;* auch in *Roheryn,* ›Pferd der Herrin‹ (vgl. *heru*), Aragorns Pferd, das so genannt wurde, weil Arwen es ihm gegeben hatte (*Die Rückkehr des Königs,* V, 2).

rom- Ein Stamm, der den Klang der Trompeten und Hörner bezeichnet und in *Orome* und *Valaróma* erscheint; vgl. Béma, Oromes Name in der Sprache von Rohan, ins Angelsächsische übersetzt im *Herrn der Ringe*, Anhang A, II: angelsächsisch *beme*, ›Trompete‹.

rómen ›Aufgang (der Sonne), Osten‹ (Quenya) in *Rómenna*. Die Sindarin-Wörter für ›ost‹, *rhûn* (in *Talath Rhúnen*) und *amrûn* waren vom gleichen Ursprung.

rond bezeichnete ein gewölbtes oder bogenförmiges Dach oder ein auf diese Weise überdachtes großes Bauwerk; so in *Nargothrond* (vgl. *ost*) *Hadhodrond, Aglarond*. Es konnte auch auf den Himmel bezogen werden, von daher der Name *Elrond*, ›Sternenkuppel‹.

ros ›Schaum, Gischt, Sprühregen‹, in *Celebros, Elros, Rauros*; auch in *Cair Andros*, eine Insel im Anduin.

ruin ›rote Flamme‹ (Quenya *rúnya*), in *Orodruin*.

rûth ›Zorn‹, in *Aranrúth*.

sarn ›(kleiner) Stein‹, in *Sarn Athrad* (*Sarn-Furt* am Brandywein ist dazu eine Halb-Übersetzung); auch in *Sarn Gebir* (›Stein-Riffe‹: *ceber*, Plural *cebir*, ›Pflöcke‹), Stromschnellen im Anduin. Davon abgeleitet ist *Serni*, ein Flußname in Gondor.

sereg ›Blut‹ (Quenya *serke*), in *seregon*.

sil- (mit der Variante *thil-*) ›leuchten‹ (mit weißem oder silbernem Licht), in *Belthil, Galathilion, Silpion* sowie in Quenya *Isil*, Sindarin *Ithil*, der Mond (von daher *Isildur, Narsil; Minas Ithil, Ithilien*). Das Quenya-Wort *Silmarilli* soll sich von *silima* herleiten, dem Namen, den Feanor dem Stoff gab, aus dem die Silmaril geschaffen waren.

sîr ›Fluß‹, aus der Wurzel *sir-*, ›fließen‹, in *Ossiriand* (das erste Element vom Stamm des Zahlworts ›sieben‹, Quenya *otso*, Sindarin *odo*), *Sirion*; auch in *Sirannon* (›Torbach‹ von Moria) und *Sirith* (›ein Fließender‹, wie *tirith*, ›ein Wachender‹, von *tir*), ein Fluß in Gondor. Mit Wechsel von *s* zu *h* in der Wortmitte in *Minhiriath*,

›zwischen den Flüssen‹, das Gebiet zwischen Brandywein und Grauflut; in Nanduhirion, dem ›Tal der dunklen Bäche‹ oder Schattenbachtal (vgl. *nan[d]* und *dú*); und in *Ethir Adnuin,* dem Anduin-Delta (aus *et-sîr*).

sûl ›Wind‹, in *Amon Sûl, Súlimo*; vgl. *súlime,* Quenya-Name des dritten Jahresmonats (*Der Herr der Ringe,* Anhang D).

tal (dal) ›Fuß‹, in *Celebrindal*; mit der Bedeutung ›Ende‹ in *Ramdal.*

talath ›Flachland, Ebene‹, in *Talath Dirnen, Talath Rhúnen.*

tar- ›hoch‹ (Quenya *tára,* ›luftig‹), Präfix in den Quenya-Namen der númenóroischen Könige; auch in *Annatar.* Femininum *tári,* ›hohe Frau, Königin‹, in *Elentári, Kementári.* Vgl. *tarma,* ›Pfeiler‹, in *Meneltarma.*

tathar ›Weidenbaum‹; Adjektiv *tathren* in *Nan-tathren*; Quenya *tasare* in *Tasarinan, Nan-tasarion* (vgl. *Nan-tathren* im Index).

taur ›Wald‹ (Quenya *taurë*), in *Tauron, Taur-im-Duinath, Taur-nu-Fuin.*

tel- ›Schluß, Ende, der Letzte sein‹, in *Teleri.*

thalion ›stark, furchtlos‹, in *Cúthalion, Thalion.*

thang ›Unterdrückung‹, in *Thangorodrim,* auch in *Durthang* (eine Burg in Mordor). Quenya *sanga* bedeutete ›drücken, drängen‹, von daher *Sangahyando,* ›Gedränge-Spalter‹, als Name eines Mannes in Gondor (*Der Herr der Ringe,* Anhang A, I, 4).

thar- ›querüber, hindurch‹, in *Sarn Athrad, Thargelion*; auch in *Tharbad* (von *thara-pata,* ›Übergang‹), wo die alte Straße von Arnor und Gondor die Grauflut überquerte.

thaur ›widerwärtig, abscheulich‹, in *Sauron* (aus *Thauron*), *Gorthaur.*

thin(d) ›grau‹, in *Thingol*; Quenya *sinda* in *Sindar, Singollo* (*Sindacollo: collo,* ›Mantel‹).

thôl ›Helm‹, in *Dor Cúarthol, Gorthol.*

thôn ›Kiefer‹, in *Dorthonion.*

thoron ›Adler‹, in *Thorondor* (Quenya *Sorontar*), *Cirith Thoronath*. Die Quenya-Form ist vielleicht vorhanden in dem Namen des Sternbildes *Soronúme*.

til ›Spitze, Horn‹, in *Taniquetil, Tilion* (›die Gehörnte‹); auch in *Celebdil*, ›Silberzacken‹, Name eines Bergs bei Moria.

tin- ›funkeln‹ (Quenya *tinta*, ›funkeln machen‹, *tinwe*, ›Funke‹), in *Tintalle*; auch in *tindóme*, ›Sternen-Zwielicht‹ (*Der Herr der Ringe*, Anhang D), von daher *tindómerel*, ›Tochter der Dämmerung‹, ein poetischer Name für die Nachtigall (Sindarin *Tinúviel*). Es erscheint auch in Sindarin *ithildin*, ›Sternenmond‹, der Stoff, aus dem die Zeichen am Westtor von Moria gemacht waren.

tir ›wachen, beobachten‹, in *Minas Tirith, palantíri, Tar-Palantir, Tirion*.

tol ›Insel‹ (mit steilen Ufern aus dem Meer oder einem Fluß aufsteigend), in *Tol Eressea, Tol Galen* usw.

tum ›Tal‹, in *Tumhalad, Tumladen*; Quenya *tumbo* (vgl. Baumbarts *tumbalemorna*, ›schwarzes, tiefes Tal‹, *Die zwei Türme*, III, 4). Vgl. *Utumno*, Sindarin *Udûn* (Gandalf nannte in Moria den Balrog ›Flamme von Udûn‹), ein Name, der später für das tiefe Tal zwischen dem Morannon und Isenmünde in Mordor gebraucht wurde.

tur ›Kraft, Meisterschaft‹, in *Turambar, Turgon, Túrin, Feanturi, Tar-Minyatur*.

uial ›Zwielicht, Dämmerung‹, in *Aelin-uial, Nenuial*.

ur- ›Hitze, heiß sein‹, in *Urulóki*; vgl. *Urime* und *Urui,* Quenya- und Sindarin-Name des achten Jahresmonats (*Der Herr der Ringe*, Anhang D). Verwandt ist das Quenya-Wort *aure*, ›Sonnenlicht, Tag‹ (vgl. Fingons Ausruf vor der Nirnaeth Arnoediad), Sindarin *aur*, das in der Form *Or-* das Präfix zu den Namen der Wochentage bildet.

val- ›Macht‹, in *Valar, Valacirca, Valaquenta, Valaraukar, Val(i)mar,*

Valinor. Der ursprüngliche Stamm war *bal-*, erhalten in Sindarin *Balan*, Plural *Belain*, die Valar, sowie in *Balrog*.

wen ›Mädchen‹, eine häufige Endung, so in *Earwen, Morwen*.
wing ›Schaum, Gischt‹, in *Elwing, Vingilot* (nur und in diesen beiden Namen).

yáve ›Frucht‹ (Quenya), in *Yavanna*; vgl. *Yavannië*, Quenya-Name des neunten Jahresmonats, und *yávië*, ›Herbst‹ (*Der Herr der Ringe*, Anhang D).

Hobbit Presse bei Klett-Cotta

Michael de Larrabeiti:
Die Borribles
Aus dem Englischen von Joachim Kalka
3 Bände, zus. 1172 Seiten, broschiert, ISBN 3-608-87508-5

Lord Dunsany:
Die Königstochter aus Elfenland
Aus dem Englischen von Hans Wollschläger
283 Seiten, broschiert, ISBN 3-608-87519-0

George MacDonald:
Lilith
Aus dem Englischen von Uwe Herms
347 Seiten, broschiert, ISBN 3-608-87515-8

J. R. R. Tolkien:
Das Silmarillion
Herausgegeben von Christopher Tolkien.
Aus dem Englischen von Wolfgang Krege
400 Seiten, 1 Karte, broschiert, ISBN 3-608-87520-4

J. R. R. Tolkien:
Nachrichten aus Mittelerde
Herausgegeben von Christopher Tolkien.
Aus dem Englischen von Hans J. Schütz
603 Seiten, Karten, broschiert, ISBN 3-608-87501-8

T. H. White:
Der König auf Camelot
Aus dem Englischen von Rüdiger Rocholl
zus. 637 Seiten, broschiert, ISBN 3-608-87509-3
Band 1: 304 Seiten, ISBN 3-608-87504-2
Band 2: 333 Seiten, ISBN 3-608-87505-0